Elwyn a Rhiannon Parry.
79, Parc yr Hafod,
Yr Wyddgrug.

Awst 2010.

Grace Roberts

ADENYDD GLÖYN BYW

ENILLYDD GWOBR GOFFA DANIEL OWEN
EISTEDDFOD GENEDLAETHOL CYMRU
BLAENAU GWENT A BLAENAU'R CYMOEDD 2010

—ɯ—

Gomer

Cyhoeddwyd yn 2010 gan
Wasg Gomer, Llandysul, Ceredigion SA44 4JL

ISBN 978 1 84851 290 0

Dymuna'r cyhoeddwyr gydnabod cymorth
Cyngor Llyfrau Cymru.

Cyhoeddwyd ac argraffwyd yng Nghymru
ar ran Llys Eisteddfod Genedlaethol Cymru gan
Wasg Gomer, Llandysul, Ceredigion SA44 4JL

I
Dennis,
Endaf,
Gronw a Kerry,
ac er cof am
Dafydd Eilian

Carwn ddiolch:

    i'r beirniaid am eu sylwadau a'u hawgrymiadau;

    i Aled Islwyn am olygu gyda thrylwyredd a chydymdeimlad. Os erys brychau, fi fy hun sy'n gyfrifol amdanynt;

    i staff a chyn-staff Gwasg Gomer am eu cymorth;

    i bawb a'm cynorthwyodd gyda gwaith ymchwil ar fyd addysg, yn arbennig Laura, Kerry, Mona a Gwilym.

    Diolch hefyd i bawb a'm hanogodd i geisio ailddechrau ysgrifennu ar ôl cyfnod hir o iselder ysbryd a chwalfa nerfol. Gadael i'r stori hon redeg yn wyllt fu'r hwyl a'r therapi gorau a gefais!

PROLOG

'O Nain! Sbiwch del!'

Roedd y glöyn byw newydd hedfan i mewn i'r gegin gefn drwy'r ffenest agored, ac yn hofran ar adenydd lliwgar uwchben y plât tost ar y bar brecwast.

'Ella'i fod o'n ddel, 'mechan i, ond trychfil ydi o 'run fath, yr un mor ych-a-fi â chacynan neu bry chwythu neu dröell fy nain. Be ŵyr rhywun lle mae o wedi bod?' Chwifiodd Nain ei dwylo i hysio'r glöyn byw i ffwrdd.

'Dim ond ar floda...' Troes yr eneth at ei mam am gadarnhad. ''Te Mam?'

'Anodd dychmygu peth bach mor hardd yn ymdrybaeddu mewn baw gwartheg,' atebodd honno, 'ond pwy ŵyr...?' Cododd ei hysgwyddau a'i haeliau.

'Ma glöynnod byw'n yfad pi-pi ac yn byta cyrff anifeiliaid marw,' meddai Nain. 'Does wbod pa haint alla hwnna ada'l ar 'i ôl tasa fo'n glanio ar y tost 'na.'

'Dwi'm yn coelio chi! Mae o lot rhy ddel...'

'Arwynebol ydi del, mei-ledi, er mor anodd ydi troi cefn arno fo. Rŵan, anghofia'r glöyn byw. Fydda'n well i ti gychwyn. Cynta'n y byd yr ei di, cynta'n y byd y cei di wbod, a dy fam a finna yn dy sgil di.'

'Ofn bod fi 'di gneud tracd moch, ia Nain?' Winciodd yr eneth ar ei mam.

'Be haru ti'r jolpan? Hegla hi!'

Chwarddodd ei hwyres, cydio yn ei phwrs a'i ffôn, a sgrialu allan drwy'r drws. Aeth y glöyn byw i'w chanlyn, ar adenydd, llachar, brau...

PROLOG

1

'Wow! STONCAR!'

Rhuthrodd Eira Mai i'r gegin fyw'n un corwynt a'i hyrddio'i hun ar y soffa'n flêr, ei choesau heglog yn dylifo o'i throwsus cwta, yn hir ac yn siapus ac yn lliw haul drostynt. Gyda gwên fel lleuad-dal-cawod ar ei hwyneb, ysgydwodd ei phen yn anghrediniol.

'Boi, O! Boi!' ebychodd.

'Os ca' i ofyn, Eira Mai, be gebyst ydi stoncar?' gofynnodd ei nain.

'Pishyn i chi, Mam,' meddai Rhiannon, heb dynnu ei llygaid oddi ar ei nodiadau gwaith. 'Mi *alla* fod yn chwip o ddilledyn neu gar neu gân bop, ond dwi'n meddwl medrwn ni gymryd yn ganiataol mai am ddyn ma *hi*'n sôn.'

'O, deuda di.' Edrychodd Megan yn gyhuddgar ar ei hwyres. 'Nôl dy ganlyniada AS roeddat ti i fod, Eira Mai, ddim hel dynion. Ma dy fam a finna wedi bod ar biga'r drain ers meitin yn dy ddisgwl di adra. Pam na fasat ti wedi ffonio?' Lledodd y wên-leuad-gorniog eto.

'Sorri, Nain. Well i fi roid chi allan o'ch poen 'ta. Gradd A yn y pump.'

'Chwara teg i ti, hogan…' Chafodd Megan ddim cyfle i'w llongyfarch ymhellach. Torrodd Eira ar ei thraws yn gynhyrfus.

'Ia, ond be sy'n bwysicach ydi…ga' i neud Drama flwyddyn nesa rŵan – yn ysgol ni.'

'Be?' gofynnodd Rhiannon. 'Ydyn nhw wedi cael athrawes yn lle Mrs Peters?' Bownsiodd Eira ar y soffa.

'Athro, Mam. Y stoncar! Mr Oliver 'di enw fo a mae o'n syth o'r coleg, dwi'n meddwl.'

'Dim profiad?' gofynnodd Megan yn amheus. Neidiodd direidi i lygaid gleision Eira Mai a daeth chwerthiniad i'w llais.

'Dwi'm yn gwbod am hynny chwaith,' meddai.

'Eira!' ceryddodd Rhiannon, ond gwyddai Eira wrth y goglais yn ei llygaid ei bod yn adnabod ei merch yn rhy dda i fod yn flin. 'Ydyn nhw wir yn teimlo bod hogyn ifanc heb ddim profiad dysgu'n mynd i fedru d'wthio di a dy fêts drwy arholiada'r Safon Uwch?'

'Mmm.' Cydiodd Eira mewn afal o'r ddysgl ar y bwrdd coffi a dechrau cnoi'n galed. *High flyer* medda Mrs Peters. Ar ôl i ni'll tri siarad am dipyn er mwyn iddo fo ga'l y jen arno fi, dda'th Math Miws i' nôl o, felly a'th o, a ges *i* jians i ga'l y jen arna *fo* gin Mrs P. Neuthon nhw gyfweld o mis Gorffennaf, medda hi, ar ôl i fi orffan egsams AS a dechra gweithio. Oeddan nhw wedi gwrthod rhai o'r blaen so ma raid bod hwn 'di plesio.' Gwenodd. 'Blesiodd o fi, eniwê!' Gwgodd Megan arni.

'Eira Mai! Cofia di mai *athro* fydd o...'

'Wn i, Nain, dwi'n gaddo,' meddai Eira dan chwerthin. ''Na i feddwl am Mr Oliver fel tasa fo'n Justin Timberlake neu Gruff Rhys neu Jakokoyak.' Troes Megan at Rhiannon ac ysgwyd ei phen.

'Am be ma hon yn paldaruo, dywad?' Gwenodd Rhiannon.

'Johnny Depp...Colin Firth...Ioan Gruffydd...' Gwyddai mai dramâu teledu a DVDs o ffilmiau a gadwai Megan yn ddiddig. 'Del – ond tu hwnt i gyrraedd.'

'Reit.' Pendronodd Megan am eiliad. 'Fel hen greaduras ar gyrra'dd oed yr addewid, dwi'n medru dallt hynny o leia!' Neidiodd Eira ar ei thraed a lluchio'i breichiau am wddf Megan.

'O Nain! Dach chi'n anhŷg! Dach chi ddim *past it*, 'chi. Go-wir rŵan.' Datglymodd Megan ei hun o'i gafael.

'Paid â malu'r hulpan! Ond howld on am funud. Tydi dy Fistar Oliver di ddim wedi dechra yn yr ysgol 'na eto, felly be' oedd o'n...?'

'Oeddan nhw wedi cynnig iddo fo ddŵad acw i ga'l canlyniada AS – i ga'l gwbod sut giang fydd gynno fo a gweld y stiwdio ddrama a ballu.'

'Dwi'n falch bod acw athro newydd, beth bynnag,' meddai Rhiannon. 'Mae o'n llawn digon o grwydro gorfod mynd i Ysgol Daniel Edwards am dy Dechnoleg Gwybodaeth o dan y system ryfadd 'ma. Tasa Drama yn un o'r lleill hefyd...'

'Na. Ysgol Gwenoro 'di ysgol Drama 'di bod o'r dechra achos bod Mrs Peters mor dda. A dw'n siŵr fydd hwn yn dda 'fyd. Mae o'n actor, medda Mrs Peters, rîli'n actor.'

'A ddaru o actio'n o glên hefo chdi, Eira Mai?' gofynnodd ei nain. 'Medru gneud yn dda hefo fo, dyna sy'n bwysig.'

'Fues i i'm yn siarad lot efo fo, Nain. Erbyn i fi ddisgwl Meic odd'ar bỳs Brynia oeddan ni dipyn bach yn hwyr. Oedd Math a fo ar gychwyn i weld yr ysgol pan gyrhaeddon ni. Na'th Math llongyfarch fi ar canlyniad Cerdd fi a deud welith o fi mis Medi a na'th o gyflwyno fi i Mr Oliver fel un o blwyddyn un deg tri Drama fo, hefo Guto a Sioned. Adag honno dda'th o at Mrs Peters i ga'l dipyn o jen arna fi!'

'Eira!' ochneidiodd Rhiannon. 'Dwi'n gwbod bod y stoncar 'ma wedi dy gynhyrfu di'n lân, ond tria gofio sut ma siarad Cymraeg, nei di?'

'Sorri, Mam. Dwi'n sgwennu fo'n iawn 'sti. Tafod fi... fy nhafod i sy'n rhedag o flaen... fy mhen i,' gorffennodd Eira'n ofalus.

'Callia, nei di! Dwi'n gobeithio na 'nest ti ddim glafoerio dros y dyn 'ma o flaen Meic druan!'

'Naddo siŵr, Mam! A gafodd Meic ddau B a dau C, diolch i chi am ofyn!'

'Chawson ni fawr o gyfla,' meddai Megan. 'Mi fydd 'na ddathlu mawr heno, beryg.'

'Delyn Aur,' meddai Eira. 'Nei di nôl ni adra, Mam? Fydd Meic yn aros yma. Iesgob, dwi'n llwgu!' Ar hynny diflannodd i'r gegin i chwilio am damaid o ginio.

Yn ôl yn ei 'thŷ nain' o dan yr unto â'r ffermdy lle'r ymgartrefai Rhiannon ac Eira, aeth Megan hithau ati i baratoi cinio. Fe wnâi wy ar dost y tro; fe goginiai stiw cig oen a thatw stwnsh ar gyfer y tair ohonynt at heno. Byddai angen leinio'i stumog ar Eira Mai rhag ofn i'r dathlu fynd dros ben llestri. Ddylai'r eneth ddim yfed o gwbl, wrth gwrs, gan mai dwy ar bymtheg oedd hi. Petai Megan ei hun wedi rhoi cymaint â bawd ei throed dros drothwy tafarn erstalwm, buasai ei thad wedi hanner ei llindagu, a'i mam, fyddai bob amser mor agos i'w lle, wedi ei siomi a'i brifo i'r byw. Pe bai ei mam ond wedi cael ei harbed am flwyddyn neu ddwy arall...

Bob tro yr âi Eira allan gyda'r criw teimlai Megan ar binnau rhag ofn i ryw drychineb ddigwydd: cael ei dal yn llymeitian dan oed, syrthio a tharo'i phen, damwain car...Byddai'r senario'n gwaethygu fel y dirwynai'r min nos. Ond adref yn ddiogel y daethai ei hwyres bob tro hyd yn hyn, a'i chariad, Meic, gyda hi'n bur aml. Dyna sefyllfa arall a barai bryder i Megan. Gwyddai fod y ddau'n cysgu gyda'i gilydd, a Rhiannon yn derbyn hynny. Nid Meic oedd y cynta chwaith. Mi fu yna ryw Ddafydd pan oedd hi ond prin wedi troi un ar bymtheg, a wedyn y Tim hwnnw...Roedd Megan wedi mentro crybwyll ei hanniddigrwydd wrth Rhiannon unwaith.

'Wyt ti o ddifri'n fodlon i Eira a'r hogyn yna gysgu hefo'i gilydd? Ynta dim ond godda'r peth wyt ti?'

'Mam,' atebodd Rhiannon yn ei ffordd dawel ei hun, 'cysgu hefo 'nghariad 'nes inna hefyd 'te? Rhagrith fasa'i rhwystro hi.'

'Ac edrycha'r trybini doist ti iddo fo!'

Yn naturiol, gwirionai Megan ar Eira Mai. Ond y peth olaf a ddisgwyliai ddeunaw mlynedd yn ôl oedd i Rhiannon gyhoeddi ei bod yn feichiog ar ddechrau ei blwyddyn gyntaf o waith ymchwil yn y brifysgol, ac ni allai yn ei byw ei rhwystro'i hun rhag teimlo'n ddig wrthi. Bu'r ergyd yn un ddwbwl: yn un peth, roedd hi wedi meddwl iddi lwyddo i drosglwyddo'r safonau a gawsai hi ei hun gan ei mam i Rhiannon. Yn foesol, yn gymdeithasol ac yn grefyddol, roedd Mary Davies yn Gristion o'r iawn ryw. Ei phregeth bob amser fyddai 'Gwnewch i eraill fel y mynnech i eraill ei wneud i chwi': parch at bobl, dim gair drwg am neb, peidio bod yn dan din, cydymdeimlo â gwendidau'r hil ddynol…O feddwl, hwyrach y buasai ei mam wedi bod yn fwy trugarog tuag at Rhiannon nag y bu hi. Oherwydd allodd Megan ei hun ddim cadw'n gaeth at y ddelfryd bob amser. Roedd elfen o'i thad ynddi, yn anffodus: diffyg amynedd, diffyg goddefgarwch, ond nad oedd y rheini lawn mor eithafol ynddi hi ag yn ei thad. Ar y llaw arall, roedd hefyd wedi etifeddu gras achubol ei thad, ei synnwyr digrifwch. Hwnnw, mwy na thebyg, yn ogystal â'i lygaid brown deniadol, a fu'n fodd i swyno'i mam erstalwm.

Eto, dynes ei chyfnod a'i chefndir oedd ei mam, fel y mwyafrif o bobl. Ac un peth na allai'r cyfnod na'r cefndir ymdopi ag ef oedd trafod rhyw a'i gysylltiadau. Cofiai Megan y pnawn hwnnw o wanwyn yn yr ysgol fach pan oedd hi'n un ar ddeg oed. Roedd hi wedi dechrau teimlo'n rhyfedd a gofynnodd am gael mynd i'r lle chwech. Ar ôl croesi'r cowt ac eistedd ar y sêt gwelodd waed ar ei nicyrs. Sôn am ddychryn! Meddwl ei bod yn cael hemrej fel yr un a gafodd ei mam pan oedd Megan tua saith. Dychrynodd ei mam yr adeg honno hefyd; bu'n crio bob hyn a hyn am fisoedd wedyn ac yn mwytho gwallt Megan. Flynyddoedd yn ddiweddarach y sylweddolodd Megan pam. Pan ddaeth amser mynd adref o'r ysgol y pnawn hwnnw o Fai rhuthrodd ar hyd y llwybr er bod ei bol yn bynafyd.

'Mam, Mam, ma 'mhen-ôl i'n gwaedu!' Daeth sioc i lygaid ei mam.

'Bobol mawr! Twyt ti rioed wedi dechra'n barod?'

'Dechra be, Mam? Ma 'mol i'n brifo.' A'r dagrau ar fin goferu.

'Paid â phoeni, 'nghariad i. Aros am funud.' Diflannodd Mary i fyny'r grisiau a dod i lawr gyda rhyw fath o gadach a nicyr glân iddi. 'Yli, dos i newid dy flwmar rŵan, a doro hwn y tu mewn iddo fo i'w arbad o. Dyna hogan iawn. Mi 'na i banad.'

Pan ddaeth Megan i lawr o'r llofft, roedd y baned yn barod, a sgons hefo hi ar liain blodeuog ar y bwrdd.

'Stedda'n fama.' Carthodd ei mam ei gwddw. 'Yli…tydi'r gwaedu 'ma'n ddim byd i boeni amdano fo. Mae o'n rwbath sy'n digwydd i ferchaid unwaith y mis. Jest nad ydi'r rhan fwya o genod ddim yn dechra mor ifanc, ti'n gweld. Doeddwn i ddim yn disgwl…Fasat ti'n lecio mymryn o jam ar y sgons 'ma?'

A dyna ddiwedd ar hynny, a thaw ar bob trafodaeth arall am ryw, ar wahân i ambell rybudd yn ddiweddarach i fod yn 'hogan dda', rhybudd annealladwy i eneth dair ar ddeg nad oedd ond yn dechrau tyfu'n llances a sylwi ar hogiau. Bu raid i Megan bigo'i gwybodaeth fan hyn a man draw, oddi ar ei ffrindiau'n bennaf, heb fod ganddi unrhyw syniad sut i hidlo'r gwir oddi wrth y gau a'r ofergoelus. Cofiai iddi heb yn wybod iddi rywsut gael ar ddeall nad yn sgil cwsberis ar y llwyni y dôi babis, nac o'r hesg, fel Moses. Deallodd o ble y doent, do, ond nid sut yr aent yno. Ddim tan y noson honno o Fawrth pan gerddai criw ohonynt adref o'r Band o' Hôp, y criw arferol o laslanciau a llancesi a drigai ychydig y tu allan i ffiniau Llanwenoro. Roedd hi'n llwyd-dywyll, heb ddim ond llygedyn o oleuni o ffenest ambell fferm i sirioli'r gwyll wedi iddynt adael y Stryd Fawr. Ond gwyddai eu rhieni eu bod yn hollol saff yng nghwmni ei gilydd.

'Hei, Meg bach.' Daeth Glyn Tan Dderwen at ei hochr, a rhyw hen wên awgrymog ar ei wyneb. Yn sydyn stwffiodd ei fys drwy dwll botwm ei gôt a'i ddal dan ei thrwyn. Cofiai iddi sbio'n wirion arno; troes ei wên yntau'n grechwen.

'Twyt ti ddim yn dallt, nac wyt, y llipran?'

'Ydw, mi ydw i!'

'Paid â'u palu nhw! Doro i mi ddangos i ti.' Â'r lleill yn chwerthin ac yn porthi, canfu Megan ei hun yn cael ei llusgo i lawr lôn Tŷ'n Gamfa ac i gysgod y gwrych. Pan welodd hi Glyn yn ymbalfalu hefo botymau ei falog gwawriodd arwyddocâd y bys a'r twll botwm arni'n hollol ddigymell. Rhoddodd gic iawn iddo yn ei grimog, cic fel cic mul, un y gwyddai iddo'i chael. Swniai dirmyg y lleill pan herciodd Glyn allan i'r lôn fawr fel miwsig i'w chlustiau. Doedd Megan Tŷ'n Rardd ddim mor ddi-glem ag y tybient! Ond siawns na cheid ffyrdd gwell i loffa gwybodaeth am ffeithiau bywyd, a hwyrach nad oedd cwmni hen ffrindiau mor ddiogel ag y tybiai ei mam chwaith.

Yna, pan oedd Megan yn bedair ar ddeg oed a'i brawd Iori'n naw, bu farw'u mam. Flynyddoedd yn ddiweddarach, daeth Megan ar draws tystysgrif marwolaeth Mary. Canser ceg y groth oedd ei gwaeledd. Deallai Megan na fyddai ei mam byth wedi gallu mynd at y meddyg gyda symtomau o'r fath. Aeth yn rhy hwyr arni; gadawodd ei theulu bach yn llawn galar. A bywyd ei merch yn chwalfa.

Canlyniad holl gyfrinachedd a thabŵ awyrgylch y cyfnod fu rhoi'r argraff i Megan mai rhyw, ac yn arbennig cael babi y tu allan i briodas, oedd y pechod yn erbyn yr Ysbryd Glân: y peth gwaethaf a mwyaf cywilyddus a allai ddigwydd iddi. Cofiai ferch nad oedd ond rhyw bum mlynedd yn hŷn na hi'n cael ei thorri allan o'r seiat. Er mawr ddryswch i Megan cafodd ei derbyn yn ôl yn aelod yr un noson. Dim ond gyda phrofiad y blynyddoedd y daethai i amau mai gorfodaeth grefyddol, a grym arferiad efallai, a barodd i'r blaenoriaid ddiarddel y ferch yn y lle cyntaf. Clywodd yn ddiweddarach i wragedd rhai ohonynt fod yn yr un sefyllfa â'r eneth eu hunain yn y gorffennol. Gorffennol a rôi iddynt ddigon o gydymdeimlad â'r ferch i'w derbyn yn ôl i'r gorlan yn syth? Ynteu gorffennol a oedd bellach mor gudd yn ei niwl nes peri iddynt ymddwyn yn rhagrithiol?

Pan oedd Rhiannon yn ei harddegau, gofalodd Megan geisio bod yn onest ac yn agored gyda hi. Ond er ei gwaethaf, oherwydd ei chefndir, parodd hyn embaras iddi hi ei hun, a chan fod Rhiannon yn tueddu i fod yn ferch eithaf preifat, pur gyndyn fu ei hymateb hithau. Credai Megan iddi lwyddo i drosglwyddo'r neges nad peth i fod â chywilydd ohono oedd rhyw, ond mai doethach oedd ei gadw o fewn priodas. Gan roi sylw i'r ymarferol yn ogystal â'r moesol, mynnodd yn arbennig mai o fewn priodas y ceid yr amgylchiadau mwyaf manteisiol i fagu plant. Credai fod Rhiannon yn ddigon call i dderbyn hyn. Nes yr aeth hi'n feichiog…

Roedd rheswm arall hefyd pam y cafodd Megan gyfnod o fod yn flin gyda'i merch. Newydd raddio roedd Rhiannon, wedi ennill dosbarth cyntaf mewn Mathemateg a Chyfrifiadureg a'i rhieni mor falch ohoni. Cawsai ysgoloriaeth i wneud gwaith ymchwil ar gyfer gradd uwch. Ond cyn iddi ddechrau o ddifrif, sylweddolodd ei bod yn feichiog. A doedd dim gobaith am briodas: aethai ei chariad yn ôl i America neu rywle. Roedd Megan yn amau na chawsai hi ac Ifan wybod y stori i gyd o bell ffordd, ond doedd fawr o wahaniaeth. Hefo gŵr neu hebddo, difethwyd bywyd Rhiannon. Teimlai Megan ei hun ei bod yn methu'n lân â byw egwyddorion ei mam. Roedd yn amhosibl peidio â dal dig, a hynny at ei merch ei hun, ei hunig blentyn.

Gosodai Megan y bai am ei dicter yn gadarn ar gymeriad ei thad, John Davies. Roedd y diffyg goddefgarwch hwn yn y genynnau, ac ef oedd wedi ei drosglwyddo iddi. Ond pwysai rhagor o fai na hynny ar ysgwyddau ei thad. Yn ei dyddiau ysgol, roedd Megan ymhell o fod yn athrylith; serch hynny llwyddodd i 'basio'r sgolarship' i Ysgol Ramadeg Gwenoro. Er mai gweddol lewyrchus fu ei gyrfa yno, meddai ar allu arbennig mewn Gwyddoniaeth, a gwyddai y gallai ennill graddau rhesymol dda mewn o leiaf ddau bwnc Safon Uwch. Golygai hynny fod ganddi obaith cyrraedd prifysgol. Yn y dyddiau hynny, os llwyddai disgybl yn ddigon da i gael ei dderbyn, yna câi grant gan y Cyngor Sir. Pan ddywedodd Megan yn un ar bymtheg oed wrth ei thad ei bod am fynd i'r Chweched Dosbarth ac ymlaen i brifysgol er mwyn bod yn athrawes, syllodd yn anghrediniol arni. Anghofiai hi fyth mo'i eiriau.

'Fyddi di ddim angan B.Sc. i sychu tina babis. Dos i olchi'r llestri.'

Roddodd hi mo'r ffidil yn y to yn syth. Daliodd ati i swnian drwy wyliau'r haf, ond yn y diwedd digalonnodd a cholli pob gobaith, yn enwedig gan fod Iori'n dangos arwyddion o fod yn well sgolor na hi. Ac felly y bu. Iori gafodd goleg a gradd a swydd yn athro Bywydeg, ac aeth Megan i'r coleg technegol i ennill cymwysterau teipio a llaw-fer. Ei thynged hi fu slafio mewn swyddfa asiant tai am ddeng mlynedd neu fwy. Doedd ryfedd fod gweld Rhiannon yn afradu ei gallu a'i chyfle yn dân ar ei chroen.

Ochneidiodd Megan. Dros yr wy ar dost roedd ei meddwl wedi pontio blynyddoedd. A hynny oherwydd Eira Mai. Gwenodd. Roedd yr eneth *yn* gariad fach hefyd, yn ei holl ddireidi. Diolchodd i'r trugareddau fod y siom a gawsai yn Rhiannon wedi'i leddfu a'r dig tuag ati wedi cilio. Roedden nhw'n siŵr o ddiflannu, wrth gwrs, cyn sicred â'i bod yn fam iddi. Yn y bôn, roedd ganddi feddwl y byd o Rhiannon, ac o Eira. Hi fu mam Eira hefyd i bob pwrpas: ei gwarchod tra bu Rhiannon yn gorffen ei M.Phil., a pharhau i ofalu llawer am yr eneth fach er mwyn i Rhiannon gael sefydlu ei busnes cyfrifiadurol yn y cartref. Anodd fu cilio'n ôl fesul tipyn fel y gallai Rhiannon hefyd fwynhau'r profiad o fod yn fam. Yn y diwedd, ar ôl marw Ifan, a phan ddaeth Eira'n ddigon hen i fod angen lle ar wahân i astudio a thipyn o breifatrwydd, symudodd Megan i'r 'tŷ nain'. Lwc i Ifan fod mor hirben...

Ond doedd waeth iddi heb â chychwyn ar y trywydd hwnnw rŵan. Roedd hi wedi mwydro'i phen lawn digon, yn enwedig â'r potes cig oen yn disgwyl amdani. Byddai'n bryd llawer mwy blasus o'i baratoi'n gynnar a gadael iddo ffrwtian yn ara deg bach yn y popty ar wres isel nes bod y cig yn frau ac yn toddi yn y geg. Rhaid oedd llenwi bol Eira Mai cyn ei noson fawr. Cododd Megan a mynd i chwilio am foron a nionod.

2

Gorweddai Llion Rhys Oliver ar y gwely mewn ystafell ddiraen yng ngwesty'r Llew Coch, lle bwriadai dreulio'i ail noson. Rhwng bore o gyfarfod ag athrawon a disgyblion a cheisio cofio'u henwau, yna'r tro drwy'r ysgol amser cinio dan arweiniad Edward Mathias, yr athro Cerddoriaeth, a phrynhawn o drafod canlyniadau ar ôl hynny, roedd wedi blino'n lân. Wedi i'w ddiwrnod cyntaf ym myd addysg ddod i ben, gallodd fwstro digon o nerth i fynd i swyddfa unig asiant tai'r dref i chwilio am daflenni ar dai a fflatiau gosod yn y cyffiniau, ond teimlai'n llawer rhy gysglyd i'w hastudio'n iawn. Gorweddent ar wasgar o'i amgylch ar gwilt y gwely.

Ar ben y cwilt y gorweddai yntau: roedd y fatres yn blincin caled! Oherwydd hynny, a meddwl am y diwrnod o'i flaen, ychydig iawn o gwsg a gawsai neithiwr. Hefyd buasai'r daith ar y trên o Lundain yn un flinedig ar ôl diwrnod o waith. Ond o leiaf roedd wedi trefnu i aros y tro hwn. Ar ddiwrnod ei gyfweliad fis Gorffennaf daethai i fyny i ogledd Cymru a dychwelyd yr un diwrnod. Lladdfa! Diolchodd i bennaeth yr amgueddfa ganiatáu iddo ddeuddydd o ryddid. Penderfynodd fod yn haerllug, a gofyn am ddeuddydd eto pan ddôi canlyniadau TGAU. Wedi'r cyfan, fyddai fawr o wahaniaeth pe bai'n cael ei gardiau: rhoesai rybudd ei fod yn gadael eisoes. Trueni, ar un wedd: roedd wedi mwynhau'r jobyn gwyliau fel tywysydd yn yr amgueddfa, er bod gwisg uchelwr o'r canol oesoedd yn gythreulig o dwym ar ddydd o Awst! Lord Ranulf Sanders! Gwenodd. Dyma'i ail dymor gwyliau haf fel Lord Ranulf. A fu erioed neb mwy annhebyg i unrhyw *lord*? Ond gan fod i'r gwaith elfennau o'r ddwy alwedigaeth y buasai'n gwamalu rhyngddynt cyhyd, rhoes gyfle iddo benderfynu rhwng actio a dysgu. Câi bleser o esgus bod yn rhywun arall, ond teimlai fwy o bleser o weld wynebau'r plant pan eglurai iddynt, gyda chymorth yr arddangosfa, pa fath o fywyd oedd un pobl yr Oesoedd Canol. Yn araf, roedd y glorian wedi gogwyddo o blaid dysgu. O fewn ychydig wythnosau roedd wedi gweld yr hysbyseb, gwneud cais, cael y cyfweliad a chael ei benodi. Gobeithiai nad camgymeriad mo'i benderfyniad: ymddangosai'r Llanwenoro yma'n dref fach go gysglyd, rhaid cyfaddef! Fel yntau yr eiliad hon...

Roedd ar fin llithro'n braf i fro breuddwydion pan ganodd ei ffôn symudol.

'Llion...Ed Mathias sy 'ma. Dim gwaeth ar ôl cael d'arteithio gan ddyrys ffyrdd Ysgol Gwenoro heddiw 'ma?' Chwarddodd Llion.

'Na. 'Bach yn gysglyd, 'na i gyd.'

'Reit. Wel cym' di gyntun am ryw awran, mêt, a wedyn ella byddi di'n barod i hitio *nightspots* Llanwenoro yn nes ymlaen. Be am gyfarfod am sgwrs dros bryd o fwyd? Fasa'n gyfla i ti ga'l gwbod mymryn am yr ardal a ballu.'

'Syniad grêt. Fydde 'ny'n help. Wy'n golygu whilo am le i fyw fory.'

'Wela i di yn y Llew Coch am un bach tua saith, a mi awn ni mlaen i'r Delyn Aur. Gwell bwyd yn fanno. Wythnos gwas newydd arnyn nhw, ti'n dallt: newydd agor mae o. Fydd rapsgaliwns yr ysgol ddim yno chwaith. Y cwrw'n rhy ddrud.'

'Iawn,' meddai Llion dan chwerthin. 'Wela i di bryd 'ny. A diolch.'

Diffoddodd ei ffôn a setlo i gysgu. Boi iawn, Ed. Yn ôl yr argraff a gawsai heddi, 'ta beth. Man a man iddo ddod i'w adnabod yn well: byddai ganddo un ffrind ar ddechre'r tymor felly. A gore oll iddo fynd mas heno hefyd: os na fyddai'r disgyblion yn dathlu eu canlyniadau yn y Delyn Aur, falle taw yn y Llew Coch fydden nhw ac roedd amryw ohonyn nhw wedi ei weld yn yr ysgol y bore hwnnw.

Serch, canfu ei hun yn pendroni wrth i'w amrannau raddol gau, fydde dim ots 'da fe gael un pip bach arall ar goese'r groten 'na oedd isie g'neud Drama...

'Diolch, Nain, o'dd hwnna'n ly-y-fli!' Llyfodd Eira Mai ei gwefusau.

'Croeso,' meddai Megan. 'Tria beidio'i golli o i gyd i lawr y tŷ bach cyn diwadd y noson, 'te, Miss.'

'O, 'di hynna'm yn deg! Dwi'm yn gorfod ca'l boliad o gwrw i fwynhau'n hun. Dach chi'n gwbod hynny.'

'Na...dim ond bod gin ti rwbath gwerth 'i ddathlu heno. Mi allat ga'l dy demtio. Oes gin ti bres, gyda llaw?'

'Oes, diolch. Ges i lot o *tips* wsnos dwytha achos bod y tywydd yn boeth. Lot yn lan môr.'

'O. Mi wyt ti wedi dewis y lle iawn i weithio dros yr ha 'ta.'

'Ydw. Drwg ydi, 'sa well gin i fod allan yn ca'l lliw haul 'yn hun.'

Cododd Eira oddi wrth y bwrdd bwyd a mynd i eistedd ar y soffa. Edrychodd Megan ar y coesau, oedd bellach yn ymestyn o odre'r sgert fwyaf cwta welsai yn ei byw.

'Twyt ti ddim wedi gneud yn rhy ddrwg, ddeudwn i, mei ledi. Mi wyt ti *yn* sylweddoli bod dy nicyrs di yn y golwg?' Daeth chwerthiniad bach direidus o ddyfnder gwddw Eira.

'Nain! 'Di o *ddim*!'

'Wel *ma* strapia dy fra di a dy fotwm bol di!' Gwisgai'r eneth dop cwta lliw lelog, a phwt o gôt wau wen gwteuach fyth drosto. 'Nefoedd, mi dach chi'r petha ifanc yn gwisgo'n od y dyddia yma.'

'*Layers* 'di'r ffasiwn, Nain,' meddai Eira dan ddechrau ar ei choluro. Smwjiodd linellau llwyd-ddu o amgylch ei llygaid, a rhoi twtsh o liw leloglwyd ar ei hamrannau, yna tynnodd fasgara o'i bag a lliwio blew'r amrannau'n ysgafn. Doedd dim angen llawer arni; roeddent yn naturiol dywyll heb fod yn ddu, a'i haeliau hefyd, er bod ei llygaid yn las, las, a'i gwallt yn un mop o gyrls melyn o gwmpas ei phen. Pryd golau rhywun a frowniai yn yr haul oedd Eira, yn hytrach na rhywun a losgai. Yn fodlon ar ei llygaid, estynnodd finlliw a lliwio'i gwefusau'n binc ysgafn.

'Del, ddigon o sioe,' meddai ei nain, 'er gwaetha'r llgada panda 'na. Dwi'n cofio 'Nhad yn deud wrtha inna ryw dro 'mod i'n edrach 'run fath â phost bocs! Finna'n meddwl bod lipstig coch yn siwtio pryd tywyll a 'mod i'n grand o 'ngho.'

'Teit!' chwarddodd Eira. 'Naethoch chi gopio off noson honno, Nain?'

''Nes i be?'

'Ca'l cariad.'

'Dwi ddim yn cofio, Eira bach. Go brin.'

'Dim ots, nag oedd? Oedd Taid allan yn fanna'n rwla'n aros amdanach chi.'

'Oedd, debyg.' Pe bai Eira wedi edrych ar ei nain yr eiliad honno buasai wedi gweld golwg bell yn dod i'r llygaid brown, golwg glwyfus yn hytrach na thrist. Ond ei noson fawr oedd yr unig beth ar feddwl Eira Mai a chododd ar ei thraed.

'Ma-am,' gwaeddodd. Daeth Rhiannon drwodd o'r gegin lle roedd wedi dechrau clirio'r llestri. 'Dwi'n barod rŵan.'

'Tydw i ddim,' meddai Rhiannon. Syllodd Eira arni'n ansicr am eiliad.

'Cym on, Mam, ti am roid lifft i fi, twyt?' Ochneidiodd Rhiannon.

'Ma'n siŵr 'y mod i, tydw? Fel arfar,' meddai. 'Ond rhaid i ti aros am eiliad i mi ga'l newid fy sgidia a mynd i'r lle chwech.'

Troes Eira at ei nain.

'Fflipin hec! O'n i'n meddwl bod hi'n mynd i wrthod am funud!'

'Ia wel…mi wyt ti *yn* tueddu i gymryd dy fam a finna'n ganiataol weithia, 'sti. Er 'mod i'n cydnabod medri di fod yn ddigon meddylgar a diolchgar dro arall.' Ystyriodd Eira hyn.

'Ia…ella bo' fi…' Pan ddychwelodd Rhiannon, meddai wrthi: 'Dim isio i chdi nôl ni adra, Mam. Fydd hi'n hwyr. Gymerwn ni dacsi.'

'Fel fynno chdi,' meddai Rhiannon. 'Ond os byddwch chi heb ffadan benni erbyn hynny neu bod dim tacsi i'w ga'l, ffonia. Lle deudist ti ma'r *shindig* 'ma eto?'

'Yn y pyb newydd 'na – Delyn Aur. Tro cynta i ni fynd yno. Mererid Wyn berswadiodd ni. Ma hi'n ffansïo'r barman neu rywun.'

'Nefoedd wen,' meddai Megan, 'yn fy nyddia i emyn-dôn oedd y Delyn Aur, ddim tŷ tafarn.'

'Y pyb 'na yn hen gapal Rehoboth ydi o 'te! Ta-ta, Nain.' Bachodd Eira Mai hi allan drwy'r drws gan hanner baglu'n ddi-lun yn ei sandalau gwadnau platfform.

Dros stecen bob un yn ystafell fwyta'r Delyn Aur, trafodai Llion Rhys Oliver ac Edward Mathias dai a fflatiau, cyfleustra neu anghyfleustra pentrefi cyfagos, a rhinweddau a gwendidau tref fechan Llanwenoro. Clywodd Llion fod yno – yn ychwanegol at Ysgol Gwenoro – eglwys Gwenoro, ffynnon Gwenoro, afon Gwenoro, tafarn y Gwenoro Arms, ac amryw byd o slasenni a ymfalchïai yn yr enw Gwenoro.

'Pwy o'dd y Gwenoro hyn 'te?' gofynnodd Llion.

'Santes yr eglwys, am wn i. Dwi'n meddwl bod 'na ryw chwedl amdani.'

'O's e? Bydd rhaid i fi ffindo mas. Alle hen chwedl fod yn ddefnyddiol.' Bu'n ddistaw am ennyd. 'Ers faint wyt ti'n dysgu 'ma, Ed?'

'Blwyddyn.'

''Na i gyd?' Synnwyd Llion. Edrychai Ed gryn ddeng mlynedd yn hŷn nag ef, bymtheng efallai.

'Fuo mi yn Lerpwl am flynyddoedd. Ond…wel…chwalodd 'y mhriodas i, deud y gwir. Symudis i.'

'Ma'n flin 'da fi.'

'Petha 'ma'n digwydd, 'sti.' Edrychai braidd yn anghysurus. 'Symudwn ni i'r bar, ia? Diod bach arall. Dim problem gyrru heno. Fedrwn ni'll dau gerddad adra.'

Talodd y ddau eu biliau cyn mynd drwodd i'r bar bach clyd gerllaw'r ystafell fwyta. Doedd perchnogion y dafarn ddim wedi ffwdanu i gadw awyrgylch y capel, oherwydd bod awyrgylch o'r fath yn anghydnaws â phwrpas newydd yr adeilad, fwy na thebyg. Yr unig bethau a arbedwyd oedd rhai o'r seddau. Ar un o'r rhain, wrth fwrdd cornel, y setlodd Ed a Llion i ailafael yn eu sgwrs dros beint bob un.

'Be na'th i titha ddŵad i ben draw'r byd 'ta?' Chwarddodd Llion.

'Man hyn o'dd jobyn yn mynd! Gorffod gneud blwyddyn brawf yn rhywle.'

'Cystal rheswm â'r un! 'Dan ni'll dau'n lwcus mai'r Gwenoro sy'n cynnig Cerdd a Drama yn y Chwech…'

Tawodd Ed ar hanner gair, a syllu'n anghrediniol i gyfeiriad cyntedd y dafarn wrth i fabel o leisiau swnllyd a chyfarwydd ddod i'w glyw.

'Uffarn dân!' griddfannodd. 'Dwi'm yn credu hyn! Y giwad Lefal A 'na!'

Yna clywodd garlamu stwrllyd i fyny'r grisiau di-garped o'r cyntedd i'r llawr uchaf. Hen gapel anferth o ddiwedd y bedwaredd ganrif ar bymtheg oedd y Delyn Aur, neu Rehoboth yn ei fywyd blaenorol. Cawsai'r bragdy wared â'r oriel, a dodi llawr llofft dros yr adeilad i gyd.

'Diolch am hynna!' ebychodd Ed. 'Mwy o le i fyny'r grisia debyg.'

'Be fyddet ti'n neud tasen nhw'n yfed lawr man hyn?' gofynnodd Llion. 'Wedi'r cwbwl, wyt ti'n gwbod bod rhai ohonyn nhw'n torri'r gyfreth.'

'Cwestiwn da! Cau'n llgada a 'nghlustia fasa 'ngreddf i. Dwi'n cofio bod yn ddwy ar bymthag fy hun!' Ystyriodd am eiliad. 'Ar y llaw arall, tasa un ohonyn nhw'n brifo neu rwbath a finna wedi gweld be oedd yn mynd ymlaen...'

'Ie. Alle'r canlyniade fod yn itha pellgyrhaeddol, sbo.'

'Ond diawch i, maen nhw i gyd o fewn chydig fisoedd i fod yn ddeunaw. A ma gin y rhan fwya ohonyn nhw reswm dros ddathlu heno. Heblaw am amball un sy'n boddi gofidia ella. Ond 'na fo, dwi ddim *yn* 'u gweld nhw i fyny'n fanna, nac'dw?'

'*Glywest* ti nhw...jyst nawr.'

'Fasa'n haws i mi nabod 'u lleisia nhw tasan nhw'n canu,' cellweiriodd Ed. Chwarddodd Llion.

'Gobeithio sdim carioci lan 'na 'te, neu fyddi di mewn trwbwl!' Am y tro, doedd hyn i gyd ddim o unrhyw bwys iddo ef ei hun, ddim nes byddai wedi dechrau ar ei swydd. Ond wedyn? A fyddai mor fodlon ag Ed i weld rheolau, a chyfraith, yn cael eu torri? Amheuai na fyddai. Y peth olaf a fynnai fyddai gweld ei yrfa'n mynd yn ffradach oherwydd disgyblion anystywallt.

Yn sydyn, daeth twrw clocsio o gyfeiriad y grisiau eto, a

rhuthrodd Eira Mai a Mererid Wyn i'r ystafell yn chwerthin i gyd. Daeth Mererid i stop argyfwng gan gythru i fraich Eira, nes peri i honno hanner troi ei throed.

'Fflipin hec, gwatsia be ti'n neud, Mêr! Dwi'm 'di arfar hefo'r sandals 'ma!' Anwybyddodd Mererid ei chŵyn.

''Di o 'm yn fama chwaith. Damia!'

'O…tyff ia?' meddai Eira'n llawn cydymdeimlad. 'Nait off, ma raid. Hitia befo, ddown ni yma ryw dro eto. Ty'd i fyny'n d'ôl, 'na i brynu drinc i chdi.'

Wrth droi tua'r drws cafodd Mererid Wyn gip ar y ddau athro yn y gornel.

'Blydi hel!' sibrydodd. 'Ma Math Miws a'r boi newydd 'na yn fancw. Paid â sbio…' Ceisiodd lusgo Eira Mai allan o'r bar ar ffrwst. Ond troes Eira i edrych yn syth bìn a lledodd gwên dros ei hwyneb.

'O…ty'd i gwarfod Mr Oliver!' Anelodd am yr athrawon, gyda Mererid yn rhyw lusgo braidd yn anfoddog ar ei hôl.

'Helô, Mr Mathias,' meddai'n llon, yna troes at Llion gan befrio'n ddireidus arno. 'Mr Oliver, dach chi wedi cyfarfod Mererid Wyn Gruffydd?'

Amneidiodd Llion a gwenu'n gwrtais ar Mererid. Edrychai Mererid fel petai wedi llyncu ei thafod. Rhoes ryw hanner gwên iddo'n ôl.

'Chi'ch dwy,' meddai Ed mor awdurdodol â phosibl. 'Cerwch yn 'ych hola i lle bynnag daethoch chi ohono fo cyn gyntad â medar 'ych traed 'ych cario chi. Dwi ddim isio gwbod dim o'ch cerddad chi. Dach chi'n dallt?'

'Mewn chwinciad, syr. Sorri i'ch styrbio chi. Oeddan ni jest yn chwilio am…' dechreuodd Eira Mai ond torrodd Mererid ar ei thraws.

'J2O,' meddai, yn amau bod Eira Mai ar fin gollwng y gath o'r cwd am y barman bendigedig. 'Toes gynnyn nhw ddim i fyny grisia. Dd-ddim…nes eith rhywun i nôl rhai o'r selar neu rwla.' Syllodd Eira'n hurt arni am eiliad cyn i'r geiniog ddisgyn.

'O…ia…A maen nhw wedi rhedag allan o alcopops hefyd,' meddai.

'Mi wyt ti *yn* sylweddoli nad oes gynnyn nhw ddim hawl i werthu nag alcopopyn na pheint na dim byd alcoholaidd arall i ti, Eira Mai?' gofynnodd Ed.

Daeth chwerthiniad gyddfol o rywle yng nghyfeiriad tonsils Eira.

'Problem nhw 'di hynny,' meddai. 'Noson sbesial heno, syr! Sbesial iawn!'

'Bacha hi o'ma cyn i mi dy dagu di, Eira Mai!' meddai Ed. 'A phaid â gada'l i mi weld lliw dy din di na'r un o'r rapsgaliwns er'ill 'na eto rhwng hyn a bora fory.'

'Oréit, syr,' meddai Eira Mai. 'Nawn ni ddim sbwylio'ch noson chi ddim chwanag. Dwi'n gaddo.'

Dan ddal i wenu, heglodd Eira Mai hi o'r bar gyda Mererid Wyn yn ei dilyn dan biffian y tu ôl i'w llaw. Wedi iddynt ddiflannu daeth hwrdd o chwerthin dros Ed.

'Wyt ti'n gweld be sy o dy flaen di?' gofynnodd i Llion, gan ysgwyd ei ben. Rhyw wên braidd yn wanllyd oedd ymateb Llion.

'Nage caued dy lyged 'nest ti 'te,' meddai.

'Gwell peidio 'doedd? Y drwg ydi, ma hi'n anodd bod yn flin hefo Eira Mai.'

'So ti'n meddwl 'i bod hi…wel…'bach yn ewn?'

'Ella'i bod hi'n swnio'n ddigwilydd i rywun sy ddim yn 'i nabod hi – dyna o'n i'n 'i feddwl ar y dechra hefyd – ond coelia fi, toes 'na ddim owns o falais yn 'i chroen hi. Hollol agorad – deud pob dim. Mererid Wyn rŵan, ti byth yn siŵr be sy ym meddwl honna. Ond am Eira Mai, *what you see is what you get* ydi hi.'

'Beth o'n i'n glywed o'dd yn 'y mecso i, nage beth o'n i'n weld,' gwenodd Llion. 'Serch…so hi'n arbennig o bert, t'weld. Jyst bod 'da hi…'

'…goesa?' gorffennodd Ed gan godi ei aeliau. Gwenodd Llion braidd yn wanllyd eto. Gwerthfawrogai'r coesau ond jawch…o fewn rheswm…Neu a oedd yn bod braidd yn annidwyll?

'Odi'r groten yn dod i'r ysgol 'da sgyrtie mor fyr â 'na?'

'Llion, un o'r petha dwi wedi'i glywad amla yn y lle 'cw ydi llais Mari Parri'n deud: "Eira Mai, gollynga dipyn ar hem y sgert 'na." Ac Eira Mai'n atab hefo'r wên lydan 'na'n torri'i gwynab hi yn 'i hannar: "Oréit, Miss." A wedyn yn anwybyddu'r gorchymyn yn llwyr. Dwi'n meddwl mai deud achos y dylai hi ddeud ma Mari erbyn hyn. Tydi hi ddim yn disgwl i'r hogan ufuddhau! Ma gin honna ddawn i dorri pob rheol a dengid yn groeniach, dwi'n deud wrthat ti!'

Gwyddai Llion o'r dechrau y byddai dysgu Safon Uwch yn ei flwyddyn gyntaf allan o'r coleg yn her. Roedd hynny'n sefyll i reswm. Bellach, amheuai y byddai cadw trefn ar un groten arbennig yn fwy o her fyth.

Wrth i'r athrawon adael y bar bach er mwyn i Llion gael noson weddol gynnar, dechreuai'r hwyl go iawn yn y bar uwchben. Roedd y troellwr disgiau wedi dechrau ar ei waith, a'r goleuadau strôb yn fflachio'n llachar. Am beth amser bu pawb yn gyndyn o fynd ar y llawr dawnsio, ond fel y twymai'r awyrgylch ac y llaciai'r ddiod eu swildod, aeth pawb i hwyl. Toc, dawnsiai rhai'n orffwyll ar ganol y llawr, tra eisteddai eraill wrth y byrddau a amgylchynai'r ystafell, a'u gwydrau diod yn cyflym wagio am y pedwerydd neu'r pumed tro. Yng nghanol y criw dawnswyr, ceisiai Eira Mai berfformio rhyw gamau astrus yn ei sandalau platffform, nes baglu ar draws ei thraed ei hun. Rhyngddynt llwyddodd Meic a Guto i'w harbed rhag syrthio.

'Be gythral ti'n trio gneud?' gofynnodd Meic. 'Fedra i llusgo chdi o'ma os fyddi di 'di meddwi, ond fydd rhaid i fi *cario* chdi os fyddi di 'di torri *ankle* chdi!'

'Dwi'n iawn. Paid â ffysio!' atebodd Eira gan ei rhyddhau ei hun o'i afael. Wrth wneud hynny digwyddodd edrych i gyfeiriad y tancwyr, a gweld Mererid Wyn yn eistedd yn bwdlyd ar ei phen ei hun â rhywbeth pur feddwol yr olwg yn y gwydr o'i blaen ar y bwrdd.

'Meic, nei di nôl potal i fi, plis? 'Na i dalu i chdi wedyn. Dwi isio siarad hefo Mererid.' Ufuddhaodd Meic ac ymunodd Eira â Mererid Wyn.

'Ti'n OK, Mêr?'

''Di o 'm yma,' myngialodd Mererid.

'Dwi'n gwbod,' meddai Eira. 'Yli, anghofia fo am heno. Tasa fo yma, fasa fo'n gweithio eniwê.'

''Im otsh.' Cymerodd Mererid lowciad dwfn o'r stwff marwol yn ei gwydryn.

'Fflipin hec, Mêr, ara deg! Fyddi di'n sâl! Be ydi hwnna ti'n yfad?'

''Im yn gwbod. Ca'l o gin Dewi Preis.'

'Ma Dewi'n ffansïo chdi. Neith o mo'r tro am heno? Mae o'n ddel.'

''Im mor ddel â... b-barman fi.'

Ochneidiodd Eira. Roedd Mererid wedi mwydro'i phen hefo'r boi bar yma heb erioed dorri gair ag o. Penderfynodd droi'r stori.

'Hei, be ti'n feddwl o'r boi Drama? Hwnnw'n ddel hefyd.'

'Dd-ddim mor dd-ddel â...'

'Wn i, Mêr, toes 'na neb mor ddel â barman chdi! Ond ma gin Oli llgada lyfli hefyd, 'toes?' Roedd Mr Llion Oliver wedi ei fedyddio cyn iddo ddechrau ar ei swydd, hyd yn oed. 'Tywyll tywyll, fath â dau lyn. Ll'gada i foddi ynddyn nhw!'

'Y?' Syllodd Mererid yn hurt arni.

'A gwallt du lyfli. Neis i dynnu dy fysadd drwyddo fo.'

'P-paid â malu c-cachu, Eira Mai! Sgynno fo'm... t-tafod.'

Dyna pryd y sylweddolodd Eira nad oedd Oli yn wir wedi dweud gair o'i ben gynnau! Dechreuodd chwerthin yn aflywodraethus. Pan ddaeth Meic â diod iddi, roedd dagrau'n llifo i lawr ei gruddiau a'r masgara'n un stremp.

'Be 'di matar?' gofynnodd hwnnw. Lluchiodd Eira'i breichiau am ei wddw a'i gusanu'n nwydus.

'Ma gin ti dafod!' meddai. 'Er na fedar o ddim treiglo.'

'Dim treiglo 'di job pwysica fo,' meddai Meic, gan rwbio'i drwyn yn ei thrwyn hithau. 'Awn ni, ia? I tŷ chdi?'

'Mmm. Ffonia am dacsi. *Ond*…'dan ni'n mynd heibio tŷ *hon* ar y ffor' adra. Gyrhaeddith hi byth ar ben 'i hun!'

Edrychodd Meic ar Mererid Wyn, oedd erbyn hyn â'i phen ar y bwrdd a chudyn o'i gwallt hir du yn nofio yn ei diod.

'OK,' meddai, 'ond os neith hi piwcio ar pen fi, Eira Mai, hon 'di'r *lost sheep* dwytha dwi'n helpu ti hefo!'

3

Eisteddai Rhiannon yn ei swyddfa o flaen ei chyfrifiadur, yn pendroni'n galed sut i wneud mistar ar y wefan y ceisiai ei chynllunio ar gyfer tafarn newydd y Delyn Aur. Doedd dim angen bod yn athrylith i gynllunio gwefan: roedd digon o becynnau parod ar gael i helpu. Ond ni hoffai Rhiannon ddibynnu'n ormodol ar y rheini a mynnai roi rhywfaint o'i stamp arbennig ei hun ar ei gwaith. Heddiw fodd bynnag, am ryw reswm roedd y gnawes wefan yn gwrthod yn lân â chydymffurfio.

Mympwyon y wefan a gâi'r bai ganddi, ond sylweddolai Rhiannon o'r gorau mai ei diffyg canolbwyntio hi ei hun oedd y broblem. Hynny…a'r dyddiad, yr unfed ar hugain o Awst. Y diwrnod yr aethai Rob adref i'r Unol Daleithiau ddeunaw mlynedd yn ôl. Y diwrnod y dylsai ei misglwyf fod wedi dechrau…

'Rho'r gorau i fwydro'r hulpan wirion,' meddai'n uchel. Doedd yno neb i'w chlywed, neb i feddwl ei bod yn dechrau drysu yn siarad hefo hi ei hun. Cawsai ei mam wahoddiad i dŷ Yncl Iori ac Anti Janet i swper ac nid oedd yn ei disgwyl adref tan ychydig cyn machlud haul: casaf peth Megan oedd gyrru ei Chorsa bach arian yn y tywyllwch. Ac am Eira Mai, byddai honno ar grwydr am oriau, mwy na thebyg. Ar ôl gorffen ei stem yng Nglan Don, lle cyflawnai ba bynnag ddyletswydd y mynnai'r perchennog iddi ei wneud yn y caffi a'r siop, bwriadai gyfarfod Meic a dod adref ar y bws ddeg. Os llwyddai i ddal hwnnw; hwyrach mai galwad ffôn a ddôi.

'Sorri, Mam, dwi 'di colli'r bỳs, a ma Meic 'di colli bỳs Brynia a sgynnon ni'm digon o bres i ga'l tacsis. Geith o ddŵad i tŷ ni, ceith?'

A dyna sicrhau lifft adref a diweddglo pleserus i'r noson yng nghysur gwely dwbwl Eira Mai. Diolchai Rhiannon fod parwydydd hen ffermdy Cae Aron mor drwchus! Diolchai fwy fyth fod gan Eira ddigon o synnwyr cyffredin a chrebwyll i osgoi'r picil y daethai hi ei hun iddo ddeunaw mlynedd yn ôl.

O'r nefoedd! Dyna hi'n ôl ar yr un trywydd eto! Ar amser y flwyddyn roedd y bai: yr un fath bob blwyddyn. Dylai fynd ar wyliau fel y tynnai Awst at ei derfyn. Ond mwy na thebyg y dôi ei hatgofion ar wyliau hefo hi.

Syllodd Rhiannon allan drwy'r ffenest ar lesni'r llain-dan-tŷ. Gymaint roedd hi wedi chwarae ar yr hen lain yna, weithiau gyda ffrindiau, ond yn amlach na pheidio gyda'r ci neu oen llywaeth. Rhyw greadures go unig a fu hi erioed, yn unig blentyn, a'r fferm dros dair milltir o'r dref, chwarter milltir o'r pellter hwnnw ar hyd lôn gul – lôn drol, fwy neu lai, nes i'w thad gael ei tharmacio – yn arwain o'r ffordd fawr. Wedyn, ar ôl blynyddoedd coleg, unigrwydd rhiant sengl; unigrwydd rhedeg ei busnes ei hun...

Na, doedd hynna ddim yn deg. Fyddai ei mam byth yn bell – bu'n gefn amhrisiadwy iddi wrth fagu Eira. Am Eira'i hun, roedd yr eneth yn gwmni gwerth chweil – pan fyddai gartref! A ph'un bynnag, fel rheol, ymhyfrydai Rhiannon mewn bod ar ei phen ei hun, gan ymgolli'n llwyr yn ei gwaith. Ond heddiw, a'i helpo!

Penderfynodd roi'r gorau i'r wefan a throi at rywbeth arall. Yn ystod y pymtheng mlynedd neu fwy ers iddi sefydlu ei busnes roedd wedi ychwanegu sawl llinyn i'w bwa: rhaglennu i ddechrau, ynghyd â gwaith cyfrifon a threth ar werth i fusnesau bach lleol;

yna, gyda dyfodiad y rhyngrwyd ehangodd ei maes i gynllunio gwefannau, ac i ymchwilio ar ran unrhyw un a'i comisiynai. Yn ddiweddar gofynnodd hen wraig a ddaethai i fyw i un o'r fflatiau glan môr iddi hel ei hachau drosti. Gwyddai Mrs Strong fod cyndeidiau iddi wedi eu magu yn yr ardal, a hynny a'i denodd yno i fyw – rhyw deimlad y carai ddod yn ôl at ei gwreiddiau. Ond doedd gan y greadures ddim clem sut i drin cyfrifiadur, nac unrhyw grap ar yr iaith Gymraeg. Roedd ei golwg yn dechrau pylu erbyn hyn hefyd, a'i chymalau'n cyffio. Bu raid i Rhiannon fynd gyda hi'n gwmni i fynwent yr eglwys i chwilio am fedd un o'i hen-deidiau ar ochr ei mam, ac i ddehongli'r arysgrif ar ei garreg goffa. Enw'r hen daid oedd John Jones, yn anffodus. Drwy ryw lwc, roedd Mrs Strong wedi clywed enw cartref yr hen ddyn gan ei mam, ond gyda threigliad y chwarter canrif wedi marw'r fam aethai'r enw hwnnw'n angof ganddi. Cawsant hyd i sawl John Jones yn huno yn hedd mynwent eglwys Gwenoro, ac aeth cryn awr heibio ymysg y beddau cyn i enw ganu cloch yng nghof Mrs Strong. Bodephraim oedd enw cartref John Jones, a thasg nesaf Rhiannon fyddai dod o hyd iddo yng nghofnodion y Cyfrifiad. Ond roedd chwilfrydedd yr hen wraig yn llawer ehangach na'r gorffennol. Roedd ar dân am gael gwybod a oedd ganddi berthnasau yn yr ardal o hyd. Gallai ddarganfod cyfyrdyr efallai, perthnasau eithaf agos o safbwynt pobl oedd wedi aros yn y cyffiniau, ond dieithriaid iddi hi gan i'w nain fudo i Loegr dair cenhedlaeth yn ôl.

Gan fod chwilfrydedd yn un o gryfderau Rhiannon hefyd – neu fusnesu'n un o'i gwendidau – rhoes y wefan oriog i gadw ac agor cyfrifiad 1881.

Safai Eira Mai ar ben ysgol yn ceisio hongian darlun yn uchel ar wal y siop. Buasai cwsmer o ymwelydd yn astudio'r darlun yn galed am tua hanner awr cyn penderfynu nad oedd am ei brynu yn y diwedd. Roedd wyneb Eira'n bictiwr o ganolbwyntio, yn brathu ei gwefus i'r byw gan fod ganddi gymaint o ofn gollwng y llun. Ond pe bai wedi gallu edrych y tu ôl iddi yr eiliad honno byddai wedi gweld nad ei hwyneb oedd gwrthrych edmygedd y gŵr ifanc a ddaethai i mewn i'r siop. Er mawr syndod iddo, yn gymysg â phleser y ceisiai beidio â'i gydnabod, daethai Llion Rhys Oliver i olwg y coesau unwaith eto.

Yn ofalus, camodd Eira i lawr grisiau'r ysgol a rhoi ochenaid o ryddhad o gyrraedd y llawr.

'O, Mr Oliver! Sorri, wyddwn i 'm bod 'na neb yma,' meddai wrth weld ei darpar athro Drama'n sefyll ger y drws.

'Paid becso dim.' Gwenodd Llion, ond buan y sylwodd nad edrychai Eira mor galonnog ag y gwnâi pan welsai hi'r wythnos cynt. Ynteu simsan oedd hi? 'Ym... wyt ti'n iawn, Eira? So dy ben di'n troi ar ôl bod lan yr ysgol 'na, odi fe?'

'Na, dwi'n OK... syr.' Cofiodd yn sydyn fod hwn yn rhywun y byddai'n rhaid iddi ei syrio yn fuan iawn, felly doedd waeth iddi ddechrau arfer ddim.

'Gẁd! Ond wyt ti *yn* dishgwl fel 'se ti 'di danto tam bach, ti'n gwbod.'

'O! O'n i i fod i gwarfod 'y nghariad i ar ôl gwaith ond fedar o ddim dẁad. Oedd o yn yr ysgol efo fi wsnos dwytha. Meic Bellamy. Gneud Gwyddoniaeth.'

'Bachan gwallt gole?'

'Ia. Wedi bod yn nôl canlyniada' TGAU dach chi, syr?'

'Ie.'

'Oes 'na lot am neud Drama yn blwyddyn un deg dau?'

'Falle bydd rhyw ddysen. Os na fyddan nhw'n newid 'u meddylie.'

Rhoes Eira hanner gwên iddo.

'Gobeithio ddim. Fydd 'na rai o'r ddwy ysgol arall hefyd, 'chi. Fasa'n neis i chi ga'l criw go dda.'

'Diolch.' Doedd hi ddim yn swnio mor eger heddi. Roedd hi'n 'itha diffuant, a gweud y gwir. Teimlodd Llion ei hunan yn dechrau twymo rhyw ychydig tuag ati. 'O's papur lleol 'da ti 'ma? Un sy'n hysbysebu llety?'

Estynnodd Eira'r papur iddo.

'Dach chi ddim 'di ca'l lle i fyw, syr?'

'Ddim 'to. Whiles i dam' bach wthnos dwetha 'da help Ed…ym…Mr Mathias. Ond ma car 'da fi'n awr. Falle ffinda i rywle fory.'

'Pob lwc, syr.'

'Diolch, Eira. Wela i di ddechre'r tymor.' Cychwynnodd Llion tua'r drws cyn aros wrth glywed llais Eira eto.

'O, syr…ma bwthyn gwylia ni'n wag dechra Medi, os byddwch chi'n styc. Ond dim ond dros dro: sgynnon ni ddim hawl gada'l i neb fyw yna drwy'r flwyddyn. Fasa raid i chi ffindio rwla arall parhaol.'

'Grêt…diolch. Gofia i os gaf fi ffwdan.'

Ac allan ag ef. Wrth iddo ddiflannu daeth pen Jennifer Ann i'r golwg o'r caffi.

'Eira Mai! Rhag cwilydd i chdi'n cadw boi felna i chdi dy hun! Pwy oedd o?'

'Titsiyr Drama newydd ni yn rysgol. Gwranda Jen, ma hi'n amsar i fi gadw noswyl fel fasa Nain yn deud. Ga i wy a tships cyn i fi fynd, plis? Dwi'n teimlo fel *comfort food* heno.'

Yng nghegin Cae Aron, disgwyliai Rhiannon i'r tecell ferwi. Gwnaeth gwpanaid o goffi iddi ei hun, a dringo'n ôl i fyny'r grisiau i'w swyddfa. Roedd wedi gosod y swyddfa ar y llawr uchaf yn fwriadol, gan fod hynny'n ei chadw draw oddi wrth weithgareddau'r cartref, pethau a allai dynnu ei sylw oddi ar ei gwaith. Bellach, cawsai Eira hithau'r parlwr yn stydi: doedd ei nain, hyd yn oed, ddim yn credu mewn cadw'r ystafell yn gysegr sancteiddiolaf, fel y byddai yng nghyfnod ei mam yng nghyfraith hi.

Yn y swyddfa, eisteddodd Rhiannon unwaith eto o flaen ei chyfrifiadur. Erbyn hyn roedd wedi tanysgrifio ar-lein i wefan lle gellid gweld y cofnodion y Cyfrifiad. Sylweddolai y gallai'r hel achau yma ddod â busnes ychwanegol iddi, yn enwedig pe bai'n hysbysebu ymhlith Americanwyr o dras Cymreig, ac yn cynnig gwasanaeth archwilio archifau.

Taflwyd hi oddi ar ei hechel unwaith eto am ychydig o feddwl am Gymry America: beth pe bai Rob yn gweld ei henw ac...Na, wnâi Rob ddim cysylltu, byth bythoedd. Ond roedd y dyn fel tiwn gron yn ei phen heddiw. Yn fwriadus, hoeliodd ei meddwl yn gadarn ar deulu Bodephraim ac ymhen ysbaid, roedd wedi ymgolli yn ei thasg cymaint fel na chlywodd ddrws y tŷ'n cael ei agor, na rhywun yn dringo'r grisiau. Pan ddaeth cnoc ysgafn ar ddrws y swyddfa cafodd y fath ysgytwad nes iddi neidio o'i chadair. Agorodd y drws a daeth pen melyn, cyrliog Eira Mai i'r golwg yn araf.

'O, Eira! Wyt ti'n trio 'ngyrru fi i fedd cynnar neu rwbath? Chlywis i monot ti'n dŵad i'r tŷ.'

'Sorri, Mam,' meddai Eira. 'Ddylwn i fod wedi ffonio chdi.'

'Y cynllunia wedi newid?'

'Ffoniodd Meic bora 'ma. Mae o wedi mynd hefo'r teulu i Leeds. Chwilio am dŷ.'

'Tŷ?' gofynnodd Rhiannon yn syn. 'Tydyn nhw rioed yn symud odd'ma?'

'Ydyn.' Edrychai Eira Mai yn beryglus o agos at grio. 'Ma tad Meic wedi ca'l job yn rheolwr ar un o siopa mawr y cwmni tua Leeds. Mae o wedi ca'l cynnig sawl tro o'r blaen, ond ddaru nhw aros ffor'ma achos bod nhw'n lecio'r ardal. Ond siop eitha bach ydi hon sy gynno fo rŵan, a mae o'n gweld Meic am fynd i'r brifysgol, a Melissa, 'i chwaer o, isio mynd flwyddyn wedyn a...wel...mae o angan gwell job. Ac o Leeds daethon nhw, naw mlynadd yn ôl.'

Treiglodd deigryn yn ara deg i lawr grudd Eira. Syllodd Rhiannon arni am eiliad, yna cododd a'i chofleidio mewn distawrwydd. Ym mreichiau ei mam torrodd yr argae o ddifrif a beichiodd Eira Mai.

'Ty'd rŵan, 'nghariad i. Tydi'r byd ddim ar ben, 'sti.' Cododd Eira'i hwyneb o fynwes ei mam.

'*Plenty more fish in the sea*, ddeudodd Jennifer Ann yn y caffi. Idiot – siarad drwy'i het!' Teimlodd ei mam ddagrau atgofus yn dechrau codi i'w llygaid hithau hefyd. Trwy lwc, aeth ei merch â'r sgwrs ar drywydd arall.

'Ti'n brysur, Mam, yn dal i weithio? Be wyt ti'n neud?' gofynnodd gan sychu'i thrwyn.

'Hanas teulu i ryw ddynas sy'n byw ym Nhraeth Gweirydd. Ond mi ro' i'r gora iddi rŵan. Gawn ni gyda'r nos bach hefo'n gilydd.'

'Ia, neis.'

'Dos i roi tatan yn y meicro i mi. Mi ddo' i i lawr gyda bydda i wedi cau'r cyfrifiadur 'ma.'

Pan gyrhaeddodd Rhiannon y gegin fyw, roedd ei thaten gaws yn barod â salad gwyrdd bach blasus yr olwg wrth ei hochr, ac Eira wedi gosod y bwrdd yn ddel, a photel o win wedi ei hagor ar ei ganol.

'O Eira! Toedd dim isio i ti fynd i draffarth! Fasa'r bar brecwast yn y gegin gefn wedi gneud y tro'n iawn.'

'Ti'n sbesial, Mam! Ga' i ddiferyn o win hefo chdi? Dwi 'di ca'l swpar.'

'Cei siŵr. Twyt titha ddim wedi ca'l diwrnod rhy dda.'

'Gest ti ddim chwaith?'

'O…' Amneidiodd Rhiannon yn ddiystyriol â'i llaw a chodi ei hysgwyddau. Unwaith eto, troes y stori. 'Eira, hyd yn oed os gwelith teulu Meic dŷ addas yn y dyddia nesa 'ma, fedran nhw ddim symud am rai misoedd, wsti. Ma'r petha 'ma'n cymryd amsar, yn enwedig â'r farchnad dai mor dawal. Ac erbyn hynny mi fydd Meic ar hannar 'i gwrs A2 yn Ysgol Gwenoro. Dwi'n siŵr y gwnân nhw ryw drefniant iddo fo ga'l gorffan yma.'

'Gobeithio. Fydd Mel ar hannar 'i AS hefyd.'

'Ella gneith 'u tad nhw lojio am dipyn yn lle prynu'n syth. Neu hyd yn oed os bydd raid iddyn nhw gynnal dau gartra am dipyn, dwi'n siŵr fod gin gwmnïa mawr fel yr un mae o'n gweithio iddo fo drefniada, 'sti. Arian at amgylchiada fel hyn.'

'So…ti'n meddwl ella geith Meic aros?' Amneidiodd Rhiannon, a chododd Eira, y bythol optimist, ei chalon. 'Dwi'n teimlo'n well rŵan.' Edrychodd yn dreiddgar ar ei mam am funud. 'Fedra *i* neud i *chdi* deimlo'n well?'

'Dwi'n iawn, Eira bach.' Fu Rhiannon erioed yn un i rannu ei gofidiau. 'Mi ges i fymryn o draffarth hefo gwefan y Delyn Aur, ond ar ôl dechra hel acha i Mrs Strong mi weithiodd pob dim fel watsh.'

Aeth Eira'n dawel am ychydig, gan syllu'n fyfyrgar i'w gwydryn gwin.

'Fedra i byth hel acha fi, na fedra? Ddim yn llawn.'

Golchodd ton o ofid dros Rhiannon unwaith eto o glywed Eira mor ddigalon. Roedd gan dryblith yr unfed ar hugain o Awst grafanc fel gefel heddiw.

'Mi fedri ga'l hanas f'ochor i yn ddigon hawdd,' meddai.

'Ella, taswn i'n holi, medrwn i ga'l hyd i Dad hefyd. Dwi'n gwbod 'i enw fo, tydw? A dwi'n siŵr bod 'na lai o Robert Robertsys yn Merica nag yng Nghymru!'

'Dwn 'im am hynny, Eira bach!' Petrusodd Rhiannon. 'Fasa well i ti beidio.'

'Pam?' gofynnodd Eira'n syn.

'Wel…ma blynyddoedd wedi mynd heibio! Ella bod gynno fo deulu erbyn hyn. Ti ddim isio troi'r drol iddo fo, nag wyt?'

Pendronodd Eira.

'Mi fasa'i blant o'n hannar brodyr a chwiorydd i mi. Faswn i ddim yr unig un.'

Deallai Rhiannon ei theimladau o'r gorau, a hithau wedi casáu bod yn unig blentyn hefyd. Ond roedd y sgwrs yn peri pryder cynyddol iddi.

'A hefyd,' ychwanegodd Eira, 'faswn i'n rhoid *rwbath* am ga'l nabod 'y nhad i. Ma 'na betha…lle dwi'n wahanol i deulu ni, a leciwn i wbod mwy amdano fo. Mi wn i bod Dad yn hannar Cymro a hannar Awstriad a wedi dŵad i Fangor o'r Merica i neud gwaith ymchwil ar ganu gwerin Cymraeg. Pan ddeudist ti hynny wrtha i ddaru'r darna syrthio i'w lle. Ti'n gwbod, pam ma gen i wallt gola a phawb arall yn y teulu'n dywyll. A pham medra i ganu a phawb arall yn methu taro nodyn ar 'i ben. Dwi'n falch ofnadwy am y canu! Faswn i'n lecio cyfla i ddeud wrth Dad.'

'O, 'nghariad bach i! Mi wyt ti *yn* cofio na ŵyr o ddim am dy fodolaeth di, twyt, mai ar ôl iddo fo fynd adra sylweddolis i 'mod i'n dy ddisgwl di?'

'Ia…Fasa fo'n ca'l sioc ofnadwy, basa?' Meddyliodd am ennyd. 'Be dwi'n fethu ddallt, Mam, ydi pam na 'nest ti ddim gada'l iddo fo wbod bod chdi'n disgwl fi.'

'Doedd 'i gyfeiriad o ddim gin i, Eira.'

'Dwi'n siŵr basa swyddfa'r brifysgol wedi medru 'i roid o i chdi. Basa?'

Pendronodd Rhiannon yn hir cyn ei hateb. Ddylai hi ddweud wrthi? Byddai'n rhaid iddi, neu doedd wybod pa niwed a wnâi chwilfrydedd yr eneth. Ac eto, roedd hi mor falch o'r tad na welsai erioed mohono. Beth petai cael gwybod am ei dwyll yn dinistrio'r balchder hwnnw?

'Eira, plis paid â gada'l i hyn ddifetha'r hyn rwyt ti'n ei feddwl o dy dad. Dwi isio i ti fod yn falch ohono fo, achos…achos dwi'n dal i'w garu fo, er gwaetha pob dim.'

Crynai ei llais. Allai hi ddim bod wedi cyfaddef hynny wrth neb ond y ferch onest yma oedd ganddi. Neidiodd braw i lygaid Eira.

'Mama, be sy?' Bellach anaml iawn y galwai Eira'i mam wrth enw anwes ei phlentyndod. 'Dwi 'di ypsetio chdi?'

'Ryw wythnos cyn iddo fo ada'l, pan o'n i'n swnian am 'i gyfeiriad o, mi ddeudodd wrtha i…'i fod o wedi priodi. Fedrwn i ddim cysylltu hefo fo, ti'n gweld, yn enwedig hefo'r newydd oedd gin i, achos mi allwn fod wedi chwalu'i briodas o. A faswn i byth wedi gneud hynny.'

Agorodd llygaid gleision Eira led y pen mewn sioc. Bu'n ddistaw am ysbaid hir. Yna mewn tawelwch, tywalltodd fwy o win i wydrau'r ddwy ohonynt.

''Dan ni angan hwn, Mama.'

'Dwi'n gwbod i mi neud y peth iawn, Eira.'

'Oedd o'r unig beth fedra chdi neud, Mam. Dwi'n edmygu chdi. Ydi…ydi Nain yn gwbod?' Ysgydwodd Rhiannon ei phen.

'Mwya piti, f'aur i, fedris i rioed fod mor agorad hefo Nain ag wyt ti hefo fi. A 'mai i oedd hynny. I ti ma'r diolch am 'yn perthynas ni'n dwy.'

'Ella bo' fi'n deud gormod weithia. Lluchio 'mhroblema ar bobol er'ill.' Plygodd Eira dros y bwrdd a chusanu ei mam. 'Ond dwi'n falch bo' chdi 'di deud wrtha fi. Doedd dim bai arna chdi, 'sti. Wydda chdi ddim.'

Na wyddai…Pan gafodd hi wybod, gwrthododd weld Rob – am ddeuddydd. Wedyn, daeth o i'w gweld hi, a chwalodd ei holl benderfyniad a'i hunanddisgyblaeth yn chwilfriw. Roedd hi wedi ei ganlyn yn selog am hanner blwyddyn, wedi syrthio dros ei phen a'i chlustiau mewn cariad hefo fo, wedi colli ei gwyryfdod iddo fo – i gyd yn ei hanwybodaeth. Yn ystod ei wythnos olaf, a'i rhieni'n meddwl ei bod yn ôl yn ei llety i baratoi ar gyfer dechrau ar ei hymchwil, aeth ato i'w fflat er mwyn cael ei gwmni bob dydd a chysgu hefo fo bob nos. Er iddi wybod ei fod o'n briod. Nid nad oedd ots ganddi: O oedd, roedd ots mawr ganddi, ei chydwybod yn ymladd yn erbyn ei chariad drwy'r adeg. Ac yn colli'r frwydr yn rhacs.

Newidiodd yr wythnos honno hi'n llwyr. Cynt, roedd hi braidd yn hunangyfiawn, yn gweld dim esgus dros gamymddwyn bwriadol. Ond o hynny allan, ar ôl iddi fethu'n lân â chadw'r llwybr cul, bu ganddi lawer mwy o gydymdeimlad tuag at amryfal wendidau'r ddynol ryw.

Gwyddai na allai ddatgelu'r rhan hon o'i stori i'w merch. Er gwaetha'i direidi, ei diawledigrwydd weithiau, roedd rhyw ddiniweidrwydd yn Eira. Nid diniweidrwydd rhywiol, fel roedd ganddi hi pan gyfarfu gyntaf â Rob. Roedd Eira wedi hen golli hwnnw. Ond diniweidrwydd serch hynny: rhyw ddidwylledd a symlrwydd difeddwl-drwg.

'*Doedd dim bai arnat ti ... wyddat ti ddim.*'

Oedd, roedd hi *yn* gwybod erbyn y diwedd, ac wedi dewis anwybyddu'r gwir. Ond doedd hi ddim am i'w merch wybod hynny, ac efallai golli ffydd yn ei mam. Hwyrach ei bod eisoes wedi colli'i ffydd yn ei thad.

4

Eisteddai Edward Mathias wrth fwrdd cegin ei dŷ-stryd bach cysurus, yn darllen ei bapur Sadwrn gan fwynhau brecwast hwyr o gwpaned o goffi a thamaid o dost. Ymhen ychydig dros wythnos, pan ddechreuai'r tymor newydd, byddai'r boreau'n un rhuthr gwyllt a hwrlibwrli, felly gwell oedd iddo wneud yn fawr o'i hamdden tra gallai. Yn annisgwyl, torrwyd ar draws ei ddarllen gan gloch y drws yn canu. Ni allai ddirnad pwy fyddai'n galw yr amser hwnnw o'r bore, a synnodd pan agorodd y drws.

'Llion! O'n ni'n meddwl i ti fynd yn ôl am Lundain ddoe.'

'O! Wedes i ddim? Lwyddes i i'w darbwyllo nhw i adel i fi ga'l amser bant nes bo' fory achos bod 'da fi bethe i'w trefnu ar gyfer dechre gweitho lan man hyn.'

'Wela i. Yli, ty'd i'r tŷ. Panad?'

'Dim diolch.'

'Reit wel ... stedda. Wyt ti wedi ca'l rwla i fyw?'

'Ym ... 'na pam 'wy 'ma, a gweud y gwir. 'Wy wedi gweld lle bach wy'n lico, yn Nhra'th Gweirydd. Ma fe ar ben y clogwyn yn dishgwl mas dros y môr.'

'Neis iawn. Diawl lwcus!'

'O yffach, allen i byth â'i brynu fe! Goste fe ffortiwn. O'dd y manylion 'da fi wthnos dwetha pan est ti â fi ymbytu, ond wedodd yr asiant nad o'dd e ddim ar ga'l nes bo' mish Hydref, felly nag o'n i'n gweld diben mynd draw 'na.'

'Be sy wedi newid rŵan 'ta?'

'Etho i draw i Dra'th Gweirydd prynhawn ddo' i weld fflat,

ond o'dd e'n 'bach o hofel, yn anffodus, yn un o'r strydo'dd cefen. A feddyles i man a man i fi weld ble'n gwmws o'dd y tŷ arall hyn. Pen Rallt yw 'i enw fe. Pan gyrhaeddes i o'dd dynion yn gweitho arno fe, ac wrth lwc o'dd y perchennog 'na'n trafod y gwaith gyda nhw. Yn ôl pob tebyg fydd y lle ddim yn barod nes dechre hanner tymor, felly ma problem fach 'da fi ar hyn o bryd, nag o's e?'

'Hmmm, oes braidd.' Teimlai Ed yn gyndyn o gynnig rhannu ei nyth, ond hwyrach y gallai fyw gyda phresenoldeb cydnaws Llion am ychydig. 'Tasa gin i le mi gaet aros yma â chroeso, ond yr unig beth sy 'ma i ti gysgu arno fo ydi hon.' Trawodd Ed y soffa yr eisteddai arni â'i law. 'Ma hi *yn* troi'n wely, ond coelia fi, dyna gwely mwya anghyfforddus yn y byd!'

'Wy'n ddiolchgar i ti am y cynnig, Ed, ond licen i ddim cymeryd mantais o dy gyfeillgarwch di. Sdim lot o le 'da ti, whare teg.' Petrusodd. 'Ma un ateb arall, ond sa i'n siŵr odi fe'n un doeth. Licen i dy farn di.'

'O ia?'

'Alwes i yn y siop yn Nhra'th Gweirydd i brynu papur lleol – meddwl alle fod hysbysebion am dai rhent ynddo fe. A phwy o'dd yn gweitho 'na ond hi, Miss Cwrls a Choese...'

'Cyrls a...?' Daeth golwg ddryslyd i lygaid Ed am funud, yna gwawriodd arno a chwarddodd. 'Eira Mai? Disgrifiad cryno iawn!'

'Pan ddeallodd hi pam o'n i'n moyn y papur, wedodd hi fod bwthyn gwylie 'da nhw fydd yn wag ddechre Medi, os fydden i angen rhywle dros dro. Sdim hawl 'da neb i fyw 'na drwy'r flwyddyn.'

'Perffaith!'

'Ie ond... odi fe'n beth doeth i fi fynd i sefyll yng nghatre un o'r disgyblion?'

'Os mai bwthyn gwylia ydi o, mi fydd ar wahân, bydd? Fasat ti ddim yn byw *hefo* hi'r twmffat!'

'Na fydden wrth gwrs! 'Wy jyst yn teimlo 'bach yn anesmwyth ymbytu fe...'

'Reit…' Syllodd Ed yn dreiddgar arno. 'Pam?'

'Sa i'n gwbod. Am bo' fe'n beth annoeth i gymdeithasu 'da'r disgyblion, sbo.'

'Dim rhaid i ti, nag oes? Jest tala dy rent a chadw i chdi dy hun.'

'Ie…ie, ti'n iawn, wrth gwrs. Af fi draw 'na prynhawn 'ma. Wyt ti'n gwbod lle'n gwmws ma'i chatre hi?'

'Dim clem. Heblaw 'i fod o allan yn y wlad yn rwla.'

'O jawl! 'Wy miwn picil 'te!'

'Yli, ffonia i Iori Davies, cyn-athro Bywydeg yr ysgol 'cw. Fydd o'n gwbod – mae o'n hen ewyrth iddi.'

Pan gyrhaeddodd Llion bentref Bryn Eithinog, gwyddai ei fod wedi mynd heibio'r troad i Gae Aron a throdd ei Saxo bach eurliw yn ei ôl. Wrth lwc, roedd yr arwydd, a'i saeth yn pwyntio i lawr y lôn drol, yn gliriach o'r ochr hon, a daeth yntau o hyd i'r ffermdy'n hawdd a pharcio wrth ochr y tŷ. Gwelodd giât fechan yn arwain i hances boced liwgar o ardd, ac aeth i ganu cloch drws y ffrynt. Dim ateb. Yn ôl ag ef i'r lôn a cherdded heibio talcen y tŷ i'r buarth eang yn y cefn. Edrychodd o'i gwmpas. Amgylchynid y buarth gan amryw o dai allan, ond dim ond dau oedd wedi eu haddasu'n dai annedd: y naill yn dŷ unllawr am y pared â'r ffermdy, a'r llall yr ochr draw i'r clos. Roedd y clos ei hun yn rhyfeddol o lân, a'r adeiladau eraill yn bur adfeiliedig, erbyn meddwl. Rhaid nad oedd hon yn fferm weithredol, er gwaetha'r anifeiliaid a welsai yn y caeau o bobtu'r lôn.

Fel y pendronai Llion am amgylchiadau teulu Eira Mai, clywodd lais benywaidd yn ei gyrraedd o ben arall y buarth. Roedd dynes newydd ddod allan o'r bwthyn gwyliau, ac yn siarad ar ffôn symudol gan edrych tua'r llawr fel na sylwodd ar Llion. Teimlai yntau na ddylai fod yn gwrando, ond gwaeddai'r greadures gymaint fel na allai beidio.

'Eira, wyt ti'n 'y nghlywad i…? Wn 'im be haru'r ffôn 'ma, ma'r signal yn iawn yma fel arfar. Iawn rŵan…? Reit 'ta, gwranda.

Ma'r giaridýms 'na oedd yma wsnos dwytha wedi gneud llanast o'r tŷ Saeson – wedi torri llestri a ballu – a ma'r bobol nesa'n cyrra'dd tua pump. Fedri di a dy fam ddŵad â rhyw dri mỳg i mi? Rhai go ysgafn… A ma angan cwpwl o blatia cinio a phlatia bach hefyd. O, a thun cig. Duw'n unig ŵyr be maen nhw wedi'i rostio yn hwnnw, teiars car ne' rwbath, fedra i mo'i ga'l o'n lân. A rhaid i mi sgwrio'r popty. Ma isio gras hefo rhai! Be…? Na, paid â phoeni amdana i, er dwi'n cyfadda, taswn i wedi gweld yr holl lanast cyn i chi'ch dwy gychwyn allan i siopa mi fasat wedi ca'l aros i helpu. Ma hi mor blincin poeth pnawn 'ma… Gwisgo *shorts*? Be haru ti'r jolpan! Ddim pymthag oed ydw i! Yli, jest ty'd â rwbath neis i de, pryd parod – chwiadan fasa'n neis. A pheth o'r tatw stwnsh parod 'na hefyd. Fydd dim un ohonon ni isio rhagor o stryffîg heno. Wyt ti'n mynd allan wedyn…? Meic yn dal i ffwr. O wel, neith les i ti fod yn llonydd am dipyn. Neith les i ni i gyd! Iawn, 'raur, wela i di toc.'

Pwysodd fotwm i ddiffodd y ffôn a dychwelyd i'r bwthyn. Croesodd Llion y buarth a churo ar y drws. Agorodd cil y drws a gwelodd yntau ddau lygad brown yn syllu'n bryderus arno. Dim rhyfedd: bachan dieithr yn ymddangos fel huddyg i botes a hithau ar ei phen ei hun, yn ôl pob golwg, ac allan yn unigeddau'r wlad. A doedd hi ddim yn ifanc. O bell, edrychai tua hanner cant, yn weddol denau a'i gwallt yn rhoi'r argraff o fod yn dywyll. Yn agos, gallai weld bod y gwallt yn fwy brith nag a feddyliodd gynnau, a chroen ei hwyneb yn fwy rhychiog. Yn nes i'w thrigain na'i hanner cant, efallai. Ond roedd hi wedi bod yn bert yn ei dydd, mae'n siŵr. Byddai'n well iddo'i gyflwyno'i hunan a thawelu ei meddwl.

'Maddeuwch i fi am 'ych styrbo chi,' meddai. 'Llion Oliver yw'n enw i…'

'O!' Agorodd y drws led y pen. 'Chi 'di…' Bu ond y dim iddi â dweud 'stoncar Eira Mai'! Roedd y gair yn newydd iddi ac felly wedi ymsefydlu yn ei chof. Nefoedd, roedd o *yn* bishyn hefyd – yn bishyn a hanner, '…athro Drama newydd Ysgol Gwenoro?' gorffennodd.

'I-ie,' meddai Llion. 'Eira Mai wedi sôn amdana i, odi hi?'

'Do. Ma hi'n falch ofnadwy'ch bod chi yma. Mi fasa wedi gorfod mynd i rwla arall am 'i gwersi tasach chi ddim. Neu wedi gorfod rhoid y gora i Ddrama, a ma hi wedi mwydro'i phen hefo'r miri actio 'ma.'

Cymerai Llion fod yr hen ledi'n perthyn rywfodd i Eira Mai, a gwelai o ble y câi'r groten ei huniongyrchedd, na swniai'n eofn o gwbl mewn hen wreigan. Gwenodd ar Megan, ei wefusau'n siapus, sensitif a'i lygaid tywyll yn pefrio, nes peri i stumog honno fwrw'i thin dros ei phen!

'Ym...Megan Huws dwi, nain Eira.' Tân ar ei chroen oedd gorfod cyfaddef perthynas a'r fath arlliw henaint arni. 'Chwilio amdani hi dach chi?'

'Na!' gwadodd Llion yn frysiog. 'Dim o gwbwl. Wy'n whilo am rywle i fyw, a gweud y gwir, dim ond am whech wthnos. A phan weles i Eira yn y siop pwy ddiwarnod, wedodd hi bydde lle 'da chi ddechre mish Medi.'

'O, oes, mae.' Amneidiodd i gyfeiriad y tŷ. 'Yn fama. Mae 'ma olwg dychrynllyd ar hyn o bryd: rhai pobol rêl moch. Ond croeso i chi 'i weld o, fel ag y mae o. Dowch i mewn.'

Dilynodd Llion Megan i'r bwthyn, i ganol annibendod a llwch a briwsion hyd lawr. Yn ymddiheurol, arweiniodd hithau ei darpar denant drwy'r tŷ, gan ddangos iddo'r ystafell fyw a'r gegin, yr ystafell ymolchi a'r ddwy lofft.

'Licen i 'i rentu fe, Mrs Huws. Os y'ch chi'n folon. Falle bydd rhagor o ymwelwyr yn holi...'

'Dwi ddim yn meddwl: mi fydd yr ysgolion yn ailagor 'mhen wsnos. Er bydda i *yn* llawn ym mis Medi'n amlach na pheidio hefyd – pensiwnïars ydi'r fusutors mwyar duon fel arfar. Ond does 'na neb wedi bwcio mlaen llaw leni, a ph'run bynnag, fasa'n well gin i ga'l rhywun am chwech wsnos na gorfod 'i ailwampio fo bob dydd Sadwrn. Ynta fyddwch chi isio i rywun llnau i chi...?'

'Na fydd. Shgwla i ar 'i ôl e i chi. 'Wy wedi byw mewn fflatie ers blynydde.'

'Rargian! Tydach chi'n hogyn gwerth chweil! Rhaid i mi gofio diolch i Eira Mai am sôn wrthach chi.'

'Faint o rent y'ch chi'n godi?'

'Llai nag ar y bobol ddiarth, 'ngwash i! Achos mi fyddwch chi'n llai o draffarth. Sut basa pum cant am y chwech wsnos yn 'ych taro chi?'

'Grêt!' Roedd hynny'n llai na chant yr wythnos. 'Os y'ch chi'n siŵr.'

'Hollol. Faswn i'n ca'l yr un ddima goch y delyn am dŷ gwag, na faswn?'

'Roia i flaendal i chi nawr.' Aeth Llion i'w boced i nôl ei lyfr sieciau, er nad oedd ganddo lawer i fyw arno hyd ddiwedd mis Medi ar ôl prynu ei gar.

'Sdim isio i chi. Fedrwch chi ddim dengid yn bell a chitha tua'r ysgol 'na. Welwn ni chi mewn wsnos, ylwch.'

Wedi cyrraedd llidiart y lôn trodd Llion i edrych yn ôl ar ei ddarpar gartref am ei chwe wythnos cyntaf yn Llanwenoro. Roedd yr hen wraig yn dal i sefyll yn y drws yn syllu ar ei ôl. Cododd ei law arni cyn mynd tuag at ei gar, yn fodlon ar ei drefniadau ac yn barod i fynd yn ôl i Lundain am ei wythnos olaf yn yr amgueddfa cyn dechrau ar ei yrfa go iawn.

Biti na faswn i hannar can mlynadd yn fengach, meddyliodd Megan wrth iddo ddiflannu o'i golwg. Ochneidiodd, a dychwelyd at lanast y giaridýms.

O ddynes mor dawel a hamddenol, roedd chwaeth Rhiannon mewn ceir yn annisgwyl. Erbyn i'r Mazda MX5 – coch, to clwt, a hynafol – ruo i mewn i'r buarth roedd yn hanner awr wedi pedwar, a Megan yn dechrau mynd yn honco. Rhuthrodd at y car fel y dôi Eira allan ohono'n wên o glust i glust.

'Lle gythral dach chi wedi bod?' gofynnodd yn wyllt. 'Dwi'n gweld y Werddon yn fama ers meitin. Mi fydd y bobol ddiarth yma 'mhen hannar awr.'

'Cŵl hed, Nain!' meddai Eira Mai. 'Aethon ni am *retail therapy* cyn mynd i siopa bwyd – i siop ddillad neis.' Rhoddodd Megan ram-dam i'r ddwy am wastraffu amser prin, cyn ei gwadnu hi i'r bwthyn i orffen tasg y prynhawn a dodi'r offer cegin newydd yn eu lle.

Edrychodd Rhiannon ac Eira ar ei gilydd a gwnaeth Rhiannon wep hir.

'Pwy sy wedi dwyn 'i phwdin *hi*?' gofynnodd wrth fynd i'r tŷ.

'Wedi blino ma hi,' meddai Eira. 'Mi ddeudodd ar y ffôn bod 'na stomp yn y bwthyn. Ddylwn i fod wedi aros i helpu. Ond do'n i 'm yn gwbod cyn cychwyn, nag o'n?'

'Nag oeddat,' atebodd Rhiannon yn fyfyrgar. 'Mi ddylwn inna gofio nad ydi hi ddim mor ifanc ag y buo hi. Saith deg nesa ... Ty'd, i ni ga'l rhoid y bwyd a'r holl ddillad 'ma brynon ni o'r golwg cyn iddi ddŵad i'r tŷ.'

Ond i'w thŷ ei hun yr aeth Megan, i roi ei thraed i fyny cyn te. Roedd blinder bron â'i llethu a'i chefn yn bynafyd. Dim ond yn ddiweddar y dechreuasai sylweddoli o ddifrif ei bod yn mynd yn hen, ac oed yr addewid, nid ar y gorwel mwyach, ond ar y trothwy. Dim byd o'i blaen ond difodiant, a fawr ddim byd o'i hôl chwaith. A bellach, roedd hi'n rhy hwyr: yn rhy hwyr i fwynhau ychydig o bleser, yn rhy hwyr i grynhoi tipyn o addysg, yn rhy hwyr i gael boddhad o waith, yn rhy hwyr i gyfarfod rhywun newydd ...

Cyfarfod rhywun newydd? Dyna syniad hurt, os bu un erioed! Ar yr hogyn ifanc yna roedd y bai, fo a'i lygaid perliog. Aethai bron i drigain mlynedd heibio ers i Megan deimlo'i hymysgaroedd yn chwyrlïo fel yna ddiwethaf. Ei diwrnod cyntaf yn Ysgol Ramadeg Gwenoro ydoedd, a hithau fel pawb arall ar goll yng nghanol ehangder yr adeilad a newydd-deb yr wynebau dieithr. Rhywbryd yn ystod y bore cawsant orchymyn i ffurfio rhes fesul dau, i gerdded i'r neuadd ar ryw berwyl os cofiai'n iawn, a daeth un o'r bechgyn i sefyll wrth ei hochr.

'Haia,' meddai. 'Eric Elias dwi, o Brynia. Be 'di d'enw di?' A dyna'r tro cyntaf i fol Megan gorddi fel buddai ac i'w choesau wegian. Llygaid brown oedd gan Eric hefyd, a gwallt tywyll, y mymryn lleiaf yn oleuach na gwallt Llion. Hwyrach mai'r tebygrwydd rhwng y ddau a'i taflodd oddi ar ei hechel y prynhawn yma.

Bu dros ei phen a'i chlustiau mewn cariad ag Eric drwy gydol ei phum mlynedd yn yr ysgol uwchradd. Ac Eric yn ffrindiau mawr gyda hithau. Fel y cyrhaeddodd Megan oed mynd i'r pictiwrs ar nos Sadwrn dechreuodd ddisgwyl yn eiddgar i Eric ofyn iddi fynd yno hefo fo. Nes y gwelodd ef un noson hyfryd o haf law yn llaw ag un o enethod Fform *Thri*! Pedair ar ddeg oedd hi! Nefi wen, roedd rhai genod yn *ffast*! Aethai adre'r noson honno ar y bws saith a dianc i'w gwely'n gynnar i grio llond ei bol.

Gwenodd Megan wrth gofio. Ble roedd Eric erbyn hyn, tybed? Ar ôl arholiadau'r Lefel O aethai i ffwrdd i fwrw prentisiaeth fel trydanwr, i Fanceinion neu rywle. Dim ond rhyw ddwywaith neu dair y gwelsai ef wedyn, gartref ar ei wyliau. Byddai bob amser yn falch o daro arni, yn holi ei hanes o bant i bentan, ac er bod Megan erbyn hynny wedi bod allan gydag ychydig o hogiau eraill, roedd llecyn cynnes yn ei chalon i Eric o hyd. Bron na ddaliai i obeithio...Ond ymhen hir a hwyr, yn y papur lleol, ymddangosodd cyhoeddiad am ei ddyweddïad, ac yn ddiweddarach, lun ac adroddiad o'i briodas. Roedd Eric Elias wedi dod o hyd i'w bartner bywyd yn y ddinas fawr Saesneg – Patricia rhywbeth neu'i gilydd – a breuddwyd Megan ar ben.

Toc, sylweddolodd mai bendith iddi fu priodas Eric. Daeth blynyddoedd o fopio diffrwyth i ben hefyd, a dechreuodd Megan dalu sylw go iawn i'r dalent oedd ar gael o'i chwmpas. Denodd ei llygaid tywyll sawl bachgen, ond bob tro y syrthiai rhywun yn glatsh amdani gwelai ryw fai ar bob un ohonynt, a chwalai'r garwriaeth yn chwilfriw. Ar y llaw arall, bob tro y gwirionai hi ar hogyn, fo fyddai'n blino arni hi, a'i gadael yn sypyn dagreuol a briwedig am amser hir. Doedd dim ennill iddi ym myd caru, ddim mwy nag ym myd ei haddysg gynt. Efallai, pe bai wedi cael mynd i goleg, ehangu cylch ei chydnabod, y buasai wedi cyfarfod rhywun...Ond dyna fo, chafodd hi ddim. Erbyn iddi gyrraedd phump ar hugain roedd ei ffrindiau i gyd naill ai'n briod neu'n canlyn yn glòs, a hithau'n dal ar y silff. A theimlai pump ar hugain mor hen!

Yna un nos Sadwrn, mewn dawns Ffermwyr Ieuainc yng Nghaereirian, gofynnodd Ifan iddi ddawnsio. Mab fferm Cae Aron, ryw dair milltir o'i chartref hi, oedd Ifan, ond gan ei fod bum mlynedd yn hŷn na hi ac wedi gadael Ysgol Gwenoro cyn iddi hi ddechrau yno, ni wnaethai lawer ag ef erioed, er ei bod yn cofio'i weld yn y capel o dro i dro. Un tawel a braidd yn ddisylw oedd Ifan, heb fod yn arbennig o ddel, nac yn hyll chwaith, ei wallt yn rhyw frownaidd a'i lygaid yn llwydwyrdd. Y noson honno darganfu Megan fod ganddo hefyd ddau droed chwith. Er mawr ryfeddod iddi, llwyddodd y ddau i gylchynu'r llawr droeon heb faglu, yna dilynodd Ifan hi at y cadeiriau ger ymyl y neuadd ac eistedd wrth ei hochr, gan lynu wrthi fel gelen drwy'r ddawns. Pan ofynnodd a gâi fynd â hi adref yn ei fan gwrthododd Megan yn bendant, ac egluro ei bod eisoes wedi trefnu lifft gyda ffrind. Clywsai ormod o chwedleua am hogiau'n cuddio matresi yng nghefnau faniau!

Ni fu Megan fawr o dro cyn darganfod un arall o nodweddion Ifan, sef ei ddyfalbarhad. Ryw dridiau wedi'r ddawns, ymrithiodd mor ddisymwth ag ysbryd y tu allan i ffenest swyddfa'r asiant tai lle gweithiai. Pan welodd ei bod wedi sylwi arno, gwenodd arni a mentro i mewn, yn fwy hyderus oherwydd ei bod yn digwydd bod ar ei phen ei hun.

'Sma'i Megan?' meddai.

'Sma'i,' meddai Megan. A bu distawrwydd.

'Wedi bod yn rhoid petrol yn y fan. Farchnad fory.'

'Reit.' Bu distawrwydd eto.

'Ia … Meddwl baswn i'n galw, jest i ddeud helô.'

'O, ia.' Y fath sgwrs ysbrydoledig! Tynnodd Ifan anadl ddofn, fel petai ar fin plymio i'r dwfn.

'Dd-ddoi di hefo fi i'r pictiwrs nos Sadwrn?' gofynnodd. 'Elvis Presley. Ti'n lecio fo?'

Wyddai Megan ddim beth i'w ddweud. Ydw, dwi'n gwironi ar Elvis, ond sgin i fawr i'w ddeud wrthach chdi? Gwnaeth esgus, a swatiodd gartref y nos Sadwrn honno, er i un o'i ffrindiau geisio'i darbwyllo i fynd gyda hi i'r ffilm, un yr oedd yn ysu am ei gweld.

Yr wythnos ganlynol, ar garreg drws Tŷ'n Rardd y daeth Ifan i'r fei, a'r tro hwn cytunodd hithau'n frysiog i fynd allan gydag ef, yn bennaf i gael gwared ag ef cyn i'w thad ddod adref o'r gwaith. Ond roedd yn rhy hwyr. Cyrhaeddodd ei thad ar gefn ei feic fel y gadawai Ifan yn y fan fondigrybwyll.

'Hogyn Cae Aron oedd hwnna?'

'Ia.'

'Be oedd o isio?'

'Ym... gofyn awn i allan hefo fo,' mentrodd Megan.

'O.' Caeodd John ei geg am funud. 'Wel paid â gneud yr un stomp â Iori!' ychwanegodd wrth ddiflannu i'r tŷ. Ar y pryd, roedd yr Iori ugain oed yn fyfyriwr ym Mangor, ac wedi llwyddo – ar y cynnig cyntaf, mae'n debyg – i gael ei gariad, Janet, i drwbwl. Yn ôl arfer y cyfnod, cawsai Janet druan ei lluchio o'r coleg yn ddiseremoni, er mai dros dro'n unig y gwaharddwyd Iori. Priododd y ddau'n dawel, a chael lloches gan John yn Nhŷ'n Rardd, er gwaethaf hefru hwnnw. Roedd y bysiau rhwng Llanwenoro a Bangor yn eithaf cyfleus, fel y buont i Rhiannon yn ddiweddarach. A bu Janet a Iori'n gefn mawr i Rhiannon hefyd, ar adeg pan gâi hi, ei mam, anhawster i gydymdeimlo â hi. Y sawl a fu a ŵyr y fan, medden nhw...

Ond carwriaeth digon diwair a gafodd hi ac Ifan, un ddigon di-fflach. Daliodd i fynd allan hefo fo er gwaethaf hyn, a buont yn canlyn am dair blynedd. Yn ystod y cyfnod hwn daeth Megan i werthfawrogi ei dawelwch hamddenol, ac i sylweddoli bod ganddo synnwyr busnes eitha miniog, serch ei arafwch ymddangosiadol. Pan ofynnodd iddi ei briodi, bu'n pendroni am ysbaid, gan ohirio rhoi ateb iddo. Nid Ifan oedd y dyn iawn, nid fo oedd *y* cariad mawr unigryw y bu'n chwilio amdano, gwyddai hynny i sicrwydd. Ond roedd hi bellach yn wyth ar hugain oed, ac yn wynebu dros ddeng mlynedd ar hugain arall o slafio yn swyddfa David Morgan. Byddai priodas ddigariad yn well na hynny! A siawns na fyddai cyfeillgarwch a gwerthfawrogiad yn ddigon. Penderfynodd dderbyn ei gynnig, yn argyhoeddedig y câi ddyfodol eithaf cysurus er gwaethaf y llafurio a ddôi gyda fferm. Oherwydd Ifan fyddai'n etifeddu Cae Aron.

Ychydig a wyddai…!

Yn sydyn, agorodd y drws rhwng y ddau dŷ a daeth pen Eira Mai i'r golwg.

'Te'n barod, Nain. Chwiadan mewn orenj sôs a thatw stwnsh, fel ddaru chi ordro. O, a brocoli. Dach chi angan 'ych fej ar ôl dwrnod calad.'

'Dŵad rŵan, Eira Mai. Gyda llaw, wyddost ti pwy sy'n dŵad yma wsnos nesa?' Ysgydwodd Eira'i phen. 'Dy athro Drama di. Am chwech wsnos. Mi dda'th i weld y bwthyn pnawn 'ma.'

'O, reit. Dowch, i ni ga'l gorffan byta. Dwi isio ffonio Meic wedyn.'

Hon oedd y lefran ifanc a lafoeriai dros ei 'stoncar' wythnos yn ôl, a hithau ei nain yn ei rhybuddio hi rhagddo fo. Heno, dyna'r un pishyn wedi ei gyrru hi, yr hurtan nain, ar lwybrau nad oedd arni ddim tamaid o eisiau ailymweld â nhw yn ei henaint. Rhyfedd o fyd…

5

'Pen-blwydd hapus, Mama! Pen-blwydd sbesial leni!' Cusanodd Rhiannon ei merch.

'Diolch, cariad. Dipyn o *back-handed compliment* oedd o hefyd, cofia!'

'Dos o'ma! 'Di pedwar deg ddim yn hen! Rŵan ma bywyd chdi'n dechra.'

'Meddan nhw!' chwarddodd Rhiannon. '*Ond*…dwi'n bwriadu gwireddu'r hen air heddiw.'

'Be wyt ti'n feddwl?'

'Dwi am fynd i Gaer. Gei di weld pan ddo' i adra.'

'O! Lwc bo' fi 'di gneud brecwast mawr i chdi os wyt ti'n mynd i grwydro, 'tydi?' meddai Eira. Troes at yr hob – a sgrechian. Roedd yr wyau, oedd i fod yn ffrio'n hamddenol yn y badell, yn poeri saim yn wallgof i bob cyfeiriad a fflamau bychain yn neidio o'r trydan. Diffoddodd Eira'r stof a chipio'r badell oddi arni. O glywed y sgrech rhuthrodd ei nain drwodd.

'Be sy? Be sy? Be sy?' gwaeddodd yn gynhyrfus.

'O, sorri, sorri, sorri,' gwaeddodd Eira'n ôl. 'Fi 'di'r bai! Oedd o i fod yn frecwast sbesial a rŵan ma'r wya'n galad a saim yn bob man!'

'Eira Mai, mi wyt ti'n medru bod mor blincin penchwiban weithia!' ceryddodd Megan. 'Gei di glirio'r llanast dy hun, dwi'n deud wrthat ti. Mi fydd gin i ddigon ar 'y mhlât yn llnau ar gyfar Mr Oliver a ma dy fam yn ca'l 'i phen-blwydd.'

'A does 'ma neb yn mynd i ffraeo ar 'y mhen-blwydd i!' meddai Rhiannon yn dawel. 'Dowch, i ni ga'l byta'r sgram 'ma.'

Erbyn i Rhiannon gael cawod ac agor ei chardiau aeth yn ddeg o'r gloch arni'n cychwyn am Gaer. Rhuodd y Mazda MX5 allan drwy'r giât, ei do ar agor, a gwallt hir lliw llygoden Rhiannon yn cyhwfan y tu ôl i'w phen.

'O fflipin hec!' Cuchiodd Eira wrth godi ei llaw arni. 'Fydd raid iddi olchi'r gwallt 'na cyn mynd allan heno. Gobeithio neith hi ddim aros yn rhy hir yn Gaer.'

'Tydach chi betha ifanc yn gneud môr a mynydd o betha gwirion!' meddai Megan. 'Ty'd i'r tŷ i mi ga'l gweld y cardia 'na'n iawn.' Yn y gegin, cododd y cardiau fesul un nes cyrraedd un Ifor, mab Iori ei brawd.

'Ifor! Be barodd i hwn gofio! 'I hunig gefndar cyfa hi a phrin bydd hi'n 'i weld o o un pen blwyddyn i'r llall.'

'Fydd Mam byth yn mynd i weld Yncl Ifor chwaith!'

'Ma dy fam yn rhedag 'i busnas 'i hun, Eira Mai. Prin ma gynni hi amsar i gymryd 'i gwynt. Ma raid iddi drio gneud bywoliaeth go lew, wsti. Er dy fwyn di'n un peth, a chditha am fynd i'r brifysgol. Mwya'n y byd medar dy fam helpu, lleia'n y byd o ddyledion fydd gin ti ar ôl gorffan.'

'Dwi'n gwbod!' cyfarthodd Eira. 'Dyna pam dwi'n gweithio yn Glan Don.'

'Ddim gweld bai arna chdi oeddwn i, Eira bach. Sgin ti ddim help.'

'Be? Bod fi'n *bod* 'lly?'

Sylweddolodd Megan ei bod yn mynd i ddyfroedd dyfnion. Fynnai hi er dim ddifetha'r diwrnod i Eira – hwn, o bob diwrnod, a'r eneth wedi edrych ymlaen cymaint am roi trêt i'w mam heno.

'Paid â rwdlian!' Gafaelodd mewn cerdyn arall. 'Rhodri? Duwcs!'

'Fi ddeudodd wrtho fo yn practis band.'

Methodd Megan ddal ei thafod. 'Twyt ddim am ddal i gyboli hefo band yr hogyn dwl 'na eto leni? Gin ti flwyddyn bwysig o dy flaen. Mae'n iawn arno fo. Dim ond stacio shilffoedd mae o.'

'Na, Nain! Ma Rhods yn trênio i fod yn fanijar! Gynno fo lôds o GNVQs a TGAUs ar ôl bod yn Coleg Menai. Dwi'n gwbod 'di o ddim 'di bod yn iwnifyrsiti ond 'di o ddim yn ddwl! A dwi'n *rîli joio* canu bacin focals iddo fo!'

O'r mawredd! Roedd gwaed yn llawer tewach na dŵr i Eira Mai, er ei fod wedi ei deneuo ddwy genhedlaeth rhyngddi hi a'i chyfyrder, a hithau, Megan, wedi llwyddo i sathru cyrn yr eneth o'r eiliad y gwelodd hi gyntaf heddiw. Dangosai'r cynnydd mewn geiriau Saesneg a'r cystrawennau gwallus bod y drol yn dechrau troi o ddifrif erbyn hyn. A hithau am aros gartref i helpu ei nain i baratoi'r bwthyn ar gyfer yr hyfryd Mr Oliver a phopeth. Penderfynodd ei gadael, iddi gael ymdawelu cyn gwaith y prynhawn.

Wedi i Megan ei gwadnu hi braidd yn ffwr-bwt i'w libart ei hun, enciliodd Eira hithau i'w chell yn y parlwr. Lluchiodd ei hun ar y soffa a gorwedd yno am ychydig yn rhwbio'i bol. Yna estynnodd ei ffôn o boced ei jîns a chwilio am rif Mererid Wyn.

'Be ti isio, Eira Mai?' oedd cyfarchiad Mererid.

'O. Os mai felna ti'n teimlo…'

'Practeisio'r piano dwi.' Diffoddodd Eira'r ffôn yn ddiseremoni. Doedd clywed bod Mêr yn treulio'i bore Sadwrn yn ymarfer ei phiano'n helpu dim ar ei hwyliau, yn enwedig a honno'n giamstar ar yr offeryn heb lawer o ymarfer o gwbl. Ar ôl gorwedd yn bwdlyd am ysbaid, cododd a mynd at ei phiano'i hun, a dechrau chwarae darn gweddol anodd yr oedd wrthi'n ei ddysgu ar y pryd. Pan gerddodd ei nain i mewn i'r stafell fyw i chwilio am lyfr a adawsai yn rhywle, clywodd dwrw anghytgord amhersain yr amheuai nad oedd yn bosibl iddo fod yn rhan o unrhyw waith cerddorol: roedd Eira Mai'n cael y gwyllt gyda'i phiano erbyn hyn. Yn anffodus i Eira, doedd ei sgiliau ar y piano ddim yn arbennig o wych: ei dwylo fel pe baent yn cael trafferth cyfathrebu â'i gilydd. Gwyddai ei nain ei bod yn cael yr un broblem gyda'i thraed: dyna pam y byddai'n baglu o hyd. Gwenodd Megan wrth gofio'r tro hwnnw llynedd pan awgrymodd yr athrawes Ddrama y dylai gael gwersi cerdded fel model os oedd hi o ddifri ynglŷn â'i hactio. Ymateb briw Eira Mai oedd nad oedd hi ddim *yn* afrosgo ar lwyfan, bod ei thraed yn callio wrth iddi actio, yn union fel byddai atal dweud rhyw Dewi yn diflannu wrth iddo ganu! Roedd hynny wedi goglais Rhiannon gymaint fel ei bod wedi chwerthin nes bod ei hochrau'n brifo, a gwnaeth i Eira gerdded o gylch y tŷ hefo'r 'Bruce' ar ei phen. Hwnnw ddigwyddai fod y llyfr trymaf wrth law ar y pryd. Roedd ar yr hogan angen dybryd am ryw therapi i gywiro diffyg cydsymud ei haelodau. Yr unig adeg iddi roi cynnig ar ddysgu gyrru car ar y cowt, methodd ei throed ar y clytsh a'i llaw ar y gêrs yn lân loyw â gweld lygad yn llygad, a chwynodd Corsa bach Megan nes iddi ofni fod Eira Mai ar fin ei lofruddio.

A hithau'n dal i chwilio am y llyfr, clywodd Megan ddrws y stydi'n agor a daeth Eira drwodd.

'O, o'n i 'm yn gwbod bod chi yma,' meddai.

'Dim ond chwilio am y llyfr 'ma. Mi a' i rŵan. Os na fasat ti'n lecio i mi neud panad i ti?' Cododd Eira'i hysgwyddau'n ddi-hid.

'OK. Ar ôl i fi fod yn toilet.' Clywodd Megan hi'n dringo'r grisiau: i'w llofft yn gyntaf, yna i'r tŷ bach. Dyna'r rheswm am yr hwyl ddrwg felly. Diolchodd fod y boen honno drosodd iddi hi ei hun ers ugain mlynedd. Toc, daeth Eira am ei phaned.

'Ddaru chi glywad fi'n trio practeisio'r piano?' Bellach swniai'n ddigalon yn hytrach na blin.

'Do, f'aur i.' Anwesai llais Megan hi, a daeth dagrau annisgwyl i lygaid Eira. 'Hitia di befo'r hen ddarna anodd 'na. Mi wyt ti'n medru chwara'n ddigon da i ymarfar dy ganu a dyna sy'n bwysig. Canu wyt ti am neud yn d'arholiada 'te?'

'Ia. Dwi'm digon da ar y sacs eto chwaith.'

'Sticia di at ganu. Ma gin ti lais bendigedig. Fel melfad, dim min iddo fo. Gas gin i ryw hen sopranos sgrechlyd.'

Gwenodd Eira'n wan.

'Di o ddim 'di setlo'n gontralto go iawn eto chwaith. Fasa ca'l gwersi canu'n neis ond ma siŵr basa raid i mi roi'r gora i'r piano neu'r sacs.'

'Neu'r hen beth lluchio 'na…'

'Na, Nain! Taswn i ddim yn gneud hunanamddiffyn, faswn i ofn cerddad o'r lôn fawr yn y twllwch ar ôl dŵad o'r bỳs.'

'Dw inna ddim help i ti yn fanna, ofn dreifio'n y twllwch. Dwy o rai call 'te?' Daeth y wên wan yn ôl i wefusau Eira.

'Dwi am fynd i chwara gitâr wedyn, Nain. Plis peidiwch â cega. Jest ca'l hwyl ydan ni hefo'r Dipsy Donkeys 'chi. Jest gigs lleol. 'Dan ni'm yn trio bod yn Black Eyed Peas na dim.'

''I weld o'n wastraff amser dwi a llwyth o waith ysgol o dy flaen di.'

'Ma raid i ni rilacsio weithia! Ma Rhods 'di gyrru CD o fo'i hun yn canu caneuon newydd i fi. Dwi isio gweithio noda llais cefndir i Mererid Wyn a fi. Maen nhw'n ganeuon da, rhain. Ddyla fo'u rhoid nhw ar MySpace.'

'Ar be?'

'Ar yr *internet*, i bawb ga'l 'u clywad nhw. Ella basan ni'n ca'l ffans yn y Merica wedyn!' Yn sydyn canodd llais Rhodri ym

mhoced ei jîns. Tynnodd Eira'i ffôn allan. 'Fflipin hec! Meic.'
Edrychodd ar y neges destun.

'"fd up. cn I C U pnn ma? Meic",' darllenodd. 'O iechyd!
Faswn i'n lecio tasa fo'n sticio i un iaith wrth decstio! Ma isio
gradd mewn gneud pysls i' ddallt o.' Tecstiodd yn ôl: 'na. llnu
bthn fo Nn. alln hno. pnbldd Mm. Eira.'

'Be oedd o isio?' chwarddodd Megan.

'Gweld fi pnawn 'ma. O'n i 'di deud baswn i'n brysur. A bod
fi allan heno. Cha' *i* ddim un dydd Sadwrn hefo teulu fi heb iddo
fo swnian ond wsnos dwytha mi ddiflannodd *o* am oes hefo teulu
fo. O'n i'n meddwl bod o am fynd am blincin byth!' Cuchiodd.
'Nain, dwi'n mynd at y caneuon pop, ac ar ôl cinio 'na i rwbio a
polishio hefo chi nes bydd y bwthyn yn sgleinio, OK?'

'Fel ceiniog newydd ar gyfar y stoncar, Eira Mai,' gwenodd
Megan.

Gyrrai Rhiannon y Mazda MX5 coch, ei do bellach ar gau, mor
gyflym ag y caniatâi'r gyfraith ar hyd yr A55. Teimlai'n eithaf ples
â hi ei hun. Roedd ei hymweliad â'r salon harddwch a thrin gwallt
yng Nghaer wedi tynnu cryn bum mlynedd oddi ar ei hoed. Cawsai
dorri'r cudynnau hirion yn fòb ffasiynol, a llifo'u brown llygoden
yn felyn euraid sgleiniog a edrychai'n hollol naturiol. Hefyd
cawsai drin ei hewinedd, a phlycio'i haeliau a choluro'i hwyneb
gyda chynildeb cywrain a wnâi i'w llygaid gwyrddion ddisgleirio.
Costiodd y cyfan ffortiwn, ond nid dyna swm a sylwedd ei gwario.
Roedd wedi prynu ffrog fach ddu, dynn a gyrhaeddai ychydig yn
uwch na'i phengliniau, bag llaw coch, ac esgidiau cochion â sodlau
uchel pigfain – rhai hollol anaddas i fuarth fferm caregog, ond 'ta
waeth! Unwaith yn unig y cyrhaeddai merch ei deugain oed, ac os
gallai dwyllo pobl ei bod yn ieuengach, gorau oll!

Toc, sgrialodd y Mazda drwy'r giât i fuarth Cae Aron a
pharcio gyda sgrech. Fel y camai Rhiannon o'r car rhuthrodd
Eira Mai allan o'r tŷ, a Megan yn ei dilyn yn fwy hamddenol. Pan
welodd ei mam, safodd Eira'n stond, ei cheg ar agor yn syn.

'Mam! Ti'n edrach yn ffantastig!'

Syllu ar ei merch yn ddistaw a wnaeth Megan am eiliad, yna meddai:

'Ia. Ydi, ma Eira yn llygad 'i lle. Mi wyt ti *yn* edrach yn dda…' Gwenodd Megan yn ddireidus: '…o ddynas ganol oed.'

'Mi anwybydda i'r rhan ola 'na,' meddai Rhiannon gan chwerthin.

'Ia, g'na. Ma'i thafod hi wedi bod fel cyllall drwy'r dydd! A rŵan, Mam, *chill out* am sbel, a wedyn newidia i fynd allan. Ond cofia beidio molchi dy wynab!'

Roedd Eira wedi archebu tacsi erbyn saith o'r gloch i fynd â hwy i Lanwenoro a'r Delyn Aur. Gan nad oedd ar Rhiannon angen golchi ei gwallt na choluro, llwyddodd i fod yn barod erbyn chwarter i'r awr, a safai ger ffenest y gegin yn disgwyl am y ddwy arall pan ddaeth Eira i'r ystafell. Syllodd mewn edmygedd ar ei mam.

'Wa-wi! Secsi!' ebychodd. 'Mam ar y *pull*! Jest paid â dwyn barman Mererid Wyn cyn iddi hi 'i ddal o 'i hun!'

Chwarddodd Rhiannon.

'Ma Mererid Wyn a phob dynas arall yn hollol saff,' meddai. 'Ond ma'n gysur gwbod ella medrwn i hefyd, cofia!'

Yna'n sydyn clywodd y ddwy sŵn car yn cyrraedd y cowt.

'Fflipin hec! Oli Drama!' Yn hwrlibwrli'r ymbaratoi i fynd allan roedd pawb wedi anghofio am y tenant newydd. 'Nain!'

Ond clywsai Megan sŵn y car hefyd a daeth drwodd o'r tŷ nain ac allwedd y bwthyn yn ei llaw. Wrth lwc roedd hithau'n barod am y tacsi. Agorodd y drws cefn, a gweld Llion Oliver yn sefyll yn ansicr braidd ger ei Saxo eurliw.

'Well i mi fynd â'r goriad i'r Mr Oliver bach del 'na,' meddai Megan. 'Mae o'n edrach ar goll braidd.'

Rhoes Eira bwniad chwareus iddi.

'Dwi'n dallt rŵan pam dach chi isio i mi gofio bod o'n athro arna i. Ffansïo fo'ch hun, tydach?'

'Be s'arnat ti'r rwdlan wirion! Rargol! Pwy 'di hwn eto?'

Hwyliodd Volvo glas i mewn drwy'r giât yn weddol sidêt, gan aros y tu ôl i'r Saxo.

'Car Math Miws ydi hwnna,' meddai Eira. 'Ydi *hwnnw'n* dŵad yma i fyw?'

'Ddim i mi wbod. Mi a' i draw…O, ma'r ddau'n dŵad yma.'

'Ma'n flin 'da fi fod yn hwyr, Mrs Huws,' meddai Llion. 'O'dd lot o draffig, a goleuade gwaith ar yr A55.'

'Peidiwch â phoeni. Mi ydan ni'll tair ar y ffor allan – penblwydd y ferch – ond chyrhaeddith y tacsi ddim am ryw ddeng munud. Dowch i'r tŷ. Gymrwch chi banad? Dach chi wedi bod yn trafeilio ers meitin.'

'Jiw jiw, na, pidwch ffwdanu, ddim a chithe bytu mynd mas.'

'Gyda bydda i wedi'i helpu o i symud i mewn i'r bwthyn mi 'na i banad iddo fo,' meddai Ed gan wenu. 'Rhaid i'r hen stejars edrach ar ôl y cywion athrawon 'ma.'

'Ym…y'ch chi i gyd *yn* nabod Mr Edward Mathias, sbo?'

'Dwi yn,' meddai Eira. 'Dwi'n methu osgoi fo.'

'Diolch yn fawr, Eira Mai.' Cymerodd Ed arno wgu arni. 'Do, 'dan ni i gyd wedi cyfarfod yn yr ysgol. Cyngerdd Dolig a ballu.' Ysgydwodd law â Megan. Yna troes at Rhiannon ac estyn ei law iddi dan wenu. 'A'r Noson Rieni, wrth gwrs.'

Gwyliodd Megan yr olygfa gyda diddordeb. Oedd o'n dal ei afael yn llaw Rhiannon ychydig yn hwy nag oedd yn weddus iddo? Roedd eisoes wedi sylwi ar ei lygaid yn cael eu tynnu i gyfeiriad ei merch fel pe bai ganddi fagned yn sownd ynddi, a'r llygaid hynny'n pelydru cymaint nes peri iddi ofni gweld Rhiannon yn ffrwydro'n fflamau. Ond golwg braidd yn ddryslyd oedd ar Rhiannon…

Pan edrychodd Megan ar Eira, sylwodd ei bod yn sefyll yno'n gegagored. Gobeithio na ddôi'r hwyl ddrwg yn ôl i darfu ar y dathlu pen-blwydd.

6

Drannoeth dathlu pen-blwydd Rhiannon, tair o ferched â phennau fel rwdins a ddeffrodd yng Nghae Aron. Megan oedd y gyntaf i godi, tuag wyth, a gwyddai nad oedd waeth iddi heb â disgwyl gweld lliw o'r ddwy arall am o leiaf deirawr. Gwnaeth baned o goffi iddi ei hun, ac ymson am ei gwiriondeb yn gadael i Rhiannon ac Eira'i darbwyllo i lowcio cymaint o win. Eira Mai, pwy arall, oedd gwraidd y drwg. Gyda'u bod wedi cael eu harwain at eu bwrdd a dechrau astudio'r fwydlen ymgnawdolodd gweinydd gwin o rywle dirgel, a chynnig diodydd iddynt mewn Saesneg acennog. Sylwodd Megan i Eira syllu'n bur glòs arno.

'Wine, please,' meddai heb ymgynghori â neb. 'We'll have a bottle of white and a bottle of red.' Gwaredodd Megan wrthi ei hun, ac ychwanegodd Rhiannon:

'House wine, please.'

'No, we'll have Châteauneuf-du-Pape for the red,' meddai Eira dan wenu'n serchog ar y gweinydd, a diflannodd hwnnw gyda'i harcheb.

'Eira! Dim yn Tesco wyt ti!' ceryddodd Rhiannon. 'Chei di ddim gwin posh am hannar pris yn fama!' Ond roedd gan Eira rywbeth pwysicach na phrisiau drud ar ei meddwl.

'Dim problem, dwi 'di hel 'y mhres. Mam, gwranda, dwi'n siŵr mai hwnna ydi barman bendigedig Mererid Wyn! Wedi ca'l promosion!'

'Be sy mor fendigedig am fforinar hefo llgada croes?' gofynnodd Megan, nad oedd cywirdeb gwleidyddol yn rhan o'i hethos.

'Llgada cro…? Doedd gynno fo ddim! Polish ydi o, dwi'n siŵr.' Ystyriodd am eiliad. 'Dwi'n mynd i ordro dŵr.' Cododd Eira a gwibio i gyfeiriad y bar. Ymhen chwinciad dychwelodd, a gwên lydan ar ei hwyneb.

'O'n i'n iawn,' meddai. 'Polish ydi o, 'nes i ofyn.' Estynnodd ei ffôn o'i bag a dechrau tecstio.

'Oes raid i ti ffidlan hefo hwnna rŵan?' gofynnodd Megan. 'Anghymdeithasol dros ben.'

'Isio deud wrth Mêr! Tydi hi ddim 'di ca'l cyfla i siarad hefo fo eto.'

'Ia wel…dywad wrthi am fod yn ofalus,' meddai Rhiannon yn dawel. 'Ella na fydd o ddim yma'n…'

Tawodd ar hanner ei brawddeg. Sylweddolodd Eira'n syth iddi gael caff gwag a daeth golwg ofidus i'w llygaid. Eisteddai wrth ochr ei mam, ac estynnodd ei llaw i afael yn ei llaw hi. Gwasgodd Rhiannon y llaw heb ddweud gair. Mwy na thebyg y meddyliai'r ddwy na welsai Megan mo'r anwes bach o gydymdeimlad o'r ochr arall i'r bwrdd, ond ni allai lai na sylwi ar fôn braich Eira Mai'n ymestyn tuag at ei mam. Gwyddai Megan erbyn hyn beth oedd wedi tarfu ar Rhiannon, ond teimlai fel pe bai'r ddwy arall yn rhannu rhyw gyfrinach nad oedd hi'n gyfrannog ohoni: fel pe bai y tu allan i'w cylch cyfrin.

Yn ffodus, ar hynny daeth y weinyddes i gymryd eu harcheb, a throdd y stori i gyfeiriad arall. Ond pur dawedog fu Rhiannon am beth amser, â rhyw olwg bell yn ei llygaid. Gan i Eira hithau fynd yn eithaf synfyfyriol hefyd, bu'r tair yn bwyta mewn tawelwch, a rhoddodd hynny ddigon o gyfle i Megan edrych o'i chwmpas ar gapel Rehoboth ar ei newydd wedd. Gweddnewidiad go-iawn oedd o hefyd. Allai nunlle fod yn fwy gwahanol.

Uwchben ei choffi, yn ei chegin fore trannoeth, myfyriodd Megan ar yr hyn a âi drwy ei meddwl wrth iddi fwyta enllyn chwaethus y Delyn Aur, alias Rehoboth. Dim golwg o'r lampau a grogai gynt ar gadwyni hirion o'r nenfwd uchel, hardd – lampau olew, wrth gwrs, cyn i'r trydan gyrraedd. A'r nenfwd ei hun bellach o'r golwg, yn do i'r oruwchystafell, lle roedd y swper olaf wedi ei ddisodli gan ddisgos a charioci a neithiorau. Y pulpud a'r sêt fawr wedi diflannu; felly hefyd yr oriel a'r cloc ar ei blaen. Sawl gwaith y ciledrychodd Megan ar yr hen gloc hwnnw pan lusgai'r amser rhagddo wrth i bawb orfod darllen adnodau dirifedi yn nosbarth ysgol Sul Mrs Huws Cae Aron?

Mrs Huws, Cae Aron! Ei darpar fam yng nghyfraith! Er na wyddai'r un o'r ddwy mo hynny ar y pryd. Mrs Huws, Cae Aron, oedd y sawl a ymgorfforai holl naws orthrymus capel Rehoboth i Megan, a doedd ffliwjan o ots ganddi mai tafarn oedd y lle bellach, lle gallai ei lysio'i hun dan y bwrdd pe dymunai! Rhyw bymtheg oed oedd Megan yn nosbarth Mrs Huws: yn dod i'r capel am fod ei thad yn ei gorfodi, yn honni mor siomedig fyddai ei mam pe peidiai. Ond doedd y capel ddim yr un fath heb ei mam. Pam y bu raid i Dduw ei dwyn? Doedd gan neb ateb iddi...

Crwydrodd ei meddwl yn ôl ymhellach, i'r amser pan ddechreusai ei mam fynd yn wael. Wyddai neb bryd hynny ei bod yn dioddef o ganser. Cofiai Megan un pnawn Sul fel pe bai ddoe: ei mam yn stryffaglio i newid i'w dillad parch, ond erbyn iddi lwyddo teimlai'n rhy wan a blinedig i gerdded i'r ysgol Sul.

'Cerwch chi'ch dau,' meddai wrth y plant. 'Mi fydda i'n iawn.'

Gan fod eu tad wedi mynd i gymowta i rywle, mynnodd Megan wneud cwpanaid o de iddi cyn cychwyn. O ganlyniad, cyrhaeddodd hi a Iori'r capel fymryn yn hwyr. Sleifiodd y ddau drwy'r drws a swatio yn sêt y pechaduriaid wrth i'r llusgo canu gyrraedd yr 'Amen'. Gwelodd Megan Mrs Huws Cae Aron yn gwgu arnynt o'i dosbarth yn y seddi ochr: fyddai Mrs Huws byth yn hwyr. Yn y sêt fawr, yn chwithig ddigon, safai tri'n tynnu am eu pymtheg oed: Sul eu dosbarth hwy oedd hi i ddechrau'r ysgol. Gallai Megan weld y rhyddhad ar wyneb Rose Tŷ Crwn: roedd wedi ledio'i hemyn a'i phoendod felly drosodd. Tro Emrys y Berth ddaeth nesaf. Agorodd y Beibl a throi'r dalennau'n flêr, yn methu cael hyd i'w bennod. Dyma Nan Glan Aeron, a fyddai bob amser yn darllen y weddi, yn mynd ato a throi'n syth bìn i'r tudalen iawn. Taflodd Emrys gip diolchgar i gyfeiriad Nan a gwenodd hithau'n ddeniadol arno – yr hen gnawes iddi! Doedd gan Emrys ddim llawer yn ei goconyt ond roedd o'n ddel fel angel. Ac yn darllen fel pregethwr. Roedd y geiriau fel cloch ar ei dafod: '...efydd yn seinio... symbal yn tincian... a heb gennyf gariad...'

Gwelodd Megan Nan Glan Aeron yn gostwng ei llygaid, yn sbio dan ei haeliau ar Emrys – ac yn cochi! Yr hulpan! Hogan gall i fod. Aeth Emrys ymlaen â'i ddarlleniad.

'Y mae cariad yn hirymaros…Nid yw yn gwneuthur yn anweddaidd…ni feddwl ddrwg…'

Ar y ffordd adref, byddai Emrys yn dweud straeon budron. A Nan a Rose a'r lleill yn piffian chwerthin. Byddai'n rhaid i Megan hithau biffian hefyd: fyddai wiw iddi ddangos nad oedd hi ddim yn dallt – dim ond blwyddyn oedd hi fengach na nhw. Ac roedd hyn cyn y noson dyngedfennol honno pan geisiodd Glyn Tan Dderwen fynd i'r afael â hi yn y llwyd-dywyllwch wrth ddod adref o'r Band o' Hôp…

Ochneidiodd Megan. Petai'r Delyn Aur bellach yn dŷ potas ceiniog a dimai'n cynnig creision a byrgars a sothach o'r fath fyddai'r un o'i dau droed wedi croesi'r trothwy. A fyddai hithau ddim yn mwydro'i phen hefo atgofion. Er, rhaid cyfaddef bod y rheini'n ei phlagio fwy a mwy'r dyddiau hyn. Henaint, henaint, blincin henaint…

Cododd Megan a mynd i wneud chwaneg o goffi a thamaid o dost. Roedd ei stumog yn dechrau dadebru ar ôl y noson fawr. Ond gan fod capel Rehoboth ynghlwm wrth y noson fawr honno, mynnai aflonyddu arni er gwaetha'i hymystwyrian a chrwydrodd ei meddwl yn ôl drwy'r blynyddoedd i'r dyddiau cynharaf a gofiai. Cofio rhoi ei phen i lawr yn ddefosiynol fel hen gant wrth ochr ei mam yn y moddion, ond yn lle gwrando, agor y llyfr emynau. Sbecian yn y rhestr emynwyr i weld pwy oedd yr W. a'r A.G. a'r AN. yna roedd eu geiriau'n suddo i'w hisymwybod fesul Sul: geiriau fel 'anfeidrol' a 'temtasiynau' ac 'iechydwriaeth' a 'rhagluniaeth', geiriau a sŵn bendigedig iddyn nhw, yn enwedig wrth wrando ar y pedwar llais yn rantio mewn cymanfa ganu fawr.

Wedyn, yn ara deg, wrth iddi dyfu'n hŷn, daeth i ddechrau gwrando. Gwrando ar Robert Jones y Graig yn baglu drwy bennod, ac yn diweddu hefo:

'Rwsut felna ma'r bumad bennod o'r Efengyl yn ôl Matthew yn mynd.' Annw'l! Bob amser â phethau da yn ei boced i'r plant yn ei ddosbarth ysgol Sul. Yn ddiweddarach, daeth Megan i geisio'i gorau glas i wrando'n iawn ar y bregeth bob Sul hefyd, ond roedd hi'n gythgam o galed. Câi ambell i sbel bach, wrth gwrs, fel pan sylwai ar Mrs Huws Cae Aron yn sleifio fferen i'w cheg a chogio mai cosi ei thrwyn roedd hi. Doedd hi'n twyllo neb. Teimlai Megan y byddai'n llai rhagrithiol iddi sodro'i mint imperial ar ei thafod yng ngŵydd pawb. Beth bynnag, os oedd pregeth yn beth mor ddiflas nes bod angen fferins i'w melysu hi, beth oedd pwrpas dod i'r capel yn y lle cynta?

Erbyn hynny, roedd Megan wedi colli ei mam ac wedi cyrraedd y cyfnod hwnnw pan gâi hi a Iori eu hel yno o dan draed eu tad deirgwaith y Sul ac i'r Seiat bob nos Iau, yn ogystal ag i'r Band o' Hôp, nad oedd lawn mor atgas. A chan iddi gael ei helcyd yno, teimlai mai dyletswydd arni oedd ceisio clustfeinio, oherwydd bod pob pregethwr yn amlwg o'r farn fod ganddo neges werth ei throsglwyddo. Y drwg oedd, brygowthai'r diawchiaid 'wirioneddau' croes i'w gilydd yn aml iawn. Rhai'n sôn am gariad Iesu Grist, yn dod i'r byd i farw dros bobol, eu glanhau a maddau eu pechodau. Rhai eraill, wedyn, yn taranu tân a brwmstan am bechodau'r oes a phechodau'r ardal, fel petai dim gobaith i neb, Iesu Grist neu beidio. Oedd pobol Llanwenoro'n waeth na phobol pobman arall? Neu bobol yr oes o'r blaen? 'Doedd eu paldaruo nhw'n ddigon â drysu hogan ifanc! Weithiau, hoffai Megan fod wedi codi ei llaw fel yn yr ysgol a gofyn cwestiwn. Mi fuasai Mrs Huws Cae Aron wedi cael ffit! Ar ddiwedd y bregeth, pan adroddai'r pregethwr 'Gras ein Harglwydd', wrth sbecian dan ei aeliau gallai Megan weld Mrs Huws yn cadw'i sbectol yn ei chas ac yn lapio'i sgarff am ei gwddw i wynebu'r tywydd. Fedrodd hi erioed ddeall rhesymeg eistedd fel delw drwy'r bregeth a chael tragwyddol heol i anniddigo drwy'r fendith. Ond dyna fo, 'doedd yna gymaint o bethau nad oedd glaslances ddim yn eu deall. Arferion…defodau…geiriau…A Mrs Huws Cae Aron!

Cydiodd Megan â'i dwy law mewn cudynnau o'i gwallt a dechrau tynnu arnynt yn ffyrnig.

'Uffarn dân, Megan,' meddai'n uchel. 'Doro'r gora i fwydro dy ben!'

Ar hynny agorodd y drws rhwng y gegin a chegin y tŷ, a daeth cyrls melyn a gwên lydan Eira Mai i'r golwg.

'Siarad hefo chi'ch hun, Nain?' gofynnodd. '*First sign of madness*, meddan nhw!' Amheuai Megan ei bod yn llygad ei lle.

Wedi ei bodloni ei hun bod ei nain yn iawn, os ychydig yn od, ar ôl ei boliaid o win, dychwelodd Eira Mai i gegin y tŷ. Yno, wrthi'n gwneud paned, safai ei mam, y bòb taclus yn edrych fel pe bai wedi ei dynnu drwy'r drain, a'r colur deniadol wedi rhedeg yn streipiau dros ei hwyneb. Cafodd Eira bwl o biffian.

'Mam! Lle ma'r ddynas pìn-mewn-papur 'na? Wyt ti wedi sbio yn y glàs?'

'Naddo! Mi o'n i wedi blino gormod i llnau 'ngwynab neithiwr. Dwi ddim isio meddwl am yr holl bres 'na wari's i ddoe'n un stremp ar ddillad y gwely!'

'O diar! A finna wedi gneud i chdi wario mwy fyth yn y Delyn Aur! Lwc bod gin ti gerdyn credit. Sorri bod chdi 'di gorfod talu am barti pen-blwydd chdi dy hun.'

Ysgydwodd Rhiannon ei phen yn ddifalais, a dodi dau lond mẁg o goffi poeth ar y bwrdd bach isel ger y soffa yn y rhan fyw o'r gegin gefn.

'Eira Mai! Pwy ond y chdi!' Roedd chwerthiniad yn ei llais. 'Châteauneuf–du-Pape, myn coblyn i! Maen nhw'n blingo rhywun yn fyw mewn lle felna, 'sti.'

'Mi gei di weddill y pres yn ôl, wir rŵan. Gest ti siâr Nain neithiwr, do?'

'Do. Ond...ella g'na i fadda'r ugian punt ola i chdi.'

'Na, gei di o...go-wir! Ma Mrs James isio i mi neud amball shifft yn Glan Don o hyd. Fusutors hen begors o gwmpas rŵan, medda hi.'

'Paid â gada'l i dy nain dy glywad di'n deud hynna!'

'OK.' Oedodd Eira cyn ychwanegu: 'Mam, mi 'nest ti fwynhau dy hun, do?'

'Do, siŵr iawn. Mi oedd hi'n braf cael mynd allan hefo'n gilydd felna. Y tair ohonon ni.'

'Oedd.' Oedodd Eira am eiliad eto. 'O'n i ofn bod fi 'di sbwylio petha…y busnas 'na am Mererid Wyn a'i barman.'

'Naddo siŵr. Dim isio i Mererid ga'l 'i brifo oeddwn i. Fedri di byth ddeud hefo rhywun diarth.'

'Dwi'm yn meddwl bydd rhaid i ni boeni amdani hi. Neith hi byth fagu digon o blwc i siarad hefo fo!'

'Chdi neith drosti, mwn!'

'No wê! Ddim ar ôl be ddeudist ti.'

Ar hynny, daeth rhywbeth drwy'r twll llythyrau a disgyn ar y mat.

'Post,' meddai Eira. 'O naci! Ma hi'n ddydd Sul.' Aeth i godi'r llythyr ac edrych ar yr amlen. 'I chdi.'

Teimlodd Rhiannon yr amlen a thynnu cerdyn pen-blwydd a 40 arno allan ohoni.

'Pen-blwydd hapus oddi wrth Llion Oliver ac Edward Mathias!' darllenodd yn syn.

'Argol! O ia, ddeudodd Nain rwbath am dy ben-blwydd di.'

'A mi oedd y rhain yn un plastar dros bob man gin ti!' Pwyntiodd Rhiannon at y cardiau roedd Eira wedi eu harddangos o gwmpas y gegin.

'Ma raid bod Oli wedi mynd i Llan yn sbesial i nôl cardyn.'

'Paid â chymryd dy siomi! Isio llefrith neu fara neu rwbath roedd o.'

Cydiodd Eira yn y cerdyn a'i astudio, yna edrychodd allan drwy'r ffenest.

'Ella mai Math Miws dda'th â fo. Ma'i gar o yn y cowt.' Swniai braidd yn betrus. 'Fo'i hun sy wedi sgwennu'i enw. Dwi'n nabod 'i sgwennu fo.'

'Ia?' Cymerodd Rhiannon y cerdyn yn ôl. 'O, ia. Sylwis i ddim ar y gwahaniaeth rhwng y ddau,' meddai'n ddi-hid, a'i ddodi i'w arddangos ar y dresel.

Ni sylwodd chwaith ar y pryder a dywyllodd lygaid gleision Eira Mai.

7

Roedd hi'n fore Gwener, diwedd wythnos gyntaf tymor yr hydref yn Ysgol Gyfun Gwenoro. Canodd y gloch i ddynodi terfyn amser egwyl y bore, a rhedodd plant yr ysgol iau yn strim-stram-strellach tua'r drws. Tra diflannent drwyddo, safai Eira Mai, a oedd ar ddyletswydd fel swyddog, gerllaw, rhag ofn i anghydfod neu gwffas gychwyn wrth iddynt heidio i mewn i'r adeilad. Cawsai amryw o ddisgyblion Blwyddyn 12 eu penodi'n swyddogion llynedd, ond dim ond ddechrau'r wythnos y cawsai Eira'i dyrchafu, a bu'r fraint yn gryn syndod iddi. Gwyddai na fuasai'n rhy hawdd ei thrin yn ystod ei gyrfa ysgolheigaidd. Nid ei bod yn camfihafio'n fwriadol: ail natur iddi oedd o, greddf, diriedi; felly y gwelai hi bethau, beth bynnag. Ond teimlai'n hynod falch o'r bathodyn sgleiniog gwyrdd, lliw Tŷ Gweirydd, a dywynnai ar ochr chwith ei chrys chwys asur, fel y gelwid lliw gwisg yr ysgol.

Wedi i'r plant i gyd ddiflannu i grombil yr adeilad aeth Eira hithau i mewn. Gan fod ganddi wers rydd, cafodd amser i bicio i'r tŷ bach cyn mynd i ystafell gyffredin y Chweched. Tra oedd yn y toiled clywodd sŵn y dŵr yn cael ei dynnu yn un o'r lleill, yna sŵn tap yn rhedeg. Ar ôl iddi ddod allan a golchi ei dwylo gwelodd un o enethod bach Blwyddyn 7 yn sefyll yn ddiamcan yn y coridor.

'Helô,' meddai Eira'n garedig. 'Be wyt ti'n neud yn fama?'

Ni chafodd na bw na be gan y ferch, ond gwelodd ddeigryn yn treiglo'n araf o'i llygad ac yn llifo i lawr ei grudd. Plygodd Eira i edrych yn ei hwyneb yn iawn: roedd hi'n fychan gynddeiriog o un ar ddeg oed.

'Ar goll wyt ti?' gofynnodd. Amneidiodd yr eneth.

'Paid â phoeni. Helpa i di, yli. Be 'di d'enw di?'

'Rachel, Miss.' Prin y gallai Eira'i chlywed.

'Sdim isio i ti ddeud Miss wrtha i, Rachel. Eira dwi. Dwi yn blwyddyn 13, yli. Sut collist ti bawb arall?'

'Yn toilet,' atebodd Rachel. 'Oedda fi'n ca'l trwbwl gneud busnas fi.' Cafodd Eira drafferth i'w rhwystro'i hun rhag gwenu. Yna difrifolodd.

'Wyt ti'n teimlo'n iawn rŵan, cyw?' Amneidiodd Rachel eto.

'OK. Wyt ti'n gwbod lle wyt ti i fod?' Ysgydwodd Rachel ei phen.

'Oedda fi'n sâl tan heiddiw.'

'A toes neb wedi rhoi dyddiadur ysgol i chdi bora 'ma? Amserlen?' Syllodd Rachel arni'n ddiddeall. 'Ti'n gwbod, amsar y gwersi? A hefo pwy?'

'O, ia.' Tynnodd Rachel ddarn o bapur allan o'i chas pensiliau a'i astudio am rai eiliadau. 'Hefo Mistyr…O-ofilyr,' meddai. Dyna pryd y sylweddolodd Eira nad swildod a dieithrwch y lle oedd ei hunig broblemau. Swniai fel pe bai ganddi anghenion addysgol arbennig yn ogystal.

'Drama sy gin ti felly.'

'Naci!' Daeth panig i lais Rachel. Oedd y ddynes neis yma am fynd â hi ar goll eto? 'Rhywun deud erstalwn ar ôl brêc.'

Erstalwm…? Wrth gwrs: roedd Oli'n dysgu Hanes hefyd, i'r rhai ieuengaf; cawsai Eira wybod hynny pan alwodd Llion i weld ei nain ryw noson.

'Oes gin ti rif stafell ddysgu ar yr amserlen 'na?' Digon o waith mai yn y stiwdio ddrama y cynhelid y gwersi Hanes gan nad oedd yno ddesgiau na byrddau, dim ond cylch o gadeiriau. Craffodd Rachel ar y darn papur eto.

'Wyth,' atebodd.

'Reit, Rachel bach, ty'd.' Cychwynnodd y ddwy i gyfeiriad ystafell wyth. 'Be 'di enw dwytha chdi, Rachel?'

'McGordon,' atebodd Rachel.

'Wyt ti'n byw ffor'ma ers lot?' gofynnodd Eira.

'Oedda fi'n naw,' meddai Rachel.

Cyrhaeddodd y ddwy ddrws ystafell wyth a churodd Eira arno. Gwelodd Llion hi drwy'r gwydr a daeth i agor y drws. Dyna pryd y sylwodd ar Rachel, nad oedd yn ddigon tal i gyrraedd y gwydr.

'Rachel McGordon, syr. Yn y dosbarth yma ma hi i fod, dwi'n dallt.' Gwenodd Eira ar Rachel. 'Oedda chdi ar goll, 'doeddat, cyw?'

Gwenodd Rachel i fyny'n ôl arni'n addolgar. Dyna Eira Mai wedi ennill edmygydd am byth, meddyliodd Llion. Roedd yntau'n dechrau gweld ochr arall iddi erbyn hyn hefyd. Gwenodd yntau.

'Diolch, Eira,' meddai.

'Croeso, syr,' gwenodd Eira'n ôl. 'Wela i chdi, Rachel.' Trodd ar ei sawdl a chlocsio'i ffordd yn afrosgo tua phen y grisiau yn ei hesgidiau ysgol trymion, a'r coesau hirion, bellach o'r golwg mewn teits duon, yn ymestyn i fyny'n siapus o'r esgidiau hyd odre'i phelmed o sgert. Syllodd dau bâr o lygaid edmygus ar ei hôl am ennyd. Yna troes Llion at Rachel.

'Dere, Rachel,' meddai. 'Dere i ishte'n y bla'n fan hyn.'

Man a man iddo fod wedi cyfarch Rachel fach mewn Hindwstani.

'Wyt ti'n setlo?' Chlywsai Llion mo Glenys Evans, Ymarfer Corff, yn cerdded y tu ôl iddo yn ei hesgidiau dal adar wrth iddo fynd at ei gar ddiwedd y prynhawn.

'Odw, diolch,' atebodd.

'Be oeddat ti'n feddwl o'r ffiasco 'na amsar cinio?' gofynnodd Glenys. '"Make him a corporal" myn uffar i! Ma gneud yr Eira Mai 'na'n Brif Eneth yn fwy gwallgo o beth mwdral na rhoid promosion i hogyn drwg yn yr armi.'

'O'n i'n casglu iddi fod yn damed bach o niwsans o dro i dro.'

'Tamad bach o niwsans?! Blydi poen yn y tin wyt ti'n feddwl! Ma hi 'di dojo cymaint o'i gwersi Chwaraeon nes 'mod i wedi colli nabod arni jest iawn. Tasat ti wedi'i gweld hi pan oedd hi tua'r pedair ar ddeg 'ma, yn dŵad i'r ysgol yn un plastar o fêc-yp! Ma hyd yn oed 'i hewyrth hi'i hun wedi'i gyrru hi i ista tu allan i stafall y Dirprwy ddega o weithia. Holi petha twp yn y gwersi 'sti, jest i neud i'r lleill chwerthin yn wirion a chreu anhrefn.'

'Ti'n gweud?' Swniai Llion fel petai ei feddwl yn crwydro braidd.

'Ac am y sgertia 'na, fasa waeth iddi hebddyn nhw ddim, ar hynny maen nhw'n guddio. Ond ella bod chdi'n anghytuno yn fanna…'

'Na…na na,' meddai Llion, er nad oedd ganddo'r syniad lleiaf beth oedd Glenys wedi ei ddweud. Gwelsai'r eneth fach Rachel honno yn y ffordd ger y bysiau ysgol, yn rhedeg ar ôl Eira Mai ac yn cydio yn ei llaw.

'Dipyn o ffŵl ydi'i chariad hi hefyd, a maen nhw 'di gneud hwnnw'n ddirprwy ar yr hogia,' meddai Glenys. 'Diolch bod Bedwyr Morus, y Prif Fachgen, yn hogyn go neis. 'Di o ddim yn hogyn awdurdodol iawn ond fo ydi'r gôli gora ma'r ysgol wedi'i weld erioed. Ond am Helen Lloyd, ma hi wedi ca'l cam, gorfod bod yn ddirprwy i'r ffifflan Eira 'na. Ffasiwn Brif Ddisgybl neith honna, Duw a ŵyr.'

Roedd Eira wrthi'n arwain Rachel i gyfeiriad un o'r bysiau a sylweddolodd Llion ei fod yntau wedi cyrraedd ei gar. Daeth ato'i hun mewn pryd i glywed geiriau olaf Glenys.

'Falle bydd ysgwyddo cyfrifoldeb yn 'i newid hi,' meddai, gan aros.

'Hy! Sym hôps! Waw, gin ti chwip o gar – sporti! Fasa dim otsh gin i ga'l reid yn hwnna rywdro.'

'Ie…rywbryd…' meddai Llion ar hyd ei din. 'Hwyl nawr.'

Aeth Glenys yn ei blaen at ei char ei hun, ac wrth i Llion eistedd wrth lyw'r Saxo a thanio'r peiriant gallai weld Eira drwy ffenest bws yn edrych fel pe bai'n cael sgwrs – neu gweryl – gyda'r cariad hwnnw oedd ganddi. Yn sydyn, rhuodd peiriant y bws a diflannodd Eira. Yna gwelodd Llion hi'n rhuthro'n drwsgl i gyfeiriad bws arall, ond cyn iddi ei gyrraedd cychwynnodd hwnnw hefyd. Safai Eira yno'n syllu'n ddiymadferth ar ei ôl. Gyrrodd Llion y Saxo drwy iet yr ysgol ac aros wrth ei hochr.

'Rachel McGordon wedi achosi problem 'to?'

Gwnaeth Eira wep hir.

'Welsoch chi? Bỳs Meic oedd hi isio, ond a'th Meic yn flin fel cacwn pan 'nes i ofyn iddo fo edrach ar ôl un o be mae o'n galw'n *lost sheep* fi.' Gwenodd Llion ac ochneidiodd Eira. 'Dwi'n meddwl bod Miss Mac yn mynd i fod yn dipyn o hasl.'

'Fydd rhaid ca'l rhywun i haslo'r ysgol, t'weld, nawr bod dy ddyddie anghyfrifol di ar ben. Llongyfarchiade ar swydd y Brif Eneth.'

'Diolch, syr. Ym... fuo 'na anghytuno hefo'r dewis, do? Gweld bod chi'n gwbod am 'y... ngorffennol i 'lly...'

'Ma dyn yn dysgu lot tsha stafell yr athrawon! Shwt ei di gatre?'

'Cerddad am wn i, syr. Dwi wedi cerddad lawar gwaith.'

'Wel... sa i'n gwbod ddylen i gynnig lifft i ti ond... jawch, 'yt ti'n mynd i ga'l socad whap. Shgwla'r cwmwl 'co.' Yn sicr edrychai'r cwmwl fel pe bai am arllwys ei gynnwys unrhyw funud.

'Dere, jwmpa miwn.' Petrusodd Eira.

'Dwi'm isio creu trwbwl i chi, syr.'

'Wy'n gwbod 'ny neu fydden i ddim yn cynnig. Dere w!'

Penderfynodd Eira dderbyn y lifft. Wedi'r cwbwl, y peth olaf a ddeisyfai oedd ei gyhuddo o unrhyw anlladrwydd. Diolchodd iddo ac agor drws y car. Ond cyn iddi fynd i mewn, arhosodd car arall y tu ôl iddo: car Iori.

'Eira Mai! Aros am funud.' Oedodd Eira, gan feddwl hwyrach bod Yncl Iori am ei llongyfarch ar ei huchel swydd. Daeth Iori ati. 'Be sy'n digwydd yn fama?'

'Wedi colli'r bỳs dwi, Yncl Iori. Ma Mr Oliver am roid pàs i mi, gan bod o'n mynd at ddrws y tŷ.' Plygodd Iori ac edrych i mewn i'r car.

'Gair i gall, Llion. Rŵan ma'ch gyrfa chi'n dechra. Dach chi ddim isio'i handwyo hi cyn iddi fagu adenydd. Peidiwch *byth* â rhoi lifft i neb o'ch disgyblion. Iawn, dwi'n gwbod na fasa Eira byth yn 'ych cyhuddo chi o ddim byd ar gam, ond doethach ydi cadw pelltar. OK?' Amneidiodd Llion.

'Wy'n gwerthfawrogi'ch cyngor chi, Mr Davies. Y glaw o'dd yn 'y mecso i – ddim am iddi wlychu'n shwps.'

'A' i â hi adra. Ma 'ngyrfa fi drosodd, diolch i'r grasusa, ar wahân i'r mymryn gwaith llanw 'ma. A phrun bynnag, tasa hi'n gweiddi "rêp" ar 'i hen ewyrth mi fasa'i nain yn hannar 'i lladd hi!'

'A'ch lladd chitha!' Dyrnodiodd Eira Mai ef gydag arddeliad. Ei hewythr oedd o rŵan, nid ei hathro.

'Wyt ti wedi setlo tua'r ysgol 'cw?'

Estynnodd Edward Mathias gan o lagyr i Llion Oliver ac eistedd gyferbyn ag ef. Heno teimlai'n falch o gael cwmni yn ei dŷ bach twt.

'Odw, diolch. Wy'n teimlo'n itha cartrefol yn barod.'

'Go dda. A be am y bwthyn? Wyt ti'n ca'l llonydd? 'Ta ydi Prif Eneth Ysgol Gwenoro'n dy fwydro di?' Chwarddodd Llion.

'Dim o gwbwl. Synnes i glywed iddi fod yn shwt gyment o bla pan o'dd hi'n iau. Wy'n meddwl nawr i fi ga'l camargraff ohoni pan gwrddes i hi gynta. Ma hi'n dda 'da'r plant ifanca, nag yw hi?'

'Yn boblogaidd hefo nhw hefyd. Gofyn trwy deg bydd Eira Mai, ddim gorchymyn. Mi gafodd 'i hethol yn gapten Tŷ Gweirydd llynadd gan y disgyblion a mi na'th lot o les iddi. Welis *i* ddim *gormod* o'i misdimanars hi!' Chwarddodd Llion.

'Ma lle bach nêt 'da ti man hyn, Ed.'

'Digon i mi, 'sti. Doedd gin i fawr o gelc ar ôl yr ysgariad.'

'Sdim celc o gwbwl 'da fi! Ond o leia fydd 'da fi gatre parhaol pan gaf fi setlo ym Mhen Rallt.'

'Ia. Bywyd go ansefydlog ydi bywyd myfyriwr.'

'Mmm…A gweud y gwir, bywyd ansefydlog o'dd 'da fi cyn 'ny 'fyd…'

'Ia wir? Sut felly?' Gwnaeth Llion ystum diystyriol â'i law.

'Sdim ots. Sa i'n siarad lot ymbytu fe.'

Bu Ed yn dawel am ennyd.

'Os wyt ti isio deud, dwi'n fwy na pharod i wrando.'

'Diolch. Sa i'n gwbod, falle taw setlo miwn un lle am y tro cynta ers blynydde sy'n... Golles i'n rhieni, t'weld, pan o'n i'n saith. Damwen car.'

'Sobrwydd y byd, dim ond saith oed... Pwy ddaru dy fagu di? Dy nain?'

'Nage. Yr unig dylwyth o'dd 'da fi o'dd 'yn hen fam-gu, o'dd bytu naw deg o'd ac mewn catre henoed. Pawb wedi marw o'i bla'n hi: neb i'w charco hi a neb i 'ngharco i. Ac o'dd dim tŷ i' werthu: o'n ni'n byw mewn tŷ cyngor ar bwys Llanelli. Ges i'n hala i gatre maeth. O'n nhw'n gwpwl neis a ddylen i wedi bod yn OK man 'ny, a tasen i fel pob plentyn arall... Ond o'n i ddim. O'dd colli'n rhieni mor annishgwl wedi bod shwt drawma, halodd e fi miwn i fi'n hunan, os ti'n dyall. O'n i'n ffaelu... cyfathrebu, sbo. Ffaelu gweud wrth neb shwt o'n i'n teimlo. Pawb yn treial 'u gore 'da fi, a phawb yn ffaelu – seiciatryddon, gweithwyr cymdeithasol, rhieni maeth... Fues i 'da pedwar cwpwl mewn peder blynedd. Yn y diwedd, pan o'n i'n un ar ddeg, ges i'n hala i gatre plant.'

'Ond mi oedd hynny'n siŵr o fod yn saith gwaeth.'

'O'dd. Ac wrth gwrs, ar yr un pryd ddechreues i yn yr ysgol uwchradd. Yn gwmws y teip o blentyn dihyder gele'i fwlian. Ro'dd y tymor cynta'n hunllefus. Ond wedi 'ny ddechreuodd pethe wella. O'dd athro Drama ardderchog yn yr ysgol, wastod yn rhoi cyfle i bawb fel 'i gilydd, a ffindes i bo' fi'n lico'r busnes acto hyn. O'n i'n galler anghofio ymbytu fi'n hunan wrth esgus bod yn rhywun arall, t'weld. Yn yr ail dymor benderfynodd Mr Phillips lwyfannu dramâu byrion – wy'n ame taw fe'i hunan sgrifennodd nhw 'fyd. Fentres i dreial am ran. Na'th e shwt les i'n hunanhyder i achos o'dd y cymeriad ges i mor wahanol i fi'n hunan. *Tough guy,* ti'n gwbod! Ges i lonydd 'da'r bwlis ar ôl 'ny 'fyd!'

'Dyna pam est ti mlaen hefo Drama?'

'Ie. Ro'dd hi'n anodd, cofia. Weithes i'n ffordd drwy'r cyrsie coleg i gyd. Ond ma pawb yn gorffod neud 'ny y dyddie hyn nag y'n nhw?'

'Gwir. Mi oedd petha sbel haws yn 'y nyddia coleg i. Ond Llion, os oeddat ti'n lecio actio gymaint, pam est ti i ddysgu?'

'Achos 'yn jobyn gwylie i yn yr amgueddfa. Ffindes i mas bryd 'ny bo' fi'n lico gweitho 'da plant. Ffindes i rywbeth arall mas 'fyd. Bod 'da fi'r hyder i sefyll o fla'n plant fel fi'n hunan, nage'n cwato tu ôl i gymeriad. Wy'n meddwl taw 'na barodd i fi sylweddoli bo' fi wedi tyfu lan, wedi gadel y crwtyn bach *traumatised* hwnnw ar ôl.' Gwenodd Llion. 'O'n i'n barod i wynebu'r byd mowr creulon!'

'Dwi'n gobeithio na fydd byd Llanwenoro ddim yn *rhy* greulon i ti.'

'Fydd e'n OK. Ma 'da fi deimlad yn 'y nŵr.'

'Dwi'n siŵr bydd o,' meddai Ed. 'A…diolch i ti am ddeud. Dwi'n teimlo 'mod i'n dy nabod di'n well rŵan.'

8

Pan agorodd Eira ddrws y stiwdio ddrama ar gyfer gwers ddwbwl ola'r bore cyrhaeddodd Sioned wrth ei chynffon a'i gwynt yn ei dwrn. Edrychai Mr Oliver yn ddigalon, a doedd dim arlliw o Guto.

'Reit, ferched,' meddai Llion. 'Ddechreuwn ni drafod *Uncle Vanya* nawr, gan taw dim ohonoch chi'ch dwy sy ar ôl 'da fi.' Edrychodd Sioned ac Eira ar ei gilydd.

'Be am Guto, syr?' gofynnodd Eira.

'Ddo' wedodd e 'tho i bod 'da fe ormod ar 'i blât; falle fydd e'n rhoi Drama lan,' atebodd Llion. 'Gwyddonydd yw e: diddordeb yn unig yw Drama. Ma fe'n gorffod colli rhai gwersi, fel y'ch chi'n gwbod. Probleme amserlennu.'

'O blwmin 'ec!' ebychodd Sioned. 'Dach chi'n mynd i'n lladd i, syr.'

'Paid gweud! So ti isie sgrapo Drama 'fyd?'

'Fedra i ddim gneud pedwar pwnc, syr, a dwi isio cadw'n ieithoedd.'

'Ti'n siŵr, Sioned? Meddyla drosto fe...'

'Y peth ydi... gin i frawd bach a...' Ni allai Sioned ddod o hyd i'r geiriau priodol heb ddilorni ei mam o flaen ei hathro. Daeth Eira Mai i'r adwy.

'Ma Sioned yn gorfod ysgwyddo lot o'r baich adra, syr.' Gwyddai fod ei ffrind yn aml yn cael y dasg o warchod Gethin Cai, mymryn teirblwydd hynod o fywiog, tra âi ei mam ar grwydr gyda'i ffansi-man. Amneidiodd Llion.

'Ma'n flin 'da fi, Sioned,' meddai. 'O'r gwaith byrfyfyr nethon ni wthnos dwetha allen i weld dy fod ti'n dda. Falle alli di gymryd rhan mewn cynhyrchiad?'

'Ella, syr... Dibynnu...'

'Wel... man a man i ti ga'l gwers rydd nawr 'te. Bant â ti.'

'Diolch, syr.'

Diflannodd Sioned gydag ochenaid o ryddhad. Edrychodd Oli Drama ar Eira.

'Reit 'te, Eira Mai, falle byddi *di*'n ca'l gwersi un-i-un o hyn mla'n.' Nid edrychai'n *rhy* siomedig ynglŷn â'r trefniant hwnnw. 'Serch, fel 'yt ti'n mynd i berfformo deialog 'da ti dy hunan...' Cododd ei ysgwyddau.

Roedd hi'n brynhawn braf o Fedi, a phenderfynodd Rhiannon gymryd mantais o'r hin i fynd allan. Tybed a hoffai'r hen Mrs Strong ddod am awran o awyr iach ar bnawn mor fendigedig, er mai dim ond y fynwent fyddai eu cyrchfan? Aeth draw i Draeth Gweirydd a chanu cloch y fflat foethus ar y prom.

'Well? What news have you got for me?' gofynnodd yr hen wraig ar ôl cael ei gwynt ati ac ymollwng fel sachaid o datws i sedd car Rhiannon. Eglurodd Rhiannon ei bod erbyn hyn yn gwybod enwau brodyr a chwaer ei nain Jane, ac mai chwilio am feddau'r rheini fyddai'r dasg heddiw.

'I hardly remember my Nan, you know,' meddai Mrs S. 'But she must have been a funny old biddy not to have kept in touch with her family. Snobbery, I suppose; thought she was *somebody* after marrying the boss's son. She was only a humble maid after all, even if her in-laws *had* built half of Liverpool.'

Gwenodd Rhiannon. Doedd y snobeiddiwch ddim wedi treiddio drwodd yng ngenynnau Mrs Strong, beth bynnag, er iddi etifeddu cyfoeth ei theulu. Llawfeddyg ymgynghorol oedd ei diweddar ŵr ac fe'i gadawodd gyda digon o bres poced i brynu'r fflat crand yna yn Nhraeth Gweirydd pan fu farw.

'But tell me, Rhiannon, have you found any relatives of mine still alive and kicking yet? I'm dying to get to know them.' Trawodd ei llaw ar ei cheg. 'Oh dear! Silly thing to say. I won't get to know them if I'm dying, will I?'

'I haven't found any so far, Mrs Strong,' chwarddodd Rhiannon, 'but the best way to trace the living is by means of the dead. That's why we're here.'

Parciodd ei char gerllaw eglwys Gwenoro a mynd ati i halio Mrs Strong allan ohono. Gyda chymorth Rhiannon, a ffon a drôi'n stôl fach pan fyddai angen gorffwys arni, cerddodd Mrs S ar hyd y llwybr tarmac ac anadlodd yn ddwfn.

'Good to be alive on a day like this,' meddai, 'even if we *are* surrounded by the dead.'

Cytunai Rhiannon: nid ymddangosai erw Duw a'r santes Gwenoro mor felancolaidd ar brynhawn o 'haf...' nage, o Fedi 'hirfelyn tesog'. Gwenodd: roedd hi'n dal i gofio peth o'i Lefel A Cymraeg!

'The best place to start is by the grave of your great-grandparents which we found last time,' meddai. 'Family graves tend to be fairly close together.'

Toc, daethant o hyd i fedd lle roedd dau o'r brodyr wedi eu claddu gyda'i gilydd. Awgrymai hynny y gallai'r ddau fod yn ddibriod: dechrau da i ddarganfod disgynyddion! Ond yn bendant, brodyr Jane oedd y ddau, gan mai Bodephraim oedd eu cyfeiriad.

'I wonder where Bod-eephrame is,' meddai Mrs Strong. 'I'd love to see it.'

'I've never heard of it,' atebodd Rhiannon. 'It could be a ruin by now. But of course I don't know everywhere in the vicinity. I'll ask my mother. Maybe a descendant of one of the other three siblings lives there.'

'Yes of course: three more to find…Rhiannon, it's awfully nice of you to ask me along, but do you mind if we stop now? I'm rather tired.'

Penderfynodd Rhiannon fynd â hi adref, a dychwelyd i'r fynwent i chwilio am ragor o feddau'r teulu; ond wedi cryn awr heb weld unrhyw arlliw arall o'r enw Bodephraim, cawsai lond bol. Troes ei golygon tua'r giât. Hwyrach yr âi i fyny at yr ysgol i nôl Eira Mai.

Yn sydyn, daeth rhywun drwy'r llidiart, ac wrth iddo gerdded tuag ati ar hyd y prif lwybr, sylweddolodd Rhiannon pwy ydoedd: Math Miws, chwedl Eira. O amgylch ei geg roedd Edward Mathias wedi clymu sgarff, ond wrth iddo nesáu gwyddai Rhiannon ei fod yn gwenu oherwydd y wên yn ei lygaid gleision.

'Helô,' meddai drwy'r sgarff, 'be 'ga chi'n ngeug mewng lle mor ddigalong?'

'Gneud joban bach hel achau i ryw ddynas,' atebodd Rhiannon dan wenu. 'Wyddwn i ddim mai yn y fynwant ma syrjeri'r deintydd rŵan!'

Chwarddodd Ed. 'Shorc cỳc agra,' meddai, 'os 'ga chi'n gallc.'

'Ydw, dwi'n meddwl! Lle dach chi'n byw 'ta?'

'Scryg yr Eglwys, rhif saith. Mae 'na giâc wechang o'r wynwangc. Gymrwch chi bangag?'

'Panad? Na, dim diolch. Dwi am fynd at yr ysgol i nôl Eira. Sbario iddi gerddad o ben lôn ni.'

'Ia. Bici na wasa Lliong yng ca'l rhoi liffg iddi, ong 'ga chi'n gwbog am sewyllwa athrawong y gyddia yma.'

'Wrth gwrs. Well i mi fynd. Gobeithio gneith 'ych ceg chi ddadmar toc i chi ga'l 'ych pangag!'

Byrlymai ei llygaid gan ddireidi wrth iddi ei adael. Trodd Ed i syllu ar ei hôl, ei lygaid yntau'n bradychu ei ddiddordeb, ac eto'n wyliadwrus. Damia Angela! Pa bryd byddai'r gochelgarwch yma'n pylu digon iddo allu mentro i berthynas arall?

Eisteddai Rhiannon yn ei char y tu allan i giât yr ysgol, yn hanner gwylio llifeiriant y plant i gyfeiriad y bysiau. Mewn gwirionedd, myfyriai ar lygaid gleision Ed Mathias yn disgleirio arni. Chwarddodd: roedd hwnna'n llawer mwy o hen fflyrt nag yr awgrymai ei ymarweddiad parchus ar Noson Rieni!

Deffrowyd hi o'i breuddwyd gan ddrws y car yn cael ei agor. Yno ar y palmant safai Eira Mai, a geneth fechan yn gafael fel cranc yn ei llaw.

'Mam, fydda i ddim chwinciad. Ma Rachel yn dal i ga'l traffarth i gofio pa un ydi 'i bỳs hi.'

Caeodd Eira'r drws, a gwyliodd Rhiannon ei merch yn arwain y fechan yn ofalus ar draws y stryd. Gweithwraig gymdeithasol neu nyrs neu athrawes ddylai Eira Mai fod. Gresyn iddi fwydro'i phen hefo'r chwiw actio yma. Cyrhaeddodd Eira yn ei hôl toc ac eistedd yn sedd y teithiwr.

'Whiw,' meddai, 'pwy ond blincin Rachel McGordon! Ma hi yma ers bron i dair wsnos a ma hi'n dal ar goll!'

'Hi oedd y broblem pan dda'th Yncl Iori â chdi adra?'

'Pwy arall? Ma hi'n meddwl mai fi 'di 'i *guardian angel* hi.'

'Paid â gada'l iddi fynd yn ormod o niwsans.'

'OK. Heb setlo i mewn yn iawn ma hi ar hyn o bryd, dwi'n meddwl.'

Gyrrodd Rhiannon o ganol dwndwr y gybolfa o blant ac i'r ffordd tuag adref.

'Pam ddoist ti i nôl fi?' gofynnodd Eira gan edrych ar ei mam yn chwilfrydig.

'Digwydd bod yn Llan. Gei di sbario cerddad o'r lôn fawr.'

'Diolch. Cofia, hwnna 'di'r unig ymarfar dwi'n ga'l, ar wahân i'r *self-defence.*'

'O. Dal i ddojio Chwaraeon, 'ta?'

'Sdim pwynt mynd. Ma Glenys the Menace yn casáu fi. Dwi 'di baglu ar draws pob ffon hoci dwi 'di gafa'l ynddi ers pan o'n i yn Blwyddyn Saith.' Bu Eira'n dawel am chydig, yna: 'Gafon ni ddim Cerdd diwadd pnawn. Math yn rhoid y wers ola'n rhydd i ni.'

'Mmm. Mynd i ga'l tynnu dant oedd o.'

'Sut wyt ti'n gwbod?'

'Digwydd taro arno fo yn y fynwant.'

'Mam, ti 'm yn gneud dim sens!'

'Mae'n debyg bod 'na giât o fynwant Gwenoro i Stryd yr Eglwys lle mae o'n byw. Sylwis i rioed arni.'

'Pam oedda *chdi* yn y blincin fynwant? Lle od i fynd am dro.'

'Mrs Strong 'te. Honno sy isio gwbod oes gynni hi deulu o gwmpas y lle 'ma. Ma brodyr 'i nain hi wedi'u claddu yno.'

'O. Felly... diolch i hen-yncls Mrs Strong, mi wyt ti wedi ca'l gwbod lle ma Math Miws yn byw.' Ciledrychodd ar ei mam. 'Mae o'n ffansïo chdi, 'sti. Ro'dd hi'n digon hawdd gweld hynny noson dy ben-blwydd di.'

'Wyt ti'n dechra drysu?' Canolbwyntiodd Rhiannon ar y ffordd, a gyrru mewn tawelwch. Wysg ei hochr, taflodd Eira gipolwg bryderus arni.

'Sorri, Mam. 'Di o ddim busnas i fi...'

'Eira, os wyt ti wedi ca'l rhyw chwilan wallgo yn dy ben am Mr Mathias a fi, wrth gwrs 'i fod o'n fusnas i ti,' meddai Rhiannon. 'Aros i ni gyrraedd adra. Gawn ni siarad dros banad.'

Ond pan gyrhaeddodd y ddwy'r tŷ, dyna lle roedd Megan yn y gegin gefn wrthi'n troi lobsgows hefo llwy bren: rhyw ffiws wedi chwythu yn ei chegin hi, meddai. Edrychodd Rhiannon ac Eira ar ei gilydd.

'Ty'd i fyny i'r swyddfa, Eira,' meddai Rhiannon. 'Ma Eira isio ca'l golwg ar yr achau 'ma ar y we,' eglurodd wrth ei mam gan chwifio ffeil Mrs Strong.

'O ia?' Celwydd, yn ôl y cip a fu rhyngddynt. Unwaith eto,

teimlodd Megan ei hun y tu allan i gylch dirgel a amgylchynai ei merch a'i hwyres. Teimlad unig…

Yn ddiogel yn y swyddfa, allan o glyw Megan, gorchmynnodd Rhiannon:

'Reit, madam, bwrw dy fol. Fel arfar, does dim angan deud wrthat ti.'

'Nag oes, ond…dwi jest ofn ca'l gwbod. Be dwi'n feddwl ydi…dim ond chdi a Nain a fi sy 'di bod hefo'n gilydd ers oesoedd, a…' Cododd Eira'i hysgwyddau'n ddiymadferth. 'Ti bob amsar yn deud bod chdi'n dal i garu Dad…'

'A phwy sy'n deud 'mod i wedi stopio? Wedi methu dwi hyd yn hyn.'

'Be, ti wedi trio…? Dwi'm yn cofio neb arall.'

'Mi oeddat ti'n rhy ifanc i gofio Sam. A wedyn mi dda'th Myrddin, pan oeddat ti tua pedair. Mi oedd o'n dda ofnadwy hefo chdi.'

'O…Dwi *yn* hannar cofio rhyw ddyn yn mynd am dro hefo ni a ballu…Cario fi ar 'i sgwydda…' Gwenodd Rhiannon.

'Myrddin fasa fo. Corn y bwch fydda fo'n galw hynny.'

'Ti'n swnio fel tasat ti'n lecio fo, Mam. Be ddigwyddodd?'

'Mi oeddan ni'n ffrindia mawr. Fuo bron i mi â'i briodi o, i chdi ga'l tad fasa wedi dy fagu di fel 'i blentyn 'i hun. Ond fedrwn i ddim. Mi oedd hi'n dal yn rhy fuan.' Hefyd, roedd wedi synhwyro anniddigrwydd ei mam o fewn ei phriodas. Fynnai hi ddim gwneud yr un camgymeriad. Ond nid peth i'w ddatgelu wrth Eira oedd hynny.

'Ydi hi'n dal yn rhy fuan rŵan?' gofynnodd Eira'n betrus.

'Dwi ddim 'di meddwl am y peth, Eira. Y peth dwytha wna i ydi neidio mewn mwgwd i unrhyw berthynas – hefo unrhyw un – dwi'n gaddo hynny i ti. Pwyll pia hi.'

'So…dwi *ddim* yn debygol o ga'l Math Miws yn dad gwyn?'

Bu raid i Rhiannon chwerthin.

'Eira Mai! Mi wyt ti'n camu'n fras gynddeiriog rŵan. Prin deirgwaith dwi wedi torri gair hefo'r dyn! Wn i affliw o ddim amdano fo. Ella bod gin hwn eto wraig – a hannar dwsin o blant yn rwla. Neu ella…ella'i fod o'n hoyw – pwy ŵyr?'

'Hoy…?' Tawodd Eira ar hanner gair a syllu'n hurt ar ei mam. 'Ti ddim yn meddwl bod o ac Oli…?' Math ac *Oli*? Gwaeth na Math a'i mam!

'Eira bach, doro'r gora i ffantasïo a ty'd i lawr i ga'l blas ar lobsgows dy nain! Anghofia'r lobsgows yn dy ben.' Gwthiodd Rhiannon ei merch yn ysgafn i gyfeiriad y grisiau. Ond wrth iddynt fynd i lawr tua'r gegin, fel pe bai protestio Eira wedi megino gwreichionen, cafodd Rhiannon ei hun yn myfyrio unwaith eto ar lygaid gleision perliog Edward Mathias.

A wyddai'r naill na'r llall ddim nad oeddent, am unwaith, wedi llwyddo i ddod i ddeall cudd feddyliau calonnau ei gilydd.

9

Tua dechrau Hydref, dirywiodd y tywydd yn enbyd. Fore Gwener cyntaf y mis chwythai corwynt cryf ac oer o'r gogledd-ddwyrain, ac yn ysbeidiol hyrddiai cawodydd o genllysg yn erbyn ffenestri Cae Aron.

'Dwi'n mynd, Mam,' galwodd Eira Mai, dan gau *zip* ei pharca gynnes.

'Nac wyt ddim!' Daeth llais Rhiannon o gyfeiriad y cwt golchi. 'Sbia, cafod arall. Mi a' i â chdi i gyfarfod y bỳs neu mi fyddi wedi fferru cyn cyrraedd yr ysgol.'

'*Ace*!' meddai Eira. 'Diolch, Mam.'

Ar y briffordd, troes Rhiannon y Mazda i wynebu cyfeiriad Bryn Eithinog er mwyn iddynt allu gweld y bws yn nesáu mewn da bryd. Tra eisteddai'r ddwy ynddo'n aros daeth y Saxo bach eurliw i'r fei o lôn Cae Aron. Cododd Llion ei law i'w cyfarch, a golwg boenus, braidd, ar ei wyneb.

'Bechod,' meddai Rhiannon. 'Dwi'm yn meddwl 'i fod o'n rhy hapus yn gorfod dy basio di, 'sti.'

'Sgynno fo ddim help. Fasa'n braf ca'l lifft reit i'r ysgol 'fyd. Trystio'r bỳs i fod yn hwyr ar fora fel hyn!'

'O, twt, waeth i mi fynd â chdi, ddim. Fedrwn i neud hefo bara ffresh erbyn cinio p'un bynnag.'

Unwaith eto, troes Rhiannon y Mazda'n daclus, y tro hwn i gyfeiriad Llanwenoro, a chyrhaeddodd Eira Mai'r ysgol yn gynnar. Fel y camai allan o'r car daeth Volvo Edward Mathias heibio. Cododd ei law ar y ddwy gyda gwên serchog.

'Ma gin ti fam glên, Eira Mai,' meddai wrth i Eira gerdded heibio iddo eiliad yn ddiweddarach. 'Yn dy warchod di rhag y tywydd afiach 'ma.' Cuchiodd Eira.

'Isio nôl torth oedd hi,' meddai'n ffwr-bwt heb arafu ei cham.

Â'i meddwl yn bryderus, cerddodd ymlaen i stafell gyffredin y Chweched. Roedd y stafell yn wag, gydag amryw o'r disgyblion heb gyrraedd, ac eraill ar ddyletswydd yma ac acw. Wrth i Eira baratoi ei phethau ar gyfer y wers gyntaf, lluchiwyd y drws yn agored a hyrddiodd Meic ei hun i mewn.

'Gẁd! Ti ar ben dy hun, Eira Mai,' ebychodd yn flin.

'Pam? Wyt ti isio sws neu rwbath?' gofynnodd Eira'n goeglyd.

'Be dwi isio ydi i chdi ddeud wrth yr hogan bach gwirion 'na am gadw i ffwr', meddai Meic. 'Ma hi'n trio dŵad i ista hefo fi ar y bỳs – bob dydd wsnos yma. Wedi ffindio mai chdi ydi cariad fi, medda hi.'

'Wel? Pa ddrwg ma hi'n neud, jest yn ista wrth d'ochor di?'

'*Sbio* arna fi bob munud! Ma hi fath â ffycing *Big Brother!*'

'Meic, ti'n gwbod yn iawn bod hi'n *special needs!*'

'Yli, ar *chdi* ma'r bai, a gei *di* sortio fo allan. Ti'n *neis*, medda hi!'

'Wel twyt *ti* ddim, Meic Bellamy! Ti'n blincin blin ers wsnosa!' Cydiodd Eira yn ei llyfrau a rhuthro o'r ystafell fel y corwynt a ruai o gwmpas yr ysgol.

Ar ôl cofrestru, brysiodd Eira Mai tua'r stiwdio ddrama. Yno, safodd yn syllu ar y cesair a gurai ar y ffenest, gan ymdrechu i ymdawelu cyn i Llion Oliver gyrraedd. Oherwydd yr holl dryblith yn ei phen ni chlywodd y drws yn agor.

'Bore da, Eira Mai.' Neidiodd Eira.

'O! B-bora da, syr.'

'Ble o't ti nawr, gwed?' Edrychai arni â'r fath garedigrwydd yn ei lygaid nes peri iddi ddechrau crio bron iawn.

'Dach chi'm isio gwbod!' Crychodd Llion ei dalcen yn bryderus.

'Shgwl... sorri gorffod dy baso di gynne. Ti'n gwbod shwt ma 'ddi...'

'Ma'n oréit, syr. Dda'th Mam â fi.'

'Wy'n falch. Ma'r tywydd 'ma'n erchyll.' Tawodd am eiliad, cyn dweud: 'Reit 'te, dere i ishte. Serch bod Guto wedi penderfynu cario mla'n 'da Drama, bore 'ma, ma fe'n gorffod gwneud rhyw waith ychwanegol ar 'i Ffiseg, felly anghofiwn ni am wers ffurfiol. Licen i wbod cwpwl o bethe – ymbytu'r ysgol ac ymbytu ti.'

Cododd ei eiriau chwilfrydedd yn ei ddisgybl a pheri iddi geisio bwrw'i phryderon o'r naill du. Eisteddodd gyferbyn ag ef.

'Wy'n lico'r gwaith byrfyfyr wyt ti wedi'i neud,' meddai Oli, 'ond sa i wedi ca'l gwbod lot am dy waith perfformo di o fla'n cynulleidfa. I ddechre, wy'n dyall wrth Mr Mathias i ti acto rhan Blodeuwedd llynedd yng nghynhyrchiad yr ysgol. Wy'n cymryd taw nage 'na dy ddrama gynta di 'ma?'

'Dwi wedi bod yn rwbath bob blwyddyn. Drama a sioe gerdd bob yn ail.'

'A! 'Na'r drefen, ife? Tro sioe gerdd yw hi leni 'te. Bydd rhaid i fi drafod 'da Mr Mathias. Nawr, gad i fi glywed am dy ranne di.'

'Iawn, syr. Yn Blwyddyn 7 neuthon ni *Oliver*.'

Chwarddodd Oli.

'Reit! Pwy ran gest ti?' Edrychodd Eira braidd yn swil.

'Oliver.' Gwenodd Oli'n anghrediniol. 'Oedd Miss Dobson

Cerdd yn deud bod 'yn llais i'n debyg i lais hogyn yr adag honno. A hefyd o'n i'n fach a heb dyfu bŵb…ym…bỳst…bronn…'

Neidiodd direidi i lygaid tywyll Oli Drama.

'Ie ie, fi'n dyall be s'da ti, paid becso. Cer â fi drwy'r gweddill.'

Rhestrodd Eira'r dramâu a'r sioeau cerdd a berfformiwyd yn ystod ei gyrfa yn Ysgol Gwenoro, gan fanylu ar ei rhannau ei hun ynddynt. Amneidiodd Oli.

'Gŵd. Wyt ti wedi gweitho yn y ddwy iaith, yn acto ac yn canu. A fydd e'n ddefnyddiol gwbod ymbytu Mrs Rhys Cymra'g yn sgrifennu drama fer i'r plant iau 'fyd. Rhywbeth arall 'wy wedi'i gasglu yw nad o's dim eisteddfod ysgol i' ga'l 'ma.'

'Nag oes, diolch byth.' Cododd Oli ei aeliau'n gwestiyngar. 'Dwi'n cytuno hefo'r Prifathro. Cydweithio sy isio, ddim cystadlu. Yr unig beth da am steddfoda ydi dysgu pobol i ennill a cholli'n gall. Dim *histrionics*.' Syllodd Oli'n syn arni.

'Wy'n casglu nad 'yt ti erio'd wedi cystadlu dy hunan?'

'Dim ond yn steddfod capal, dan wyth. Nain isio i fi neud. Ond 'nes i ddengid allan hefo'n ffrindia ar ôl y gystadleuaeth a syrthio i ganol baw ac roedd golwg ofnadwy arna fi'n mynd i nôl y wobr. Ges i 'ngyrru i'r gwely'n gynnar a soniodd neb am gystadlu byth wedyn.' Ni allai Llion ymatal rhag chwerthin yn uchel.

'Eira Mai! O't ti'n groten y jawl o'r dechre, nac o't ti?'

'Ma'n siŵr,' meddai Eira. 'Ond ges i sbario crwydro steddfoda.'

'Cofia di, ma eisteddfota *yn* golygu cyfle i sefyll ar lwyfan. Ma unrhyw berfformo'n brofiad da. O'r safbwynt 'ny wyt ti'n colli mas.'

'Ond dwi wedi ca'l lot o gyfla yn yr ysgol, do? Fydda i'n cymryd rhan mewn cyngherdda weithia 'fyd. O ia, a gigs y Dipsy Donkeys.'

'Y *pwy?*'

'Dipsy Donkeys. Band roc 'y nghefndar i. Mulod Meddw yn Gymraeg.' Gwenodd Eira Mai ei gwên leuad gorniog. 'Bacin…Lleisia cefndir ydi Mererid a fi ond ma Rhodri'n gada'l i ni ganu *lead* weithia. 'Di o ddim yn hogio'r *limelight*.'

Llygadodd Llion y wên a diawlio cyfrifoldeb a syberwyd bywyd athro. Ac yntau'n dal yn ddim ond tair ar hugain oed, rhoddai'r byd am gael noson o roc-a-rolio yn un o gigs y Dipsy Donkeys hyn, ond gwyddai na fyddai wiw iddo, yn enwedig â'i ddisgybl yn y band. Yn hytrach difrifolodd a gofyn:

'Est ti ddim erio'd i ysgol berfformo?'

Cododd Eira'i hysgwyddau.

'Neb i fynd â fi. Dim otsh eniwê. O'n i'm llawar o isio mynd.'

'Pam? Fyddet ti wedi dysgu lot fowr.'

'Dwi'n gwbod. Ac eto, ella mai wedi ca'l 'y nysgu i fod 'run fath â phawb arall baswn i. 'Di o ddim yn beth drwg i rai ohonan ni fod fymryn bach yn wahanol, nac'di, yn lle'n bod ni i gyd fath â pys?'

Nag oedd, sbo. Oedd modd mowldio Eira Mai? Oedd mwy nag un Eira Mai yn *bosib*? Na, fydde hi byth wedi ffito miwn.

Erbyn amser egwyl, teimlai Eira'n llawer gwell, hyd nes cofiodd am bicil Meic a Rachel McGordon. Cawsai'r plant i gyd eu cadw i mewn o'r tywydd mawr, felly ymlwybrodd hithau tua'r cantîn lle roedd tost poeth i'w gael. Ni fu raid iddi chwilio'n galed am Rachel, oherwydd roedd gan Rachel ddawn reddfol i ddod o hyd iddi *hi*. Yn sydyn teimlodd fysedd seimllyd yn gafael yn ei llaw.

'Eira,' meddai Rachel â'i cheg yn llawn o dost.

'Rachel. O'n i isio siarad efo chdi.' Chwiliodd am hances bapur i sychu ei llaw. 'Ti'n gwbod Meic Bellamy…'

'Cariad chdi, ia?'

'Ia,' meddai Eira, er na theimlai'n rhy sicr bellach oedd arni ei eisiau'n gariad ai peidio. 'Fasa'n well tasa chdi'n peidio mynd i ista hefo fo yn y bŷs, yli. Achos mae o bob amsar yn…meddwl am 'i waith ysgol wrth fynd a dŵad. Am ryw arbrofion…'

'Be, Eira?'

'*Experiments* mae o'n neud yn y lab a ballu, 'sti. Gweithio'r canlyniada…'

'Canliaga…?'

83

'*Results*. Ma gynno fo isio llonydd, ti'n dallt. Ella medra chdi ista hefo rhywun arall. Hefo un o dy hen ffrindia yn yr ysgol bach ella. Nei di hynny – i *mi*?'

Goleuodd wyneb Rachel.

'O, ia, i *chdi*,' meddai.

10

Erbyn bore trannoeth, disodlwyd sgrympiau cenllysg y diwrnod cynt gan gawodydd ysbeidiol ond trymion o law. Drwy ffenest y gegin syllai Eira arno'n llifo ar hyd y cowt.

'Dwn 'im a' i bora 'ma,' meddai.

'Y cwffio hwnnw sy gin ti?' gofynnodd ei nain.

'*Self-defence,* Nain – hunanamddiffyn. Chi a'ch cwffio!'

'Be 'di'r gwahaniaeth? Lluchio'ch gilydd o gwmpas y lle 'run fath ag El Bandito a Billy Two Rivers a Giant Haystacks!'

'Ufflon, dach chi ar ôl yr oes! Celtic Warrior 'di'r seran rŵan.'

'Yli di yma, Eira Mai, ma reslo'n iawn i grymffast chwe throedfadd a hannar, ond tydi o ddim yn beth gweddus i hogan.'

Cydiodd Eira ynddi a chogio'i thaflu.

'Gwatsiwch be dach chi'n ddeud neu mi luchia i *chi*!'

'Doro gora iddi'r hulpan!'

'Be gebyst dach chi'ch dwy'n drio neud?' gofynnodd Rhiannon gan ddod drwodd ar ffrwst o'r gegin fyw. 'Dach chi fel dwy hogan bump oed!'

'Nain ddechreuodd,' meddai Eira gan ddianc i gyfeiriad y drws. 'Ta-ta, dwi'n mynd rhwng cafodydd.'

'Ydi honna'n gall, dywad?' gofynnodd Megan.

'Siŵr iawn 'i bod hi. Yn ddigon call i ddysgu sut i ofalu amdani hi'i hun. Gwrandwch, sgynnoch chi bum munud?'

'Rhiannon bach, gin i drwy'r dydd! Chdi 'di'r un brysur. Be wyt ti isio?'

'Teulu'r Mrs Strong 'na. Ella medrwch chi helpu. Gawn ni goffi bach, ia?'

Dros baned, eisteddodd y ddwy ar soffa'r gegin ac estynnodd Rhiannon ei ffeil ar achau Mrs Strong.

'Dwi wedi ca'l hyd i genhedlaeth 'i nain hi, ond sgin i ddim clem lle roedd 'u cartra nhw. Glywsoch chi sôn am Bodephraim erioed?'

'Do, siŵr iawn. Mi wyddost titha lle mae o hefyd, dim ond 'i fod o wedi newid 'i enw.' Tawodd Megan, gan adael eiliad o dawelwch dramatig dros y gegin. Roedd ei mam yn sgut am gadw rhywun ar bigau'r drain. Dyma o ble'r etifeddodd Eira Mai ei dawn actio, neu o leiaf ei hamseru.

'Wel?' gofynnodd Rhiannon yn ddisgwylgar.

'Wavecrest,' meddai Megan yn orfoleddus.

'Nefi wen!'

Gwesty a safai led cae o ymyl y clogwyn uwchben Traeth Gweirydd oedd y Wavecrest. Fel gwesty y cofiai Rhiannon y lle erioed, a hwnnw'n westy crandiaf yr ardal: prin y gallai gredu iddo fod unwaith yn ffermdy henffasiwn.

'Wyddoch chi rywfaint o hanas y lle? A'r teulu?'

'Co' plentyn sy gin i o'r bobol 'ma, wrth gwrs, a dim ond un brawd dwi'n 'i gofio'n dda: Robert Jones, y Graig,' meddai Megan. 'Gweithio ar y lôn. Hen ŵr annw'l ofnadwy. Athro ysgol Sul, hen ŵr clên. Mi fydda gynno fo betha da i ni'r plant bob dydd Sul, jiw jiwbs fel arfar.'

'Mi fasa mewn peryg o ga'l 'i arestio'r dyddia yma!' meddai Rhiannon.

'Tydi'r oes wedi mynd rhwng y cŵn a'r brain! Dim ond wrth 'i fodd hefo'r plant roedd yr hen greadur. Mi oeddwn i'n ffrindia mawr hefo'i wyres o, Lilian: wedi'n geni'r un dwrnod yn union. Heb 'i gweld hi ers blynyddoedd. Mi briododd Wyddal a mynd i fyw yn y Werddon. Ddaru mi golli cysylltiad hefo hi.'

'O! Bechod!' meddai Rhiannon yn siomedig.

'Twyt ti wedi ca'l fawr ddim o werth gin i, naddo?'

'Do, tad! Mi geith Mrs Strong fynd i weld Bodephraim rŵan. Mi oedd hynny'n uchelgais mawr ganddi hi. Pa bryd cafodd y lle 'i droi'n westy?'

'Tua chanol y chwedega. Dyna pa bryd prynwyd o gin rhyw bobol o ffwr. A newid 'i enw fo. Ffylia'd digwilydd hefo'u Wavecrest! Tydi o ddim yr un lle o gwbwl bellach o'r tu allan. Ma'n siŵr bod y tu mewn wedi newid mwy fyth. Dwi'n cofio mynd yno hefo Lilian a'i thaid pan oeddwn i tua'r deg 'ma, i nôl wya neu rwbath. Mi oedd o'n glampyn o ffermdy: dyna pam ddaru o ddenu prynwyr mor sydyn, debyg. Tŷ digon o faint, tai allan i'w hailwampio, tir i godi estyniada... A thua'r un pryd mi oedd ffermydd er'ill isio chwanag o dir, felly mi werthwyd gweddill hwnnw'n hawdd hefyd. Dwi'n cofio'n iawn, ti'n dallt, achos mi oeddwn i'n gweithio yn y siop dai, toeddwn? Fuo mi ddim i mewn ynddo fo o gwbwl ers yr ailwampio. Maen nhw'n deud 'i fod o'n lle drud gynddeiriog.'

Gwnaeth Rhiannon nodyn bach yn ei phen: pan âi â Mrs Strong i weld hen gartre'i theulu fe gymerai gip ar fwydlen y Wavecrest. Os na fyddai'n afresymol o ddrud, hwyrach mai dyna'r lle i gynnal cinio pen-blwydd ei mam yn 70. Amheuai fod cyfeddach yn y Delyn Aur ar ben-blwydd Rhiannon ei hun wedi amharu rhywfaint ar Megan. Cofiai i Eira ddweud wrthi fod ei nain yn ymddwyn braidd yn od y bore wedyn. Mwy na thebyg bod ysbrydion gwgus hen saint Rehoboth yn cerdded y lle iddi o hyd.

'Reit,' meddai Rhiannon. 'Diolch, Mam.'

'Dwn i ddim am be! Twyt ti ddim mymryn nes at ga'l hyd i berthnasa'r ddynas 'na, wyt ti?'

'Peidiwch â phoeni. Mae 'na lot o ffynonella i' ga'l eto.' Pendronodd am eiliad. 'Oes 'na siawns y medrach chi gael hyd i gyfeiriad 'ych ffrind, Lilian?'

'Rhiannon bach, tasa 'na, mi faswn wedi cysylltu hefo hi flynyddoedd yn ôl. Mi oeddan ni fel dwy efaill. Pwy ŵyr ydi hi'n dal yn fyw, hyd yn oed?'

'Ia. Ma'n ddrwg gin i, Mam. Peidiwch â phoeni.'

'Yli, mi chwilota i fymryn, beth bynnag. Ma'r petha rhyfedda'n dŵad i'r fei weithia, ar ôl bod ar goll am flynyddoedd.'

Ger ffenest y bwthyn gwyliau, syllai Llion Oliver yn benisel ar gawod arall o law'n pistyllio o'r cymylau duon uwchben. Dim ond ynfytyn fyddai'n ddigon twp i fynd am wâc drwy'r fath ddilyw.

Un o'r pethau cyntaf a wnaethai ar ôl dechrau setlo yn Llanwenoro oedd chwilio am fap manwl o'r ardal, un a ddangosai lwybrau cyhoeddus. Darganfu un llwybr, lôn drol fwy neu lai, a gychwynnai ym Mryn Eithinog ac a ddilynai'r cloddiau nes cyrraedd cefn fferm Cae Aron. Aeth y llwybr yn ei flaen wedyn hyd at yr hen felin ddŵr ar lan afon Gwenoro, lle'r ymrannai'n ddau. Yno, gellid croesi'r bont dros yr afon a'i ddilyn nes dôi allan i ffordd Bryniau, neu gerdded ar hyd glan yr afon nes cyrraedd cyrion Llanwenoro. Tybiai Llion mai'r felin oedd y rheswm pennaf dros fodolaeth y llwybr: pobl yn ei dramwyo gyda'u troliau neu geirt i gyrchu blawd mewn oes a fu.

Hwylustod y llwybr i Llion, fodd bynnag, oedd fod ganddo hewl fach tan gamp i fynd am wâc neu i loncian, a hynny ar garreg ei ddrws. Gwyddai mor bwysig oedd cadw'n heini i actor, ac er mai fel athro y bwriadai ennill ei fywoliaeth am rai blynyddoedd, doedd wybod na allai ryw ddydd ailfeddwl am ei yrfa. Synnai na fuasai wedi taro ar Eira Mai'n cerdded neu'n rhedeg ar hyd llwybr mor gyfleus, o gofio'i huchelgais ym myd y ddrama, ond yr unig un a gyfarfu hyd yn hyn oedd Rhiannon, a honno bron bob tro yn pensynnu. Yn amlwg, lle i feddwl oedd y llwybr i Rhiannon. Am Eira Mai, buasai Llion wedi hoffi ceisio'i darbwyllo, er lles ei chorff a'i gyrfa, i fynd i loncian gydag ef ond gwyddai mai peth annoeth fyddai ei denu i berfeddion unig y wlad rhag ofn i bobl ddechrau siarad ac amau. Gresyn!

Yn yr hirlaw yma doedd ganddo yntau ddim bwriad o fynd am na wâc na lonc, ac eto teimlai ei gorff yn ysu am ryw fath o ymarfer. Ar amrantiad penderfynodd fynd yn y car i Lanwenoro i weld sut le oedd yn y ganolfan hamdden. Newidiodd ar hast i'w siwt loncian a tharo'i drwser oefad a thywel yn ei fag chwaraeon.

O'r twrw tuchan a glywai yn y ganolfan daeth i'r casgliad mai neuadd chwaraeon oedd un ochr i'r dderbynfa. Aeth i fyny'r grisiau i fusnesan cyn mynd i weld y gampfa yr ochr arall i'r dderbynfa. Ar ben y grisiau cafodd ei hun ar fath o landin agored uwchben y neuadd chwaraeon, lle canfu achos y tuchan: dosbarth *ju-jitsu* neu *tai-kwando* neu rywbeth o'r fath. Safodd i wylio am ennyd, a phan symudodd geneth a mop o wallt cyrliog, melyn ganddi o'r ochr oddi tano i ganol y llawr agorodd ei lygaid led y pen. Ai…? Byth! Yn sydyn daeth wompyn o ddyn mawr y tu ôl iddi a chyffwrdd â'i hysgwydd. Troes y ferch ac ar amrantiad dyna'r bachan anferth yn un lleden ar lawr. Cododd yn syth, a gwenodd y ddau ar ei gilydd ac ysgwyd llaw. Yffarn dân! Heb unrhyw amheuaeth, gwên lydan Eira Mai a dywynnai dan y mop o gwrls.

Gwyliodd Llion am ychydig funudau, a gweld yr un gamp yn chael ei chyflawni eto, ar fachgen tua'r un oedran ag Eira. Yna gan ysgwyd ei ben, yn anghrediniol ond edmygus, aeth i lawr i'r dderbynfa i ymuno a mynd am y gampfa.

Gan na fuasai'n ymarfer ar beiriannau ers tro, rhoes y gorau iddi ar ôl hanner awr a chymryd cawod, cyn mynd i gaffi'r ganolfan am baned o goffi. Yno wrth un o'r byrddau, a diod o oren o'i blaen, eisteddai Eira Mai. Oherwydd ei bod mor brysur yn ffidlan gyda'i ffôn symudol ni sylwodd ar Llion nes iddo'i chyfarch ac eistedd gyferbyn â hi.

'Argol, syr! Mi naethoch i mi neidio rŵan!'

'Ma'n flin 'da fi. O't ti'n ddwfwn yn nirgelion y ffôn 'na.'

'Trio tecstio Mererid. Ond ma hwn yn fflat. Wedi bod yn nofio dach chi?'

'Nage, yn y gampfa. Weles i di'n towlu rhyw ddynon mowr ymbytu'r lle! Feddyles i erio'd bod ti'n groten mor ddanjerus, Eira Mai!' Chwarddodd Eira.

'Hunanamddiffyn 'di hynna,' meddai, 'dim ymosod.'

'Wy'n falch o glywed.' Gwenodd arni'n gellweirus. 'Licen *i* ddim ca'l 'yn llorio 'da ti.'

Daeth direidi i lygaid Eira Mai ac edrychodd ym myw llygaid Llion.

'Chewch chi byth, syr. Ddylach *chi*'m bod yn ista hefo fi yn fama, heb sôn am fygwth rwbath fasa'n gneud i mi orfod amddiffyn 'yn hun.'

Teimlai Llion ei lygaid yntau'n ymateb fwyfwy i'w direidi, er ei waethaf.

'Wyt ti *yn* groten ddanjerus, Eira Mai! Stopa fflyrtan 'da fi!'

Cafodd Eira bwl o biffian; nid chwerthin yn ei llawes ond giglan yn agored.

'Sorri, syr, fi 'di'r bai. Dwi'n mynd rŵan. Ma hi'n amsar y bỳs. Gewch chi lonydd i orffan 'ych panad.'

'Nac wyt.' Llowciodd Llion ei goffi ar ei dalcen cyn amneidio i gyfeiriad y ffenest. 'Shgwla, ma 'ddi'n arllwys y glaw 'to. Wyt ti'n dod gatre 'da fi.'

'Ydach chi'n siŵr?'

Syllodd ei hathro arni, a rhyw olwg annirnad yn ei lygaid.

'Berffeth. Dere.'

Derbyniodd Eira'r cynnig yn ddiolchgar a chamu i'r Saxo eurliw. Doedd hi ddim wedi disgwyl iddo roi lifft iddi; cawsai'r argraff ei fod yn foi llawer rhy ochelgar i beryglu ei enw da mewn unrhyw ffordd. Ond bore 'ma, roedd o'n wahanol rywsut, fel petai'r adrenalin yn ei gorff ar ôl yr holl ymarfer wedi effeithio arno. Sbeciodd yn slei ar ochr ei wyneb: iechyd mawr, roedd o'n blydi del, beth bynnag! Yn sydyn, fel petai'n synhwyro'i bod yn edrych arno, tynnodd yntau ei lygaid oddi ar y ffordd am hanner eiliad, a gwenu arni.

Chwyrlïodd stumog Eira Mai.

Safai Megan yn nhaflod ei thŷ nain yn syllu ar reseidiau o focsys cardfwrdd. Pan ailwampiodd Ifan y cwt allan yn dŷ gwyliau, rhoesai ddwy lofft ac ystafell gawod yn y daflod, a ffenestri Velux

yn y to, ond doedd gan Megan ddim defnydd iddynt: gwnâi'r
'siambar' – hen air ei nain erstalwm – ar y llawr isaf y tro iddi hi.
Pwrpas y daflod bellach oedd storio'i gorffennol, yn ornaments,
cardiau, llythyrau, lluniau, dogfennau, a darnau amrywiol o
bapur yn cofnodi llu o ddigwyddiadau a ffeithiau digyswllt.
Mewn geiriau eraill, holl lanast ei deng mlwydd a thrigain.

Doedd y lle ddim yn edrych yn llanast, oherwydd i Rhiannon
ac Eira'i helpu i gario'r cwbl i'r daflod pan symudodd i'r tŷ nain;
ac yn ôl ei harfer, gadawsai Rhiannon ôl taclusrwydd ei llaw ar
y lle. Dyna pam y safai'r blychau'n rhesi mor dwt. Y tu mewn
iddynt y cuddiai anhrefn cynhenid Megan. Ble ar wyneb daear
y dechreuai chwilio am gyfeiriad Lilian? Ofnai mai gorchwyl
seithug fyddai hwnnw yn y diwedd, gan i'r cyfeiriad fod ar goll
ers tua deugain mlynedd.

Ond dyna fo, addewid oedd addewid, felly gwell fyddai
iddi fynd ymlaen â'i gwaith. Doedd ganddi ddim byd gwell i'w
wneud, p'un bynnag, na dim cwmni. Aethai Rhiannon i ddanfon
Eira Mai i'r Llan i gyfarfod Meic, a chan y byddai mor agos i
Draeth Gweirydd roedd am alw ar Mrs Strong i'w hysbysu am
y datblygiadau diweddaraf. Ac am y blincin teli, doedd waeth
i rywun syllu ar ddillad yn mynd rownd mewn peiriant golchi
ddim mwy nag ar hwnnw ar nos Sadwrn.

Yn y bocs cyntaf iddi ei agor cafodd hyd i luniau ei phriodas
hi ac Ifan: Ifan yn smart o'i go' mewn siwt lwyd newydd sbon
danlli, a hithau yn ei gwisg wen. O leiaf roedd ganddi hawl i'w
gwisgo: nid fel y pethau ifainc yma'r dyddiau hyn, yn gwneud
sioe o'u gwyn a'u plant yn forynion a gweision bach iddynt.
Cofiai Eira Mai'n honni ryw dro nad fel arwydd o burdeb ei
gorffennol y gwisgai hi wyn, ond fel addewid i'w chadw'i hun
yn bur i'w gŵr hyd angau. Adwaith Megan pan glywodd hynny
oedd mai troi'r dŵr i'w melin ei hun a wnâi Eira, ond anghytunai
Rhiannon. Rhaid oedd i bopeth ddatblygu, esblygu, newid hefo'r
oes, meddai, yn cynnwys arferion a thraddodiadau, a chrefydd
hyd yn oed. Teimlai Megan ran ohoni'n cytuno, a rhan arall yn

gwingo yn erbyn y symbylau. Dyna ddrwg rhywun o'i hoedran hi: glaslances y pumdegau oedd hi, heb fod yn perthyn yn gyfan gwbl i gyfnod gorbarchus ei mam, nac i'r cyfnod ysgafala a ddechreuodd yn y chwedegau. Dynes fu'n byw ar bont ar hyd ei hoes. Dynes oedd yn dal i drigo'n anniddig ar bont, ei hamser wedi hen fynd heibio, ond yn teimlo o hyd y dylai fod rhywbeth eto i ddod.

Parodd ei hymson iddi ddodi lluniau ei phriodas yn ôl yn ddiogel yn eu bocs. Wnâi dilyn trywydd ei bywyd priodasol ddim byd ond ei rhoi yn y felan, a dyna'r peth olaf oedd arni ei angen yn unigrwydd ei nos Sadwrn. Heno, dod o hyd i gyfeiriad ei hen ffrind Lilian oedd y dasg.

Gwahanodd llwybrau'r ddwy gyntaf pan adawodd Megan yr ysgol ar ôl ei harholiadau Lefel O. Aeth Lilian i'r Chweched ac ymlaen i goleg hyfforddi yn Lerpwl, gan aros yn y ddinas i ddysgu mewn ysgol gynradd. Dôi adref o dro i dro, wrth gwrs, a châi'r ddwy fodd i fyw yng nghwmni ei gilydd. Yna cyfarfu Lilian â Ryan O'Connor, Gwyddel o Galway, a phriododd y ddau ar fyrder yn Lerpwl. Toc iawn wedyn, dychwelodd Ryan i Iwerddon â'i wraig newydd hapus gydag ef.

Yn sydyn teimlodd Megan hiraeth angerddol am Lilian, a rannodd ei hienctid ac a ddeallai funudau o orfoledd a munudau o iselder y cyfnod oriog hwnnw. Gyda'i merch a'i hwyres yn byw eu bywydau eu hunain, a hynny mor aml o fewn y cylch cyfrin a'u hamgylchynai y dyddiau hyn, teimlai Megan mai Lilian oedd yr unig un a allai bellach ei chadw'n gall.

Agorodd un arall o'r bocsys.

11

Wrth iddi ddisgwyl am y bws fore Llun crwydrai meddwl Eira Mai yn ôl at y nos Sadwrn cynt yn y Llan, ac o feddwl, ni ddylai fod yn syndod o fath yn y byd i'r noson fynd o chwith o'r dechrau, ddim â hithau wedi cael ysgytwad a hanner y bore hwnnw gan lygaid llawn chwerthin a gwên ysgubol Llion. Ychydig iawn o apêl allai fod mewn cadw oed gyda Rottweiler yn cyfarth…

'Lle ti 'di bod, Eira Mai? O'n i'n disgwl chdi wrth bỳs chwech.'

'Bỳs saith ddeudis i, Meic, ac o'n i yno ar y dot achos ges i lifft gin Mam.'

Yn ystod yr awr honno y buasai'n disgwyl amdani yn y Llew Coch, cawsai Meic lond ei gratsh o gwrw, a suddodd calon Eira. Gadawodd ef â'i drwyn yn ei bot peint a mynd i godi gwydraid bach o win gwyn. Yna aeth draw at Mererid Wyn, hithau'n amlwg wedi bod ar y lysh ers peth amser.

'Pa bryd cawn ni fynd o 'ma?' cwynodd Mererid. 'Dwi isio mynd i'r Delyn.'

'Mêr! Ti ddim yn dal i letsio am y barman 'na! Ella bod o 'di mynd adra i Poland erbyn hyn!'

'Nac'di. Welis i o ar y stryd nos Ferchar.'

'Wel ma hi'n hen bryd i chdi fynd ato fo i siarad neu anghofio amdano fo,' meddai Eira'n bendant. 'Mi wyt ti fel blwmin malwan!'

'Ti *wedi* siarad hefo fo. Nei di introdish…introdwsh…?'

'O ff…!'

'Be ti'n ddeud, Eira Mai? Meic 'di dysgu geiria hyll i ti?' Guto oedd yno, yn llachar ei wisg fel arfer. Heno gwisgai grys-T pinc dan grys chwys oren, a jîns piws.

'Be sy'n hyll yn "fflipin hec", Gits?' gofynnodd Eira'n ddiniwed.

'Wel ffyc mi!' meddai Guto, a chwarddodd Eira.

'Clec i'r diodydd 'na, bobol! Ymlaen i'r Delyn,' gwaeddodd rhywun.

'Reu!' Cododd Mererid Wyn, eisoes yn simsan, a syrthio'n ôl i'w sedd.

'O diar, Mererid, 'dan ni dipyn bach yn *worse for wear*, ydan?' gofynnodd Guto. Aeth ati i roi help llaw iddi ond gwthiodd Mererid ef o'r neilltu.

'Bygar off, Gits, y clown uffar,' meddai'n gas, gan godi eto, y tro hwn yn fwy llwyddiannus, a mynd i ganol y criw at Sioned.

'Mererid!' Gwaredodd Eira. 'Paid â gwrando, Guto, y cwrw sy'n siarad.'

'Y cwrw sy'n siarad yn blaen, debycach,' meddai Guto. 'Dwi 'di mynd dros y top heno, dywad? Fasa hi'n hapusach taswn i mewn du o 'mhen i 'nhraed?'

'Ddim chdi fasat ti, yn edrach fel tasat ti'n mynd i gnebrwn,' meddai Eira.

'O'n i 'di hannar gobeithio…wsti…'

'Be? Copio off hefo hi?' Cododd Guto'i ysgwyddau'n ddiymadferth. 'Ma hi'n boncyrs am farman yn y Delyn, Gits, sorri.'

'O. Tyff titi 'ta.' Tynnodd Guto wyneb hir, a dododd Eira'i llaw ar ei fraich mewn ystum o gydymdeimlad. Yn sydyn cydiwyd yn ei braich yn arw o'r tu ôl.

'Ty'd yn d'laen, Eira Mai. Delyn Aur.' Llusgodd Meic hi tua'r drws ac allan i'r stryd, i ganol cawod drom. 'Be ffyc ti'n meddwl ti'n gneud, yn fflyrtio hefo'r blydi *rainbow* 'na. *Fi* 'di cariad chdi, cofio?' Dechreuodd gerdded i gyfeiriad y Delyn Aur dan halio Eira ar ei ôl.

'Wel, fyddi di ddim yn gariad i fi'n hir, Meic Bellamy, ddim os ti'n trin fi fel hyn! A phaid â gneud sbort am ben un o'n *exes* i.'

Stopiodd Meic yn stond.

'Eira Mai? Ti ddim…? Efo'r blydi idiot 'na? Ti *wedi*, do?'

'DO! Cyn i chdi sylweddoli bod fi'n bod. Ond sgin i ddim diddordeb rŵan, OK? Na fo, chwaith.'

'*Oh, sweet Jesus!*' Roedd hynna wedi mwy na hanner sobri Meic, beth bynnag, sylwodd Eira gyda boddhad. 'Ty'd. 'Dan ni ddim yn mynd i'r Delyn hefo'r lot yna. 'Dan ni'n mynd i'r Ship.'

'*Dwi* ddim! Blincin *spit and sawdust*!' Roedd yn gas gan Eira'r lle: tafarn fwya anwaraidd y Llan. Yn sydyn gwelodd Mazda MX5 ei mam yn mynd heibio ac yn aros ger y golau coch wrth ochr y groesfan. 'A dwi'm yn aros allan i ffraeo yng nghanol y glaw chwaith!' Rhedodd tuag at y car heb ddweud gair arall wrth Meic, ac agor y drws fel y gollyngai ei mam y brêc llaw.

'Yn y pwdin teim, Mam!' meddai fel adlais o'i nain. 'Dwi 'di ca'l llond bol ar Llan.'

'Be am Meic?' gofynnodd Rhiannon; gallai ei weld yn y drych, yn sefyll ar y palmant fel pelican yn yr anialwch.

'A llond bol ar hwnnw hefyd,' meddai Eira.

Tra'r ystyriai Eira Mai ddigwyddiadau'r nos Sadwrn blaenorol yn ddwys, dringai ei nain i fyny i'w thaflod. Roedd wedi treulio oriau bwygilydd yno, yn chwilota drwy sbwriel ei gorffennol. Ddaethai cyfeiriad ei ffrind Lilian O'Connor byth i'r fei, ond roedd Megan wedi darllen pob dernyn o bapur a syllu ar bob llun ym mhob un o'r bocsys, fe goeliai. Ac atgofion wedi ffrydio'n ôl: rhai, megis dyddiau babandod a phrofiadau plentyndod Rhiannon, yn felys; eraill, fel yr adegau anodd ym myd ffermio, a'r blynyddoedd o dendio ar Ifan yn ei waeledd, yn chwerw, chwerw iawn. A'r chwerw'n gryfach na'r melys, yn para'n llawer hwy.

Ei chamgymeriad mwyaf fu ailedrych ar ei lluniau priodas. Hi'n hunanfeddiannol ac yn edrych yn reit ddel, a chysidro; Ifan yn fwndel o nerfau, yn baglu dros ei eiriau yn y gwasanaeth ac yn y neithior. Dyna Janet wedyn, ei chwaer yng nghyfraith a'i *matron of honour*, yn hardd yn ei gwyrdd, a'i gwallt melyngoch yn disgleirio. A dyna'i thad: go brin iddo fo gyfrannu fawr o lawenydd at y diwrnod, yn ei chyflwyno i'w phriodi'n edrych fel pe bai'n falch o gael gwared ohoni.

Arwyddai dydd ei phriodas amser gwell i ddod, neu felly y tybiai Megan ar y pryd. Ond nid oedd wedi bargeinio am hollbresenoldeb Mrs Huws, Cae Aron, ei phoenydwraig yn y capel ddyddiau fu. Edrychai'r ddynes fel paun yn y lluniau priodas, yn ei siwt annodweddiadol liwgar, a'i het gantel anferth flodeuog, ond mwy na thebyg mai ymdrech oedd hynny i gelu ei siomedigaeth yn newis ei mab o wraig. Diolchai Megan na fyddai'n rhaid iddi weld gormod arni: cawsent addewid gan dad Ifan mai hwy oedd i gael y bwthyn clwm, gan fod hen was fferm Cae Aron newydd symud i fyw at ei ferch. Ond tra bu Megan ac Ifan ar eu mis mêl, yn erbyn ewyllys Mr Huws gosododd ei wraig y bwthyn i gwpwl ifanc. Edrychai'r Musus yn llygad y geiniog a hi gafodd y llaw uchaf. Ni allai'n hawdd godi rhent ar ei mab.

O'r badell ffrio i'r tân! Aethai Megan o fod yn forwyn ddidâl na châi air o werthfawrogiad gan ei thad i fyw dan ormes ei mam yng nghyfraith. Y noson y dychwelodd hi ac Ifan o'u mis mêl clwydodd yn gynnar a thorri ei chalon. Er cymaint y rhoesai ei chas ar y siop dai, daliodd i weithio hyd y dydd y ganwyd Rhiannon, bron iawn, er mwyn cadw allan o wynt y ddynes ofnadwy. Ond roedd y min nosau mor hir, a chanddynt hwythau ddim ystafell ar wahân ond eu hystafell wely. Oni bai am garedigrwydd Mr Huws byddai wedi dianc, adref, fwy na thebyg, er gwaetha'i thad.

Pe bai hi wedi colli'i phen am Ifan, hwyrach y byddai wedi medru goddef y sefyllfa. Ond rhywun y gallai fyw hefo fo oedd Ifan, nid rhywun na allai fyw hebddo. Gwyddai hynny cyn ei briodi. Ar ei mis mêl mewn tref fechan yn yr Alban daeth yn grediniol iddi wneud camgymeriad mwyaf ei bywyd. Dyna'u diddordebau i ddechrau: hi eisiau ymweld â thref fwy, gyfagos, i gael gweld y siopau, mynd i'r pictiwrs neu'r theatr; Ifan eisiau mynd allan i'r wlad i weld gwartheg a defaid. Hi eisiau tawelwch i ddarllen ychydig; Ifan yn gwirioni ar y teledu yn y tŷ gwely a brecwast, moethusrwydd nad oedd ganddynt gartref yn y cyfnod hwnnw. Ond y nosweithiau oedd waethaf, yr ymgiprys rhywiol. Ac ymgiprys oedd o: er gwaethaf eu hoedran – Megan yn wyth ar hugain ac Ifan bum mlynedd yn hŷn – roedd y ddau'n hollol ddibrofiad. Gwenodd Megan. Pe bai Eira Mai yn cael gwybod hynny byddai'n syfrdan gan sioc! Colli ei gwyryfdod ar noson eu priodas fu'r hunllef gyntaf: Ifan fel pe bai wedi cael ei addysg rhyw gan darw gwyllt, a hithau ar bigau'r drain. Bu'n uniad poenus. O edrych yn ôl gyda phrofiad y blynyddoedd, gallai weld ochr ddoniol i'r holl halabalŵ, ond ar y pryd teimlai iddi wneud siop siafins o'i bywyd.

Daeth ochr rywiol eu perthynas yn well, wrth gwrs. Dysgodd Ifan sut y gweithiai amryfal rannau corff merch, a dysgodd ei hamryfal rannau hithau ymateb i'w anwesu. Ond rywfodd, ymateb 'peiriannol' oedd o, ymateb yr amryfal rannau, nid ymateb y galon. Cofiai Megan iddi droeon droi ei chefn tuag at Ifan ar ôl eu caru, ac wylo'n dawel i'w gobennydd.

Yr hyn a ddechreuodd ddwyn tro ar fyd oedd colli babi ar ôl tri mis o feichiogrwydd. Daeth y brofedigaeth â'r ddau'n llawer agosach, ac am y tro cyntaf deallodd hithau deimladau ei mam ar ôl yr 'hemrej', fel y'i galwai. Yna, ymhen y flwyddyn, ganwyd Rhiannon, a daeth y ddau'n agosach fyth wrth weld eu merch fach yn gwenu arnynt o'i chrud. Ond unwaith yn rhagor, mynnai ei mam yng nghyfraith roi ei bys yn ei brywes, a gweld bai ar Megan am bopeth, o'r botel a rôi iddi yn lle'r fron (doedd waeth iddi heb â phrotestio nad oedd ganddi ddigon o laeth i fodloni'r fechan) i'r ffordd y golchai ei chlytiau.

Yna, pan oedd Rhiannon tua dwyflwydd oed, daeth tro arall ar fyd: tro trychinebus ar fyd. Wrth i'w thad yng nghyfraith rhadlon aredig un o'r caeau trodd y tractor ar ei ochr gan wasgu'r gyrrwr oddi tano. Lladdwyd ef yn y fan. Bron na theimlodd Megan y golled yn waeth na'i wraig a'i fab: ef oedd yr un a achubai ei cham bob gafael. Rhoesai'r byd am ei weld yn atgyfodi a'i wraig yn cymryd ei le yn y fynwent.

Cilio o Gae Aron fu hanes Mrs Huws maes o law. Er iddi ddal i geisio'i lordio hi ar y fferm, gydag Ifan bellach yn feistr a Megan yn feistres, daeth yn amlwg yn fuan nad oedd ei chalon yn y gwaith, a phenderfynodd fynd i fyw at ei chwaer. Parhaodd i fynychu capel

Rehoboth er gwaetha'r siwrnai, ond pur anaml y galwai yng Nghae Aron bellach. Gadawyd Megan ac Ifan mewn heddwch.

Heddwch, ond nid dedwyddwch. Pan ddaeth Megan o hyd i daflen angladd Ifan, daeth yr atgof clwyfus o'i golli'n ôl i'w brifo. Wrth hel atgofion dros hen drugareddau, mor hawdd oedd llithro rhwng cnebrwn a phriodas ac yn ôl drachefn.

Bu cyfnodau caled ym myd ffermio, a gadawsant eu hôl ar iechyd Ifan. Pan oedd Eira tua phedair oed a newydd ddechrau yn yr ysgol, cafodd ryw salwch rhyfedd. Neu felly y tybiai. Yn lle gwella gydag amser, aeth ei gyflwr yn waeth, ac yn y diwedd amheuid mai ar y dip defaid roedd y bai. Prin y gallai godi o'i wely rai dyddiau, ac ar Megan y syrthiodd y baich trymaf o'i nyrsio, ac o geisio rhedeg y fferm. Drwy drugaredd, bu Iori a Janet yn help mawr iddi, ond hyd yn oed ymhen blwyddyn, doedd dim golwg gwella ar Ifan. Penderfynodd ef a Megan roi'r gorau i'r ffermio, a gosod y tir. Diolchai'r ddau fod Ifan, gyda help Iori, a allai droi ei law at bob mathau o waith ymarferol, eisoes wedi addasu'r beudái yn anheddau, y 'tŷ Saeson' yn fwthyn gwyliau, a'r 'tŷ nain' yn un y gellid byw ynddo'n barhaol petai raid, oherwydd bod drws cysylltiol rhyngddo a'r ffermdy. Hefyd roedd rhent y tŷ clwm ar gael iddynt.

Yn ystod ei waeledd, câi Ifan o dro i dro gyfnodau ychydig yn well na'i gilydd o dro i dro, pan allai fynd allan yn y car am reid fach gyda Megan. Un diwrnod o wanwyn, wedi tua tair blynedd o salwch, gofynnodd am gael mynd i lan y môr. Aeth Megan ag ef i Draeth Gweirydd ac eisteddodd y ddau ar y 'prom' am ysbaid. Gan nad oedd caffi Glan Don wedi agor am y tymor, aethant yn ôl i Lanwenoro am baned a chacen. Rhaid mai yno y daliodd Ifan y ffliw. Ac yntau eisoes yn wan, troes y ffliw yn niwmonia arno. Aed ag ef i'r ysbyty, ond er gwaethaf y gofal a'r gwrthfeiotigau, fe gollodd y dydd.

Ifan…Ifan…Bu'n gefn ac yn ffrind triw iddi am dros ddeng mlynedd ar hugain. Pam, felly, y corddwyd hi o bryd i'w gilydd drwy ei hoes gan yr anniddigrwydd o wybod mai cyfaddawd yn ei bywyd oedd ei briodi? Pam y corddid hi o hyd? Ai am ei bod yn rhy hwyr, bellach? Ai am na fu ganddi ddewis arall? Pe bai ei mam wedi byw, byddai wedi medru mynd dros ben ei thad, gyda'i pherswâd tawel, i adael iddi fynd i'r coleg, lle gallai, hwyrach, fod wedi cyfarfod rhywun mwy cydnaws. Rhywun y gallai fod wedi syrthio mewn cariad ag ef. Rhywun fel yr hogyn ifanc a glwydai yn ei thŷ Saeson y dyddiau hyn...

O, Megan, Megan, meddai wrthi ei hun, ty'd yn ôl i'r byd real a chwilia am gyfeiriad dy hen fêt Lilian. Mae'n *rhaid* i ti gael sgwrs hefo hi un waith eto cyn i ti gicio'r bwcad. Dathlu dy ieuenctid ffôl. Mae'n *rhaid* i ti.

Tra brysiai Eira Mai tua'r cantîn ar gyfer ei chinio, pwy ddaeth i'w chyfarfod ond Meic. Edrychai braidd yn lloaidd.

'Eira, ga' i siarad hefo chdi?'

'Ddim rŵan, Meic. Gin i TG pnawn 'ma yn Danial Edwards a fydd y bỳs mini'n cychwyn yn syth ar ôl cinio cynta.'

'OK 'ta. Ond jyst deud 'tha fi...wyt ti'n dympio fi?'

'Wyt *ti*'n dympio *fi*?'

'Fi ofynnodd gynta.'

Ochneidiodd Eira.

'Dwi'm yn gwbod, Meic. Dwi isio amsar i feddwl.'

'Oréit. Gawn ni siarad diwadd yr wsnos?'

'Iawn. Yli, ma rhaid i mi fynd.' Amneidiodd Meic.

Llyncodd Eira'i chinio mor gyflym nes codi diffyg treuliad arni ei hun. Yn y bws mini a gludai'r myfyrwyr am brynhawn o Dechnoleg Gwybodaeth ac Electroneg yn Ysgol Daniel Edwards yng Nghaereirian, ryw bymtheng milltir i ffwrdd, aeth i eistedd ar ei phen ei hun. Ond daeth Guto at ei hochr.

'I le diflannist ti nos Sadwrn, Eira Mai? Fel bali ysbryd.'

'Adra. Dda'th Mam heibio. O'dd Meic a fi ddim yn cytuno'n rhy dda.'

'O'dd hynny'n amlwg i ddyn dall a byddar! Rwbath fedra i neud i helpu?'

'Dim byd, Gits, diolch i ti am gynnig.'

'Ma Meic wedi bod fel gafr ar drana yn Maths a Ffis hefyd, 'sti. Dim chdi 'di'r broblam.'

'Mi oedd bai arnon ni'n dau nos Sadwrn,' cyfaddefodd Eira. 'Gits, dwi'm isio bod yn gas ond fasa ots mawr gin ti fynd i ista hefo rhywun arall? Dwi isio meddwl.'

'Iawn, cyw. Paid â phendroni gormod rhag ofn i ti fynd yn dwlal.' Aeth Guto i eistedd gydag un o'r bechgyn eraill o'i ddosbarth Electroneg.

O ufflon, roedd Eira bron â bod yn dw-lal eisoes. Rhwng Meic a Guto ac... ie, ac Oli... Fore Sadwrn roedd hwnnw wedi chwarae hafog â'i theimladau, er gwaethaf y ffaith y gwyddai Eira'n iawn nad oedd ganddi unrhyw obaith hefo fo. Hi ei hun oedd ar fai, wrth gwrs, yn methu ymatal rhag tynnu ei goes – fflyrtio yn ei ôl o – ond ddylsai yntau ddim fod wedi ymateb fel y gwnaeth o a gwneud i'w hymysgaroedd ymddwyn fel chwyrligwgan. Doedd dim hawl ganddo! Y bore yma yn y wers actio, bu'n ymddwyn yn hollol weddus. Ar y llaw arall, doedd ganddo ddim dewis, a Guto yno hefo nhw.

Oedd hi o ddifri'n syrthio mewn cariad hefo Oli Drama? Hwyrach mai ei hanfodlonrwydd hefo'r Meic cas a hefrai gymaint arni'r dyddiau yma oedd yn peri iddi droi i gyfeiriad arall. Oedd arni wir eisiau gorffen hefo Meic, ar ôl... faint... deng mis o ganlyn? A be *gebyst* oedd yn *bod* ar Meic? Gwnaethai hithau bethau'n waeth nos Sadwrn wrth sôn am y troeon y bu allan hefo Guto. Rhoesai fymryn bach o gamargraff iddo, a dweud y gwir, ond arno fo'i hun roedd y bai, yn galw enwau ar Gits a'i ddifrïo. Swniai Meic fel petai'n difaru gynnau. Gobeithio gallen nhw roi trefn ar eu perthynas ddiwedd yr wythnos, a pharhau'n ffrindiau, hyd yn oed os dôi'r garwriaeth i ben.

O blydi hel! Pwy oedd angen pen yn llawn o lobsgows? Pwy oedd angen *stumog* lawn o lobsgows, yn enwedig a hwnnw wedi ei lowcio ar wib? Gobeithiai na fyddai raid iddi stopio'r bỳs i chwydu!

12

Pan gyrhaeddodd Megan y blwch cardfwrdd lle cadwai Rhiannon ei hen lyfrau ysgol, amheuai nad oedd llawer o siawns i'r llyfr cyfeiriadau fod ymhlith y rheini, ond ni theimlai'n fodlon nes edrych ym mhobman.

Unwaith y dechreusai ddadbacio'r bocs cafodd ei themtio i gymryd cipolwg ar y llyfrau ysgrifennu. Rhai'r ysgol uwchradd ddaeth i'r fei gyntaf: y rheini oedd yr olaf i gael eu cadw. Yna, wrth iddi dyrchio'n is, cafodd afael ar lyfrau'r ysgol gynradd, lle buasai Rhiannon yn gwneud syms ac ysgrifennu storïau. Pan welodd bwt â'r testun 'Nain' uwch ei ben, dechreuodd ei ddarllen. Beth oedd gan y Rhiannon naw oed i'w ddweud am yr hen Fusus Huws, Cae Aron, tybed?

> 'Yn y gwylia mi es i i aros hefo Nain yn Bryn Glas. Mae Nain yn byw hefo'i chwaer. Aeth Nain a fi am dro ar hyd y llwybr drwy'r caea a cherdded i Brynia. Mi nes i flino a chysgu lot, achos yr awyr iach, medda Nain. Mae Nain yn lecio llnau. Mae hi'n rhoi hwfyr ar y carpedi bob dydd, ac yn codi matia'r gegin ac yn golchi'r llawr bob dydd hefyd. Mi wnes i helpu hi i dwtio'r cwpwrdd cadw tunia bwyd. Mae Nain yn ddynes dwt. Ar ôl dau ddiwrnod mi nath Nain ffonio Mam i nôl fi adra.'

Chwarddodd Megan. Roedd Rhiannon wedi nabod ei nain yn dda, ac wedi etifeddu'r genyn taclusrwydd hefyd. Diolch nad etifeddodd hi ddim chwaneg o bersonoliaeth yr hen gnawes! I feddwl ei bod hi wedi cael digon ar y beth fach ar ôl deuddydd y tro hwnnw. O'r hyn a gofiai Megan, chafodd yr eneth erioed aros hefo hi'n hirach na thridiau.

Wrth dyrchio'n is yn y bocs, yng nghanol darnau o bapur yr oedd Rhiannon wedi barnu eu bod yn werth eu cadw, teimlodd Megan ei bysedd yn cyffwrdd â rhywbeth caletach, ac achubodd ef o blith y papurach. Wel y mawredd! Dyma fo, yr union lyfr y chwiliai amdano. Pam ar wyneb daear yr oedd yng nghanol petheuach dyddiau ysgol fabanod Rhiannon?

Pan agorodd y clawr, cafodd yr ateb: ei merch fach yn amlwg wedi digwydd dod ar ei draws yn rhywle ac wedi'i ddefnyddio i ymarfer ei llythrennau! *ABC* mawr, *abc* bach, ei henw'n sgiwwiff ar draws un o'r tudalennau, rhifau ar un arall: cawsai hwyl anfarwol gyda'r llyfr cyfeiriadau pan oedd tua phump oed!

Agorodd Megan y llyfr i dudalen yr O, a dyna lle roedd hi o'r diwedd, Lilian O'Connor a Ryan, ei gŵr, a'u cyfeiriad yn Nulyn. Tybed oedden nhw'n dal yn yr un lle, ar ôl cryn bymtheg ar hugain o flynyddoedd? Pam lai? Wedi'r cyfan, roedd hi ei hun yn dal yn yr un tŷ. Poenid hi gan sawl dirgelwch ynglŷn â Lilian. Pam na chysylltodd â hi yn ystod y blynyddoedd? Oedd hithau, fel Megan, wedi colli'r cyfeiriad? A pham na ddaethai i edrych amdani pan ddôi i weld ei rhieni? Ddaeth hi drosodd i angladdau ei thad a'i mam? Roedd Megan ei hun wedi methu mynd i'r angladdau hynny oherwydd ei bod ar y pryd yn gwarchod Eira Mai i Rhiannon. Gwnâi, fe ysgrifennai ati'n syth bìn. Ond nid cyn gadael i Rhiannon wybod iddi gael llwyddiant yn ei hymchwil o'r diwedd, bod y cyfeiriad wedi dod i'r golwg.

Daeth Megan i lawr y grisiau o'r daflod, cerdded drwy ei chegin ei hun a thrwodd i'r ffermdy, a dringo'r grisiau'n gyflymach o sbel nag y dylai dynes o'i hoed.

'Rhiannon!' meddai wrth agor y drws. 'O diar, dwi'n chwythu fel hen glagwydd...' Ond doedd Rhiannon ddim yno. Dyna hi eto, wedi diflannu heb ddweud gair wrth neb! Un bur annibynnol fuasai Rhiannon erioed: erbyn cyrraedd ei chanol oed, mae'n siŵr y teimlai'n hyderus fod ei bywyd dan reolaeth berffaith, a'r blip bach hwnnw a gawsai (o'r enw Eira Mai) wedi ei oresgyn. Eisteddodd Megan ar gadair-ddesg Rhiannon i gael ei gwynt ati, a dyna pryd y digwyddodd ei llygad lanio ar gefn un o'r llyfrau ar y silff. *Chaos Theory*, meddai'r teitl. Roedd yr hen ysfa wyddonol yn dal wedi'i gladdu rywle yn nyfnderoedd ymennydd Megan, felly gafaelodd yn y llyfr a gweld mai mathemateg oedd sail y ddamcaniaeth, rhywbeth am wahaniaeth eithriadol o fach rhwng dau rif yn achosi gwahaniaeth aruthrol o fawr yn ddiweddarach. Yn chwilfrydig, penderfynodd fenthyca'r llyfr. Ond cyn dechrau ei ddarllen, llythyr i Lilian.

Os oedd Megan dan y dybiaeth fod ei merch yn hunan-feddiannol, teimlai Rhiannon yn bur ffrwcslyd. Roedd yn gyrru ei Mazda MX5 coch i gyfeiriad eglwys Llanwenoro ar ei ffordd i Draeth Gweirydd. Ymhen eiliad neu ddau byddai'n teithio wrth ochr wal y fynwent a heibio pen Stryd yr Eglwys. Câi ei themtio i fynd â'r car i lawr y stryd yn unswydd i gael cip ar rif 7, ond llwyddodd i ymatal drwy ei hargyhoeddi ei hun y byddai hynny'n beth hollol honco i'w wneud, ymddwyn fel merch dair ar ddeg oed. Beth pe bai Edward Mathias gartref yn sâl neu rywbeth ac yn ei gweld? Doedd arni ddim eisiau iddo feddwl ei bod yn rhedeg ar ei ôl: wedi'r cwbl, pe dymunai cawsai ef ddigon o gyfle i ymweld â hi pan alwai yn y bwthyn i edrych am ei fêt. Eto, er gwaethaf ei hymdrech i'w pherswadio'i hun i fod yn gall, ni allodd lai na throi ei phen am hanner eiliad i edrych ar hyd y stryd, ac wrth wneud hynny bu bron iddi yrru'r car yn erbyn coeden.

Damia, damia, damia! Dylai rhyw benchwibandod fel hyn fod ymhell yn y gorffennol. Ond ers iddi daro ar Ed yn y fynwent buasai llais y dyn fel tiwn gron yn ei chlustiau, a'i lygaid fel sêr o flaen ei llygaid hi, er gwaethaf y ffaith iddi addo i Eira Mai nad oedd unrhyw sail i'w hamheuon. A dweud y gwir, y sgwrs honno gydag Eira oedd y fegin a fywiogodd y fflam. Yna, lai nag wythnos yn ôl, cawsai gip arno'n gwenu'n siriol pan aethai hi ag Eira i'r ysgol rhag iddi orfod disgwyl y bws yng nghanol sgrympiau o genllysg. Y noson ganlynol, nos Sadwrn, hanner gobeithiai gael sbec arno ar ei ffordd i weld Mrs Strong neu wrth ddod adref, ond ar hen noson mor wlyb mwy na thebyg ei fod yn swatio gartref: roedd golwg ddiddos ar y tai-rhes yna.

Gan geisio llusgo'i meddyliau yn ôl at waith y dydd, gyrrodd Rhiannon ymlaen i Draeth Gweirydd, ar hyd y 'prom' heibio i floc fflatiau Mrs Strong, ac i fyny'r allt i gyfeiriad y Wavecrest. Yn gynharach yn y bore daethai cyd-ddigwyddiad rhyfedd i'w rhan. Roedd ar fin codi'r ffôn i ofyn a gâi fynd â Mrs S i weld hen gartref ei theulu pan ganodd y gloch o dan ei thrwyn a gwneud iddi neidio.

'Ms Reeannun Heoos?' gofynnodd llais dyn yn ei chlust. Fwy neu lai, meddyliodd Rhiannon

'Speaking,' atebodd.

'This is Peter de Bruno, proprietor of the Wavecrest hotel,' meddai'r llais yn ei acen daten boeth.

Bu bron i Rhiannon â gollwng y ffôn gan mor annisgwyl y cyhoeddiad. Deallai De Bruno mai hi oedd y sawl a gynlluniodd wefan y Delyn Aur, a hoffai gael sgwrs â hi ynglŷn â gwneud yr un gwaith ar gyfer ei westy ef. Allai hi ddod draw y bore yma? Cytunodd Rhiannon, a chan nad oedd amser i'w golli (swniai'r Bonwr de Bruno'n ddyn prysur eithriadol) cychwynnodd ar fyrder, heb hyd yn oed adael i'w mam wybod.

Ar ôl gorffen trafod gofynion gwefan y Wavecrest gyda Mr de Bruno, crybwyllodd Rhiannon y ffafr y carai ei chael ganddo ar gyfer Mrs Strong. Er syndod iddi, gwelodd fod y dyn wrth ei fodd gyda'r syniad o ddangos ei westy i'r hen wraig. Roedd ganddo ddiddordeb yn hanes tai hynafol ei hun, meddai, a byddai cael croesawu aelod o deulu lleol y bu'r adeilad yn gartref iddo'n wefr. Arweiniodd hi'n ôl i'r cyntedd, a dangos iddi'r llun sepia a grogai mewn lle amlwg ar un o'r waliau. Gobeithiai Rhiannon y gallai ei ddarbwyllo i gael gwneud copi i Mrs Strong, a threfnwyd iddi hi ddod â honno i weld y gwesty y dydd Mercher canlynol.

Cyn gadael, gofynnodd Rhiannon a fyddai'n bosibl iddi gael copi enghreifftiol o'r fwydlen, gan y byddai arni ei hangen er mwyn ailwampio'r wefan. Hwylus dros ben: fyddai dim rhaid iddi grybwyll dathlu pen-blwydd ei mam nes ei bod yn siŵr y gallai fforddio prisiau Mr de B! Ffarweliodd â'r Wavecrest yn fodlonach ei byd na phan gyrhaeddodd: unig dasg arall y bore fyddai dweud wrth Mrs Strong am y trefniant ar gyfer yr wythnos nesaf.

Yna adref, meddyliodd, ar wib heibio Stryd yr Eglwys rhag ofn iddi ddechrau mwydro'i phen am athro Cerdd Eira Mai eto fyth.

Amser egwyl y bore, cerddodd Llion Oliver i mewn i ystafell wag yr athrawon ac ymollwng yn ddiolchgar i un o'r cadeiriau. Roedd newydd gynnal gwers hunllefus gyda chriw Drama Blwyddyn 10, criw cymysg eu gallu a'u diddordeb yn eu gwaith. Y nesaf i gyrraedd oedd Glenys Evans. Gwenodd yn serchog ar Llion a mynd at y tecell.

'Coffi, Llion?'

'Plis. O'n i rhy flinedig i ddodi dŵr yn y tegil ar ôl wmladd 'da Blwyddyn 10.'

'Dwi ddim yn synnu. Oed cythreulig, pedair ar ddeg.' Daeth Glenys i eistedd wrth ei ochr tra disgwyliai i'r tecell ferwi. 'Gwylia di'r criw yna. Wyddon nhw be 'di d'enw cynta di?'

'Sa i'n gwbod. Pam?'

'Y llythrenna cynta 'te? Ll.O.? Maen nhw'n 'ffernols am lysenwa.' Chwarddodd Llion.

'Paid becso! Ma 'da fi enw canol – Rhys. A fi'n iwso fe bob amser wrth ddodi'n *initials* ar bapur.'

'Call iawn. Ma gin i ddigon o brofiad o ddiawledigrwydd plant yr ysgol 'ma, coelia fi!' Nid ymhelaethodd, ond clywsai Llion ei llysenw eisoes. Cododd Glenys a mynd i roi dŵr ar y mygiau coffi. Yna daeth ag un o'r mygiau i Llion.

'Ym, Llion...o'n i isio gofyn i ti...ma'n siŵr byddi di'n mynd i ffwr dros hannar tymor, fyddi di?'

'Nagw, fel mae'n digwydd. Wy'n symud tŷ, a fydda i isie rhoi trefen arno fe. A ma gwaith paratoi gwersi 'da fi 'fyd.'

'Lot o hwnnw pan wyt ti'n dechra dysgu, 'toes? Y...y rheswm pam o'n i'n gofyn ydi...wel, ma ffrind i mi newydd ddyweddïo, a ma hi'n cynnal parti i ddathlu nos Ferchar yr hannar tymor. Ma hi'n deud am i mi ofyn i bwy bynnag fynna i ddod yno hefo fi…ym…dim ond yn gwmni 'lly, *no strings*. Mi fydd pawb arall yn gypla.'

Wyddai Llion ddim beth i'w ddweud. Doedd ganddo affliw o ddim diddordeb yn Glenys the Menace. I ddechrau roedd hi tua deng mlynedd yn hŷn nag ef. Nid y byddai hynny o unrhyw ots petai'n ei hoffi, ond yn ei brofiad byr ef ohoni un braidd yn faleisus oedd hi. Cofiai hi'n dweud pethau cas iawn am Eira Mai…Penderfynodd mai'r peth doethaf a charedicaf i'w wneud fyddai gohirio rhoi ateb iddi.

'O…diolch yn fawr am y gwahoddiad. So 'nyddiadur i 'da fi heddi a sa i'n siŵr o's rhywbeth mla'n 'da fi'r nosweth 'ny. Alla i weud 'tho ti fory?'

'Iawn, dim brys.' Cododd Glenys ei chalon: o leia doedd o ddim wedi ei gwrthod heb feddwl ddwywaith, ac i ferch dros ei deg ar hugain roedd hynny'n gysur. Gyda hyn daeth rhai o'r athrawon eraill i mewn yn sychedig am eu coffi a rhoed taw ar sgwrs y ddau. Ar ôl cinio anelodd Llion am Edward Mathias a gofyn am air bach tawel yn ei glust.

'Gin inna rwbath i'w drafod hefo chditha hefyd,' atebodd Ed. 'Ty'd i'r stiwdio gerdd. Chdi gynta,' ychwanegodd ar ôl cyrraedd.

Eglurodd Llion ei gyfyng-gyngor ynglŷn â gwahoddiad annisgwyl Glenys.

'O'n i'n cysidro pa mor hir basa hi'n aros cyn dy dargedu di!' gwenodd Ed.

'Beth?'

'Yn ôl be glywis i, ma hi wedi trio pob athro sengal newydd sy wedi dŵad i'r ysgol 'ma ers tua chwe blynadd. Sorri, ond twyt ti ddim yn unigryw.'

'Gwrsodd hi di?'

'Mi ddaru roi cynnig. Ond o'n i newydd fynd drwy ysgariad go annymunol a doedd gin i affliw o ddim diddordab, ynddi hi na neb arall.' Oedodd am eiliad cyn ychwanegu: 'Yli, dwi'n bod yn annheg, yn deud petha fel hyn wrthat ti. Ella bod y ddynas yn dy licio di o ddifri. Ac os wyt ti'n 'i licio hi, wel…cer amdani.'

''Na'r broblem, sa i *yn*! Bydd rhaid i fi ffindo esgus. Gwed 'tho i, beth o't ti'n moyn drafod?'

'Sioe gerdd. Be ti'n ddeud?'

'O ie, wedodd Eira 'tho i beth yw'r drefen wedi bod hyd yn hyn. Os wyt ti'n barod i fentro, 'wy inne 'fyd.'

'Grêt! Un wreiddiol?'

'Ma 'ny lan i ti. Sdim donie creadigol 'da fi, ond wedodd Eira bod Menna Rhys o'r adran Gymra'g wedi sgrifennu drama iddyn nhw dro'n ôl.'

'Ma Eira'n rêl Wikipedia! Gawn ni sgwrs hefo Menna 'ta, ia? Ella gŵyr hi pwy arall fedra helpu.'

''Na fe. Gronda, 'wy isie paratoi tam' bach cyn y wers nesa. Siaradwn ni 'to.'

Amneidiodd Ed a chychwynnodd Llion tua'i stiwdio ei hun. Yn y coridor gwelodd Eira Mai'n sefyll wrth y ffenest yn anwesu'r rheiddiadur.

'Beth yffach wyt ti'n neud man hyn, Eira Mai?'

Gwenodd Eira.

'Dwi ar ddyletswydd, syr. Ma lot o'r plant lleia'n lecio mynd allan i redag o gwmpas ar dywydd fel hyn, sych ond oer. A dwi'n medru cadw llygad arnyn nhw o fama heb fynd allan i rynnu.'

'Hwylus iawn.'

'Pa bryd ddaru chi ddeud oeddach chi isio'r aseiniad i mewn, Mr Oliver?'

'Dydd Llun. Well i'r ddou ohonoch chi ga'l y penwthnos, sbo.'

'Grêt. Gin i angan o. Ddaru Mererid Wyn drio ca'l fi i fynd hefo hi i siopio ym Mangor pnawn Sadwrn, ond fasa hynny'n gada'l dim amsar i neud gwaith ysgol drwy'r dydd. Gin i'r dosbarth hunanamddiffyn yn y bora, a lot i'w drafod hefo Meic gyda'r nos.'

Cofiodd Llion am agosatrwydd eu cellwair y bore Sadwrn cynt yn y ganolfan hamdden. Siŵr o fod taw gyda fe Meic yr halodd hi'r nosweth 'ny hefyd. Falle na fydde fe'n beth rhy ffôl iddo ynte feddwl o ddifrif ymbytu cynnig Glenys Evans…

13

Tra yfai Eira Mai ei diod oer yng nghaffi'r ganolfan hamdden ar ôl ei dosbarth hunanamddiffyn y bore Sadwrn canlynol, edrychai ymlaen yn eiddgar am weld Oli Drama'n cerdded i mewn unrhyw funud. Ond ddaeth o ddim, a phan gyrhaeddodd amser ei bws sleifiodd Eira allan yn siomedig. Fel y dôi i olwg ei chartref chwarter awr yn ddiweddarach gwelodd law'n chwifio arni o lwybr y felin. Arhosodd Eira i Oli ei chyrraedd, a chamodd yntau drwy'r giât fochyn i'r lôn dan anadlu'n drwm.

'O jiw!' meddai. 'Rhaid bo' fi'n dechre mynd yn hen!'

'Duw a helpo Nain 'ta!' ychwanegodd Eira. Chwarddodd Oli.

'Ti wedi bod yn torri esgyrn y cewri mowr 'ny 'to?'

'Naddo. Fi gafodd gweir heddiw. Ddaru fi lanio'n gam a brifo 'mhen-glin.'

'O! A gorffest ti gerdded o'r hewl fowr? Pam na ffonest ti gatre? Wy'n siŵr alle rhywun fod wedi dod â char i gwrdda'r bws.'

Edrychai arni gyda'r fath dynerwch nes peri i i stumog Eira roi tro arall eto fyth.

'Dwi'n OK. Jest mymryn o herc. Ond...diolch i chi am 'ych consýrn.'

'Fydden i wedi dod 'yn hunan tasen i gatre. Ond o'n i rywle tsha'r felin. Ma 'ddi mor ffein, o'n i'n teimlo taw mas o'dd y lle i fod heddi, serch taw oefad licen i fod wedi'i neud. Gawn ni ddim lot o'r tywydd hyn 'to cyn y gaea.'

'Dach chi'n defnyddio lot ar y llwybyr, syr. Mam oedd yn deud.'

'Fyddwn ni'n cwrdda'n gilydd o dro i dro. Ma hi'n lico cerdded, nag yw hi?'

'Rhyw "fynd am dro" bydd Mam wir, dim "cerddad go iawn". Meddwl, clirio'i phen. Ma hi'n sgwennu dipyn bach.'

'Odi hi nawr?' gofynnodd Oli gyda diddordeb. 'Sgrifennu beth?'

'Barddoniaeth, amball stori. Dim ond i blesio'i hun.'

'Ma'n werth gwbod 'na…' Cyn i Eira fentro gofyn pam troes Oli'r stori. 'Fydda i'n gweld isie'r llwybr 'na, ti'n gwbod.'

'O…ia…dach chi'n symud wsnos nesa…'

'Odw. Nage'r llwybr yn unig fydda i'n gweld 'i isie 'fyd. Ond 'na fe, mynd fydd raid. O't ti'n gweud taw gwaith ysgol sy ar y cardie prynhawn 'ma?'

'Ia. Dwi i fod i gyfansoddi darn o gerddoriaeth.'

'Fydd Mr Mathias yn blês i glywed taw fe sy'n ca'l dy bnawn Sadwrn di. Ma fe'n dod lan 'ma heno, 'da Indian a *six-pack* o lagyr.'

'Neis.' Cofiodd Eira eiriau ei mam dro'n ôl a suddodd ei chalon…

'Ie, ond gwaith fydd ar y cardie 'da ni'n dou 'fyd. Ddim fel rhai, yn ca'l hala nos Sadwrn mas 'da'r sboner.'

Gwên go wantan a gafodd yn ateb. Oedd pethe 'bach yn sigledig rhynto'r ddou? Cododd calon Llion…

Ffŵl! meddai wrtho'i hun wrth ffarwelio â hi. Cawsai ei hudo ganddi'n gorfforol o'r dechre'n deg, er y ceisiai wadu hynny, ond bryd 'ny, tybiai nad oedd ganddi bersonoliaeth swynol iawn. Fel y dôi i'w hadnabod yn well dechreuodd newid ei farn amdani: roedd hi'n garedig, yn ofalgar, yn ddoniol, yn bur annibynnol ei meddwl, yn…wahanol. A chanddo ynte ragfarn gref o'i phlaid! Falle nad yr un ferch a welai e â'r un a welai eraill. Jawl dwl! Pryd dechreuodd e gwmpo mewn cariad 'da hi? Y bore 'ny pan gelon nhw'r sgwrs ymbytu ei phrofiad acto hi? Pan dda'th hi mas 'da'i syniade od? Neu bore Sadwrn dwetha wrth fflyrtan dros ddishgled o goffi yn y ganolfan hamdden? Cawsai yffarn o jobyn bore heddi i beido â mynd i'r pwll nofio. Oherwydd y gwir oedd, bellach roedd dros ei ben a'i glustie.

Ceisiodd Eira Mai ei gorau glas i ganolbwyntio ar ei chyfansoddi yn ystod y prynhawn, ond ni chafodd lawer o hwyl arni. Rhwng ei phryder am y dasg anodd o wynebu Meic, ac artaith y syniad y gallai Oli a Math fod yn fwy na ffrindiau, ni fedrai gadw unrhyw reolaeth ar ei meddyliau. Beth a ddywedai wrth Meic pan welai ef? Bod ei dymer ddrwg wedi lladd y teimladau oedd ganddi tuag ato? Bod ganddi erbyn hyn deimladau cryf tuag at rywun arall? Ond os na fedrai'r 'rhywun arall' hwnnw ymateb i gariad merch, beth wedyn? Fel y mwyafrif o'i chenhedlaeth, roedd Eira'n hollol gysurus gyda chyfunrywioldeb, ond trasiedi fyddai iddi hi ei hun syrthio mewn cariad â dyn hoyw. A dyma hi, hwyrach ei bod eisoes wedi gwneud hynny.

Caeodd ei llygaid mewn anobaith. Hoyw neu beidio, roedd hi'n caru Oli. Felly *rhaid* fyddai iddi orffen gyda Meic. Byddai'n annheg iddi gymryd arni ei bod yn dal i'w garu *o*. Ond fyddai wiw iddi sôn am gariad newydd: allai hi byth ddweud wrtho pwy oedd y dyn arall, ddim â pherthynas rhwng athro a disgybl yn gwbl waharddedig, serch bod y ferch yn tynnu am ei deunaw oed, a'r athro'n ddim hŷn na dwy neu dair ar hugain. A doedd hynny'n gwneud dim synnwyr o gwbl, ddim i Eira Mai, yn ei chyfyng-gyngor. Â'i phen yn troi, rhoes heibio bob gobaith o gyfansoddi ei darn cerddoriaeth, ac aeth am fath ac i olchi ei gwallt. Y peth lleiaf y gallai ei wneud er mwyn Meic cyn gorffen ag o oedd edrych yn weddol daclus ar gyfer eu noson olaf.

Y tro hwn, roedd Meic yno i'w chyfarfod yn yr orsaf fysiau. Edrychai yntau'n daclusach nag arfer, fel petai wedi gwneud tipyn o ymdrech gyda'i ymddangosiad. Cyfarchodd hi gyda chusan ar ei boch, y math o gwrteisi na fu erioed yn rhan o fyd Meic cyn hynny. Dechreuodd Eira amau mai ei fwriad yntau oedd gorffen gyda hi!

'Be ti isio gneud, Eira Mai?' gofynnodd. 'Basa ni'n medru mynd lawr i Draeth Gweirydd i'r Angor. 'Di'r giang byth yn mynd yno. Basa 'na lonydd i siarad.'

'Chawn ni ddim bỳs am tua awr.'

'Gymerwn ni dacsi,' meddai Meic. 'Ti'n haeddu tipyn o pampro ar ôl sut dwi 'di bod yn bihafio.' O diar! Hwyrach mai cymodi oedd bwriad Meic wedi'r cwbl. Teimlai Eira mor euog.

'Meic, os wyt ti'n fodlon, dwi'n meddwl basa'n well gin i fynd i Tjips Nelw.' Safai'r siop sglodion gyferbyn â'r orsaf fysiau, a gallent weld ei bod yn wag.

'Ti isio *fish and chips,* Eira?' gofynnodd Meic ar ôl mynd i mewn.

Gwnaethai Eira frechdanau iddi ei hun cyn cychwyn am y bws, ond gan fod ei chalon yn nhwll ei gwddw prin y gallodd fwyta dau damaid ohonynt. Erbyn hyn roedd ei stumog yn rowlio, ond ei gwddf yn dal yn rhy dynn i lyncu.

'Dwi'm yn meddwl, diolch,' atebodd yn ansicr.

'Ddeuda i wrthach chi be,' meddai Nelw, gan estyn pysgodyn mawr a'i ddodi ar blât. 'Gewch chi'r sgodyn mwya sy gin i, a'r bagiad mwya o jips, a chyllall a fforc sbâr, a gewch chi rannu, fel y *love birds* ag ydach chi. A ma'r bwr lyfi-dyfi'n wag i chi.' Winciodd, a lled-wenodd Eira arni. Talodd Meic am y bwyd ac aeth y ddau am y 'bwrdd lyfi-dyfi', mewn cilfach eithaf preifat yng nghefn y caffi.

'Gwranda, Eira…sorri am bob dim,' meddai Meic. 'Dwi'n gwbod oedd dim posib byw hefo fi wsnosa dwytha 'ma.'

'Be sy'n bod, Meic? Plis deuda wrtha fi.'

'Ma petha'n uffernol adra. Achos bod Dad yn Leeds. 'Nes i ddeud bod o'n lojio hefo chwaer fo, do?'

'Do. Dim sôn am werthu tŷ chi?'

'*Not a hope in hell.* Eniwê, bydd rhaid i ni aros yn Brynia tan bydd Lefal A fi 'di bod. Dwi'n methu Dad fi'n ofnadwy, a ma Mel yn waeth wedyn. Ti'n gwbod, methu fo'i hun a methu petha oedd o'n gneud i ni. A'th *computer* fi'n *kaput* wsnos yma. Fasa Dad wedi bod dim chwinciad yn fficsio fo.'

'Fasa Mam wedi helpu.'

'O'n i ddim yn lecio gofyn. O'n i'm yn siŵr sut oedd petha rhwng chdi a fi ar ôl nos Sadwrn dwytha.'

Oedodd Eira cyn ateb.

'Doeddwn inna'm yn siŵr chwaith, Meic…'

'Dwi'n poeni am rwbath arall hefyd. Dwi'n ama bod Mam yn ca'l affêr…'

'Fflipin hec!'

''Di hi byth adra. Allan yn rwla jest bob nos. Ma hi'n gneud bwyd i ni a wedyn *off* â hi. Toes 'na byth lifft i' ga'l i le'n byd. Hwyr glas i fi basio'r test, ond dim ond y *lessons* dwi'n ca'l. Tydi'r car ddim yna i fi practeisio na Mam i swpyrfeisio.'

'O'r nefi! Dim rhyfadd bod tymar ddrwg wedi bod arna chdi. Sorri bod fi 'di bod mor gas…'

'Dim chdi oedd y bai.'

''Nes i ddim helpu, naddo? Ti'n gwbod, nos Sadwrn dwytha, bachu hi adra mewn tymer pan dda'th Mam heibio a…Yli, am Guto…'

'Oedd hynna cyn chdi a fi. 'Di o ddim o busnas fi. Oedd o'n sioc, cofia!'

'Ddaru ni ddim cysgu hefo'n gilydd, 'sti. Dim ond dwywaith fues i hefo fo, a ti'n gwbod dy hun 'nes i ddim cysgu hefo chdi am dipyn…'

'Naddo. *Bloody frustrating* oedda chdi, Eira Mai! Dim ots am neb arall rŵan eniwê. Be sy'n bwysig ydi, ydan ni'n dallt 'yn gilydd?'

'Be'n hollol wyt ti'n feddwl?'

'Ydan ni'n dal i fynd hefo'n gilydd?' Roedd Meic wedi bod mor glên heno nes peri i Eira ddechrau closio ato unwaith eto. Hwyrach mai crysh oedd ganddi ar Oli. A pha obaith oedd ganddi hefo hwnnw, p'un bynnag, rhwng yr holl rwystrau ar eu ffordd? O leia roedd Meic ar gael, ac yn ôl i'r hen Feic annwyl, yn ôl pob golwg.

'Dyna be wyt ti isio?' gofynnodd.

'*For Christ's sake,* Eira Mai! Ia, siŵr dduw! Pam ti'n meddwl 'dan ni'n ista'n fama'n trio sortio'n huna'n allan?'

Dyna'i diwedd hi! Act oedd y consýrn a'r hynawsedd a'r caredigrwydd. Tra parhâi'r sefyllfa gartref yn fregus, blin a chas fyddai Meic. Ac er cymaint y teimlai drosto yn ei wewyr, allai Eira ddim goddef dim mwy o stryffîg. Pam ddylai hi?

'Twyt ti ddim wedi newid yn ôl i'r hen Meic, wyt ti?' meddai'n ddigalon. 'Ma'n ddrwg gin i, boi, ond fedra i ddim cymryd dim chwanag. Ma pob dim drosodd.' Ac allan â hi: dros y ffordd, roedd ei bws adref ar gychwyn.

Fore trannoeth, yn y bwthyn gwyliau, clywodd Llion lais bariton ysgafn yn hofran ar yr awyr o'r gawod. Gwenodd: roedd Ed yn dal i gyfansoddi. Buasai'r ddau wrthi hyd oriau mân y bore'n trafod posibiliadau ar gyfer sioe gerdd yr ysgol, a chan fod Ed wedi dod â'i allweddellau gydag ef, roedd cân neu ddwy eisoes yn dechrau siapio. Rywbryd yn ystod y min nos gofynnodd i Llion ganu rhywbeth iddo.

'Ti'n gwbod hon?' Dechreuodd chwarae 'Dyrchefir Fi'.

'Sa i'n gwbod y geirie.'

'Wel la-laia 'ta'r twmffat!'

Gan ei bod yn amlwg nad oedd am gael llonydd la-laiodd Llion y gân.

'Bendigedig!' ebychodd Ed. 'Ma Bedwyr Morus yn nabod llais da pan glywith o un.' Roedd Bedwyr, y Prif Fachgen, yn un o'i ddisgyblion Safon Uwch.

'Beth yffarn sy 'da Bedwyr Morus i' neud 'da dim byd?' gofynnodd Llion.

'Chlywis i rioed monot ti'n canu achos dwi ar y llwyfan wrth y piano amsar gwasanaeth. Bedwyr ddeudodd wrtha i bod gin ti lais. A mae o jest be dwi angan. Dewi Preis oedd 'y nhenor i llynadd ond mae o wedi mynd i'r coleg.'

''Wy ar goll man hyn. Stopa siarad mewn pose, nei di?'

'Y sioe gerdd 'ma…!'

'Hei, dal sownd! Y plant fydd y cast. Fydda i'n cyfarwyddo'u hacto nhw.'

'Ond mi fydd rhaid ca'l tenor! Y *romantic lead*! Meddylia, ella caet ti sws gin Eira Mai. Yr unig ffor' gyfreithlon i ti ga'l un!'

'O yffarn…ti *yn* whalu baw nawr!' Teimlai Llion ei wyneb yn gwrido. Diolchai fod Ed wrth ei allweddellau a'i gefn tuag ato. 'Stori y'n ni'n moyn gynta 'ta beth. Sdim pwynt ca'l caneuon heb stori.'

'Ma Menna'n mynd i feddwl dros y Sul 'ma, ond mi fydd isio help arni. Ma hi'n deud bod yr athrawon er'ill fydda'n sgwennu dramâu wedi gada'l.'

'Hei, ma mam Eira'n sgrifennu. Wedodd Eira bore 'ma.'

Trodd Ed i edrych arno'n llawn diddordeb.

'O ddifri?' Meddyliodd am ennyd. 'Be am fynd draw yno'n y bora 'ta?'

Felly fore Sul, mentrodd Llion ac Ed ar draws y buarth, ac er na fuasai'r un ohonynt wedi meiddio cyfaddef hynny, teimlai'r ddau'n bur nerfus. Rhiannon agorodd y drws.

'O! B-bora da,' meddai braidd yn ffrwcslyd. 'I…isio gweld Eira dach chi?'

'Na…chi 'dan ni isio, Ms Huws,' meddai Ed.

Llamodd calon Rhiannon.

'Rhiannon…hen ddigon da! Dowch i'r tŷ.'

Dilynodd y ddau hi, a gweld bod Megan yn y gegin hefyd, yn cael paned wrth y bwrdd brecwast.

'Steddwch. Gymrwch chi banad? 'Dan ni'n ca'l un. Y tecall newydd ferwi.' Rho'r gora i barablu, Rhiannon, y ffŵl, meddai wrthi ei hun.

'Newydd ga'l un, diolch. Ym…wedi dŵad yma hefo cais rydan ni.' Syllodd Rhiannon yn ddryslyd ar Ed.

'Ie. Wedodd Eira wrtho i bore ddo bo' chi'n sgrifennu,' meddai Llion.

'Be? Be haru'r hogan wirion? Dim ond sgriblo bydda i, i blesio fy hun.'

'Wel, y peth yw, y'n ni'n dou wedi bod yn trafod sioe gerdd ar gyfer yr ysgol. Ma Menna Rhys, sy'n dysgu Cymra'g, yn mynd i neud peth o'r sgripto, ond hoffe hi ga'l help, ac o'n ni'n meddwl, tybed fyddech chi'n folon…'

'Nefi wen! Fasa gin i ddim clem lle i ddechra! Oes gynnoch chi stori 'lly?'

'Yr unig awgrym sy gin i,' meddai Ed, 'ydi trio mynd ar ôl chwedl y Santes Gwenoro. Os gŵyr unrhyw un be ydi honno!'

'Rwbath am gyrraedd ar long. 'Ta cwrwgl…? Hefo Gweirydd, ei brawd.'

'A! Boi'r traeth. Ma hynna'n gneud synnwyr.'

'Fedra i chwilota am yr hanas i chi, ond peth arall ydi sgwennu.'

Yn sydyn agorodd y drws o'r stafell fyw a cherddodd Eira Mai i'r gegin wedi ymgolli yn ei iPod. Neidiodd pan welodd ei hathrawon.

'Sorri,' meddai. 'Wyddwn i'm bod neb yma. O'n i'n gwrando ar y Manics.'

'Amseru perffaith, Eira Mai. Fedri di berswadio dy fam i'n helpu ni sgwennu sgript sioe gerdd?' gofynnodd Ed. 'Hefo Mrs Rhys.'

'O!' Syllodd Eira ar Llion. 'Dwi'n dallt rŵan.' Troes at ei mam. 'Ti'n nabod Mrs Rhys, Mam. Ti am neud? O, g'na, plis!'

'Ara deg, ara deg!' Chwarddodd Rhiannon. 'Feddylia i am y peth, reit?'

'Ma hynna'n gychwyn.' Gwenodd Ed ar Rhiannon, ac yn nychymyg Eira Mai fflachiodd trydan rhyngddynt. Allai hi ddim penderfynu pa un ai siom ynteu balchder a deimlai: daliai i frwydro yn erbyn y syniad o'i mam a Math Miws gyda'i gilydd, ond byddai hynny'n well na Math Miws ac Oli. Ac yn amlwg, roedd Math wedi treulio'r nos yn y bwthyn. Penderfynodd wthio'r cwch i'r dŵr a physgota mymryn.

'Dwi'n siŵr i fi glywad miwsig yn dŵad o'r bwthyn pan ddois i adra neithiwr,' meddai. 'At y sioe gerdd oedd o?'

'Ia. Gobeithio na ddaru ni ddim cadw neb yn effro,' meddai Ed. 'Fuon ni'n cyfansoddi tan yr oria mân. Job flinedig, fel gwyddost ti, Eira Mai, isio lot o ganolbwyntio. Fuo mi rioed mor falch o ga'l dringo i'r cae sgwâr. Lwc bod 'na lofft sbâr yn y bwthyn 'na.'

'Yn gwmws!' ychwanegodd Llion. 'O't ti'n whyrnu fel injin y Saxo: allen i dy glywed di drwy'r wal!'

'Ga' i glywad y miwsig? Plis! Awn ni i gyd at y piano. Dowch, Nain!' Arweiniodd Eira bawb drwodd i'w chell ei hun yn y parlwr, ei chalon erbyn hyn wedi codi i'r entrychion. Dyna *un* o'r rhwystrau posibl rhyngddi hi ac Oli wedi ei chwalu'n chwilfriw, diolch byth!

14

Curodd Rhiannon yn ysgafn ar y drws rhwng ei chegin ei hun a chegin ei mam, cyn ei agor a chael Megan yn golchi ei llestri brecwast.

'Bora da,' meddai Rhiannon. 'Ydach chi ffansi trip bach i Bodephraim? Mynd â Mrs Strong i weld hen gartra'i theulu. Meddwl ella basach chi'n lecio dŵad hefo ni, gan byddach chi'n nabod y tŷ erstalwm.'

'Ia, fasa dim ots gin i. Ond fydd ots gynni hi, ti'n meddwl?'

'Na fydd, siŵr. Ma hi'n ddynas glên.'

'Rho ddeg munud i mi 'ta, i 'molchi a newid. Fedra i ddim mynd i le posh felna'n edrach fel tramp.'

'Iawn. Iwsia i'ch car chi, os ca' i. Dim ond dwy sêt sy yn f'un i.'

Cyn pen hanner awr safai'r Corsa y tu allan i'r fflatiau ar gwr prom Traeth Gweirydd.

'Fasa ots gynnoch chi symud i'r sêt gefn?' gofynnodd Rhiannon. 'Ma hi'n strach rhoid Mrs S yn y tu blaen, heb sôn am y tu ôl. Ma hi dros 'i phedwar ugian.'

Symudodd Megan tra bu Rhiannon yn cyrchu Mrs Strong o'i fflat drudfawr ar lawr isaf y bloc, a phan welodd yr hen wraig deallodd pam y bu raid iddi ffeirio lle â hi. Roedd hi'n eithaf musgrell, ac yn hynod o dew, yn grwn fel swigen lard. Doedd ei phroblemau corfforol ddim i'w gweld yn mennu o gwbl ar ei hwyliau. Wrth i Rhiannon ei stwffio, fwy neu lai, i sedd y teithiwr, cyfarchodd Megan yn llon.

'I've heard such a lot about you from Rhiannon, my dear: it's lovely to meet you at last. I'm Marjorie.'

'Nice to meet you, too.' Er bod y geiriau'n gyfeillgar, digon llugoer oedd tôn llais Megan, nad oedd yn un i lyncu neb ar yr olwg gyntaf. 'I'm Megan,' ychwanegodd, ar hyd ei thin braidd.

Siaradodd Mrs Strong fel clep melin nes cyrraedd y Wavecrest, fel na fu raid i Megan gribinio'i phen am sgwrs, a diolchai am hynny, yn enwedig â'r sgwrs honno yn yr iaith fain. Ond gallai weld bod ei merch wedi mynd i fyd yr hen wraig a'i hachau'n llwyr. Pan gyrhaeddwyd y Wavecrest, llwyddodd Rhiannon i'w thynnu allan o'r car heb unrhyw niwed, ond cyn mynd i mewn i'r gwesty bu raid sefyll o'i flaen am rai munudau iddi gael ei weld yn iawn o'r tu allan, a thynnu ei lun, nes i Rhiannon awgrymu mynd i'r cyntedd iddi gael gweld yr hen lun o ddiwedd y bedwaredd ganrif ar bymtheg.

Roedd y dderbynwraig yn eu disgwyl, felly cawsant lonydd i edrych o gwmpas yr ystafelloedd cyhoeddus yn ddirwystr, a thoc ymddangosodd Peter de Bruno ei hun a chynnig eu tywys allan i archwilio'r *lodges*, sef yr hen feudái.

Fel roedd Megan ar fin dilyn y lleill drwy'r drws-allan clywodd lais, llais a adnabu ar amrantiad, serch i fwy na deugain mlynedd fynd heibio ers y tro diwethaf iddo atseinio yn ei chlustiau. Troes ar ei sawdl a dychwelyd i'r cyntedd. A dyna lle roedd hi, yn sefyll wrth y ddesg yn siarad gyda'r dderbynwraig. Safodd Megan yno'n rhythu arni'n syfrdan nes iddi orffen ei sgwrs, yna, cyn iddi droi'n ôl i gyfeiriad ei hystafell, aeth ati a chyffwrdd yn ysgafn â'i braich.

'Lilian,' meddai.

'Megan? Nefoedd fawr, Megan!' Lluchiodd Lilian ei breichiau am ei hen ffrind a'i chofleidio'n dynn. Pan ymwahanodd y ddwy roedd dagrau yn eu llygaid.

'Be wyt ti'n 'i neud yn fama?' gofynnodd Lilian.

'Be wyt *ti*'n 'i neud yn fama?' gofynnodd Megan yn ôl.

Chwarddodd Lilian.

'Faint o amsar sy gin ti? Yli, ty'd i'r *lounge*. Ordra i goffi.'

Gofynnodd Lilian i'r dderbynwraig archebu *cappuccinos* i'r ddwy, ac arweiniodd Megan yn ôl i'r lolfa y cawsai gip arni cynt gyda Rhiannon a Mrs Strong.

'Gest ti fy llythyr i?' gofynnodd Megan.

'Llythyr? Naddo.'

'Sgwennis i ganol wsnos dwytha. Mi oeddwn i wedi colli dy gyfeiriad di, ers pymthag mlynadd ar hugian. Ond wsnos dwytha mi dda'th i'r fei, coelia neu beidio.'

'Dim rhyfadd na ches i mono fo. I Ddulyn gyrrist ti o?'

Amneidiodd Megan. 'Mi ddaru ni symud i Galway, ti'n gweld. Tua diwadd y saithdega. Gafodd Ryan brifathrawiaeth ysgol yno.'

'Gollist ti 'nghyfeiriad inna hefyd?'

'Ddim os wyt ti'n dal yng Nghae Aron.'

'Ydw. Pam na fasat ti wedi sgwennu ata i?' Swniai Megan fel petai wedi ei brifo gan y diffyg cyswllt.

'Wel...pan stopiodd dy gardia Dolig di, mi feddylis i...nad oeddat ti ddim isio cadw cysylltiad. Mi nes i yrru cardyn atat ti am tua dwy flynadd ar ôl i ti stopio, 'sti. Fuo mi ddim adra lawar, achos bod y plant gin i, a phan gladdis i Nhad a Mam, welis i ddim golwg ohonot ti yn y cnebryna na dim...'

'Na, o'n i'n gwarchod Eira Mai yn y cyfnod yna.'

'Gwarchod pwy?'

'Merch Rhiannon. Mam sengal ydi Rhiannon. A chyn hynny...O duwcs, ti ddim isio gwbod.'

'Ydw siŵr, deuda.'

'O'n i'n sylweddoli baswn i wedi medru mynd at dy rieni di i ga'l dy gyfeiriad di ond...o'dd bywyd ar y ffarm yn reit anodd a...rywsut doedd gin i na'r amsar na'r mynadd i feddwl am...A wedyn mi a'th Ifan yn sâl...Yli, ddoist ti ddim yr holl ffor i Lanwenoro i 'nghlywad i'n cwyno! Be dda'th â chdi yma?'

'Gynnon ni'll dwy ddwrnod mawr wsnos nesa...'

'Paid â f'atgoffa i!'

'O'n i isio dŵad yn ôl i weld yr hen ardal *un* waith eto. *Borrowed time* fydd hi o hyn allan, Megs bach!'

'Os wyt ti'n coelio dy Feibil.'

'Ma raid i mi. Dwi'n Gatholic ers bron i hannar can mlynadd.'

'Ydi Ryan...?'

'Darllan yn y llofft. Geith 'i luchio allan toc, mi fyddan isio llnau. A lle gwell i ni aros na hen garta'r teulu? Tydyn nhw wedi gneud stomp ohono fo, dywad?' Cyn i Megan gael cyfle i roi ei barn ar weddnewidiad Bodephraim aeth Lilian ymlaen: 'Ond be wyt *ti*'n 'i neud yn y…"Wavecrest"?' gofynnodd yn goeglyd.

Eglurodd Megan am gysylltiad Rhiannon â Mrs Strong, a diddordeb mawr honno yn ei theulu a chartref ei hynafiaid.

'Aros di iddi ddŵad yn ôl i mewn,' meddai. 'Mi geith ffit bren o gyfarfod 'i…be…'i chyfyrdras, ia?'

'Am wn i. Wyras honno aeth i Lerpwl ydi hi, ma raid.'

'Ia. Gest ti unrhyw beth i' neud hefo nhw tra oeddat ti yn Lerpwl?'

'Dim. Hen drwyn oedd yr Anti Jane honno, yn ôl Nhad. Sut un ydi hon?'

'Dim ond bora 'ma ddaru mi 'i chyfarfod hi, ond ma Rhiannon yn gneud yn dda iawn hefo hi. Gwaith ydi'r hel acha 'ma i Rhiannon, ti'n gweld – busnas compiwtars ac ymchwilio a ballu sy gynni hi, a ma'r ddynas 'ma'n talu'n iawn iddi. Dwi'n siŵr 'i bod hi'n graig o arian, rhwng 'i chefndir teuluol tua Lerpwl 'na, a'i gŵr hi, pan oedd o, yn *surgeon*.' Gyda hyn daeth Rhiannon i mewn i'r lolfa, a Mrs Strong yn gafael yn ei braich. 'Anghofis i ddeud 'i bod hi'n grwn fel pwdin clwt,' ychwanegodd Megan yn ddistaw. Cafodd Lilian drafferth i gadw wyneb syth.

'Twyt ti wedi newid dim, 'rhen Megs!'

'Ddeudodd yr hogan wrth y ddesg mai fama roeddach chi, Mam,' meddai Rhiannon. 'Sut coll'soch chi ni?'

Gwenodd Megan wên gyn lleted ag un Eira Mai.

'Achos i mi g'warfod hen ffrind. Rhiannon, dyma i ti Lilian O'Connor!'

'O! Ddaru chi lwyddo i gysylltu hefo'ch gilydd felly!'

'Wel naddo. Lwc mwngral ydi hyn, coelia neu beidio. Gei di'r hanas eto. Y peth pwysig ydi bod Lilian yma, a bod Mrs Strong yma.' Cynorthwyodd Rhiannon Mrs Strong i eistedd ar un o'r cadeiriau esmwyth.

'Please excuse our Welsh,' meddai. 'I'll explain to you what's happening.'

'Don't worry at all, dear,' protestiodd yr hen wraig. 'I should be able to speak it myself. I should have gone to classes years ago. It's a bit late in the day now.'

Pan eglurodd Rhiannon i Mrs Strong mai ei chyfyrdres o Iwerddon oedd Lilian O'Connor, roedd yr hen greadures mor emosiynol nes peri i Megan ofni y byddai'n cael trawiad ar ei chalon.

'Oh, my dear!' ebychodd. 'My dear, I'm so pleased to meet you! But now that I've found you, you live so far away! Do you have a family?'

'Yes,' atebodd Lilian. 'Five sons and five daughters.'

'Oh! How tidy!' gwenodd Mrs Strong. 'And lucky. I failed to manage one!'

Gan estyn papur a beiro o'i ffeil, gofynnodd Rhiannon i Lilian am fanylion ei theulu, a'u nodi'n ofalus.

'So your children are the only next generation descendants of all six Bodephraim siblings?' gofynnodd Mrs Strong toc.

'Oh no,' atebodd Lilian. 'Your grandmother had a sister...'

'Ellen!' meddai Rhiannon. 'She's remained a mystery to me.'

Fu Ellen ddim yn ddirgelwch yn hir. Roedd ei disgynyddion yng Nghaereirian, o fewn cyrraedd hawdd. Ond penderfynodd Lilian sensro'i hadroddiad.

Diolchodd Mrs Strong o waelod ei chalon i'w chyfyrdres Lilian, a gresynai y byddai'n dychwelyd i Galway ymhen tridiau. Ond byddai'n siŵr o gadw mewn cysylltiad, a gobeithiai ddod o hyd i'w theulu yng Nghaereirian hefyd. Mynnodd brynu cinio i bawb yn y Wavecrest, a threfnodd gyda Peter de Bruno i gael gwneud hanner dwsin o gopïau o hen lun Bodephraim. Cyn i bawb wahanu, llwyddodd Megan i dynnu Lilian o'r naill du am eiliad.

'Fedri di ddŵad acw i ginio fory?' gofynnodd. 'Doedd dim posib siarad am yr hen ddyddia yng nghanol pawb.'

'Hel atgofion? Siŵr iawn. Wrth 'y modd. Ddaw Ryan â fi. Mi

fydd gin i isio deud rwbath wrthat ti hefyd, er mwyn i'r ddynas 'na fod ar 'i gwyliadwraeth.'

'Rargian!'

'Fory,' meddai Lilian. 'Un o'r gloch.'

Yn syth ar ôl cyrraedd adref o'r ysgol, dechreuodd Eira Mai weithio ar ei Thechnoleg Gwybodaeth. Wedi awr a hanner solet o flaen ei chyfrifiadur teimlai ei llygaid yn dyfrio, ei hysgwyddau'n brifo, a'i bol yn rowlio o eisiau bwyd. Agorodd ddrws ei chell a bloeddio ar ei mam:

'Mam, pa bryd bydd bwyd yn barod?'

'Mhen hannar awr,' gwaeddodd Rhiannon o'r swyddfa. 'Caserol biff, cyn i ti ofyn. Mae o yn y popty.' Ei thro hi oedd gwneud bwyd i'r tair.

'OK.' Gwyddai Eira na allai ganolbwyntio ar y sgrin am hanner awr arall heb godi cur yn ei phen, felly penderfynodd geisio cyfansoddi cân ar gyfer y Mulod Meddw. Wrth estyn ei gitâr, baglodd ar draws rhywbeth ar y llawr, rhywbeth na ddylai fod yno, fel arfer. O'r nefoedd! Y *Gwyddoniadur*! Swyddfa'i mam oedd cartref hwn i fod, ond iddi hi ei fenthyca i chwilio am hanes y ddrama yng Nghymru. Cododd y llyfr oddi ar y llawr gan fwriadu ei ddychwelyd i fyny'r grisiau, ond yn sydyn ailfeddyliodd. Roedd ganddi ddefnydd arall iddo! *Rhaid* oedd i'r baglu trwsgl yma stopio. Ymsythodd, a dodi'r llyfr trwm ar ei phen yn ofalus. Yna dechreuodd gerdded yn ymdrechgar ffug-osgeiddig o amgylch ystafelloedd llawr isaf y tŷ, cyn agor y drws i dŷ ei nain, a chrwydro yn yr un modd o gwmpas hwnnw. Canfu Megan yn eistedd ar gadair esmwyth yn ei hystafell fyw, yn canolbwyntio ar ryw lyfr. Ni chymrodd unrhyw sylw o Eira; roedd antics o'r fath yn eithaf normal yng Nghae Aron.

Pan glywodd Eira gloch yn canu, mân-gamodd yn dalsyth i gyntedd tŷ ei nain ac agor y drws. Yno, ar y trothwy, yn rhythu arni yng ngoleuni'r lamp-allan, safai Oli Drama. Rhoes Eira naid fach, nes peri i'r *Gwyddoniadur* ar ei phen golli ei gydbwysedd a dechrau llithro. Ar amrantiad daeth Llion i'r adwy, gan gamu ymlaen a dal y llyfr trwm yn ei ddwylo mor ddeheuig â chwaraewr rygbi'n derbyn pàs.

'O! Diolch,' meddai Eira. 'Fasa Mam yn 'yn lladd i tasa hi'n gweld hwnna'n un sneitan ar lawr!'

Gwenodd Oli ei wên arbennig arni.

'Beth yn gwmws o't ti'n neud, Eira Mai?' gofynnodd. 'Dysgu shwt i gario dŵr yn y Congo?'

'Trio peidio bod mor drwsgwl, neu 'na i byth actoras,' atebodd Eira. 'Y "Bruce" fyddwn i'n ddefnyddio ond ma Mam 'di bodio cymaint ar hwnnw nes i'r cloria ddisgyn i ffwr. Ddigwyddith yr un peth i hwn toc, beryg. Ma hi'n deud tydi Wikipedia ddim bob amsar yn drŷst.'

O glywed yr holl stŵr daeth Megan drwodd â'i llyfr yn ei llaw.

'Eira Mai, be wyt ti wedi'i neud?' gofynnodd.

'Y *Gwyddoniadur* ddaru lithro,' atebodd Eira.

Ysgydwodd Megan ei phen.

'Grasusa byw! Tydi pawb call yn dysgu cerddad yn flwydd oed! Yli, paid â gadal Mr Oliver yn sefyll ar garrag y drws. Ty'd i'r tŷ, Llion bach.'

Llion bach? Pa bryd dechreuodd ei nain drafod ei thenant fel mab?

'Sorri, syr. Dowch i mewn,' meddai Eira, gan adael i Llion fynd heibio iddi. Gwelodd ef yn estyn siec o'i boced.

'Y taliad rhent ola,' meddai wrth Megan. 'Fydd hi'n od, byw mewn tŷ arall.'

'Mi fydd hi'n od hebdda ti, 'ngwash i, on' bydd Eira?'

'Bydd,' atebodd Eira, gan obeithio na ddatgelai ei llygaid ei theimladau. 'Biti bod chi'n mynd rŵan, a'r sioe gerdd yn ca'l 'i chynllunio. Yn enwedig os bydd Mam i mewn ar y sgwennu hefyd. Ddaru fi fwynhau bora Sul. Ddaru chi, Nain?'

'Y *sing-song*? Do, neno'r tad. Y tri ohonoch chi hefo lleisia bendigedig. Llais fel rygar-ryg hefo larynjeitus sy gin i.'

Chwarddodd Llion.

'Bechod na fasa gynnon ni soprano hefyd,' meddai Eira. 'Fedra i ddim cyrra'dd y noda ucha heb wichian.'

'Ia,' meddai Megan yn sychlyd. 'Mi oeddat titha'n swnio fel mochyn dan giât amball waith.'

Gwenodd Eira.

'Diolch yn fawr, Nain! Ydi Mr Mathias wedi sôn wrthach chi am y pedwarawd, Mr Oliver?'

'Pwy bedwarawd?'

'Ma Dygwyl Wenoro ar y seithfed o Dachwedd, a'r bora hwnnw mi fydd 'na wasanaeth i'r ysgol i gyd yn y bora, a ma hi'n draddodiad i ga'l pedwarawd i ganu emyn. Llynadd, Mererid a fi a Bedwyr a Dewi Preis oedd wrthi, ond rŵan…'

'Ma Dewi Preis wedi mynd i'r coleg! Ie ie, 'wy wedi clywed taw fi fydd yn gorffod cymryd 'i le fe! O'n i'n meddwl taw dod 'ma i ddysgu 'nes i, nage i ganu!'

'Mi fasa'n bechod anfaddeuol i ti gadw'r llais hyfryd 'na i chdi dy hun, Llion. Gobeithio cawn ni dy glywad di'n canu mewn cyngherdda,' meddai Megan.

'O jiw jiw, na! Sa i wedi ca'l llawer o hyfforddiant…' dechreuodd Llion. Yna cofiodd i Eira ddweud y byddai hithau'n canu mewn cyngherddau yn yr ardal o dro i dro. 'Gawn ni weld, ife…?' Collodd calon Eira'n guriad. Cael mynd o gwmpas y wlad i ganu hefo Oli…Lifft adre yn y Saxo…? Yna clywodd sŵn drws yn agor a daeth ei mam drwodd i'r stafell fyw.

'Bwyd yn barod,' meddai. 'O, helô, Mr Oliver, wyddwn i ddim 'ych bod chi yma. Fasach chi'n hoffi ca'l swpar hefo ni? Stiw cig eidion.'

'Wel basa, siŵr iawn!' meddai Megan yn eiddgar.

'O! Diolch yn fowr. Swno'n flasus.'

'Dowch drwodd 'ta.' Cychwynnodd Rhiannon tua'r ffermdy, gyda Megan yn ei dilyn. Yn eu cefnau, gwenodd Llion yn gynnes ar Eira.

'Ar d'ôl di,' meddai'n gwrtais. Toddodd Eira Mai.

15

Cododd Megan yn gynnar fore Iau er mwyn mynd i Lanwenoro
i brynu bwyd ar gyfer ei chinio hi a Lilian. Prynodd fara ffres
a chigoedd oer, picls-cymysg a chacennau, y cyfan yn gynnyrch
lleol o'r siopau bach. Yna galwodd yn yr archfarchnad am ychydig
o gnau a chreision, cawsiau a ffrwythau a llysiau salad; a rhaid,
wrth gwrs, oedd cael potel neu ddwy o win. Gan na fu iddi hi na
Lilian yfed unrhyw drwyth mwy alcoholaidd na Babycham neu
Cherry B yn nyddiau diniwed eu hieuenctid (a hynny'n ddigon
pell o gartref) wyddai hi ddim pa fath i'w brynu, felly daeth â dwy
botel o win gwyn a dwy o beth coch – nid bod ganddi unrhyw
fwriad o yfed y cwbl neu byddai hi a'i hen ffrind o dan y bwrdd
erbyn y dôi Ryan i gyrchu Lilian.

Yn ôl yn 'nhŷ nain' Cae Aron, gosododd y bwrdd yn yr
ystafell fyw, gan daenu drosto liain gwyn na welsai olau dydd ers
dyddiau ei mam yng nghyfraith. Yna estynnodd set o lestri nas
defnyddiwyd ers oes pys: platiau a chwpanau a soseri ysgafn, cain.
Pam y gwnâi hyn, ni wyddai'n iawn: am fod ei chyfeillgarwch hi
a Lilian yn mynd yn ôl i ddyddiau llieiniau a llestri cain, efallai.
Yn ei dychymyg gallai weld ei mam yn hulio'r bwrdd pan ddôi
rhywun i de erstalwm, a hwnnw'n bictiwr o ddestlusrwydd a
chwaeth fel bwrdd byddigions. Pe gwelai ei mam hi a Rhiannon
ac Eira'n llowcio coffi o fygiau trymion a gafael iawn ynddynt
wrth far brecwast noethlymun buasai'n gwaredu!

Ychydig cyn un o'r gloch dododd y danteithion ar y bwrdd,
ynghyd â rholiau a brechdanau o fara ffres. Yna cofiodd am
y gwin, ac estyn gwydrau o gwpwrdd y seld. Hwyrach, wrth
gwrs, mai paned fyddai orau gan Lilian, ond yn sicr, ddoe yn
y Wavecrest, roedd i'w gweld yn mwynhau ei gwydraid o win
gwyn. A chymerai hithau Megan ryw joch bach gyda hi heddiw
hefyd. Diawch, ar ôl dros ddeugain mlynedd heb sgwrs iawn â
hen ffrind, haeddai'r ddwy ryw gymaint o ddathlu!

Fel y dynesai'r amser i Lilian gyrraedd, sylweddolodd Megan

na roesai unrhyw gyfarwyddiadau iddi. Penderfynodd fynd allan i'r ffordd rhag ofn iddi fynd at ddrws ffrynt y ffermdy, ond wrth iddi gychwyn, gyrrodd Fiat bach destlus i mewn drwy'r giât a throi mewn cylch i wynebu'r lôn. Yn ddiymdroi, ymddangosodd Lilian, a heb ffarwelio â'i gŵr na chodi llaw arno wrth i'r Fiat ymadael, brysiodd tuag at Megan a'i breichiau ar led i'w chofleidio.

'Wow! Parti!' meddai pan welodd y cinio a oedd yn ei disgwyl.

Cymerodd Megan gôt Lilian a'i hannog i eistedd wrth y bwrdd.

'Ty'd 'stynna at y bwyd 'ma. Coch 'ta gwyn? Ma'r gwyn wedi bod yn y ffrij.'

'Gwyn, plis.' Estynnodd Lilian am frechdan a thafell o ham a salad a phicls-cymysg. Wrth wneud hynny, dechreuodd arni sôn am hil Ellen Bodephraim, ys dywedai. 'Cofia, ella'u bod nhw wedi callio erbyn hyn,' awgrymodd, 'ma'r Marjorie 'na'n dipyn gwahanol i'w nain, yn ôl be glywis i gin 'y nhad. Llathan o'r un brethyn â Jane oedd Ellen, medda fo: snoban hafin. Ac anodd tynnu dyn oddi ar 'i dylwyth, chwadal nhwtha, felly well i Rhiannon ddeud wrth Marjorie Strong am beidio closio gormod at epil chwaer 'i nain – yn enwedig os oes gynni hi gelc go lew – rhag ofn iddyn nhw 'i blingo hi. A hynny *cyn* iddi gicio'r bwcad, achos ma hi'n edrach yn un go hael.'

'Iawn. Dwi'n siŵr medar Rhiannon 'i goleuo hi'n eitha diplomatig. Ty'd rŵan, Lil, clec i'r gwin 'na, i ti ga'l un arall!

Teimlai Eira Mai ar ddiffygio. Pan oedd ar ddyletswydd yn y ffreutur yn ystod ail eisteddiad y cinio ysgol, dechreuodd rhai o rapsgaliwns Blwyddyn 7 luchio jeli at ei gilydd. Brysiodd Eira i gyfeiriad bwrdd y troseddwyr, ond yn anffodus cyrhaeddodd Glenys the Menace yno o'i blaen a dal Rachel McGordon ar fin fflicio llwyaid o'r stwff gludiog coch i gyfeiriad y bechgyn gyferbyn. Cafodd Glenys y gwyllt.

'Chdi!' meddai. 'Yma!' Cododd Rachel â'i llygaid yn llenwi.

'Sorri, Miss,' ochneidiodd.

Gwelodd Eira mai talu'r pwyth yn ôl i rywun roedd hi: hongiai blobyn coch ar flaen ei chrys chwys asur.

'Enw?' cyfarthodd Glenys.

'R-R-Rachel McG-G…' Teimlai Eira drueni dros yr eneth.

'McGordon,' meddai Eira. 'Dwi ddim yn meddwl mai hi oedd yr unig un, Miss Evans.'

Troes y Menace lygaid mor flaenllym â dwy bicell arni.

'Gad hyn i mi, Eira Mai. Ga' i air hefo *ti* eto.'

Gwyddai Eira'i bod hithau am flas tafod Glenys am feiddio'i herio: edrychodd yn ymddiheurol ar Rachel, a symud o'r neilltu. Wrth weld ei hangel gwarcheidiol yn cefnu arni dechreuodd Rachel ubain dros y lle, er mawr annifyrrwch i Glenys.

'Allan! Ty'd!'

Dilynodd Rachel hi allan o'r cantîn, oedd, erbyn hyn, fel y bedd. Unwaith y diflannodd y ddwy ac y distawodd y llefain, dechreuodd y mwmian siarad eto, a dechreuodd y plant adael. Aeth Eira at fwrdd y drwgweithredwyr.

'Pwy na'th ddechra hynna?' gofynnodd yn dawel. Dim ateb. 'Neb? Ddaru'r blobyn jeli 'na neidio o blât rhywun a landio ar grys Rachel felly, do?'

Ciledrychodd dau o'r hogiau'n euog ar ei gilydd.

'Fi, Eira,' meddai un.

'Ond fi ddaru derio fo,' meddai'r llall.

'Dach chi'n sylweddoli mor lwcus ydach chi na ddaru Rachel ddim chwidlo arnach chi?' gofynnodd Eira. 'I be oedd isio dechra cwffas mor wirion eniwê?'

'Ma fo'n lecio hi,' meddai'r heriwr. Cochodd y darpar garwr.

'Gin ti ffor od o ddangos hynny!' Gwenodd Eira arno. 'Rŵan gwrandwch. Ma Rachel yn siŵr o ga'l cosb gin Miss Evans. Dwi'm yn gwbod be. Ond dach chitha'ch dau'n haeddu'ch cosbi gymaint â hitha. Be leciwn i i chi neud ydi llnau ar 'ych hola yn fama rŵan. Munud fyddwch chi. Iawn?'

Gyrrodd Eira hwy i'r gegin i nôl cadachau gwlyb i lanhau'r bwrdd a'r llawr, ac arhosodd i oruchwylio'r gwaith. Yna aeth am ei gwers Ddrama. Doedd dim golwg o Oli, ond ymhen eiliad clywodd sŵn traed Guto'n agosáu.

'Hei, Eira Mai,' meddai. 'Ydi'r Menace am dy waed di? Glywis i chdi'n tynnu'n groes iddi.'

'Ddeudis i ddim byd jest ond ma'n siŵr mai diawlio fi neith hi!'

'Mi oedd gin ti hawl i dy farn. Ac os eith petha'n ddrwg elli di roi d'ochor i'r Prif. Ma mistar ar Mistar Mostyn, 'sti.'

Nodiodd Eira.

'Hei! Meic yn deud bora 'ma bod chdi 'di gorffan hefo fo! Ges i uffar o sioc!'

'Y *bush telegraph* 'di cymryd 'i amsar! 'Dan ni 'di gorffan ers nos Sadwrn.'

'Pam?' Cododd Eira'i hysgwyddau.

'Jest…ddim yn iawn hefo'n gilydd ddim mwy, am wn i. Ma'r petha 'ma'n rhedag 'u cwrs weithia.'

'Sgin ti neb arall 'ta?'

'N-na…Am…am ganolbwyntio ar 'y ngwaith…!'

Yn storfa'r stiwdio ddrama, lle bu'n treulio'i amser cinio'n tacluso, clywodd Llion y cyfan, ei deimladau'n gymysg. Rhyw anghydfod wedi codi rhwng Glenys Evans ac Eira Mai. A nawr 'co Eira Mai wedi bennu 'da'i sboner, ac yntau'n golygu mynd mas 'da'r Menace wthnos nesa! Blydi hel! Sôn am amseru!

Am dri o'r gloch, dwy hen wraig wynepgoch a siaradus a eisteddai wrth fwrdd cinio yng Nghae Aron. Bellach dim ond gweddillion y bwyd oedd ar ôl, a dwy botel o win dri chwarter gwag.

'Ty'd yn d'laen, Lil, gorffan y mymryn teisan fwyar duon 'na wir dduw, yn lle bod o'n ista ar y plât yn crefu am ga'l 'i sglaffio.' Tafod pur fyngus oedd gan Megan erbyn hyn.

'Fedra i ddim wir, Meg. Dwi fel blwmin bwngi'n barod. A mi gawn ni homar o bryd yn y Wavecrest eto heno.'

Estynnodd Lilian baced o sigaréts o'i bag llaw. 'Oes ots gin ti?'

'Nag oes siŵr. Cofio dim bod chdi'n smocio.'

'Wedi methu'n glir â rhoid y gora iddyn nhw. Gymri di un?'

'Rargol, dwi ddim 'di ca'l smôc er pan fyddan ni'n cuddio tu nôl i gwt 'rardd erstalwm!'

'Ia. Ar bigau'r drain rhag ofn clywed twrw clocsiau dy dad! Ty'd yn d'laen, cyma un. Dim ond am heddiw! Gei di stopio eto cyn cyrra'dd dy ddeg a thrigian.'

'Duw, pam lai?' Taniodd Lilian y sigaréts, a chwerthin yn braf wrth i Megan ddechrau tagu.

'Fasa waeth i rywun smocio tail gwarthaig ddim!' meddai Megan. 'Ty'd, diferyn arall.' Tywalltodd ragor o win gwyn i wydryn Lilian.

'Hei, dal dy ddŵr! Fydda i'n chwil gachu gaib cyn cyrra'dd yn ôl i'r Wavecrest!' Ni chymerodd Megan sylw o'i phrotest. Gwagiodd y botel i wydryn Lilian, a'r botel win coch i'w gwydryn ei hun.

'Tydw i'n mynd yr un cam o'r hôm swît hôm. Iechyd da!' Cododd ei gwydr.

'Diawch, fasat ti'n lecio dŵad am bryd hefo ni?'

'Diolch iti, ond na. Dwi'n siŵr bydd gin Rhiannon ac Eira rwbath i fyny 'u llawas erbyn y dwrnod mawr.'

'Bydd, mwn. Rheicw 'run fath. Dyna pam daethon ni yma *cyn* diwrnod y pen-blwydd. Y plant wedi'n siarsio ni i fod adra ar y dydd.'

'Ew fyddan ni'n ca'l hwyl erstalwm, byddan? Rhannu'n partis pen-blwydd.'

'Tŷ ni leni – blymonj a theisan jam ...'

'Tŷ ni flwyddyn nesa – jyncet a theisan felan ...' Chwarddodd y ddwy'n braf, cyn tawelu a golwg atgofus yn eu llygaid.

'Ti'n cofio mynd ar gefn beics?' gofynnodd Megan.

'Crwydro am oria a landio yn nhwll din y byd bob tro!'

'Ia. Blincin Brynia!'

'Arnat ti oedd y bai, Meg. Oedd *raid* ca'l mynd i chwilio am Eric Elias!'

'Toedd o'n gneud i'n stumog i fwrw'i thin dros 'i phen, 'doedd? Fachis i rioed mono fo chwaith.'

'Dwi'n siŵr i ti ga'l rhywun lot gwell na fo.'

'Ddaru Ifan rioed neud dim byd i'n stumog i, creadur tlawd! Bechod 'fyd.'

'Tydi hynna ddim yn para, Meg bach.'

'Nac'di mwn. Jest…tasa fo wedi digwydd yn y dechra, jest *un waith,* a mynd wedyn, faswn i 'di bod yn fodlon.'

'Toeddwn i ddim yn nabod Ifan, 'sti.'

'Na finna, nes 'mod i yn f'ugeinia. 'Mond cofio'i weld o yn capal. Na'th o rioed lawar o argraff chwaith.'

'I Jeriwsalem, Traeth Gweirydd, fydda teulu ni'n mynd, achos mai yno cafodd Mam 'i magu. Dim ond i'r Gymanfa Blant byddwn i'n dŵad i Rehoboth.'

'Mewn dillad newydd?'

'Argol, ia! Costiwm a het a menig fel tasan ni'n hannar cant!'

'Ac adrodd ribidirês o adnoda. Mam Ifan fydda'n 'yn dysgu ni – 'rhen sguthan! Fasa hi'n troi yn 'i bedd tasa hi'n gweld Rehoboth yn dafarn! Bwyd a *booze* a carioci.'

'Ti'n cofio ni'n ca'l pwl Elvis?'

'Trampio fel jipsiwns ar draws gwlad ar fysys i weld 'i ffilmia fo.'

'Gwario pob dima ar 'i records o.'

'Mynd yn jeli ac yn binna bach ac yn oglais i gyd wrth glywad…'

'"My LO-OVE won't wait!"' Bloeddiodd y ddwy'r geiriau gyda'i gilydd a rowlio chwerthin.

'Ddim yn gall, nag oeddan?' meddai Megan.

'Hitia befo. Mi ddoth amsar callio'n lot rhy fuan. Cyfrifoldab magu plant a ballu. Ond 'na fo, ma hynny drosodd rŵan.'

'Bron iawn drosodd yma 'fyd. Fydd Eira'n ddeunaw ym mis Mai. Ond erbyn meddwl, cyfrifoldab Rhiannon 'di honno 'te? Ni bia'n bywyda, Lil!' Myfyriodd am eiliad. 'Biti 'u bod nhw bron ar ben… Ty'd, potal arall o win!'

Cerddai Eira Mai ar hyd lôn Cae Aron dan fyfyrio ar ei phrynhawn. Fel yr âi am ystafell y Chweched ar ôl ei gwers Ddrama, gwelsai Rachel yn eistedd y tu allan i ystafell Mari Parri, y Ddirprwy Brifathrawes. Dyna'i chosb felly. Ond pam roedd yr eneth yn dal yno? Oedd Glenys Evans wedi anghofio amdani? Aeth Eira i fusnesu.

'Ers faint wyt ti yn fama, Rachel?' gofynnodd.

'Amsar cinio,' atebodd Rachel mewn llais bach.

'Be gest ti i' neud?' Gafaelodd yn y papur y buasai Rachel yn ysgrifennu arno, a darllen yn ddistaw.

'Dwin Rachel McGordon. Dwin buw yn Brun Glas hefo dad a mam fi. Ty ni sun carafan. Dwi yn blwyddyn 7n. Ella fydda i'n mynd i 7ll ar ôl half term.'

Doedd dim pwrpas ei rhoi yn 7LL: hwnnw oedd y dosbarth i'r plant hollol ddi-Gymraeg oedd newydd symud i'r ardal. Pwy ysbrydolwyd i roi'r llythyren LL i ddosbarth o'r fath, doedd gan Eira ddim clem.

'Ti isio symud dosbarth, Rachel?'

Cododd Rachel ei hysgwyddau.

'Ffrindia fi yn 7N,' meddai.

'Ond twyt ti ddim hefo nhw drwy'r amsar, nag wyt? Ym mha setia wyt ti?'

'Pedwar. Ond fi'n ca'l trwbwl sgwennu.' Ie...hwyrach y byddai sgrifennu yn Saesneg yn haws iddi.

'Rachel,' meddai Eira, 'sorri fedris i ddim helpu chdi amsar cinio, ond toedd gin i ddim hawl. Gin Miss Evans oedd yr hawl. Ond gafodd yr hen hogia 'na'u cosbi hefyd. 'Nes i neud iddyn nhw llnau'r stomp.' Piffiodd Rachel. 'Yli, chwilia i am Miss Evans i ti ga'l mynd o fama.'

Yn betrus yr aeth i edrych am Glenys the Menace, gan wybod y byddai'n cael ram-dam, ond roedd yn rhaid i Rachel gael ei gollwng yn rhydd neu byddai yno tan amser mynd adref. Curodd Eira ar ddrws ystafell yr athrawon a'i agor, er yr ofnai mai allan ar y cae hoci y byddai Glenys ganol y prynhawn. Ond yno roedd hi, yn eistedd wrth ochr Oli Drama, a fwynhâi ei baned ar ôl bod yn traethu wrthi hi a Guto. Trodd pob llygad i gyfeiriad y Brif Eneth bechadurus.

'Esgusodwch fi,' meddai Eira. 'Fedra i ga'l gair, plis, Miss Evans?' Dan yr amgylchiadau disgwyliai i Glenys ddod allan o'r ystafell iddynt gael mymryn o breifatrwydd, ond y cyfan a wnaeth honno oedd dweud:

'Wel?'

'Ym…Rachel McGordon sy'n dal y tu allan i stafell Miss Parri. Tan pryd ma hi i fod i aros yno?'

'Geith hi fynd ar ôl i mi weld 'i gwaith hi.' Rhythodd ar Eira â'r llygaid picelli. 'Amdanat ti, Eira Mai, paid di byth â meiddio herio f'awdurdod i eto.'

'Ma'n ddrwg gin i, Miss Evans.' Gwyddai nad oedd bwrpas iddi geisio achub ei cham. Ond gwelodd rai o'r athrawon eraill yn edrych ar ei gilydd yn anesmwyth. I wyneb Oli daeth golwg o arswyd llwyr. Os oedd angen cerydd ar un o Brif Ddisgyblion yr ysgol, nid o flaen yr holl athrawon oedd y lle i wneud hynny. Aeth Eira'n ôl at Rachel i'w hysbysu na fyddai raid iddi aros yno'n hir eto.

Wrth iddi gerdded lôn Cae Aron dan bensynnu rhaid bod Eira wedi crwydro i ganol y ffordd. Clywodd gorn car yn canu y tu ôl iddi a neidiodd i'r ochr. Arhosodd y Saxo eurliw gerllaw.

'Wyt ti'n OK, Eira Mai?' gofynnodd Llion.

'Ydw, diolch.'

'Dere miwn.' Petrusodd Eira. 'Dere! 'Sneb 'ma i weld.'

'Diolch. Jest bo' fi mewn digon o drwbwl yn barod heddiw.'

'Paid ti becso am 'na. Wedodd Mrs Rhys wrtho i beth ddigwyddodd amser cino a nag o'dd hi'n meddwl i ti fod yn ewn. A…ddylen i ddim gweud 'tho ti sbo, ond ofynnodd Mari Parri i Glenys aros ar ôl am sbel fach heno. Sa i'n gwbod pam, wrth gwrs, ond falle…falle…taw isie gweud gair i gall o'dd hi…'

'Reit. Eniwê, mae o drosodd rŵan. Fydd rhaid i fi jest bod yn ofalus be dwi'n neud. Dwi'n gwbod dwi ddim yn boblogaidd hefo pawb o'r staff achos o'n i *yn* drwbwl erstalwm. Ond dwi'n trio 'ngora rŵan, rîli rîli trio 'ngora.'

'Wy'n gwbod, bach.' Gwenodd Oli ei wên arbennig arni a theimlodd Eira'r cynnwrf mewnol hwnnw roedd yn dod yn fwyfwy cyfarwydd ag ef. 'Fydda i'n gorffod dechre paco heno. Symud bore Sadwrn.' Swniai'n drist.

'Fedra i helpu yn y bora.'

'Na, fydd dim isie. Ta p'un 'ny, fyddi di'n rhy fishi'n paratoi ar gyfer dy ddêt arferol 'da Meic.' Teimlai'n dwyllodrus yn dweud y fath beth, ond ni allai gyfaddef iddo glywed pob gair o'r sgwrs rhyngddi hi a Guto. Hefyd, roedd ganddo ysfa am ei chlywed yn dweud yn ei wyneb fod popeth drosodd rhyngddi hi a Meic.

'Ym...na...Ma Meic a fi wedi gorffan.'

Troes y car i mewn drwy giât cowt Cae Aron ac aros ger drws y cefn.

'Jiw jiw! Flin 'da fi.' Syllodd Eira arno. Oedd hi? Yn ddrwg ganddo? Gobeithiai nad oedd, ond wrth gwrs fyddai wiw iddo gyfaddef hynny.

'Ddim gin *i*,' meddai. 'Nos dawch, syr.'

'Nos da, bach.' Gyrrodd Llion ymlaen at ddrws y bwthyn, na fyddai'n gartref iddo'n hir eto, mwya'r trueni.

Roedd y gyfeddach wedi symud i'r gegin oherwydd i Megan estyn trydedd botel o win o'r oergell, a'r ddwy wedi setlo'n simsan ar stoliau uchel ger y bar brecwast i lowcio'n awchus. Yn ansad, daeth Lilian i lawr oddi ar ei stôl a syllu drwy'r ffenest.

'Ddyla Ryan gyrra'dd toc,' meddai, gan edrych allan yr union eiliad y camai Llion Oliver o'i gar. 'Arglwydd annwl! Pwy 'di'r pishyn 'na?'

'Hync!' meddai Megan. 'Uffar o hync! Yr hyncia'r ochor yma i Hollywood!'

'Asu bach, ti'm ymhell ohoni! Gei di Ryan am heno os ca' i fenthyg hwnna.'

'Cadw dy facha i chdi dy hun, y sguthan! Fi bia fo!'

''Sti be, Meg? Fydda i *yn* cysidro weithia sut ma dyn arall yn…pyrfformio!'

'Lil, fydda i'n cysidro'n amal sut ma *unrhyw* ddyn yn pyrfformio!' Chwarddodd y ddwy, a'u chwerthin yn mynd yn fwyfwy croch.

'O, 'mol bach i!' meddai Megan, gan gydio yn ei hochrau. 'Dal ddim yn gall, nac'dan?'

Ar ei phen ei hun yr ochr arall i'r drws a gysylltai'r ddau dŷ, gan fod ei mam heb gyrraedd adref ar ôl bod yn ymgynghori â pherchennog y cwmni yng Nghaer y cynlluniai wefan iddo, dechreuodd Eira Mai boeni ynglŷn â'i nain a'i ffrind. Oedden nhw'n iawn, tybed? Penderfynodd fynd i siarad ag Oli. Byddai'n dda cael cwmni os âi rhywbeth o chwith.

'Wsti be, Lil bach,' ychwanegodd Megan, 'ma 'na…rwbath yn digwydd i ferchaid tua oed yr addewid. Ti'n cofio Lena Tŷ Pen? Gynni hi toi-boi yn Llan.'

'Arglwydd mawr!'

'Wir-yr! A gwynab fel tin hipopotamws gynni hi!'

'Ma gobaith i ni'll dwy eto, Meg!'

'Ti'n deud 'tha i! *We're not old age pensioners, kid, we're recycled teenagers!*' Dechreuodd y ddwy sgrechian chwerthin unwaith eto. Yna'n sydyn, canodd cloch y tŷ. Baglodd Megan i'r drws, i weld ei lojar a'i hwyres yn sefyll yno'n edrych yn bryderus. Dilynwyd hi gan Lilian.

'Haia blodyn! Chdi sy 'ma!'

'Ia…' dechreuodd Eira.

'Fo, Eira Mai, ddim chdi,' meddai Megan. O mam bach! meddyliodd Eira, ma hi'n chwil gaib.

'Ym…glywon ni sgrechan,' meddai Llion. 'Odych chi'n iawn?'

'Rêl boi 'chan! Ty'd i mewn i gwarfod Lilian.' Cydiodd ym mraich Llion a cheisio'i lusgo i'r tŷ.

'Nain, dorwch y gora iddi.' Swniai Eira'n boenus.

'Grondwch, os y'ch chi'n OK, fe awn ni…'

'Gei di aros, â chroeso…'

'Na, awn ni.' Wrth i Megan gau'r drws, gofynnodd Eira i Llion:

'Plis, ddowch chi i'r tŷ am dipyn? Dwi ofn iddi fynd yn sâl. Mi eith y ddynas arall toc.'

Cytunodd Llion, a'i dilyn i gegin y tŷ. Gwrandawodd y ddau yr ochr arall i'r drws cysylltu, a chan fod Megan a Lilian bellach yn gocls ac yn gweiddi, gallent glywed pob gair.

'Lilian, doro dy llgada'n ôl yn dy ben! Wyt ti fel gast yn cwna.'

Dechreuodd Eira biffian chwerthin er gwaetha'i chonsýrn. Oedd ei Hwntw o athro'n deall y fath ddywediad Gogaidd, tybed? Oedd, yn ôl y direidi yn ei lygaid, ac yn gwybod mai ef ei hun oedd achos yr afledneisrwydd.

'Y bitsh bach,' oedd ateb Lilian. 'Wyt ti'n trio dilyn ôl troed Lena Tŷ Pen?'

Pwysodd Eira ychydig yn nes at Llion er mwyn gallu sibrwd.

'Maen nhw am ddechra cwffio drostoch chi,' meddai.

Chwarddodd yntau'n dawel gan syllu i'w hwyneb â'i lygaid yn dawnsio. O mam! Oedd hi am ga'l sws? Ond cyn i ddim allu digwydd, clywsant lais Megan unwaith eto, y tro hwn yn dawelach ond yn glywadwy. Swniai'n ddagreuol.

'Wsti be, Lilian? Ffrind agosa medd-dod ydi'r felan.'

'Diawl! Ia?'

'Ia. *A* ffrind agosa henaint. Y felan…anobaith…ofn…A dwi'n difaru f'enaid y funud yma.'

'Finna hefyd, Meg. 'Dan ni wedi meddwi'n bosal.'

'Ddim hynny, Lil. 'Dan ni'n uffernol o hen, Lil. Difaru dwi, ar ddiwadd f'oes…na faswn i wedi…PECHU MWY!'

16

Fore Sadwrn, cysgodd Eira'n hwyr, yn rhy hwyr i fynd i'w dosbarth hunanamddiffyn. Doedd arni ddim eisiau mynd p'un bynnag, ddim ac Oli Drama'n gadael y bwthyn. Edrychodd allan drwy ffenest ei llofft, a gweld Math Miws yn cario clampyn o focs i gist ei Volvo. Yn amlwg, roedd Oli wedi casglu cryn dipyn chwaneg o nialwch…wel…eiddo…ers iddo gyrraedd gyda phopeth yn ei Saxo. Brysiodd Eira am gawod sydyn, yna llyncodd damaid o dost a mygiaid o goffi cyn croesi'r buarth at y bwthyn gwyliau. Fel y cyrhaeddai daeth Oli a Math allan drwy'r drws.

'Fedra i helpu?' gofynnodd Eira.

'Clyfar iawn, Eira Mai,' meddai Math. ''Dan ni 'di gorffan.'

'Yn barod?' Daeth panig i lais Eira. 'Dach chi'm yn gada'l rŵan?'

'Ar ôl gweud ffarwél wrth bawb. Ym…shwt ma dy fam-gu? Weles i ddim ohoni hi ddo'.' Tynnodd Eira wyneb.

'Welodd fawr neb hi ddoe! Sôn am fynd dros ben llestri!' Chwarddodd Llion.

'Ddown ni i weld dy fam. Falle fydd dy nain yn barod i wynebu'r byd whap.'

Yn y tŷ rhoddodd Eira ddŵr yn y tecell i baratoi paned, a galw ar ei mam i ddod i lawr o'i swyddfa. Cafodd Rhiannon wên gynnes gan Edward Mathias.

'Dach chi rioed yn gweithio ar ddydd Sadwrn?' gofynnodd.

'Rhyw athrawon tua'r ysgol 'na sy'n cynllunio sioe gerdd,' pryfociodd Rhiannon. 'Sna'm llonydd i' ga'l.'

'Ffeindist ti stori Gwenoro?' gofynnodd Eira.

Ysgydwodd Rhiannon ei phen.

'Ddim drwy gwglio,' meddai. 'Mi dria i'r llyfrgell a'r archifdy yng Nghaereirian wsnos nesa.'

'O, diawch, 'dan ni'n creu trafferth ofnadwy i chi, a chitha hefo busnas i'w redag,' meddai Ed yn ymddiheurol. 'Peidiwch â gwastraffu gormod o'ch amsar.'

'Ie. Bydd rhaid i ni neud stori arall, neu siew barod.'

'O, dwi ddim am roi'r ffidil yn y to'n rhy sydyn,' meddai Rhiannon. 'Ma Menna Rhys yn dŵad yma pnawn 'ma. Dau ben yn well nag un. Ac os na chawn ni hyd i'r chwedl, wel, fydd raid i ni greu un, bydd?'

Ar hynny agorodd y drws rhwng y ddwy gegin a daeth Megan i'r fei.

'O'n i'n meddwl 'mod i'n clywad ogla coffi,' meddai.

'Pam, Nain? Dach chi byth 'di sobri?'

Roedd Eira'n wên o glust i glust.

'Sdim isio bod felna!' cwynodd Megan. 'Dwi'n syrthio ar 'y mai, iawn? Ond honna oedd sbri ddwytha 'mywyd i, bobol. Sgin i ddim amsar ar ôl i un arall.'

''Ych pen-blwydd i ddŵad eto, Nain.'

'Neith siop tjips yn iawn. I weld Llion cyn iddo fo fynd dois i, Eira Mai, ddim chdi.'

'Fo oeddach chi isio'i weld nos Iau hefyd, Nain.' Ni allai Eira ymatal rhag tynnu ei choes.

'A deud y gwir yn hollol onast, chydig dwi'n gofio am nos Iau.'

'Llawn cystal,' meddai Eira.

'Peidwch grondo arni, Mrs Huws,' chwarddodd Llion. 'Joioch chi. 'Na be sy'n bwysig.'

'Ia. Chdi 'di'r calla yn y lle 'ma, ngwash i,' meddai Megan. 'A rŵan mi wyt ti'n mynd a 'ngada'l i.'

'Ddim yn bell. Wy'n siŵr o ddod 'nôl.' Ni sylwodd Megan ar y cip a daflodd ar ei hwyres, na Rhiannon chwaith. Ond fe sylwodd Eira Mai.

Yn y prynhawn allai Eira yn ei byw â chanolbwyntio ar ei gwaith, yn enwedig gan mai'r aseiniad Drama oedd hwnnw. Gwaith i Oli, ac yntau ddim yn y bwthyn. Ar ôl tua hanner awr o deipio a chwalu, teimlai na fyddai waeth iddi fod wedi mynd hefo Mererid Wyn i Fangor ddim, ond erbyn hynny roedd yn rhy hwyr.

Tybed oedd Sioned yn brysur? Estynnodd Eira'i ffôn a phwyso'r botymau. Y geiriau cyntaf a glywodd oedd:

'Paid, Geth! Gad i hwnna... Sorri Eira.' Gwenodd Eira.

'Dwi'n cym'yd bod chdi'n gwarchod.'

'Trio 'de. Ma'r diafol yn y mwnci bach pnawn 'ma. Dim hôps gweithio.'

'Dw inna am roid gif-yp hefyd. Methu meddwl. Ti ffansi dŵad am dro?'

'Grêt! Be am lan môr? Fydd hi ddim yn rhy oer, ma'r gwynt o'r tir a fyddwn ni yng nghysgod y tai. Ro' i Geth yn y bygi a cherddad. Ella cysgith y cythral bach.'

'OK. A' i'n syth yno ar bỳs dri.'

Pan gyrhaeddodd Eira Draeth Gweirydd doedd dim golwg o Sioned, felly eisteddodd ar fainc ar y prom i ddisgwyl amdani. Doedd y tywydd ddim yn ddigon braf i neb nofio er bod yr hin yn weddol o ganol hydref, ond chwaraeai amryw o blant yn y tywod, plant ymwelwyr, mwy na thebyg, gan ei bod yn hanner tymor. Dechreuodd Eira ddarllen y cylchgrawn a ddaethai gyda hi, nes dod yn ymwybodol o rywun yn eistedd i lawr wrth ei hochr. Ciledrychodd arno: dyn tua deg ar hugain oed. Dim ond cip, ond bu hynny'n ddigon iddo geisio dechrau sgwrs.

'Nice day.' Amneidiodd Eira. 'Live round here?'

'About three miles out.' Nid ymhelaethodd: roedd golwg hen gi yn llygaid y boi. Gwelodd ef yn llygadu ei chluniau rhwng ei ffunen o sgert a'i bŵts Ugg-cogio.

'We're six miles away. In the direction of Kaereerian.' A hithau wedi cymryd mai un o'r bobl ddiarth ydoedd. 'Came to town 'cos I needed some stuff for work. I'm a gardener. Well – a jobbing gardener I suppose you'd call me. Not professional.'

Doedd ffliwjan o ots gan Eira beth oedd ei waith. Edrychodd draw i weld a oedd Sioned ar gyrraedd ond doedd dim golwg ohoni. Geth bach yn camfihafio eto? 'Where do you work?'

'I'm in school.'

'Good God! You look very... grown up. I've got a kid in school here. First year. She's down there playing at building sand-castles. Bit young for her age.'

Yn sydyn gwelodd Eira'r 'kid' yn rhedeg i'w cyfeiriad. O na! Pwy ond hi?!

'Eira! Ti 'di cwafrod Dad fi – Roddy! She's Eira Mai, Dad. Our Head Girl.'

Edrychai'r tad yn bur anfoddog o weld ei ferch yn rhuthro atynt ac yn rhoi ei phig mewn sgwrs addawol (yn ei dyb ef).

'O yeah? I've heard of you from Rache, Ira My. Says you help her.'

'It's my duty,' meddai Eira.

'Suppose so. What does your name mean?'

Yr un hen gwestiwn twp! Ar hyd ei thin, aeth ati i egluro.

'Eira means snow, and Mai means May,' meddai. 'I was born on May the first and it happened to snow – quite unusual. So my mother called me Eira Mai – May Snow.' Gwrandawodd Rachel ar ei heglurhad gyda llygaid llawn rhyfeddod.

'O! Stori neis, Eira! Fath â stori *fairies*!' meddai. Ond cawsai Roddy ddigon ar fod yn gwrtais. Estynnodd arian i Rachel.

'Go to the shop and fetch us an ice cream each, Rache. Don't rush…'

Cynted ag y trodd Rachel ei chefn closiodd Roddy tuag at Eira.

'You're a lovely lass, Ira My.' Yn sydyn glaniodd ei law ar ei chlun. 'You're very like someone I know. You related to the Bellamy family who live in Brinnyuh?'

'No,' meddai Eira, gan gilio oddi wrtho. Cymerodd yntau'r awgrym a symud ei law, er mawr ryddhad iddi.

'Oh. It's the fair hair and blue eyes, I suppose. Good-lookin' lasses, both of you.' Gwaredodd Eira. *Hwn* oedd ffansi-man mam Meic? Nid am Melissa roedd o'n sôn. Pryd tywyll oedd gan Mel, fel ei thad. A Meic yn olau fel ei fam. Roedd y Roddy yma gryn bymtheng mlynedd yn ieuengach na mam Meic, ond hwyrach mai dyna'r atynfa. Efallai y byddai rhai'n gweld yr hen sglyf yn beth digon del hefyd.

'Haia Eira.' Llais Sioned yr ochr arall iddi.

'O Sions! Diolch byth! Chlywis i mono chdi'n dŵad.'

'Oeddat ti'n edrach yn brysur,' meddai Sioned â direidi yn ei llygaid. Crychodd Eira'i thrwyn arni y tu ôl i gefn Roddy McGordon, a meimio 'ych-a-fi'.

'Right!' meddai Roddy. 'I shall leave you two young ladies to your conversation. It's time Rache and I went home.' Fel y codai ar ei draed cyrhaeddodd Rachel yn ôl o'r siop a rhoi hufen iâ i Eira.

'Sorri, Sioned,' meddai. 'Sgin fi ddim eis crîm i chdi nag i hogyn bach chdi.'

'Ym ... *brawd* bach,' meddai Sioned.

'Paid â phoeni, Rachel, geith Gethin bach un fi,' sicrhaodd Eira hi.

'Come along, Rache,' gorchmynnodd Roddy. 'Mum will have finished her cleaning or whatever by now.' Croesodd y ddau'r prom i gyfeiriad y maes parcio y tu cefn i'r tai, gyda Rachel yn codi ei llaw mewn ffarwél.

Tywalltodd Llion Oliver ddŵr berwedig o decell newydd sbon danlli ar ben bag te mewn mŵg. Roedd popeth oedd arno'i angen yn ei gartref newydd – cadeiriau cysurus, gwely cyfforddus, golygfa hyfryd o'r môr ... Pam felly y teimlai mor anniddig? Mor unig, er gwaetha'r ffaith bod tai o bobtu? Gwyddai'r ateb yn burion, ond doedd wiw iddo gyfaddef hynny wrtho'i hun. Ac yn sicr, ddim wrth neb arall! Ochneidiodd. Daeth sylweddoli nad oedd ganddo lefrith ffres yn fath o ryddhad, a chychwynnodd allan i'w Saxo ffyddlon.

Pan gyrhaeddodd yr archfarchnad yn Llanwenoro, y peth cyntaf a welodd ger y silff bisgedi siocled oedd pen crych Eira Mai. Cydiodd Llion mewn potel blastig o lefrith o'r cwpwrdd oer a brasgamu tuag ati.

'Be wyt ti'n neud yn y Llan ar nos Sadwrn, Eira? So ti'n ôl 'da fe, Meic?'

'Nefi, nac'dw! Ar y ffor adra dwi. Dach chi 'di setlo yn y tŷ newydd?'

'Ma popeth miwn ac wedi'u dodi i gadw, ond...' Gwnaeth Llion lygaid-llo-bach diymadferth. ''Sneb gro's y clos...y *cowt*.'

Gwenodd Eira.

'O-o-o! Teit!' Daeth direidi i'r llygaid-llo-bach.

'Dere draw i weld.'

'Isio colli'ch job dach chi?' pryfociodd Eira.

'Gwata i di yn y bŵt. Wy'n ffansïo Chinese: awn ni draw 'co i'w rannu fe.'

'Www!' gwichiodd Eira. 'Dach chi'n ddrwg!' Chwarddodd Oli. 'Fedrwch chi mo 'nhemtio fi efo bwyd. Ges i banad a sgon mewn caffi efo Sioned.'

'Cymdeithasu yn lle gneud dy aseiniad, ife? Lot mwy difyr, sbo.'

'Mi oedd y pnawn efo Sioned a'i brawd bach yn grêt...'

Swniai'n ansicr.

'Ond...?' Petrusodd Eira.

'Wrth ddisgwl am Sioned 'nes i daro ar dad Rachel McGordon ar y prom. Dda'th o i ista hefo fi. O'n i 'm yn gwbod pwy oedd o nes da'th Rachel o'r traeth...'

''Nest ti ddim 'i lico fe? Na'th e rywbeth i ti?'

'Twtsiad...llaw ar 'y nghlun i...'

'Y jawl eger! Ddylet ti weud wrth yr heddlu. *Sexual harassment* yw 'na!'

'Dwi'm isio brifo Rachel.'

'Gobeitho na weli di ddim ohono fe byth 'to!'

'O'n i mor falch pan gyrhaeddodd Sioned.' Syllodd i lygaid Llion. 'Diolch, syr.'

'Am beth, gwed?'

'Am wrando...bod yn gefn i fi...'

Am ennyd dawel, syllodd Llion yn ôl arni, ei lygaid yn annarllenadwy. Yna meddai'n dawel:

'Fydda i *wastod* 'ma i *ti*, Eira Mai.'

Ar ei ffordd o Gae Aron, lle cawsai brynhawn bach difyr gydag un o gyfoedion dyddiau fu, cofiodd Menna Rhys nad oedd ganddi gìg ar gyfer cinio Sul drannoeth. Roedd yn rhy hwyr i ddal siop y cigydd felly troes i'r archfarchnad. Wrth ymlwybro rhwng y silffoedd gwelodd athro Drama Ysgol Gwenoro'n syllu'n ddifrifddwys i wyneb un o'i ddisgyblion Lefel A.

'Helô,' meddai wrthynt. Neidiodd y ddau'n euog. Gwenodd Menna ar Llion.

'Tydi disgyblion yn betha poenus, 'dwch? Rhoi strach i'w hathrawon ar nos Sadwrn yng nghanol siop.'

'Yn gwmws.' Ceisiodd Llion ateb yn yr un cywair. 'Fel 'se ni ddim yn gweld hen ddigon arnyn nhw yn yr ysgol.'

'O! Diolch yn fawr!' meddai Eira. Gwnaeth hithau ymdrech lew i swnio'n ddigyffro ond curai ei chalon fel gordd. Llamodd i ddechrau pan glywodd hi eiriau Oli funud ynghynt: oedd o'n golygu'r hyn y gobeithiai hi a olygai? Drybowndiodd yn gyflymach fyth pan sylweddolodd Eira mor agos oedd Menna Rhys ar y pryd.

'Ar y ffor adra, Eira Mai?' gofynnodd Menna'n bwyllog.

'Ia, Mrs Rhys.' Cŵl hed, Eira... 'Ddaru chi a Mam ga'l trefn ar y sgript?'

'Hel atgofion am ddyddia coleg ddaru ni fwya, gin i ofn!'

'O! Came breision mla'n 'te,' meddai Llion.

Chwarddodd pawb.

'Well i mi beidio gogor-droi. Ma Emlyn a'r hogia ar y ffor yn ôl o Lerpwl – wedi bod yn gweld Everton. Ma Em am godi Indian i ni wrth ddŵad drwy'r Llan.'

'Fflipin hec! Pawb yn ca'l take-aways heno,' meddai Eira.

'Pawb ond ti, Eira Mai. Ma Eira wedi ca'l sgon 'da Sioned. Hen ddigon iddi.'

'Ddim wir. Dwi'n llwgu. Gafodd brawd bach Sioned yr hufen iâ ges i ar y prom gin Rachel.'

'McGordon? Gobeithio na ddaru hi ddim lluchio'r hufen iâ drostat ti, Eira Mai!' Doedd neb wedi sylwi ar Glenys Evans yn dynesu. 'Ti *yn* sylweddoli mai cefnogi'r athrawon ydi lle Prif Eneth, twyt? Gosod esiampl i'r disgyblion, ddim cyfeillachu hefo nhw.'

'Dwi'n trio 'ngora, Miss Evans,' meddai Eira'n ostyngedig. 'Sorri dwi'm yn llwyddo bob amsar.'

Brysiodd Menna Rhys i luchio dŵr oer am ben sefyllfa a allai droi'n danllyd.

'Wel, fedar neb ohonon ni neud dim mwy na'i ora, na fedar?' meddai. 'Reit, bobol! Cig at ginio fory. Mwynhewch 'ych hanner tymor.' Ac i ffwrdd â hi.

'Fydd y bỳs yn mynd mewn munud hefyd,' ychwanegodd Eira gyda rhyddhad. Gafaelodd mewn Kit-Kat a chychwyn i dalu. 'Joiwch 'ych Chinese, syr.'

'Chinese? Blasus. Ddo' i hefo chdi...' meddai Glenys the Menace.

Diawliodd Llion. Diawliodd Eira Mai hefyd: oedd yr ast ar ei ôl o? Hefo fo'r eisteddai yn stafell yr athrawon y dydd o'r blaen. Wel, doedd waeth iddi heb! Heno, os na chamddehonglai, gwyddai mai hi, Eira Mai, oedd wedi dwyn calon Oli Drama.

17

Yn ystod y dyddiau canlynol, dechreuodd Rhiannon bryderu am Eira Mai. Yn groes i'w harfer roedd yn ddistaw, yn gyfrinachol, fel pe bai'n byw'n hunanddigonol o fewn cocŵn. Weithiau ymddangosai'n ddiddos: dôi golwg bell i'w llygaid a gwên fach enigmatig i'w gwefusau. Dro arall edrychai'n gythryblus, fel pe bai rhywbeth yn mynnu chwalu'r diddosrwydd. Gwnâi ymdrech deg i ganolbwyntio ar ei gwaith, ond amheuai Rhiannon ei bod yn gwastraffu rhan helaeth o'i hanner tymor yn pensynnu.

Roedd y gwyliau wedi dechrau'n iawn. Oherwydd i Menna Rhys sôn mai pryd-ar-glud fyddai swper ei theulu hi y noson honno, cymerodd Rhiannon hithau ffansi at bryd Tsieineaidd. Ar ei ffordd adref o'r bwyty daeth ar draws Eira'n cerdded oddi wrth y bws at y tŷ, ac yn naturiol fe'i cododd. Aroglodd Eira'r bwyd yn syth.

'Ydi *pawb* yn rhy ddiog i gwcio heno?' gofynnodd. 'Welis i Mr Oliver a Miss Evans PT a Mrs Rhys, a phob un am ga'l *take-away.*' Tawodd am eiliad. 'Mrs Rhys yn deud mai sôn am ddyddia coleg fuo chi'ch dwy fwya. Oedd hi'n nabod Dad?'

Taflwyd Rhiannon oddi ar ei hechel gan mor annisgwyl y cwestiwn. Gwnaeth iddi sylweddoli na fuasai Rob ar ei meddwl ers tro: sylweddoli hefyd, bod rhywun arall yn graddol gymryd ei le…

'Nag oedd. Mi oedd Menna ddwy flynadd yn hŷn na fi, ond 'yn bod ni yn yr un neuadd breswyl. Mi oedd hi'n dysgu yn y de erbyn i dy dad ddŵad i Fangor.' Bu saib am ennyd. 'Oedd Llion Oliver wedi setlo yn y tŷ newydd?'

'Ddim rîli. Neb yn "gro's y clos" iddo fo, medda fo.' Gwenodd Rhiannon. 'Na'th o gynnig mynd â fi i weld lle mae o,' ychwanegodd Eira'n ddifeddwl.

'Est ti ddim?!' Fflamiodd ei merch ei hun am fod mor dafodrydd.

'Naddo, siŵr. Jest tynnu coes oedd o.'

Cwpwl o ddyddiau'n ddiweddarach, wrth weld y wên fach honno'n chwarae ar wefusau Eira Mai am yr ugeinfed tro, cofiodd Rhiannon eu sgwrs yn y car. Tybed? Twt, na. Pe bai arlliw o unrhyw beth yn digwydd rhwng y ddau yna, buasai hi neu ei mam wedi sylwi, siawns.

Yn ddirybudd, penderfynodd Eira Mai ymestyn hyd ei sgertiau ysgol.

'Haleliwia! Tydi oes y gwyrthia ddim drosodd,' oedd ymateb Megan pan ddaeth ar ei thraws yn cyflawni'r dasg.

Er na fyddai Eira byth am gyfaddef hynny, hyfdra mochaidd Roddy McGordon oedd yn gyfrifol am y llaesu, ynghyd â Glenys Evans a'i 'gosod esiampl i'r disgyblion'. Nid oedd wedi sôn gair wrth ei mam na'i nain am fisdimanars Roddy, rhag iddynt boeni. Ddylsai hi ddim fod wedi dweud wrth Oli chwaith, ond yn ei achos ef, fe lithrodd y geiriau o'i cheg heb iddi feddwl. Yr agosatrwydd rhyngddynt, hynny oedd yn gyfrifol. A pharodd y sefyllfa iddo yntau ddatgelu cyfrinach hefyd, cyfrinach a barhâi, o reidrwydd, yn guddiedig rhag pawb arall hyd nes byddai'n gyfreithlon iddynt ei chyhoeddi i'r byd. Sut y llwyddai Eira i'w chelu, ni wyddai, a hithau'n un mor ddrwg am ollwng y gath o'r cwd, ond taw piau hi: doedd ganddi ddim dewis.

Yn sgil ei synfyfyrio dirgelaidd, dychwelodd gwên fach enigmatig Eira Mai i'w gwefusau. Ond nid heb i'w mam sylwi…

Eisteddai Megan yn ei stafell fyw yn hel meddyliau. Fory, byddai'n cyrraedd oed yr addewid: deng mlynedd a thrigain wedi mynd heibio ers iddi dynnu ei hanadliad cyntaf gyda gwawch yn llofft Tŷ'n Rardd. Gallai gofio gwawch gyntaf Iori. Roedd wedi dychryn am ei bywyd o glywed ei mam yn sgrechian a thuchan yn y llofft; meddwl ei bod yn cael ei harteithio gan y nyrs aethai i fyny'r grisiau beth amser ynghynt. Yna daethai sgrech wahanol, a galwad arni hi a'i thad i fynd i fyny. Gorweddai ei mam yn y gwely, yn amlwg yn flinedig, ond yn gwenu'n hapus. Yn ei breichiau, wedi ei lapio mewn blanced wen, roedd…

'Babi?' gofynnodd Megan yn syn. 'O le da'th o?'

'Nyrs dda'th â fo yn 'i bag. Dos at Mam, i ti ga'l gweld dy frawd bach.'

Nesaodd Megan at y gwely, a gweld wyneb bach crebachlyd a'i lygaid ynghau'n dynn.

''Di o ddim 'di agor 'i llgada eto?' gofynnodd Megan, a chwarddodd pawb.

'Cysgu ma'r babi, Meg,' meddai ei mam. 'Cathod bach sy'n ca'l 'u geni a'u llgada'n gaead, 'sti.'

'Dach chi am 'i foddi o?' gofynnodd Megan yn ddifrifol.

'Nac'dan, tad annwl! Be na'th i ti feddwl hynny?' gwenodd ei mam.

'Na'th Dad foddi cathod bach Sboncan achos bod Sboncan gynnon ni'n barod, a dwi gynnoch chi'n barod hefyd.'

Cofiai Megan ddiwrnod boddi'r cathod bach yn glir. Ei thad yn llenwi bwced â dŵr, ac yn dowcio'r pethau bach ynddo a'u dal yno nes iddynt drengi. Roedd Megan wedi crio'r afon, a'i mam wedi dweud y drefn wrth ei thad am adael iddi weld. Digwyddai Wil drws nesaf, oedd yn 'hogyn mawr' tua deg oed, fod yn gwylio'r weithred ysgeler dros wal yr ardd. Wrth weld Meg bach tŷ nesa wedi ypsetio cymaint, cynigiodd Wil gladdu'r cathod bach, yr un fath â phobol yn y fynwent. Dringodd drosodd a mynd i gwt 'rardd ei thad i nôl rhaw a thorri bedd bach i'r cathod yng nghysgod y wal derfyn rhwng eu cartrefi. Gosododd y cathod ynddo'n dyner a'i lenwi â phridd. Yna, yn ôl ag o i'w libart ei hun a dychwelyd mewn eiliad gyda llechen a charreg finiog. Gyda'r garreg, crafodd arysgrif ar y llechen:

ER COF AM Y TAIR CATH BACH
A HUNODD YN YR IESU
3YDD EBRILL 1943

Yr hen Wil! Roedd o 'i hun yn ei fedd ers pymtheng mlynedd bellach, yr olaf o'i deulu, a neb i ddodi carreg arno i'w goffáu. O'r grasusa, roedd hi'n mynd yn morbid uffernol! Ond yn sydyn daeth galwad o'r gegin, ac ymddangosodd Rhiannon yn nrws y stafell fyw. Gwelodd yr olwg drist yn llygaid ei mam.

'Hei, codwch 'ych calon! Gynnon ni bobol i swpar.'

'Fyta i yn fama 'ta, Rhiannon. Fedra i ddim gwynebu neb heno.'

'Ddim hyd yn oed 'ych brawd?'

'Iori a Janet? O, ma hynny'n wahanol.'

Rhwng Eira a'i gwên ddirgelaidd a Megan a'i phrudd-der, gallai Rhiannon weld mai prynhawn o ben yn eu plu a gawsai merched Cae Aron. Roedd hithau wedi picio i'r Llan i brynu cig at swper, digwydd taro ar Edward Mathias a chael mymryn o sgwrs. Doedd waeth iddi heb â gwadu bellach; cryfhâi ei theimladau tuag ato bob tro y gwelai ef, a rhôi yntau'r argraff o fod yn falch o'i gweld hithau. Ond roedd rhywbeth yn ei ddal yn ôl, yn ei rwystro rhag cymryd cam pellach...

'Nefi! Gynnoch chi ma hwn?'

Tynnwyd Rhiannon yn ôl i'r presennol pan sylwodd ar y llyfr ar fraich y gadair wrth ochr ei mam.

'Sorri. Ofynnis i ddim gawn i 'i fenthyg o.'

'Dim problem. Ond faswn i ddim wedi disgwl i chi gymryd diddordab mewn *chaos theory,* Mam! Ydach chi'n 'i ddallt o?'

'Ddim hyd yn hyn. Ond dwi am ddyfalbarhau, achos *mae* gin i ddiddordab. Gwyddoniaeth oedd 'y mhetha fi erstalwm.'

'Ond ma hwn yn astrus. Ydach chi wedi dŵad ar draws y *butterfly effect*?'

'Naddo. Be 'di hwnnw?'

'Mi sbia i ar y we i weld oes 'na rwbath symlach i' ga'l. Ella medrwn ni fynd i'r afael â fo hefo'n gilydd?'

'Ia, leciwn i hynny.' Ar ôl pyliau unig a digalon o'i theimlo'i hun y tu allan i gylch cyfrin ei merch a'i hwyres, byddai'n braf cael rheswm i dreulio awr neu ddwy yng nghwmni Rhiannon. 'Os bydd gin ti amsar, f'aur i.' Chlywsai Rhiannon mo'r cyfarchiad anwes hwnnw gan ei mam ers blynyddoedd.

'Mi *wna* i amsar, Mam,' meddai dan wenu. 'Alwa i arnoch chi pan fydd swpar yn barod.'

Fore trannoeth, eisteddai Megan wrth y bwrdd yn ei stafell fyw yn syllu ar liniadur newydd sbon. Bob ochr iddi safai Rhiannon ac Eira Mai.

'Mi ddaw'r sgilia teipio yn ôl mewn chwinciad, ma'n siŵr,' meddai Megan, 'er i mi ga'l syrffad ar deipio yn y siop dai erstalwm.'

'Mam, ddim teipio ydi prif bwrpas hwn, siŵr!' meddai Rhiannon. 'Agor drysa newydd i chi, ar y rhyngrwyd, neith o. Gynnon ni fand llydan a wi-fi yn y tŷ 'ma, a ma Eira a fi'n 'u defnyddio nhw trwy'r amsar. Ma'n hen bryd i chi ga'l dilyn 'ych diddordeba rŵan heb orfod dibynnu ar lyfra'n unig. Mi fedrwch ga'l gwybodaeth am gant a mil o betha ar y we. Dach chi a fi am fynd ar ôl y *chaos theory* a'r *butterfly effect* i ddechra, 'tydan?'

'Y be?' gofynnodd Eira.

'Ddeuda i wrthat ti pan fydda i'n gwbod fy hun, Eira.' Anwesodd Megan y gliniadur newydd fel pe bai'n fabi.

'Fedrwch chi neud lot o betha hefo fo, Nain. Prynu a gwerthu ar eBay a gyrru negesa i'ch ffrindia ar Facebook a lawrlwytho canu pop,' meddai Eira dan wenu.

'Dyna be ydi dy Dechnoleg Gwybodaeth di?' gofynnodd Megan. 'Rheitiach i ti fod wedi gneud Maths neu Ddaearyddiaeth ne' rwbath!'

'Tynnu'ch coes chi, Naini bach! Ond o ddifri, mi fedrwch chi siarad hefo'ch ffrind yn y Werddon am ddim hefo Skype, neu yrru e-byst iddi.'

'Hei hei hei, dal dy ddŵr, Eira Mai! Fydda i wedi mynd i'r We Fawr i fyny'n fan'cw ymhell cyn medra i ddysgu gneud petha felly!'

'Mi'ch dysgwn ni chi'n reit sydyn, Mam, rhyngon,' meddai Rhiannon. 'A ma pob dim fydd gynnoch chi angan yma, ylwch.'

Edrychodd Megan ar yr holl gyfarpar ar y bwrdd: argraffydd a sganiwr a llungopïwr yn un, papur, cetris inc, ac ati. A llygoden, wrth gwrs.

'Presant fi i chi ydi'r *mouse*,' meddai Eira'n ymddiheurol. 'Sorri, oedd pres Glan Don fi wedi mynd i gyd jest iawn.'

Yn sydyn, teimlodd Megan ddagrau'n neidio i'w llygaid. Neithiwr, amser swper, y cyflwynwyd y cyfrifiadur iddi. Roedd Rhiannon, Eira, Iori a Janet wedi cynllwynio hefo'i gilydd a chydgyfrannu eu harian er mwyn rhoi anrheg pen-blwydd gwerth chweil iddi. Ddychmygodd hi erioed y gallai hi, o bawb, ddefnyddio cyfrifiadur ar gyfer ymchwil a diddordeb: rhywbeth a berthynai i amserau ac i fywydau ei merch a'i hwyres oedd peth felly, nid i flynyddoedd olaf ac ymennydd dirywiol hen wraig. Pe baen nhw ond yn sylweddoli, roedd eu hanrheg annisgwyl, a'u ffydd ynddi hi a'i gallu, eisoes wedi rhoi hwb i'w hyder a gobaith iddi am ei dyfodol, waeth pa mor hir – neu fyr – fyddai hwnnw.

18

'I gapal Rehoboth 'dan ni'n mynd, debyg,' meddai Megan. Eisteddai yng nghegin Cae Aron a'i ffrog orau amdani, un goch a weddai i'w llygaid tywyll ac a wnâi iddi edrych yn ieuengach na'i deng mlwydd a thrigain.

'Dim iws i chi holi, Nain. Chewch chi ddim gwbod nes cyrra'dd.'

'Mi ofynna i i dy fam 'ta.'

Ar y gair, cerddodd Rhiannon i'r gegin yn gwisgo'r ffrog ddu gota a'r esgidiau coch sodlau pigfain a bryn'sai dro'n ôl yng Nghaer. Heno, yn groes i'w harfer, Eira oedd yr un heb fodfedd o goes yn y golwg. Oherwydd bod ei nain yn cael pen-blwydd arbennig, a hwythau'n mynd i westy go ffurfiol i'w ddathlu, roedd wedi llwyddo i ddarbwyllo'i mam i brynu sgert laes at y llawr iddi, un o liw hufen, ac esgidau sodlau uchel a bag llaw bychan o'r un lliw. Wedyn, ar ei phen ei hun, aethai i chwilio am dop a weddai i'r cyfan. Yn awr, gan fod y tacsi ar gyrraedd roedd eisoes yn gwisgo'i siaced frown ledr-ffug drosto. Cyn i Megan allu holi Rhiannon clywsant sŵn car ar y buarth a thrawodd y ddwy arall eu cotiau amdanynt. Pan welodd Megan y modur a'u disgwyliai ar y cowt bu bron iddi gael ffatan.

'Dach chi'ch dwy'n gneud sbort am 'y mhen i?' gofynnodd.

'Nag'dan, Nain!' Arswydodd Eira Mai rhag y fath syniad. 'Trio gneud 'ych pen-blwydd chi'n … yn *fythgofiadwy* 'dan ni! Y car pinc o'n i isio ond mi oedd rhywun arall wedi bwcio hwnnw.'

'Pinc?' gofynnodd Megan yn wanllyd. 'I hen greaduras ddeg a thrigian?' Yna, ar ôl syllu ar y *stretch limousine* am funud, ychwanegodd yn bryderus: 'Fedar peth fel'na droi corneli? Ma lôn Cae Aron fel neidar.'

'Mae o wedi cyrraedd yma, Mam,' chwarddodd Rhiannon. 'Mi fedar fynd odd'ma hefyd. A dŵad â ni adra ar ddiwadd y noson. Dowch.'

Agorodd y gyrrwr ddrws y car yn gwrtais a dringodd y tair i mewn. Roedd Eira Mai eisoes yn gyfarwydd â chynnwys y modur mawreddog ar ôl parti ffrind iddi.

'Nain, be gym'wch chi ar y teli?' Estynnodd ei llaw i gyfeiriad y set deledu.

'Eira Mai, ista'n llonydd a phaid â mela hefo dim byd! Dywad wrthi, Rhiannon, rhag ofn iddi dorri rwbath. Twyt ti ddim isio gorfod sbydu dy gyfri banc yn trwsio'r siarabang 'ma.'

'OK, Nain. 'Na i ddim twtsiad dim byd. Wir-yr rŵan.'

Ond er gwaetha'r addewid, siwrnai braidd yn nerfus a gafodd Megan, yn enwedig gan na wyddai i ble'r aent. Disgwyliai i'r trên o gar aros y tu allan i'r Delyn Aur, ond ymlaen y teithiodd i gyfeiriad Traeth Gweirydd ac ar hyd y prom, gan ddringo i fyny'r allt yn y pen pellaf. Dyna pryd y gwawriodd arni.

'Y Wavecrest! Rhiannon, ma'r noson 'ma'n mynd i gostio ffortiwn i ti!'

'Mam, ar ôl pob dim dach chi wedi'i neud drosta i yn ystod y deugian mlynadd dwytha, a thros Eira, dach chi'n werth pob dima!'

Am yr eildro o fewn deuddydd, teimlodd Megan ddagrau'n gwlychu ei llygaid. Ond ni chafodd amser i sentimentaleiddio.

'Dowch, dwi rioed wedi bod yn fama.' Roedd Eira wedi cynhyrfu'n lân ac arweiniodd ei nain drwy ddrws y gwesty'n jarffes i gyd. Ar ôl cael gair gyda gyrrwr y limo ynglŷn â'u cyrchu adref dilynodd Rhiannon hwy.

'Ah! Reeannun! So good to see you again.' Hwyliodd Peter de Bruno i'w cyfeiriad a'i freichiau ar agor a chofleidio Rhiannon fel pe bai'r ddau'n hen ffrindiau bore oes. 'And Mrs Heoos. Your special night, I believe. I shall instruct my staff to treat you like royalty.' Gwenodd ar Eira. 'And this beautiful young lady is…?'

'My daughter, Eira,' meddai Rhiannon.

'Ira. Lovely name – something to do with snow, I believe?' Nefoedd wen, roedd o *acshiwyli*'n gwbod! 'Now, if you'd care to give Mandy your coats…' amneidiodd ar un o'r merched gweini… 'she'll take them to the cloakroom and show you to your table. I shall see you later, ladies. Enjoy your evening.'

'Pwy oedd y fflipin corwynt 'na?' Syllodd Eira ar ôl De Bruno fel y tynnai Megan a Rhiannon eu cotiau. Dechreuodd Mandy, a adwaenai Eira yn yr ysgol, biffian chwerthin.

'Y bòs,' meddai. 'Fo bia'r *joint*. Ty'd â dy gôt i mi, Eira Mai.'

Tynnodd Eira'i siaced i ddatgelu'r top newydd, un gwyrddlas dilewys, gyda gwddw isel, a strap mor gul â charrai yn dirwyn o gwmpas ei gwegil i'w gadw yn ei le. O leiaf, gwnai'r garrai ei gorau i gadw'r top yn ei le, ond gan fod yn y defnydd hollt isel ac eithaf llydan rhwng ei bronnau ymwythai peth o'u cnawd allan ohono.

'Eira!' hisiodd Megan. 'Fasa'n well i ti ddangos dy goesa na dy…!'

'O'n i'n gwbod dylwn i fod wedi dŵad hefo chdi i chwilio am dop,' meddai Rhiannon gan geisio atal gwên. 'G'na'n siŵr fod y mymryn peth 'na'n aros yn 'i le!'

'Sorri. Meddwl bod o'n ddel. Sgin i'm llawar o ddim i'w ddangos eniwê.'

'Ti'n edrach yn ffantastic, Eira Mai,' meddai Mandy. 'Nacw di'ch bwr chi, wrth y ffenast. Ddaw boi'r *booze* atoch chi mewn munud, wedyn fi gymrith 'ych ordor bwyd chi, OK?'

'Ma'r hogan 'na'n swnio fwy fel barmed yn y Ship na *waitress* mewn lle crand 'run fath â hwn,' sylwodd Megan. Ond buan y gwelsant y gallai Mandy ymddwyn gyda chymaint o steil â De Bruno'i hun pan oedd hwnnw o fewn clyw. Dôi'r perchennog heibio pob bwrdd yn ei dro i sicrhau fod pawb yn cael eu plesio. A chan fod y bwyd yn flasus a'r gwin yn felys, cafodd ymateb brwdfrydig gan ferched Cae Aron, a ddotiai at y wledd.

'I have a party of ten coming in by eight o'clock,' meddai wrthynt. 'I'm sure they won't disturb you. They'll be at the far end of the dining room.' Toc, daeth sŵn siarad mawr o'r cyntedd.

'Os mai'r rhain ydyn nhw, diolch mai yn y pen draw byddan nhw,' meddai Megan. 'Tasan nhw yn ymyl, fasa gin i isio *hearing aid* i 'nghlywad fy hun yn meddwl.' Chwarddodd Eira ac edrych i gyfeiriad y drws, lle dechreusai'r criw swnllyd ymddangos. Rargol! Be gebyst oedd Oli Drama'n neud yn 'u canol nhw? Pwy oeddan nhw? O na! Blincin Glenys the Menace! A neb arall o athrawon y Gwenoro! Oedd hynny'n golygu bod Oli a Glenys hefo'i gilydd? Dim posib!

Ond wrth i'r deg ddechrau eistedd wrth y bwrdd, gwelodd Eira Glenys yn rhoi ei llaw ar fraich Oli fel petai hi'n berchen arno, ac yn ei arwain at ddwy gadair wag. Dilynodd hwnnw fel dafad golledig ac eistedd wrth ochr y Menace. Cofiodd Eira am y nos Sadwrn cynt, am Glenys yn ei hwrjio'i hun ar Oli pan soniodd am nôl pryd o'r Chinese, a hithau Eira'n llawn hyder nad oedd waeth i'r gnawes heb â rhedeg ar ei ôl. Mai hi, Eira Mai, oedd biau calon Oli...

Pan gyrhaeddodd y pwdin – ei ffefryn, teisen siocled a hufen – doedd gan Eira ddim archwaeth; rhyw bigo'n unig a wnaeth, cyn teimlo pwys yn codi yn ei stumog.

'Dwi'n mynd i'r lle chwech,' meddai. Ond ar ôl cychwyn, sylweddolodd fod arwydd y toiledau yn y pen draw: byddai'n rhaid iddi fynd heibio bwrdd Oli a Glenys. Ceisiodd ei gorau glas i gerdded yn dalsyth ac urddasol, ond rhwng ei hesgidiau newydd, a'u sodlau uchel pigfain, ei thraed annosbarthus ei hun, a'r gwin a roesai i lawr y lôn goch, troes ei ffêr a bu bron iddi syrthio. Wrth lwc, roedd bar yn ymyl, a chadeiriau esmwyth lle gallai pobl eistedd gyda choffi neu *liqueur* ar ôl pryd. Llwyddodd Eira Mai i ddisgyn i gadair, gan ei harbed ei hun rhag cwympo'n un lleden ar y llawr.

'Eira! Wyt ti'n iawn, bach?' Edrychodd Eira i fyny a gweld dau lygad tywyll yn syllu arni gyda chymysgedd o ofid a chonsýrn.

'Ydw,' atebodd yn ffwr-bwt, gan godi'n ddiseremoni a gadael Oli yno'n syllu ar ei hôl, y llygaid bellach yn llawn arswyd ac anobaith.

Tua deg o'r gloch y bore wedyn, eisteddai Rhiannon uwchben paned o goffi yn y gegin. Ni welsai olwg o'i mam nac o Eira. Teimlai hithau'n ddigon llipa hefyd. Pam, O pam y bu iddi ddewis heddiw, o bob diwrnod, i fynd â Mrs Strong i Gaereirian i weld ei theulu? Roedd wedi gobeithio mynd â'i mam gyda hwy, er mwyn iddi hi, Rhiannon, gael mynd i'r llyfrgell a'r archifdy ar ôl bod yng nghartref teulu Ellen Bodephraim. Gallai adael ei mam a Mrs S mewn caffi wedyn, yn cael sgwrs dros de a theisen, tra chwilotai hithau am stori'r santes Gwenoro. Hwyrach mai'r peth callaf i'w wneud fyddai aros am ryw awr a gweld pa ffordd y chwythai'r gwynt. Os oedd ei mam yn simsan ar ôl ei dathliad, rhaid fyddai iddynt fynd hebddi. Hebddi y dylent fynd os oedd Eira Mai'n simsan hefyd, er mwyn iddynt gael cwmni ei gilydd.

Roedd rhywbeth od wedi digwydd i Eira neithiwr. Ar ôl bod yn gyffro i gyd drwy'r dydd, gorffennodd ei noson mor fflat â brechdan. Hwyrach mai wedi gor-gynhyrfu roedd hi, neu wedi bwyta'n rhy anturus: dechreuodd gyda rhywbeth pysgodlyd, yna sglaffiodd ffesant yn brif gwrs, gan olchi'r cwbl i lawr â gwin. Ond pan gyrhaeddodd ei hoff gacen siocled i orffen, allai hi wneud dim ond pigo fel deryn bach. Dyna'r rhuthr i'r toiled wedyn, a throi ei throed ar y ffordd! Doedd hynny ddim yn syndod, wrth gwrs, a hithau heb arfer â sodlau uchel. Welodd Rhiannon mohoni'n syrthio, gan ei bod yn mwynhau ei phaflofa ar y pryd; dim ond digwydd edrych i'w chyfeiriad wedyn a'i gweld ar y gadair, gyda Llion Oliver yn sefyll uwch ei phen. Roedd eisoes wedi sylwi bod Llion ymhlith y parti o ddeg yn y pen pellaf, a'i fod gyda rhyw ddynes na fedrai ei hadnabod o bell. Bu hynny'n rhyddhad iddi, gan fod gwên fach ddirgelaidd Eira Mai'n dal i'w phlagio braidd. Pan gododd Eira o'r gadair a diflannu ar wib i gyfeiriad y toiledau heb edrych eilwaith ar Llion, gwyddai Rhiannon, os bu unrhyw ystyr o gwbwl i'r wên fach honno, nad oedd iddi unrhyw arwyddocâd bellach. Ni allai ond gobeithio na pharai hynny ddrwg rhwng athro a disgybl.

Pan gododd Megan ac Eira honnai'r ddwy eu bod yn holliach,

serch y cochni o gylch llygaid Eira. Mynnai Megan ei bod yn iawn i fynd gyda'i merch a Mrs Strong i Gaereirian, ond yn gyndyn y cychwynnodd Rhiannon: os cawsai Eira bwl o grio, roedd rhywbeth mwy na phoen yn y bol ar ôl storgajio'n ei phoeni. Y wên wedi troi'n wae? Ceisiodd ei holi ond ni chafodd unrhyw ymateb: byddai Eira'n iawn ar ei phen ei hun, meddai; roedd ganddi ddigon o waith ysgol i'w wneud.

Cafodd y tair groeso digon boneddigaidd yng Nghaereirian, eto teimlai Rhiannon fod yno ryw saf-draw, rhyw ochelgarwch. Cyn diwedd y prynhawn, deallai pam y penderfynodd Lilian rybuddio'i chyfyrdres amdanynt. Yn ôl pob tebyg, roedd pob aelod o'r teulu *y gorau un* yn ei ddewis alwedigaeth, a phan fu raid i Mrs Strong, yn erbyn ei hewyllys, ddatgelu hanes teulu Lerpwl a'i sawr o arian, gallai Rhiannon weld arwyddion punnoedd yn fflachio yn eu llygaid, yn enwedig o ddeall bod yr hen wraig yn ddietifedd. Gofynnwyd i Mrs S am ei chyfeiriad er mwyn i bawb gael cadw mewn cysylltiad, a cheisiodd Rhiannon beidio gwenu wrth glywed yr ateb.

'Well, actually,' meddai Mrs Strong, 'I may be moving soon. I think I may go to sunnier climes. I find Treath Gwearyd a little cold in winter. Sea breezes in summer are fine; winter gales are another thing altogether. I'll let you know when I can.' Gwenodd. 'We have to leave now, I'm afraid, because we have some work to do in the archives. Thank you so much for everything.'

'I knew you'd see through them,' meddai Rhiannon wrthi wedyn. 'Lilian warned Mam about their avarice, but I didn't warn you because I didn't want to give you a bad impression of your family before you'd even met them.'

'Don't you worry, my dear,' meddai Mrs Strong. 'I soon realised where their interest lay! I've no intention of moving away, but there's no need for them to know!'

Safai Llion Oliver o flaen ffenest ei stafell fyw'n syllu allan ar y môr, ei lygaid yn drwm gan anhunedd: ac nid gwledda'r noson cynt a'i

cadwodd yn effro hyd yr oriau mân. Diawliodd ei hunan am beidio
â holi pa ddyddiad yn gwmws oedd pen-blwydd Megan; gallai fod
wedi gwrthod gwahoddiad Glenys Evans ac osgoi'r ffradach yna
pe bai'n gwybod cynlluniau'r menywod. Hefyd, dylsai fod wedi
anfon cerdyn – roedd Megan yn siŵr o fod wedi disgwyl un ganddo
bore ddoe. Fe anfonai un heddiw – na, âi ag un yno! Byddai'n esgus
da i gael gweld Eira Mai a cheisio cymodi â hi – egluro'r sefyllfa
rhyngddo fe a Glenys. Ond bydde treial 'i chael hi ar ei phen ei
hunan yn broblem. Falle pe bydde fe'n esgus 'i fod e wedi gadel
llyfyr ar ôl yn y bwthyn? Alle hi ei helpu i whilo... Trawodd gopi o
The History Boys ym mhoced ei barca a chychwyn am y Llan.

Pan glywodd Eira gloch drws tŷ ei nain yn canu, agorodd ddrws
ei thŷ ei hun i weld pwy oedd yno. O fflipin hec! Fedrai hi ddim
wynebu Oli, ddim heddiw. Ond roedd yn rhy hwyr: daeth Oli
draw ati.

'Eira...'

'Helô.' Bu distawrwydd llethol am eiliad. 'Isio Nain dach chi?'

'Nage... ie... be wy'n feddwl yw... Gaf fi ddod miwn, Eira?
Plis?' Aeth Eira ag ef i'r gegin. 'Anghofies i ben-blwydd dy fam-
gu...' Estynnodd Llion y cerdyn iddi.

'Ro' i o iddi pan ddaw hi adra.'

'Reit. O-odi dy fam mas 'fyd?' Amneidiodd Eira. 'Gŵd. 'Da ti
wy'n moyn siarad. Ymbytu nithwr...'

''Ych busnas chi 'di hynny.'

'Ma fe'n fusnes i ti 'fyd, Eira. Ffrind i Glenys Evans o'dd wedi
dyweddïo. O'n nhw'n ca'l parti, a gan taw Glenys fydde'r unig un
'na heb bartner, wedon nhw wrthi am wahodd rhywun i gadw
cwmni iddi. 'Na i gyd o'dd e, cadw cwmni iddi.'

'O. Ma raid bod chi isio mynd, neu fasach chi wedi gwrthod.'

'Fydden i 'di bod 'bach yn greulon i ballu mynd. A phryd
gofynnodd hi i fi, o't ti'n dala 'da Meic. O'n i'n dechre meddwl
taw 'da fe fyddet ti am byth.'

'Ddechreuodd petha fynd o chwith rhwng Meic a fi tua dechra'r tymor. A wedyn sylweddolis i…Eniwê…Glenys Evans…dach chi'n lecio hi?'

'Nagw. A wy'n lico hi lai fyth ar ôl neithwr!'

'Pam? Na'th hi drio sidiwsio chi?' Syllodd yn ddifrifol ar Llion. Yn sydyn dechreuodd hwnnw chwerthin.

'Chas hi ddim cyfle!' meddai. 'Hales i hi gatre ar y bws mini o'n nhw 'di logi, a gerddes i lan i Ben Rallt wrth 'yn hunan bach.'

'Heb…heb gusan na dim?'

'Lapswchan 'da honna?! Yffarn dân, Eira…! O'n i'n meddwl bo' ti wedi dyall beth o'n i'n dreial weud 'tho ti ddydd Sadwrn.'

'O'n i'n gobeithio bod fi, ond pan welis i chi neithiwr…'

''Wy mor flin. O'dd e'n uffern i fi 'fyd Eira, bod 'na 'da honna a gweld ti. O't ti mor bert yn y peth glas 'na o't ti'n wishgo. Ond 'na'r cwbwl alle *hi* weud o'dd…'

'Be?'

'…bod dy dits di'n mynd i gwmpo mas!'

Tro Eira i chwerthin oedd hi'n awr.

'Mi oedd Nain yn meddwl hynny hefyd,' meddai, a chwarddodd Llion gyda hi. O'r diwedd dechreuodd y ddau ymlacio.

'Ym…pryd fyddan nhw'n ôl?' gofynnodd Llion.

'Dwn 'im. Ond dwi'n meddwl bod well i ni beidio ca'l cop hefo'n gilydd.'

'Ti'n iawn. Well i fi hala'r garden 'na drwy'r post rhag i hynny roi'r gêm bant.' Cododd y cerdyn oddi ar y bwrdd. 'Ddes i â hwn 'da fi 'fyd.' Dangosodd y copi o *The History Boys* iddi. 'O'n i am esgus bo' fi wedi gadel llyfyr ar ôl yn y bwthyn a gobeitho ddelet ti 'da fi i whilo amdano fe, i ni ga'l trafod.'

'Fasa hynny ddim wedi gweithio. Oedd angan i ni glirio'r aer cyn awn i i nunlla hefo chi.'

'Oedd, sbo. Gyda llaw, welon nhw'u dwy fi neithwr?'

'Mi welodd Mam; mi holodd o'n i'n OK ar ôl syrthio. Na'th hi ddim nabod Glenys Evans, dwi'm yn meddwl. Sylwodd Nain ar ddim byd, achos tydi hi ddim yn gweld digon pell heb 'i sbectol. Mi oedd hi'n byta'i lemon myráng eniwê.'

'Gẁd! Gronda, well i fi fynd.' Edrychodd arni'n hiraethus am eiliad, cyn agor ei freichiau a chamu tuag ati. 'O, Iesu mowr, Eira Mai! Dere 'ma!'

'Na!' meddai Eira dan gamu'n ôl.

'Ie... ddylen ni fod yn... blatonig... sbo, nes bod ti'n gadel yr ysgol.'

'Fydd rhaid i ni, os dach chi am fod yn siŵr o gadw'ch gwaith. Neu fyw celwydd. A dwi ddim yn dda iawn am neud hynny.'

'OK. Os taw 'na beth wyt ti'n moyn. Fydd e'n yffernol o galed, Eira Mai!'

Gadawodd Llion. Er gwaetha'i hapusrwydd o fod wedi clirio'r awyr, teimlai Eira'n drist yr un pryd. Gwyliodd y Saxo euriw yn sgrialu drwy'r giât i'r lôn yn y gobaith o fod yn ddigon pell o Gae Aron cyn i Corsa'i nain ddweud helô wrtho. Eisoes, roedd y twyllo wedi dechrau, a hynny heb i'r un gusan fod rhyngddynt.

19

Aeth gweddill yr hanner tymor heibio'n ddibroblem. Er rhyddhad i Rhiannon, ymddangosai Eira'n berffaith hapus, yn canolbwyntio ar ei gwaith ysgol heb unrhyw arwydd o boen meddwl. Brynhawn Sadwrn daeth Mererid Wyn yno, er mwyn i'r ddwy gael gweithio ar eu maes llafur Cerdd. Cawsai Mererid lwyddiant yn ei phrawf gyrru y diwrnod cynt ac ymhyfrydai yn ei thrip cyntaf ar ei phen ei hun. Cynigiodd Rhiannon swper iddi, ond erbyn pump roedd y ferch yn amlwg ar binnau i adael.

'Ydi hi wedi bachu'r barman?' gofynnodd Rhiannon dan wenu.

'Dwn 'im. Deud 'i bod hi'n mynd hefo'r criw ddaru hi, ond ches i ddim cynnig mynd hefo hi.'

'Oes angan i ti gael cynnig? Gora po fwya ydi hi fel arfar.'

'Dwi'm isio mynd, Mam. Fydda i'n ddigon hapus adra hefo chdi a Nain.'

Dyna dro ar fyd! Ers iddi orffen gyda Meic buasai Eira'n hynod o gartrefol, ac erbyn hyn roedd y synfyfyrio wedi peidio hefyd. Gorau oll i'w gwaith ysgol, wrth gwrs, a fynnai ei mam er dim droi'r drol drwy holi, ond ni allai lai na theimlo o hyd fod rhywbeth ychydig bach yn od yn y sefyllfa. Yn un peth, roedd Eira'n fwy tawedog nag arfer, yn dweud dim o'i busnes wrth ei mam. Ond yn amlwg doedd dim yn ei phoeni, felly ni phoenai Rhiannon chwaith. Peidio â deffro ci sy'n cysgu fyddai orau. Fel y digwyddai, roedd ganddi ddigon i'w wneud gyda'i mam a'i chyfrifiadur.

Penderfynodd Megan mai'r daflod fyddai'r lleoliad gorau ar gyfer ei 'swyddfa' newydd, a chytunai Rhiannon. Gan fod parwydydd y ffermdy'n o drwchus, yno, fwy neu lai am y pared â'i swyddfa hi, y byddai'r siawns orau iddi allu derbyn y *wi-fi*. Bu raid clirio i ddechrau, gan bod y Megan flêr wedi gadael y bocsys yn un llanast ar ôl chwilota am gyfeiriad Lilian; yna aeth Iori ati i ddodi desg wrth ei gilydd ar ei chyfer. Gyda chadair o'r gegin i aros nes y gellid prynu cadair ddesg, roedd y swyddfa'n barod.

'Tydw i'n bwysig!' meddai Megan. 'Dwi'n barod am 'y ngwersi rŵan!'

Ac felly y treuliwyd gweddill y dydd a thrannoeth a thradwy. Cymerodd Rhiannon amser oddi wrth ei gwaith i baratoi'r cyfrifiadur a dangos i'w mam sut i chwilio am wybodaeth ar y rhyngrwyd, sut i anfon e-byst a gweithgareddau o'r fath. Fel y disgwyliai, ni chafodd Megan, gyda'i chefndir a'i chrebwyll, unrhyw drafferth i raddol ddeall yr amryfal brosesau: wrth gwrs, gwyddai eisoes sut i ddefnyddio'r bysellfwrdd, er bod rhai botymau ychwanegol ar un mor fodern.

'Nefi! Dwi'n difaru na faswn i wedi prynu un o'r rhain fy hun ymhell cyn hyn!' meddai. 'Ond ma gin i lot chwanag o waith dysgu eto, 'toes?'

'Dach chi wedi gneud yn rhyfeddol,' meddai Rhiannon. 'Pan fyddwch chi isio gwbod am ryw broses newydd, deudwch, a mi ddangosa i i chi.'

'Mi wyt ti'n un dda am egluro. Mi fasat wedi gneud athrawes tan gamp.'

'Cadw trefn ar ddeg ar hugian o greaduriaid fel Eira Mai! Dim ffiars o beryg!'

'Ond mi fedrat gymryd dosbarth nos, mewn coleg addysg bellach neu un o'r llefydd addysg gydol oes 'ma. Meddylia help fasa hynny i dy fywoliaeth di.'

'Ia, mi fasa'n incwm ychwanegol. Y drwg ydi, mi fydda i wedi blino fin nos ar ôl gweithio drwy'r dydd. Wrth gwrs, pan eith Eira i'r coleg, ella bydd yn dda i mi wrth fwy o bres. Gora po leia o fenthyciada gymerith hi'n faen melin am 'i gwddw.'

'Ia. Oni bai am y grantia oedd i'w cael yn 'yn cyfnod ni, fasa'r un o ddau droed Iori wedi medru mynd yn agos i brifysgol.'

'Mi ddylach chitha fod wedi cael mynd hefyd.'

'Dylwn. Tasa 'Nhad wedi sylweddoli mor bellgyrhaeddol fydda'i ragfarn o yn 'y mywyd i...Ond waeth heb â chodi pais ar ôl piso. Gneud yn fawr o'r cyfla dwi wedi'i ga'l gin 'y nheulu sy'n bwysig rŵan.' Anwesodd Megan ei chyfrifiadur. 'Mi gychwynna i hefo'r busnas *chaos* 'na, achos ma gin i deimlad yn 'y nŵr bod gynno fo rwbath i'w ddeud wrtha i. Mi nei di fy helpu fi'n g'nei? Er clyfrad ydi hwn, fedar o ddim cymryd dy le di, wsti. Na lle dy gwmpeini di chwaith.'

Roedd Rhiannon wedi sylweddoli ddechrau'r wythnos, pan gawsant eu sgwrs gyntaf ynglŷn â'r llyfr roedd ei mam yn ei ddarllen, fod Megan yn cael pwl o unigrwydd wrth wynebu'r pen-blwydd tyngedfennol (yn ei golwg hi), er bod ganddi rwydd hynt i fynd yn ôl ac ymlaen i'r tŷ pryd bynnag y mynnai. Byddai, yn bendant byddai'n rhaid iddi geisio neilltuo mwy o amser i'w mam.

'Wrth gwrs y g'na i, Mam,' atebodd.

Tua phedwar o'r gloch, fel y smwddiai Rhiannon grys ysgol Eira Mai erbyn drannoeth, canodd y ffôn. Dododd yr haearn ar ei golyn.

'Sut dach chi, Rhiannon? Edward Mathias sy 'ma.'

Cynhyrfodd Rhiannon.

'O! H-helô.'

'Gobeithio nad oes ots gynnoch chi 'mod i'n ffonio. Ges i'ch rhif chi gin Llion. Begio am help rydw i.' Am eiliad, teimlodd Rhiannon fymryn o siom. Twpsan, be arall fasa fo isio? 'Dwi wedi bod drwy'r pnawn yn paratoi nodiada ar gyfar y Chwechad, ond rŵan ma'r printar wedi nogio. Mi ddyla'r disgyblion 'u ca'l nhw fory a sgin i ddim syniad be i' neud. Oes gynnoch chi awgrym?'

'Anodd deud heb weld.' Er y gallai gynnig rheswm neu ddau…'Ym…fedrwn i ddŵad draw os leciwch chi.'

Bu Ed yn ddistaw am eiliad.

'Leciwn i'n fawr. Sorri, fedra i ddim dŵad i'ch tŷ chi, ddim *laptop* ydi o.'

'Dim problam,' meddai Rhiannon. 'Rhowch chwartar awr i mi.' Yna galwodd ar Eira Mai.

'Eira, dwi'n gorfod mynd i'r Llan. Os na fydda i'n ôl erbyn hannar awr wedi pump, nei di droi'r popty ymlaen a tharo rwbath o'r rhewgell i mewn?'

'OK, Mam. I ni'll tair, ia?' Amneidiodd Rhiannon. 'Pam wyt ti'n gorfod mynd allan ar amsar mor od?'

'Os nad a' i, chei di ddim nodiada ar dy gwrs Cerdd fory. Ma printar dy Fath Miws di wedi sticio.'

'O…OK…'

Beth yn hollol âi drwy ben yr hogan, tybed? Oedd hi'n dal i ofni cael 'Math Miws' yn 'dad gwyn'? Wel, doedd dim rhaid iddi, a'r creadur yn siapio dim! Cafodd Rhiannon groeso twymgalon pan gyrhaeddodd ei gartref, ond mwy na thebyg mai anhwylder ei argraffydd oedd i gyfrif am hynny! Edrychai Ed ychydig yn swil wrth iddo'i harwain i gyfeiriad ei stydi yn y llofft gefn, a sylwodd Rhiannon fod y drysau eraill ar ben y grisiau yn gadarn ar gau. I ddechrau, gwnaeth Rhiannon yn siŵr, heb dynnu gormod o sylw, nad papur oedd wedi tagu'r argraffydd. Yna meddai:

'Mae'n debyg mai ciw sy 'ma. Amryw o ddogfenna'n disgwyl

cael 'u hargraffu. Mae o'n digwydd weithia.' Cliciodd y llygoden yn y modd priodol. 'Mi ddyla glirio rŵan. Fedrwch chi 'i drio fo?'

Aeth Ed i ffeil y nodiadau a wnaethai ar gyfer ei Flwyddyn 13 a chlicio ar *print*. Ufuddhaodd yr argraffydd mor llywaeth ag oen bach.

'Dach chi wedi achub 'y mywyd i,' meddai. 'Pam na newch chi dipyn o waith fel ymgynghorydd? Mi fedrach roi hysbysebion o gwmpas y dre, ac mewn papura lleol, yn cynnig help i bobol sy isio dysgu defnyddio cyfrifiadur.'

'Mmm. Syniad. Ma petha mor syml ag e-bostio'n ddirgelwch i amball un, rhaid cyfadda. Neu petha fel…lawrlwytho miwsig neu drosglwyddo llunia o gamera digidol i gyfrifiadur. Nefi, diolch am yr awgrym!'

'Yr unig beth ydi…mi fasach chi'n gorfod mynd allan i dai pobol. Fasa isio bod yn ofalus. Mae 'na bobol od o gwmpas. A chitha ar ben 'ych hun.' Ni allai Rhiannon lai na thynnu ei goes. Gwenodd.

'Dwi ar 'mhen fy hun rŵan.' Gwenodd Ed yn ôl â'i lygaid yn disgeirio'n ddireidus.

'Ydach, tydach…'

'Well i mi 'i chychwyn hi am adra, dwi'n meddwl!' Chwarddodd y ddau.

'Ddim cyn i mi dalu i chi am 'ych gwaith,' meddai Ed. 'Faint sy arna i?'

'Nefi, dim byd siŵr! Chymrodd hynna ddim pum munud.'

'O na! Busnas fasa bod yn ymgynghorydd cyfrifiadurol. Dwi isio talu.'

'Ddim ymgynghorydd ydw i yma, Ed. Ffrind yn gneud cymwynas â ffrind.'

'Diolch. Dwi'n falch o ga'l 'y nghyfri'n ffrind gynnoch chi.' Syllodd arni am eiliad, yna pesychodd yn ysgafn. 'Ym…os na cha' i dalu, ga' i…ga' i fynd â chi allan am bryd o fwyd? Unrhyw noson fydd yn gyfleus i chi…'

'O! Diolch. Faswn i wrth 'y modd.'

'Be am nos Ferchar?'

'Iawn.'

'Grêt. Ddo' i i'ch nôl chi tua hannar awr wedi chwech.'

Fel y taniai Rhiannon beiriant ei Mazda i gychwyn tuag adref, codai Ed ei law arni yn nrws y tŷ. Gyrrodd hithau'n sidêt cyn belled â phen Stryd yr Eglwys, yna 'Yesss!' gwaeddodd yn uchel. Hwyrach yn wir mai dim ond talu am ei chymorth oedd bwriad Ed, ond roedd hynny'n gychwyn. Yn bendant, roedd o'n gychwyn!

Drannoeth, cafodd Eira Mai'r diwrnod rhyfeddaf. Roedd fel petai pawb o'i chwmpas yn od. Dyna'i mam amser brecwast i ddechrau, a'i meddwl ymhell i ffwrdd: oedd hi wedi breuddwydio am Math Miws neu rywbeth? Gobeithio ddim!

Dyna Guto wedyn, yn y wers Ddrama; hwnnw'n methu hoelio'i sylw ar ei actio. Perfformio darn wedi ei ddyfeisio ganddynt hwy eu hunain oedd y dasg, ar thema osodedig. Dylsai cofio'r geiriau fod yn hawdd, gan mai eu geiriau hwy eu hunain oeddent! Ond aeth yn niwl ar Gits fwy nag unwaith.

'Guto,' gofynnodd Oli ymhen tipyn, 'gest ti ddim cwsg neithwr? Neu odi 'ddi 'bach yn rhy gynnar yn y bore i ti?'

'Ma'n ddrwg gin i, syr,' meddai Guto. 'Mi oedd gin i lot o waith Gwyddoniaeth i' neud dros hannar tymor. Ches i ddim llawar o amsar i ddysgu hwn.'

Amheuai Eira fod rhywbeth heblaw ei wyddoniaeth wedi bod ar feddwl Gits yn ystod wythnos y gwyliau. Hi ei hun oedd yr un a ddylai fod yn methu cadw'i sylw ar ei gwaith ar ôl ei sgwrs gydag Oli ddydd Iau!

Pan ganodd y gloch ar gyfer amser egwyl y bore, swniodd intercom y stafell ddrama. Fel yr âi Eira a Guto drwy'r drws, galwodd Oli:

'Eira, sa' funed.' Aeth Guto yn ei flaen ond troes Eira yn ei hôl. 'Ma Ed Mathias isie i ni'n dou fynd i'r stiwdio gerdd yn ystod yr egwyl.' Gwenodd yn gariadus arni am y tro cyntaf y bore hwnnw.

'O jawl, Eira! Wy'n ffaelu'n deg ag ymlacio yn dy gwmni di o fla'n pobol eraill, rhag ofan i'n llyged i roi'r gêm bant.'

'Fi hefyd,' meddai Eira. 'Dwi'n gorfod jest peidio sbio arnoch chi.'

'Alle osgoi llyged 'yn gilydd roi'r gêm bant 'fyd! Bydd isie sgilie acto Syr Ian McKellen a Dame Judi Dench arnon ni! Dere, well i ni fynd i weld be ma Ed isie.'

Wrth i'r ddau gerddad gyda'i gilydd ar hyd y coridor hir i ben arall yr ysgol, daeth pwl o swildod dros Eira. Twpsan! Doedd hi erioed wedi teimlo fel hyn wrth gydgerddad ag Oli o'r blaen: pam y dylai gywilyddio rŵan? Wyddai'r un enaid am eu dealltwriaeth. Cododd ei phen yn uchel, yn barod i herio'r byd. Yn y stiwdio gerdd, disgwyliai Math Miws amdanynt, a Mererid Wyn a Bedwyr Morus gydag ef.

'Ma'n ddrwg gin i ddwyn 'ych amsar egwyl chi,' meddai Math. 'Dach chi'n gwbod be sy, ma siŵr. Pedwarawd Gwenoro. Gynnon ni lai na phythefnos. Dwi wedi penderfynu mynd yn wladgarol leni: mi gewch chi ganu "Dros Gymru'n Gwlad" ar "Finlandia".' Edrychodd Llion ar y copi a roddodd Ed iddo o'r emyn-dôn, ond ni wnaeth unrhyw sylw. Wedi i'r disgyblion ddiflannu yn y gobaith o allu mwynhau rhan fach o'u hegwyl, meddai:

'Sorri ond...wy'n ffaelu darllen hen nodiant. Ges i erio'd wersi piano na dim.'

'O! Gest ti wersi canu yn y coleg, do?'

'Jyst digon i allu canu mewn drama. Wy'n dyall sol-ffa. A ma clust 'da fi.'

'Reit. Fory, gei di gopi sol-ffa. Nei di bigo'r lein tenor i fyny mewn chwinciad. Biti na fasat ti'n dal ym mwthyn Cae Aron. Fedra Eira a'i phiano helpu.'

'Ie...A gweud y gwir, wy'n gweld isie'r bwthyn. 'Bach yn unig yw Pen Rallt, 'da tai haf ar bob ochor.'

'O'n i *yn* ama pan symudist ti i mewn. Faswn i wedi dŵad i dy weld di taswn i o gwmpas ond es i at 'yn chwaer am rai dyddia. Hei! Sut aeth y dêt hefo Glenys?'

'O, jawl, paid sôn!'

'Dwi'n gweld! Sgin ti ddim byd i'w riportio felly?'

'Nag o's! Anghofio fe wy'n moyn.' Chwarddodd Ed.

'*Enough said*!' meddai.

Yn y bws mini i Gaereirian, eisteddodd Guto ar ei ben ei hun mewn distawrwydd. Ni allai Eira lai na phryderu amdano. Doedd tawelwch o du Gits ddim yn naturiol. Felly, ar y daith yn ôl aeth at ei ochr.

'Gest ti bnawn go lew, Gits?' gofynnodd.

'Gwell na bora,' gwenodd Guto. 'Sorri am y shambls 'na yn Drama.'

'Ma pawb yn ca'l bora felna weithia,' meddai Eira. 'Pam na ddoi di i tŷ ni heno i fynd dros y darn? Ty'd erbyn tua saith.'

Cyrhaeddodd Guto'n brydlon ar gefn ei feic, yn gwisgo siaced felen lachar a adlewyrchai oleuadau'r ceir. Treuliodd ef ac Eira gryn dri chwarter awr yn ymarfer y golygfeydd ar gyfer yr arholiad, yna aeth Eira i wneud paned a dod â'r mygiau drwodd i'r gell.

'Eira...faswn i'n lecio siarad mymryn os ti'n fodlon.' Swniai Guto'n betrus.

'O'n i'n ama bod rwbath yn dy boeni di, Gits, er...ti'n swnio'n well heno.'

'Ydw. Dwi'm yn siŵr chwaith.'

'OK, bwrw dy fol.'

'Nei di ddim deud gair, na nei, wrth neb?'

'Gits, ti'n nabod fi. Dwi'n gwbod bod fi'n gegog hefo busnas fi'n hun, ond hefo cyfrinacha pobol er'ill dwi'n hollol saff. Ffeiar awê.'

'Justin Morgan,' meddai Guto. 'Ti 'di gwarfod o yn Danial Edwards. Mae o'n gneud Electroneg.'

'Y boi tal 'na hefo gwallt hir gola?'

'Ia. Mis Medi dechreuodd o. Ail-neud Lefal A. Yng Nghaerdydd oedd o'n byw, ond ma'i rieni fo wedi symud i Sbaen. Meddwl basa Justin wedi mynd i'r brifysgol 'leni, ond fethodd o, do? Gormod o *distractions* yng Nghaerdydd, medda'i dad o. Felly maen nhw wedi'i yrru fo i Aberadda at chwaer 'i fam.'

'O ia?' meddai Eira. Beth oedd 'nelo Justin Morgan â hi? Oedd o isio dêt hefo hi ac wedi gofyn i Guto baratoi'r ffordd? Ond na, roedd 'na gyfrinach yn rhywle… 'Be amdan y Justin 'ma, Gits?'

'Dwi 'di syrthio mewn cariad hefo fo,' myngialodd Guto'n lletchwith.

'O! Be 'di'r broblam? Oes gynno fo rywun yn barod? 'Ta 'di o'n strêt?'

'Eira Mai! Ti ddim 'di ca'l sioc?' Swniai mewn sioc ei hun.

'Pam ddylwn i?'

'Ond…fuo chdi a fi allan hefo'n gilydd! Dwi 'di bod hefo lot o genod. Dyna pam dwi mor blydi dryslyd. Dwi'n hollol hollol *confused.*'

'Ti'n *bi*, ma raid, Gits bach. Gei di'r gora o'r ddau fyd yli!'

Syllodd Guto'n ddifynegiant am funud ar ei hen ffrind o ddyddiau Ysgol Feithrin Bryn Eithinog. Yna:

'Eira Mai, ty'd yma!' Cofleidiodd hi'n dynn. 'Ti'n sodin *priceless*, ti'n gwbod hynny?' Pan lwyddodd Eira i'w rhyddhau ei hun o'i freichiau, gofynnodd:

'Ond Guto, be *ydi* tueddiada Justin? Wyt ti'n gwbod?'

'Bora 'ma, doedd gin i ddim clem. Dyna be oedd, o'n i 'di bod yn reit isal, deud y gwir. Ond pnawn 'ma…mi ofynnodd i mi 'i gwarfod o ym Mangor nos Sadwrn i fynd i Landudno i weld ffilm. Fel ffrind, fel…cwmpeini, 'ta fel…dwi'm yn gwbod. Ond ma gin i siawns o ffindio allan, 'toes?'

'Yn bendant. Pob lwc!'

'Cofia gadw pob dim dan dy het, Eira Mai. Mae 'na bobol ragfarnllyd o gwmpas o hyd.'

Gwnâi, fe gadwai Eira'i gyfrinach. Cododd ei llaw arno fel yr hwyliai drwy'r giât ar ei feic, ei gôt felen yn tywynnu yng ngoleuni'r lamp ar dalcen yr hen sgubor. Ond er cymaint ei ffydd hithau yn Guto, fyddai wiw iddi *hi* ymddiried ei chyfrinach ynddo *fo*. Ac eisoes roedd y gyfrinach honno'n pwyso'n drwm.

20

Toc wedi naw fore Mercher, clywodd Rhiannon gloch y ffôn yn canu.

'Rhiannon, my dear, how are you this morning?' gofynnodd llais cyfarwydd.

'Very well, thank you, Mrs Strong,' atebodd Rhiannon. 'How are you?'

Doedd Mrs S ddim yn rhy wych, a hoffai ofyn ffafr. Roedd wedi gwneud apwyntiad gyda'i chyfreithiwr yn Lerpwl ddydd Gwener. Ei bwriad oedd mynd yno ar y trên o Fangor, ond oherwydd iddi syrthio a chael ysgytwad go hegar neithiwr, teimlai y byddai siwrnai drên braidd yn ormod iddi. Oedd yna bosibilrwydd y gallai Rhiannon fynd â hi yno erbyn un ar ddeg? Gallent fod adref yn ôl cyn i 'Ira' ddod o'r ysgol a thalai Mrs S iddi am ei chymorth ar ben ei chostau petrol.

Bu raid i Rhiannon feddwl yn bur sydyn. Beth oedd yn digwydd ddydd Gwener? Eira Mai'n mynd ar drip i'r theatr gyda'r ysgol fin nos... Na, dim byd arall. Dylai hithau fynd i Gaer i swyddfa'r bobl yna oedd wedi ei chomisiynu i wneud gwaith iddynt. Fyddai ots gan Mrs Strong iddynt ddod adref drwy Gaer? Nid i siopa: gwaith oedd yn galw ond chymerai'r ymgynghoriad ddim mwy nag awr. Gallent rannu cost y petrol gan fod busnes gan y ddwy i'w wneud. Ond fynnai'r hen wraig ddim iddi *sôn* am y fath beth. Lwc Rhiannon oedd y ffaith y gallai ddefnyddio'r trip i'w mantais ei hun. Talai hi am bopeth, a byddai arni angen mynd eto ymhen wythnos neu ddwy, pan fyddai'r twrnai wedi cwblhau ei waith. Byddai cael siwrnai yn y car yn arbed llawer o drafferth iddi hi, â'r musgrellni yma wedi ei goddiweddyd cymaint yn ddiweddar. Doedd hi ddim wedi bod yn edrych ymlaen at ei llusgo'i hun o dacsi i drên i dacsi.

Wedi iddi ddod i gytundeb â Mrs S aeth Rhiannon ymlaen â'i gwaith i'r cwmni yng Nghaer: gorau po fwyaf o'r prosiect fyddai wedi ei gwblhau cyn dydd Gwener. Ond wedi mynd ati, teimlai mai rhyw ffidlan yn unig a wnâi, felly newidiodd ei thac, gan fynd at achau Mrs Strong. Doedd ganddi ddim llawer o amynedd â hynny chwaith. A gwyddai pam: am fod ei nerfau'n rhacs yn disgwyl am hanner awr wedi chwech a'i hoed gydag Edward Mathias! Ffŵl! Yn ei hoedran hi! Er, doedd dim rhyfedd, mewn gwirionedd, a hithau heb fod allan gyda neb ers dros ddeuddeng mlynedd. Sylweddolai hefyd y byddai'n rhaid iddi ddweud wrth ei mam na fyddai gartref i swper, er mwyn iddi hi ofalu am fwyd iddi hi ei hun ac Eira. Ac wrth gwrs câi gant a mil o gwestiynau gan Eira Mai pan welai honno hi'n ymbincio! Fyddai waeth iddi heb â cheisio celu'r gwir oddi wrth yr un o'r ddwy ac Ed yn dod yno i'w chyrchu. Penderfynodd wynebu'r anochel yn syth ac aeth drwodd at ei mam.

Doedd dim golwg o Megan, felly aeth Rhiannon i fyny i'r daflod. Curodd yn ysgafn ar ddrws y 'swyddfa' newydd sbon, a'i agor. Eisteddai Megan o flaen ei chyfrifiadur a'i chefn at y drws. Ni chlywsai gnoc Rhiannon gan mor ddwfn ei chanolbwyntio. Aeth Rhiannon draw ati a'i chyfarch yn dawel rhag rhoi braw iddi.

'O nefi! Rhiannon. Chlywis i mono chdi.'

'Mewn byd arall oeddach chi. Be sy mor diddorol?'

'Wel y *chaos theory* 'ma 'te. Dwi wedi ca'l hyd i erthygl amdani. Dwi wedi dŵad ar draws y *butterfly effect* erbyn hyn. Ty'd â'r stôl 'na yma, Rhiannon, i ni ga'l gweld ydw i ar y trywydd iawn.'

'Reit, Mam,' meddai Rhiannon gan eistedd ar y stôl. 'Deudwch wrtha i.'

'Dyn yn gweithio ar ddarogan y tywydd yn rhoid *equations* i mewn yn 'i gyfrifiadur a gada'l i hwnnw neud 'i waith. Ond pan na'th o'r un peth eto, mi gafodd ganlyniad hollol wahanol. A mi sylweddolodd mai dim ond tri rhif ar ôl y *decimal point* oedd o wedi'i roid i mewn, yn lle chwech wrth redag y peth y tro cynta. A mi fuo'r mymryn bach bach bach yna'n ddigon i newid y canlyniad yn ofnadwy.'

'A'r mymryn yna sy'n ca'l 'i gyffelybu i'r glöyn byw'n chwifio'i adenydd ac yn creu newid bychan bach yn yr awyrgylch, nes bod be ma'r awyrgylch 'i hun yn 'i neud yn newid lot fawr dros amsar.'

'Ia. Mi fedra fflapian y pilipala bach 'na beri i gorwynt, fasa fel arall wedi distrywio glanna'r môr tua Indonesia neu rwla, beidio digwydd. Neu, mi fedra neud iddo fo *ddigwydd* yn rwla arall a hwnnw ddim i fod i ddigwydd.'

'Dyna chi. Ar 'i symla, dyna'r ddamcaniaeth. Ma hi'n creu newid, arallgyfeirio. Ma'r syniad wedi ca'l 'i ddatblygu a'i gymhwyso i lot o feysydd erbyn hyn: twf mewn poblogaeth… curiada calon…'

'Ond os dwi wedi dallt yn iawn, mae 'na drefn o dan y *chaos*. Gwranda ar hyn: *The name 'chaos theory' comes from the fact that the systems that the theory describes are apparently disordered, but chaos theory is really about finding the underlying order in apparently random data.* Ma'r gwahaniaeth bach cychwynnol 'na'n digwydd drosodd a throsodd: y glöyn byw bach 'na'n chwifio'i adenydd drosodd a throsodd ac yn creu newid bob tro!'

'Mam, oes 'na ryw bwrpas i'r astudio 'ma, heblaw diddordab?'

'Be dwi isio'i weld ydi sut galla hyn fod yn berthnasol i fywyda pobol,' atebodd Megan. 'Gawn ni sgwrs am hynna rywbryd eto. Hynny ydi, os byddi di isio…' gorffennodd yn betrus.

'Bydda, wrth gwrs bydda i isio.'

'Da iawn. Dwi ddim yn trio dy dynnu di oddi wrth dy waith, cofia, ond ma hi'n braf ca'l hogi meddylia. A cha'l dy gwmpeini di.' Amneidiodd Rhiannon gyda chydymdeimlad. 'Gyda llaw, ddoist ti yma am ryw reswm bora 'ma?'

'O… o'n i wedi anghofio erbyn hyn.' Er mawr syndod… 'Dwâd i ofyn 'nes i, fedrwch chi neud bwyd heno? I chi ac Eira. Dwi'n mynd allan.'

'Be 'di'r achlysur, os ca' i fod mor hy â gofyn?'

'Wyddoch chi ddydd Sul, ddaru Edward Mathias ofyn am help hefo'i gyfrifiadur? Wel, mi oedd o isio talu i mi, ond dim ond pum munud o waith oedd o. Doeddwn i ddim isio tâl. Felly mi… mi gynigiodd fynd â fi am bryd heno.'

'O-o-o. Wela i.' Nodiodd Megan yn ddoeth.

'Mam! Sdim isio'i ddeud o felna! Does 'na ddim mwy i'r peth.'

'Os wyt ti'n deud. Ydi Eira'n gwbod?'

'Ddim eto. Ond ma hi'n siŵr o holi.'

'Rhiannon, os na fydd 'na focha bodlon, paid â chymryd sylw ohoni hi. Mi wyt ti'n haeddu hapusrwydd gymaint â hitha, a thoc mi fydd hi wedi mynd am y coleg a d'ada'l di. Os wyt ti'n lecio Edward Mathias, g'na di'n fawr o dy gyfla!'

Lledwenodd Rhiannon dan frathu ei gwefus.

'Diolch, Mam,' meddai.

Fel y cerddai Eira Mai drwy'r drws, canodd ffôn y tŷ a chododd hithau'r derbynnydd.

'Iô, Eira: Rhodri. Gwranda, 'dan ni 'di ca'l cynnig gìg nos Sadwrn yn y Delyn Aur. Rhywun yn cymryd y lle fyny grisia 'na am y noson, parti rwbath ne'i gilydd.'

'Nefi, 'dan ni'm 'di gneud gìg ers *ages*.'

'Dwi'n gwbod. Ma raid i ni ga'l practis. Fedri di ddŵad heno?'

'Medra, ond i ni beidio â bod yn rhy hir. Gin i waith ysgol.'

'Reu. Fedrith dy fam ddŵad â chdi?'

Digwyddai Rhiannon fod yn y gegin yn glanhau ei hesgidiau coch.

'Mam, fedri di fynd â fi i Blas Isa? Ymarfar Mulod Meddw.' Ysgydwodd Rhiannon ei phen. 'Rhods, na fedar.'

'Goda i di 'ta. Pen lôn Cae Aron tua saith.' Aeth y ffôn yn fud.

'Od,' meddai Eira, 'tecstio bydd o fel arfar.' Yna sylwodd ar y driniaeth ofalus a gâi'r esgidiau cochion. 'Hei, Mam! I le wyt ti'n mynd? Rwla sbesial os ydi'r rheina'n ca'l owtin!'

'Deud y gwir, dwi ddim yn gwbod.'

'Y? Sut ufflon ei di yno os ti 'm yn gwbod i le ti'n mynd?'

'Ddaw 'ma rywun i fy nôl i.'

'Mewn geiria er'ill, gin ti ddêt!'

'Ddim yn hollol…'

'Cym on, Mam, *spill the beans*!'

'Rois i help i rywun. Pryd o fwyd i ddiolch i mi 'di hyn.' Gwawriodd ar Eira.

'Fflipin hec, Mam! Dydd Sul, Math Miws!'

'Ia, Eira, Math Miws! Be *sy* gin ti yn erbyn Edward Mathias?'

'Dim byd,' meddai Eira. 'Deud y gwir, dwi'n lecio fo.'

'Be 'di dy broblam di 'ta?' Cysidrodd Eira.

'Dwn 'im... Jest... chdi ddeudodd bod chdi'n dal i garu Dad a... nad oeddat ti ddim yn barod am berthynas hefo neb arall a... a ballu...' gorffennodd yn ddi-lun.

'Cofia mai dim ond ffordd Ed o ddeud diolch ydi hyn,' meddai Rhiannon. 'Ella mai heno fydd y tro cynta a'r ola i ni fynd allan efo'n gilydd. Ond os digwydd i unrhyw beth ddatblygu rhyngon ni, erbyn hyn mi dwi *yn* barod i symud ymlaen.'

Safai Eira ar y palmant gyferbyn â lôn Cae Aron, ei sacsoffon yn ei gâs wrth ei hochr, a'i meddwl yn Volvo Math Miws. O'r diwedd dyna'i mam wedi cydnabod ei hatyniad tuag at Edward Mathias, ac er syndod iddi canfu Eira na theimlai mor ddrwg â'r disgwyl am y sefyllfa. Hwyrach mai ei phroblem fwyaf oedd ofn i ddieithryn ymwthio rhwng ei mam a'i nain a hithau, a tharfu ar eu bywydau. Ond nid dieithryn mo Math, ac wedi'r cyfan cawsai hi ei hun rwydd hynt i darfu ar breifatrwydd y teulu trwy ddod â phwy bynnag a fynnai adref gyda hi ers blynyddoedd. Wrth gwrs, pe gwyddai ei mam am ei darpar-berthynas bresennol, âi'n rycsiwns yn y tŷ! Ar yr un pryd, hwyrach mai ei hapusrwydd hi ei hun oedd i gyfrif am y ffaith na allai bellach warafun hapusrwydd i'w mam.

Pan ddadebrodd o'i synfyfyrio edrychodd Eira ar ei horiawr. Ugain munud wedi saith! Nefoedd wen, ble roedd Rhodri? Estynnodd ei ffôn a chwilio am ei rif, ond dim ond y gwasanaeth ateb a gafodd. Pan welodd oleuni car yn agosàu, rhoddodd ochenaid o ryddhad. O'r diwedd. Cyfyrder neu beidio, câi flas ei thafod! Ond Saxo eurliw cyfarwydd a arhosodd wrth ei hochr.

'Eira Mai, beth wyt ti'n neud yn sefyllian man hyn? Odi hi'n amser bŷs?'

'Disgwl 'y nghefndar dwi. Gynnon ni bractis band ond ma Rhods bron i hannar awr yn hwyr. Dwi'n diawlio fo!'

'Dal sownd, pwy gar sy 'da fe?'

'Hen groc bach melyn.'

'Ma fe 'di stopo ar waelod y tyle, a'r goleuade *hazard* yn fflachio. Sa i'n siŵr o'dd e 'i hunan 'na. Shgwla, der' miwn, awn ni'n ôl i weld.'

Aeth Eira a'i sacs i mewn i'r Saxo, a throdd Llion y car yn ei ôl. Ar waelod yr allt, gwelsant y car melyn yn dal i wincio ar y byd ond doedd dim arlliw o Rhodri.

'Lle ma'r ymarfer hyn?' gofynnodd Llion.

'Plas Isa, ffarm tu draw i Bryn Eithinog. 'Dan ni'n ca'l defnyddio'r sgubor.' Unwaith eto, trodd Llion y car yn ei ôl a rhuo tua sgubor Plas Isa. Roedd amryw o geir wedi eu parcio ar y buarth.

'Ma rhai ohonyn nhw yma, beth bynnag,' meddai Eira. 'Diolch. Dwi 'di drysu'ch cynllunia chi rŵan.'

'Nag wyt ddim, Eira Mai. Cychwyn i Fangor i weld ffrind oedden i, ond nag o'dd e'n 'y nishgwl i. Ma'r lle hyn yn dawel ofnadw. Ddo' i miwn 'da ti, rhag ofan bod rhywbeth yn od.'

Ond roedd pawb yn y sgubor, hyd yn oed y Rhodri di-gar.

'Lle gythral oeddat ti, Eira Mai?' gofynnodd hwnnw. 'Doedd 'na'm golwg ohonot ti ar ben y lôn.'

'Lle gythral oeddat *ti*? Pam na fasat ti wedi ffonio neu decstio?'

'Blydi ffôn i'n fflat. O'r gwaith ffonis i'r tŷ. Be ddigwyddodd i ti eniwê?'

'Ges i lifft…' Be gebyst oedd hi'n mynd i alw Oli â Mererid Wyn yno'n gwrando? 'Aethon ni'n ôl at dy gar di ond doeddat ti ddim yno.'

'Dda'th Chico heibio a 'nghodi fi,' meddai Rhodri. 'Fo sy'n mynd i chwara gitâr fas i ni. Ma Sel 'di joinio'r armi. Ma raid bod y ddau gar wedi pasio'i gilydd rhwng lôn Cae Aron a gwaelod allt Pen Terfyn.'

'Dyma fo Chico, Eira,' meddai Mererid Wyn. Gan edrych fel cath wedi syrthio i bwcedaid o hufen, gafaelai'n dynn ym mraich boi sarrug yr olwg â modrwy yn ei drwyn a gwallt pigog fel brwsh.

'Iô, Eira, neis cwarfod chdi,' meddai Chico mewn llais mor addfwyn â mewian cath bach. 'Pwy 'di cariad chdi?'

Agorodd ceg Eira fel pysgodyn.

Ymyrrodd Llion yn syth, i arbed dim mwy o embaras, gan egluro pwy ydoedd a gofyn a gâi aros i wrando.

'Croeso, mêt,' meddai Rhodri. 'Driwn ni hi hefo'r gitârs gynta i Chico ga'l arfar. Gewch chi lonydd am dipyn, genod.'

'Ty'd i fan'cw,' meddai Mererid wrth Eira.

Dilynodd Eira hi i'r gornel, gan ofni ei bod hi eisoes yn amau bod rhywbeth yn digwydd rhyngddi hi ac Oli. Ond nid oedd angen pryderu; canolbwynt byd Mererid Wyn oedd Mererid Wyn ei hun.

'Chico'n ffáb, yn dydi?'

'Be ddigwyddodd i'r barman?'

'Dwn 'im. Dim ots gin i chwaith. Nes i gwarfod Chico nos Sadwrn dwytha. Oedd o 'di dŵad i'r Llew Coch i siarad efo Rhods am joinio'r band. Neuson ni hitio hi off yn syth bìn. O Eira, dwi'n rîli lyfio fo 'sti. Ded cŵl yndi?'

Wedi i'r band fynd drwy'r gân unwaith ac i Chico gynefino, aed ati i ymarfer y canu. Rhodri a ganai'r prif lais, gyda Mererid ac Eira'n telori yn y cefndir. Clustfeiniodd Llion ar y geiriau.

> Dwi'n caru chdi,
> Ti'n well na siocled i fi,
> Yn well nag Ecstasî,
> O dwi'n caru chdi!

Cafodd ffwdan i beidio â chwerthin: a helpo'r ysgol os na fyddai gwell siâp ar feirdd y sioe gerdd! Roedd y band ei hun yn eithaf da, ac ar ôl yr ymarfer gofynnodd i Eira, gan geisio swnio'n ddidwyll:

'O's lifft gatre 'da ti, Eira?'

'Dwn 'im…Rhods, ydi'r ceir i gyd yn llawn?'

'Ydyn, braidd. Hefo'r gitârs a bob dim fasa'n uffar o sgwash i ti yng nghar Chico. 'Dan ni un yn fyr nes ca' i drwsio un fi.' Troes at Llion. 'Fedri di fynd â hi?'

'Wrth gwrs,' atebodd Llion mor ddidaro ag y medrai. Wedyn, wrth yrru tua Bryn Eithinog a Chae Aron, chwarddodd yn foddhaus.

'Gafflon ni bawb, naddo fe, hyd yn oed Mererid Wyn.'

'Mi oedd Mererid yn rhy llawn o Chico.'

'Yffach, Eira Mai! Ddim yn yr ymarfer! Falle fydd hi nes 'mla'n, cofia!'

'Www! O'n i'm yn gwbod bod chdi'n medru deud jôcs budur!'

Llithrodd y *chdi* oddi ar ei thafod heb iddi feddwl.

'O, alla i neud lot o bethe, Eira Mai! Ond fydd rhaid i ti aros nes yr haf cyn ffindo mas beth.'

'Dwi'n gwbod. Ond…dwi'm rîli isio aros tan yr ha.'

'Na fi.' Troes Llion drwyn y car i mewn i gilfan lle roedd y ffordd droellog rhwng Bryn Eithinog a phen lôn Cae Aron wedi cael ei sythu, a llwyni uchel rhwng yr hen lôn a'r un newydd.

'Be 'dan ni'n neud yn fama?' gofynnodd Eira, gan swnio'n fyr ei gwynt.

'Ddangosa i i ti nawr,' atebodd Mr Llion Oliver, athro Drama Ysgol Gwenoro. Roedd ei gusan gyntaf cyn ysgafned â chyffyrddiad adenydd glöyn byw…

Pe gwyddai Rhiannon y byddai noson ymarfer y Dipsy Donkeys yn datblygu'n sesiwn lapswchan rhwng Eira Mai a Syr, buasai wedi gweld y Werddon. Ond gan ei bod mewn stad wynfydedig o anwybod bu ei noswaith hi ei hun mor ddedwydd ag un ei merch. Pan gyrhaeddodd Ed Gae Aron a'i gweld yn sefyll yno yn ei ffrog fach ddu a'i hesgidiau cochion, disgleiriodd ei lygaid.

'Mi wyt ti'n edrach yn…*wow!*' meddai. 'Fel y tro cynta gwelis i di.'

Sylwodd Rhiannon ar y *ti,* a gwenodd. Oedd hon i fod yn noson o glosio?

Ni chafodd wybod eu cyrchfan nes i drwyn y Volvo droi i gyfeiriad Traeth Gweirydd. Yr Angor, efallai, tafarn na fuasai Rhiannon erioed dros ei throthwy. Ond i fyny'r allt tua'r Wavecrest y cludodd y Volvo hwy. Y mawredd! Doedd o erioed am dalu crocbrisiau De Bruno drosti?

'Fuo mi ddim yma o'r blaen,' meddai Ed. 'Gobeithio'i fod o'n iawn gin ti?'

'Yn fwy na iawn! Mae o'n ddrud, cofia.'

'Rhiannon, mi wyt ti'n haeddu'r gora!'

Wedi i Ed roi ei enw, cymerodd Mandy, y weinyddes fach sgwrslyd, gôt Rhiannon, a'u harwain i'r lolfa.

'Dyma'r meniws i chi,' meddai. 'Eira Mai'n OK?' gofynnodd i Rhiannon.

'Ydi, diolch. Ma'r band yn ymarfar heno ar gyfar gìg nos Sadwrn.'

'Yn y Delyn? Dwi'n mynd yno. Parti etîn cefndar fi. Cerwch i'r lownj. Gewch chi *canapés* mewn munud.'

'Mandy syrfiodd ni noson pen-blwydd Mam,' meddai. Rhiannon. 'Mi oedd Llion yma'r noson honno, hefo rhyw ddynas. Ymysg criw, 'lly.'

'Yr athrawas Addysg Gorfforol. Dim ond cadw cwmpeini iddi roedd o – fel aeth o allan o'i ffor i bwysleisio – sawl gwaith!'

Wedi iddynt archebu, a bwyta danteithion bach y *canapés*, arweiniodd Mandy hwy at eu bwrdd yn yr ystafell fwyta. Cymerodd y ddau eu hamser dros y pryd, gan gael hoe rhwng pob cwrs. Toc iawn, sylweddolodd Rhiannon fod Ed wedi gofyn am y fwydlen arbennig iddynt: rhwng y cyrsiau cyrhaeddai seigiau bach blasus ag enwau diddorol fel *amuse bouche*. Dros bryd amheuthun tynnu-dŵr-o-ddannedd, dechreuodd Rhiannon ac Ed ddod i adnabod ei gilydd yn well. Soniodd Ed am ei ysgariad, a'r clwyfau emosiynol a gawsai yn sgil anffyddlondeb Angela. Datgelodd Rhiannon hithau mor anodd fu diosg ei chariad tuag at Rob. A'i dolur a'i dadrith.

'Ia,' meddai Ed. 'O leia doedd gin i ddim memento bach byw o

Angela. Fedra i ddallt nad oedd hi ddim yn hawdd i ti anghofio'r gorffennol.'

'Ma Eira yn tynnu ar ôl Rob, yn 'i golwg ac yn 'i donia a'i diddordeba. Ond ma gin i feddwl y byd ohoni. Does gynni hi ddim help am dwyll 'i thad.'

Estynnodd Ed ei law ar draws y bwrdd a gwasgu llaw Rhiannon.

'Coffi? Neu *liqueur* bach tra bydda i'n ca'l coffi? I neud yn siŵr 'mod i'n sobor i fynd â chdi'n ôl i Gae Aron.'

'Pam lai? Tia Maria, os ca' i plis.'

O ddiwedd Hydref, roedd y noson yn annhymhorol o fwyn, ac eisteddodd y ddau yn y lolfa haul yn edrych allan dros y bae i yfed eu diodydd. Ar wyneb y môr taflai'r lleuad llawn lwybr o arian. Wrth i'r ddau fwynhâi'r olygfa a'r heddwch, cyrhaeddodd llais fel taran i'w clyw.

'O na!' meddai Rhiannon. 'Perchennog y lle 'ma. Mae o fel brenin yn dŵad i arolygu 'i deyrnas bob hyn a hyn. Mi fydd isio gwbod sut dwi'n dŵad ymlaen hefo'i wefan o.' Ar y gair hwyliodd Peter de Bruno i mewn i'r lolfa.

'Why, Reeannun! I didn't know you were in. Why didn't you let me know? I'd have made sure you were well looked after.'

'We have been, thank you,' meddai Rhiannon. Gwelodd De Bruno'n taflu golwg ar Ed, a chyflwynodd y naill i'r llall. Braidd yn ochelgar, cyfarchodd y ddau ei gilydd. Yna ffarweliodd De Bruno â hwy heb sôn gair am y wefan. Penderfynodd Ed fynd i dalu tra byddai Rhiannon yn cyrchu ei chôt, yna aethant am y car, oedd wedi ei barcio yng nghefn y gwesty.

'Ym...wyt ti'n gneud lot o waith i'r boi De Bruno 'na?' gofynnodd Ed rai munudau'n ddiweddarach wrth oedi yn y maes parcio i gymryd un cip olaf ar yr olygfa dros y môr.

'Dim ond y wefan. Dwi bron â'i gorffan hi.'

'Da iawn. Dim rhaid i ti weld llawar arno fo eto felly.'

'Be?' Rhoes Rhiannon ryw chwerthiniad bach.

'Mae o'n dy ffansïo di, 'tydi?'

'Paid â malu!'

'Ydi mae o. A…fedra i ddim godda i neb arall dy ffansïo di.' Gafaelodd Ed am ei chanol a'i thynnu tuag ato, cyn ei chusanu, yn ysgafn i ddechrau, yna'n nwydus.

'Ed, 'dan ni reit yng ngolwg y gwesty…a dan y lamp 'ma,' meddai Rhiannon pan gafodd gyfle i gymryd ei gwynt.

'Dwi'n gwbod. A gobeithio bod y diawl wedi gweld!' Chwarddodd Rhiannon. 'Ddoi di allan hefo fi eto? Nos Sadwrn?'

'Dof. Diolch am heno. Dwi wedi mwynhau fy hun.'

'A finna. Ffonia i di. Drefnwn ni rwbath.'

Fel y teithient i gyfeiriad pen lôn Cae Aron daeth car bach lliw aur i'w cyfarfod.

'Llion oedd hwnna?' gofynnodd Ed. 'Faswn i'n taeru mai o'ch lôn chi da'th o.'

I gof Rhiannon, daeth y wên fach gyfrinachol a chwaraeai ar wefusau Eira Mai yr wythnos cynt. Ond na, yn sgubor Plas Isa y bu Eira heno. A doedd a wnelo gŵr ifanc call fel Llion Oliver ddim oll â gwallgofrwydd y Dipsy Donkeys…

21

Amser egwyl fore Gwener, a'r pwl o dywydd annhymhorol yn dal i gadw'r hin yn weddol fwyn, eisteddai Eira Mai ar gwr wal isel y gwely blodau ger drws yr ysgol, yn gwylio rhag ofn i un o'r plant ieuengaf syrthio, neu i gwffas gychwyn yn eu plith. Ymunodd Meic â hi, yntau hefyd ar ddyletswydd ar yr iard.

'Y Dipsy Donkeys yn gigio nos fory, yndi?' gofynnodd.

'Ydi. Parti preifat ydi o; rhywun yn ddeunaw oed. Dwi'm yn gwbod pwy.'

'Dale Davies,' meddai Meic. 'Oedd o yn blwyddyn ni. Yn dosbarth pontio.'

'Ia?' gofynnodd Eira'n syn. 'Mae o yn *self-defence.* Fyddi di yn y parti?'

'Bydda. Dim ots gin ti, nac'di?'

'Nac'di siŵr, y lobstar gwirion!' meddai Eira. 'Pam fasa ots gin i?'

'Ia 'te. Chdi orffennodd hefo fi. Paid â poeni,' ychwanegodd dan wenu, 'dwi'n OK hefo'r peth. Ti'n cym'yd uffar o amsar hir i ffindio rhywun arall 'fyd. Tair wsnos. Ddim fel chdi, Eira Mai!'

Chwarddodd Eira.

'Bechgyn yn ormod o *distraction,* Meic.'

Difrifolodd Meic ac ysgwyd ei ben

'O'n i'n gobeithio mai *distraction* oedd gin Mam, achos bod Dad i ffwr', a na fasa fo byth yn gwbod. Ond rŵan...'

'Ddaru chi fynd i Leeds dros hannar tymor?'

'Do. Y tŷ fel tun sardîns. Oedd dim lot o *hopes* peidio ffraeo yno, ma siŵr.'

'O diar! Be ddigwyddodd?'

Cododd Meic ei ysgwyddau'n anobeithiol.

'Oedd Dad a Mam yn cysgu yn y *bedroom* cefn ochor draw i'r *bathroom,* a fi ar *bed-settee* i lawr grisia. Un noson 'nes i godi i'r toilet a fedrwn i clywad siarad isal yn *bedroom* Dad a Mam, ond pan ddois i allan na'th o methu cadw'i lais i lawr a glywis i'n blaen: "You're having it off with someone else, Karen, I can tell you are".'

'O fflipin hec, Meic! Be 'nest ti?'

'Dengid o'na. O'n i'm isio clywad.' Syllodd Meic i'r pellter am funud, cyn mynd ymlaen: 'Noson wedyn deudodd hi wrthaf fi bod hi'n amsar i fi ga'l noson mewn gwely cysurus. "You go to the back bedroom with Dad," medda hi. "I'll sleep on the bed-settee." O'n i ddim isio 'sti, Eira, ond fuodd rhaid i fi. A ddeffris i canol nos a clywad o'n sobio wrth ochor fi.' Erbyn hyn daethai dagrau i lygaid Meic druan hefyd. Dododd Eira'i llaw ar ei law ef.

'O Meic! Fues inna'n bitsh yn gorffan hefo chdi ar amsar anodd. Sorri, boi.'

'Ma'n OK. Fyddwn ni'n mynd i gwahanol llefydd ar ôl yr ha' eniwê. Os... fydda i'n dal yma tan yr ha'...'

'Be ti'n feddwl?'

'Ma Mel a fi'n cysidro ella fasa fo'n beth da i ni symud i Leeds, ca'l fflat hefo Dad, ffindio jobs bach, a mynd i *further education college* i ail-neud arholiada ni blwyddyn nesa. 'Di Mam ddim yn mynd i stopio ni mynd i *uni. No way!*'

Ar ôl yr egwyl, pan oedd pawb bron wedi mynd i'w gwersi, cerddai Eira i gyfeiriad stafell y chweched a'i meddwl ar broblemau dyrys Meic. Ni sylwodd ar Llion yn dynesu tuag ati nes clywed ei lais.

'Eira Mai, wyt ti'n rhydd y wers ola bore 'ma?'

'Y-ydw…'

'Dere i 'ngweld i 'te.' Swniai'n flin: Mr Oliver Drama oedd o'n awr, nid ei hanwylyd. Pan ganodd y gloch ar gyfer y wers olaf tuthiodd Eira i'r stiwdio ddrama.

'Dere miwn man hyn,' meddai Llion, a dilynodd Eira ef i'r storfa, lle caeodd yntau'r drws.

'O't ti'n bell ar y coridor 'na gynne fach,' meddai Oli. ''Da fe Meic, sbo.'

'Ia,' meddai Eira, heb feddwl am oblygiadau ei hateb yng ngolwg Llion.

'O'n i'n ame! O'ch chi'n dishgwl yn jocôs reit mas ar y clos 'na; yn dala dwylo'ch gilydd a phopeth.'

'Be? Ti rioed yn meddwl…? Cydymdeimlo hefo fo o'n i!'

'Rhywun wedi marw, o's e?' Yn eironig ddigon.

'Na, neb… os nad ydi priodas 'i rieni fo. O hec, Llion, anghofia hynna; ddylwn i ddim bod wedi deud. Oedd o'n gofyn i fi i gadw'i gyfrinach o.'

'Pam ti? Odi fe'n moyn i ti fynd mas 'da fe 'to?'

'Nac'di! A dwi'm isio mynd chwaith. Ond 'dan ni'n dal yn ffrindia, ac o'n i'n gwbod am 'i broblema fo adra ers cyn i ni orffan. O, pam ddiawch ma pawb yn deud 'u cyfrinacha wrtha *i*? A finna'n methu deud 'y nghyfrinach i wrth neb!'

Sylwodd Llion fod dagrau'n bygwth iro'i llygaid a difarodd iddo'i chyhuddo ar gam.

'O, yffach! Ma'n flin 'da fi fod yn grac 'da ti, bach. Ond o'n i'n berwi o genfigen pan weles i chi mas 'na…'

'Ia. Cenfigennus oeddwn inna hefyd yn y Wavecrest y tro 'na. Ond…dwi'n teimlo bod y cyfrinacha 'ma'n dechra mynd yn faich.'

'Cyfrinache pwy yw'r rhain?'

'Meic, Sioned, Guto…Fflipin hec Llion! Fiw i mi ddeud! Ac ar ben pob dim, dyna'n cyfrinach ni'n huna'n! Weithia ma 'mhen i fel tasa fo ar fin byrstio. Dwi'm 'di arfar celu petha ond ma *rhaid* i mi fod yn driw i ffrindia sy'n ymddiried yno' fi. Ac yn bwysicach na dim, ma rhaid i mi fod yn driw i ti! Dwi *isio* bod yn driw i *ti.*' Yno, yn storfa gaeedig y stiwdio ddrama, cysurodd Mr Llion Oliver ei ddisgybl drwy ei chusanu'n danbaid ac yn drylwyr.

Ar ôl siwrnai ddidrafferth o ogledd Cymru i dde Lerpwl, cyrhaeddodd y Mazda MX5 swyddfa cyfreithiwr Mrs Marjorie Strong. Ni fu problem i barcio'r car gan fod digon o le yn libart yr adeilad, ond stori wahanol fu trosglwyddo'r hen wraig o'r car i'r tŷ. I ddechrau roedd ei chymalau wedi cloi o ganlyniad i eistedd am awr a hanner o daith. Yna bu raid i Rhiannon ei halio hi a'i phengliniau anystwyth i fyny hanner dwsin o risiau at y drws. Dylai twrnai, o bawb, wybod y rheolau ynglŷn â mynediad i'r anabl. A hwythau hanner y ffordd i fyny'r grisiau, agorodd y drws a chawsant ar ddeall gan y dderbynwraig fod ramp newydd sbon i'w chael ger drws yr ochr.

'Oh, I'm halfway up now,' meddai Mrs Strong yn llon. Daeth y dderbynwraig i'w cynorthwyo, a chydag un bob ochr i'r hen wraig llwyddwyd i'w llusgo'n ddianaf i mewn i'r tŷ. Wedi iddyn nhw eistedd mewn dwy gadair esmwyth a chael paned o goffi bob un, rhoddodd Mrs Strong ei chyfarwyddiadau i Rhiannon.

'Now then, my dear, I've booked an hour with Mr Galsworthy and I hope you won't be bored. You may stay here if you wish, but just so that you know, down the road there's a street of shops. Perhaps you'd prefer to entertain yourself there?'

I'r stryd yr aeth Rhiannon. Yno temtiwyd hi gan siop ddillad lle prynodd sgert a blows, a siop bapurau lle cafodd gwpwl o gylchgronau ar gyfrifiaduro; comics Mam, chwedl Eira Mai. Yna aeth i gaffi am baned arall a chael golwg ar gylchgrawn tra oedd hi'n disgwyl. Wrth deithio wedyn yn y Mazda tua Chaer, edrychai Mrs S yn hynod o hapus. Bore da o waith, meddai: trefniadau ei hangladd i gyd yn barod, a hithau'n dawel ei meddwl. Angladd? gofynnodd Rhiannon yn syn. Fyddai dim angen y rheini am sbel, gobeithio.

'Who knows when, my dear?' meddai Mrs S. Roedd hi'n wyth deg tri eisoes, a neb i ofalu am ei chladdu. Ond bellach, dyna'r twrnai'n gwybod ei dymuniadau i gyd, a hithau wedi rhoi enw trefnwr angladdau yn Llanwenoro iddo. 'And as Mr Ellis in the next flat always rings me at nine o'clock every morning, he'll know that something is wrong if I don't answer, you see.' Oedd wir, roedd popeth dan reolaeth.

Wedi cyrraedd Caer, mynnodd Mrs Strong fynd â Rhiannon i westy pedair seren i gael cinio: cinio ysgafn, wrth gwrs, heb ddiferyn o alcohol, â Rhiannon eisiau gweithio a gyrru'r car yn y prynhawn. Ond…ym…fyddai ots gan Rhiannon petai hi Mrs S yn cael diferyn bach dros y galon? Dim o gwbl, atebodd Rhiannon, ac archebodd Mrs Strong jinsen – un fawr…

Ar ôl i Rhiannon hithau orffen ei dyletswyddau, cychwynnwyd adref tua phedwar, a disgwyliai Rhiannon gyrraedd cyn hanner awr wedi pump. Ni welai Eira Mai: oherwydd taith ei mam i Lerpwl a Chaer, gyda'i nain yr oedd Eira wedi gwneud ei threfniadau ynglŷn â'r trip i'r theatr, ond byddai ei mam ar gael i'w chyrchu adref ar ddiwedd y dydd. Yn sydyn, ar ôl cyfnod eithaf hir o ddistawrwydd o du ei theithwraig, torrodd llais Mrs Strong ar draws ei myfyrio.

'D'you know, Rhiannon, I've had *such* a good day. And one of the things I've enjoyed most is the ride in this racy car of yours! Shame it's not summer. I'd love to have the top open and to feel the wind in my hair.' Dododd Rhiannon ei throed ar y brêc yn syth: oedd hi'n goryrru?

'Oh, please don't slow down! I love the speed,' meddai Mrs S. 'It reminds me of my youth. My husband Andrew had a Morgan then and we had a high old time racing around the countryside in it. They were good days, those.'

Sawl sioc arall oedd gan yr hen wraig iddi? Oedd pawb yn mynd yn fwyfwy honco wrth fynd yn hen? Wrth iddynt agosáu at Gyffordd Llandudno dechreuodd Mrs Strong deimlo awydd am doiled, ac arhosodd Rhiannon ym maes parcio Tesco iddi gael defnyddio cyfleusterau'r archfarchnad. Ar eu ffordd yn ôl i'r A55 edrychai Mrs S o'i chwmpas fel barcud.

'Oh! Is that a cinema?' gofynnodd.

'Yes, there a multiplex here,' atebodd Rhiannon.

'Oh...Rhiannon, my dear, are you in a dreadful hurry to get home? It's just that...I've had this sudden desire to see a film. It would end a wonderful day so delightfully. We could have a bite to eat before we go in.'

O be wna i? meddyliodd Rhiannon. Dydi hi ddim wedi blino? Dyna pryd y sylweddolodd y rheswm dros ddistawrwydd Mrs S ychydig ynghynt: Huwcyn oedd wedi ei choncro. A'r jin mawr, efallai: pwy a wyddai pa mor hir y parhâi effaith swig o'r fath ar hen ledi? Ac ar ôl ei chyntun, dyma hi'n barod am noson ar y teils! O wel, dim ond gobeithio y gallent gyrraedd adref o flaen Eira Mai.

'We'll go and see what's on then,' meddai Rhiannon, 'but as for a meal, I think there's only places like Kentucky Fried Chicken or...'

'Macdonald's!' meddai Mrs S. 'I've never had a Macdonald's!'

Heb fod ymhell iawn o'r sinema, treuliodd cryn ddeg ar hugain o blant, dau athro ac un athrawes o ysgolion Gwenoro, Daniel Edwards a Maes Gwenith fin nos yn gwylio *Twelfth Night* yn y theatr. Mwynhaodd Eira Mai'r perfformiad yn aruthrol, yn enwedig gan iddi lwyddo i sicrhau sedd wrth ochr ei hathro, yn y rhes y tu ôl i fwyafrif y disgyblion. O dro i dro, pan fyddai angen sylwi'n benodol ar rywbeth a ddigwyddai ar y llwyfan, dôi'r pen melyn a'r pen du yn bur agos at ei gilydd wrth i Mr Oliver sibrwd yng nghlust ei ddisgybl. Yr ochr arall i Eira eisteddai Guto, dyn ifanc sylwgar, na chollai lawer o ddim a ddigwyddai o'i gwmpas. Yn ystod egwyl yn y ddrama winciodd ar Eira Mai.

'Ti'n ca'l ffafriaeth, Eira Mai. Syr yn pwyntio petha allan i ti.'

'Mi ddeudith o wrth bawb yn y gwersi, 'sti.'

'Ond bod amball un yn ca'l sylw *personol,* ia? Sylw…*agos*…' Winciodd. 'Paid ti â phoeni, Eira Mai, ddeuda i ddim gair. Dallt 'yn gilydd tydan, chdi a fi?'

''Toes 'na'm byd i' ddeud, Gits!'

'OK. *I'll believe you – thousands wouldn't!*'

Dechreuodd Eira Mai bryderu. Os oedd Guto wedi sylwi bod Llion a hithau'n closio, faint chwaneg o bobl allai eu hamau? Ar y llaw arall, Guto oedd yr unig un a'u gwelai yn y gwersi. Tybed oedd y ddau wedi eu bradychu eu hunain rywfodd? Yn y bws ar y ffordd adref eisteddodd Eira wrth ochr Guto, oedd wedi ymsuddo i'r sêt gefn ymhell y tu ôl i bawb arall.

'Ddaru chdi fwynhau'r ddrama, Gits?'

'Do. Dwi'm yn rhy *keen* ar Shakespeare ond ma *Twelfth Night* mor ddoniol. Dim isio gofyn ddaru chdi 'i mwynhau hi, nag oes?'

'Pam wyt ti'n deud hynna?'

'O, cym on, Eira Mai! Ma'ch llgada chi'ch dau'n siarad cyfrola bob tro dach chi'n gweld 'ych gilydd.' Rhoes Eira'r gorau i bob ymdrech i gadw wyneb.

'O ddifri?' gofynnodd yn betrus.

'O ddifri, yn y dosbarth. Cofia, dwi'n dy nabod di'n well na llawar o bobol, ffrindia ers oeddan ni'n dair oed. Jest gwatsiwch 'ych huna'n o flaen pobol er'ill!'

'Diolch i ti am ddeud. Ma'n gneud i mi sylweddoli pa mor ofalus ma isio bod.' Winciodd ar Guto. 'Fyddi di'n ôl ffor'ma nos fory eto, Gits.'

'Bydda. Dwi'n ffycin nerfus, Eira Mai! Ma hyn yn *virgin territory* i mi.'

'Ma dechra i bob dim, 'sti.'

'Fel gwyddost ti, ia?' Cododd Guto'i aeliau dan wenu.

'Dwi 'di deud cymaint â dwi *am* ddeud, Guto Guest!'

Chwarddodd Guto, cau ei lygaid, a gwneud clustog o ysgwydd Eira Mai. Caeodd Eira'i llygaid hefyd. Toc, clywodd sŵn peswch uwch ei phen. Yno safai Oli, a golwg gellweirus arno.

'Faint o ddynon 'yt ti isie mewn un diwarnod, Eira Mai?' gofynnodd.

'Ym…'di blino. Deffra, Gits,' meddai Eira. Rhoes bwniad i Guto a rhochiodd hwnnw cyn codi ei ben oddi ar ei hysgwydd.

'Sorri, Mr Oliver. O'n 'im yn trio'i dwyn hi, wir-yr!'

Aeth Eira i'r pot yn lân.

''Di o…ddim 'di deffro'n iawn, syr…'

'Grondwch, fyddwn ni'n mynd gatre drwy Brynie: ar yr hewl 'na ma mwyafrif y disgyblion yn byw. Fel ewch chi o Lanwenoro?'

'Wn 'im fydd Mam adra, oedd hi'n mynd i Lerpwl a Chaer heddiw.'

'Reit, roia i lifft, i ti, Eira. Ac i ti a Gwennan, Guto.'

'Wyt ti'n siŵr o fod wedi blino, Gwennan fach,' meddai Llion wrth chwaer bedair ar ddeg oed Guto wrth iddynt gychwyn o'r Llan. 'Gatre mor glou â phosib, ife?' Gyrrodd yn syth i Fryn Eithinog, gan roi rhwydd hynt iddo'i hun i gadw Eira Mai hyd yr olaf. Pan gyrhaeddodd y gilfan hwylus honno, er hwyred yr awr, troes y Saxo i mewn i gysgod y llwyni. A'r noson honno, ar ôl camddealltwriaeth y bore, twymodd y cusanau a chrwydrodd y dwylo ac anwesodd y bysedd nes dod â rhyddhad.

'O, Eira Eira Eira.' Swniai Llion yn floesg ac yn fyr ei wynt. 'Fi isie ti'n iawn. Ond nage miwn Saxo – blydi bocs matsys!' Chwarddodd Eira. 'Alli di weud bod ti'n aros 'da rhywun nos fory ar ôl y gìg? Mererid? Sioned?'

'Alla Mêr ollwng y gath o'r cwd – o bwrpas, ella. Fasa Sions byth yn sbragio ond mi fasa'n 'yn holi fi'n dwll!' Cysidrodd am foment. 'O hec! Dwi'm yn lecio'r clwydda 'ma. Ma isio bod yn glyfar i beidio ca'l 'y nal.'

'Wela i di yn y ganolfan hamdden yn y bore?'

'OK. 'Na i feddwl am hyn. Ond well i ni beidio bod yng nghwmni'n gilydd ormod. Ma…ma Guto wedi'n sysio ni."

'Yffarn! Shwt?'

'Y ffor 'dan ni'n edrach ar 'yn gilydd, medda fo. Ond paid â phoeni. Ddeudith o ddim gair. Dw inna'n gwbod rwbath amdano fo hefyd.'

'Ti'n hwyr,' meddai Rhiannon pan gyrhaeddodd Eira adref.

'Ddaethon ni adra trwy Brynia,' meddai Eira. 'Gafodd Gits a Gwens a fi lifft o Llan.'

'O'n i'n gwbod dy fod di'n saff neu mi fasat wedi ffonio. Does fawr ers pan ddois inna adra – Mrs S yn mynnu ca'l Macdonald's a mynd i'r pictiwrs.'

'Fflipin hec!' meddai Eira. '*High life*! Be welsoch chi?'

'*Mamma Mia*! Yn 'i ôl *by popular request* am tua'r canfad tro, dwi'n siŵr. Yli, dos i dy wely. Fydd gin ti noson hwyr eto nos fory. Sut doi di adra?'

'Tacsi. Os na cha' i aros efo rhywun.'

'Ia. Ym…paid â dibynnu arna i…'

'Pam?' Yna ar amrantiad, sylweddolodd Eira oblygiadau'r sefyllfa. 'Mam! Am esiampl i dy ferch!' Ond tystiai ei llais a'i llygaid mai smalio-bach oedd y sioc. Gwenodd Rhiannon. Yna difrifolodd.

'Eira…oes ots gin ti?'

'Nag oes. Dwi wedi dŵad dros hynna rŵan. Pob lwc i ti.'

'Does wbod pwy o dy ffrindia ditha ddaw i'r gìg 'na. *Ffrindia* ddeudis i, cofia. Ma'r syniad o *one-night stand* yn troi arna i.'

'Paid â phoeni, Mam. Ches i rioed *one-night stand*. Yn bendant, ddigwyddith hynny ddim nos fory.'

22

'Arglwydd mawr! Eira Mai, ti'n iawn?'

Agorodd Eira'i llygaid a gweld wyneb Dale Davies yn syllu'n bryderus arni. Am eiliad doedd ganddi ddim syniad ble roedd hi, yna sylweddolodd. Y dosbarth hunan-amddiffyn...ymgiprys hefo Dale...cael ei lluchio a...rhaid ei bod wedi llewygu wrth lanio ar y llawr.

'Ow! Ydw, dwi'n meddwl. Mi a'th pob man yn ddu am funud bach.'

'Fedri di godi?' Estynnodd Dale ei law iddi a'i helpu ar ei thraed. 'Ty'd i ista i lawr.' Arweiniodd Eira at gadeiriau ger pared y neuadd chwaraeon. 'Fasa'n uffar o beth taswn i 'di lladd chdi a chditha i fod i ganu yn parti etîn fi heno!'

'Fetia i fasat ti ddim wedi canslo'r parti!' meddai Eira â'i gwên lydan.

'Na faswn, siŵr dduw! Fydda i byth yn etîn eto!' Chwarddodd y ddau. Erbyn hyn roedd yr hyfforddwr wedi sylweddoli bod tro trwstan wedi digwydd a daeth atynt.

'Eira, doro'r gora iddi am bora 'ma. Wyt ti'n iawn i fynd i'r gafod?'

'Ydw,' atebodd Eira. 'Peidiwch â phoeni, dwi'n *champion*.' Cododd ar ei thraed heb unrhyw arwydd o ysictod.

'Diolch byth!' meddai Dale. 'Ga' i enjoio parti fi rŵan!'

Ymolchodd Eira dan y gawod er mwyn cael gwared â'r chwys oddi ar ei chorff, ond ni olchodd ei gwallt. Gwell peidio rhyfygu gormod ar ôl y pwl bach od yna. Gwisgodd amdani a mynd drwodd i'r caffi am ddiod, ac i ddisgwyl i Llion ymddangos ar ôl ei ymarferion yn y gampfa. Ond y gyntaf i ymuno â hi wrth y bwrdd oedd Sioned, ei gwallt yn wlyb domen.

'Haia,' meddai Sioned. '*Self-defence?*'

'Ia. Ddois i allan yn gynnar; syrthio'n gam, taro 'mhen ne' rwbath.'

'Blwmin hec, Eira Mai, fasa'n saffach i chdi nofio! Pwy luchiodd chdi?'

'Dale Davies. Wyt ti'n mynd i'w barti fo heno?'

'Ydw. Dwn 'im pam ces i wahoddiad. Dwi'm yn nabod o'n dda iawn.'

'Ti *yn* ca'l mynd allan ar nos Sadwrn rŵan, Sions? Dy fam ddim yn diflannu a gada'l chdi hefo Geth bach?'

'Na, erbyn hyn ma'r ffansi-man yn ca'l *sleep-overs* yn tŷ ni. Trwbwl mwya rŵan ydi bod fi'n clywad nhw'n…' Gwenodd Eira. Diolch am barwydydd tew Cae Aron. 'Dwi'm 'di gweld *chdi* yn Llan ar nos Sadwrn ers oes,' ychwanegodd Sioned.

'Na, dwi'm 'di bod ers tua tair wsnos.'

'Un arall dwi'm 'di weld ydi Guto…' Edrychodd Sioned yn gwestiyngar ar Eira, ond ni chafodd unrhyw oleuni ganddi. Os mynnai Sions ddodi dau a dau at ei gilydd a chreu hanner dwsin, pam lai? Gallai hynny siwtio Eira a Guto…

'Eira, ti'n dal yn oréit?' Ymunodd Dale Davies â hwy gyda chan o Red Bull yn ei law.

'Ydw, Dale, dwi'n iawn. Paid â phoeni, doedd dim bai arna chdi. Ma'r petha 'ma'n digwydd weithia. Ti allan o'r sesiwn yn gynnar.'

'Chydig bach. Isio gweld oedda chdi'n OK. Dwi isio i bob un o'r Mulod fod yna heno, 'sti. Pan fyddwch chi ar dop y *charts* yn y Merica fedra i ddeud bod chi 'di chwara yn parti etîn fi!' meddai Dale dan wenu. 'A *by the way,* fydd y parti ddim yn gorffan amsar *stop tap,* genod. Ma *oldies* fi 'di clirio allan o'r tŷ tan nos fory, so 'dan ni'n mynd acw wedyn am *rave* go iawn.'

'Reu!' meddai Eira. 'Tan pryd 'dan ni yn y Delyn? Ti'n gwbod, pa bryd geith y band orffan canu a dechra ca'l sbort?'

'Un-or-ddeg. Fasan ni'n gorfod talu mwy am y *room* ar ôl hynny. Fydd tŷ ni am ddim. Cofiwch ddŵad, OK?' Ac i ffwrdd â Dale.

'Well i fi gychwyn hefyd,' meddai Sioned. 'Gwarchod, i Mam

ga'l siopio bwyd. Dwi'n mynd i ga'l pnawn o Sbaeneg yn gymysg efo Lego.'

'Dwi am aros yn fama nes daw amsar y bỳs. Wela i chdi heno,' meddai Eira. Cafodd ryddhad o weld Sioned yn gadael, gan fod Llion newydd gerdded at y cownter. Cyfarchodd Sioned wrth iddi fynd heibio, yna daeth â'i goffi at y bwrdd.

'Unrhyw brobleme neithiwr?' gofynnodd.

'Dim. A dwi'n meddwl bydd heno'n iawn hefyd. Ma parti Dale yn cario mlaen yn 'i dŷ fo ar ôl *stop tap*. Fedra i ddeud wrth Mam bod fi'n mynd yno hefo'r giang, a deud wrthyn *nhw* bo' fi'n ca'l tacsi adra.'

'Gwych!' Disgleiriai llygaid Llion gan ragflas o'r hyn oedd i ddod. 'Fydd rhywun 'na alle dy roi di yn y caca nes mla'n tasen nhw'n siarad 'da dy fam?'

''Nes i ddim meddwl am hynny. Mererid ella. Ond os bydd hi hefo Chico neith hi ddim sylwi. Fydd hi'n rhy chwildrins i gofio eniwê. Jest gobeithio na fydd hi ddim yn rhy chwildrins i ganu! Mi fydd Sioned yno, ond dwi'n meddwl bod hi wedi cym'yd yn 'i phen erbyn hyn bod 'na rwbath yn mynd ymlaen rhwng fi a Guto!'

'O'n inne'n ame 'ny 'fyd, ar y bws neithwr!'

'Paid â malu! Ma'n *well* iddi feddwl hynny – tynnu amheuaeth odd' wrthan ni'll dau! Gyda llaw, ma Dale yn byw yn Nhraeth Gweirydd. 'Dan ni'm isio i'r lot yna dy weld di'n 'y nôl i.'

'Alli di slipo mas o'u blaene nhw? Fydde'n gneud sens i ti dreial ca'l tacsi cyn i'r criw mawr ddechre whilo am rai. Arhosa i ym maes parco'r archfarchnad.'

'OK. Ty'd yno erbyn rhyw chwartar i un ar ddeg. Yli, mi a' i rŵan, rhag ofn i rywun sy'n nabod ni ddŵad i mewn. Wela i chdi heno.'

Ar ôl y daith hir y diwrnod cynt nid oedd llawer o fywyd yn Rhiannon fore Sadwrn. Cysgodd yn hwyr, felly ni welodd olwg o Megan hyd amser cinio, gan i honno fynd i'r Llan i siopa toc ar ôl ei brecwast.

'Dynas ddiarth,' meddai Megan pan gyrhaeddodd adref gyda bageidiau o neges. 'Heb dy weld di ers echdoe. Lle buoch chi mor hir neithiwr?'

'Yn y pictiwrs, coeliwch neu beidio. Mi oedd y ddynas 'na fel ebol blwydd erbyn tua chwech o'r gloch. Fasa hi wedi mynd i barti gwyllt tasa 'na un ar ar ga'l.'

'Brenin y bratia a'i draed drwy 'i sgidia! Ar ôl y fath siwrna yn 'i hoed hi? Mi es i i'r cae sgwâr tuag wyth i edrach ar DVD o *Pride and Prejudice.*'

'O! Oes 'na siawns ca'l 'i menthyg hi heno, plîs?'

'Oes tad. Am ga'l noson bach gartrefol dach chi'ch dau?' Amneidiodd Rhiannon dan hanner gwenu. 'Yma 'ta yno?'

'Yno.'

'Fydd Eira adra? Chydig ma hi'n grwydro ers i Meic ddiflannu o'i bywyd hi.'

'Ma'r band yn chwara mewn parti deunaw oed yn y Llan.'

'Ddaw adra cyn y bora, debyg. Ddoi *di* adra?' Teimlodd Rhiannon ei hun yn gwrido. Â hithau'n ddeugain oed! 'Oréit. Hola i ddim chwanag.' Ar hynny agorodd y drws a bownsiodd Eira Mai i'r tŷ heb unrhyw ragymadrodd cymdeithasol.

'Ma'r parti pen-blwydd heno'n mynd yn 'i flaen yn nhŷ Dale Davies ar ôl i'r Delyn gau. Nawn ni i gyd gysgu hyd lawr.' Ac meddai Megan:

'Dim rhyfadd 'mod i'n dechra teimlo fel taswn i'n byw ar fy mhen fy hun yn fama.'

'Gwranda ar hyn, Rhiannon: "The seemingly unpredictable chaos of crisis-prone families…seems to occur in cycles." Y patrwm o fewn y *chaos*, ti'n cofio?'

'Ydach chi'n trio deud bod 'yn teulu ni yn "crisis-prone"?'

'Faswn i ddim yn deud 'yn bod ni'n hollol ddigymhlethdod, fasat ti? Mi gafodd 'y mywyd i 'i yrru i gyfeiriad hollol wahanol i'r hyn o'n i isio.'

'Mam…dwi'n gwbod bod ca'l 'ych amddifadu o addysg wedi

'ffeithio'n ofnadwy arnach chi, ond ddim dyna'r unig broblam, naci? Ges i deimlad...Fuoch chi ddim...ddim wir yn hapus hefo Dad, naddo? Dyna un rheswm pam...'

'Pam wyt ti wedi methu setlo hefo neb?'

'Am wn i. Mi oedd rhaid iddo fo fod y dyn iawn.'

'Ma hi'n bwysig bod yn siŵr. Ches i fawr o ddewis. Dy dad neu neb oedd hi erbyn hynny, a mi ddylwn fod wedi sylweddoli nad oeddwn i ddim wedi 'nhorri allan i fod yn wraig ffarm chwaith. Sorri, f'aur i...Mi oeddat ti'n fêts mawr hefo dy dad.'

'Mae o *yn* brifo. Ond fedar hynny ddim newid 'ych teimlada chi.'

'Fy nheimlada i at fy nhad fy hun sy wedi newid yn sgil darllan am y *chaos theory* 'ma. Fo a'i syniada henffasiwn am addysg merchaid ddaru ddechra gneud stomp o 'mywyd i, ia, ond tasa Mam heb farw mor ifanc...'

'Ddim rhyw *fymryn* oedd marwolaeth 'ych mam. Ddim *butterfly effect.*'

'Naci, ond mi chwifiodd yr hen löyn byw 'na'i adenydd pan ddaru'r un gell fechan honno yng nghroth Mam fynd yn ddrwg. Tasa'r gell yna wedi bod yng ngwddw Mam, ne' yn 'i stumog hi, ne' ar 'i chroen hi – rwla heblaw 'i chroth hi – mi fasa wedi mynd at y doctor yn syth. Ond hefo symtoma fel gwaedu ne' rwbath felly i lawr yn fanna, fedra hi ddim wynebu sôn amdano fo wrth na meddyg na neb arall. Felly roedd petha yn y cyfnod yna, ti'n gweld. Rhyw oedd y tabŵ mawr.'

'Felly dach chi'n olrhain yr hyn dach chi'n 'i weld fel llanast, neu arallgyfeirio'ch bywyd, yn ôl i agwedd yr amsera tuag at ryw?'

'Yn y pen draw, ydw. Ac wrth gwrs, fel yn y *chaos theory* mi ddaru'r patrwm 'i ailadrodd 'i hun yn dy fywyd di. Erbyn dy ieuenctid di mi oedd yr agwedd wedi newid. Doedd o'n ddim byd gynnoch chi gysgu hefo'ch gilydd erbyn hynny.'

'Oedd, mi oedd o, Mam! Ddim ar chwara bach...Mi o'n i'n caru Rob.'

'Ddim dy gondemnio di ydw i, Rhiannon. Dim ond gneud pwynt fod agwedd yr oes erbyn hynny yn fwy agorad, ac yn derbyn rhyw cyn priodi. Ac yn digwydd bod, mi dda'th hynny ag anhrefn i dy fywyd ditha.'

'Mi dda'th â rwbath *annisgwyl* i 'mywyd i, do, ac ella mai yn Silicon Valley baswn i oni bai am fodolaeth Eira Mai. Ond fy *newis i* oedd dŵad adra i fyw hefo Eira, yn hytrach na mynd i ffwr a cha'l nanni iddi. A 'newis i oedd cysgu hefo Rob. Taswn i ddim isio, faswn i ddim wedi gneud, dim ots be oedd agwedd y cyfnod.'

'Ella mai pan benderfynodd Rob ddŵad i Fangor y chwifiodd y glöyn byw 'i adenydd yn dy fywyd di.'

'O Mam! Anghofiwch y *chaos theory* 'ma,' ebychodd Rhiannon. Roedd hi wedi cael hen ddigon ar löynnod am y tro.

'Oréit. Ond y cwbwl fedra i ddeud ydi, diolch bod Eira Mai wedi ca'l llonydd gin y blwmin glöyn byw 'na! Gobeithio na neith o byth chwifio'i adenydd yn 'i bywyd *hi*.'

Nid aeth Rhiannon draw am swper hefo Ed wedi'r cwbl y noson honno. Gydag Eira Mai'n perfformio yn y Delyn Aur, a'i mam, yn ôl pob golwg, yn dechrau teimlo'n anesmwyth o gael ei gadael ar ei phen ei hun dros nos, ffoniodd Ed i'w wahodd i Gae Aron yn lle hynny.

'Dwi'n mynd, Mam.' Troes Rhiannon oddi wrth y ffôn i weld Eira Mai yn sefyll yno yn ei sgert gwteuaf a'r top gwyrddlas na rôi lawer o loches i'w bronnau.

'Oes gin ti rwbath i'w roi dros y mymryn top 'na? Mi wyt ti'n mynd i fod...'

'Yn secsi?' Gwenodd Eira'n ddireidus.

'Yn oer! Anweddus fasa dy nain yn ddeud. Doro gôt iawn amdanat.'

'Does neb yn gwisgo *côt* i fynd i *barti*, Mam!'

'Eira, ma hi'n ddechra Tachwedd. Mi fyddi'n drymgla o'r annwyd wsnos nesa os na challi di.'

'OK.' Estynnodd Eira'i chôt ledr-ffug, yna cododd gâs ei

sacsoffon a chydio mewn bag a gynhwysai ei hesgidiau sodlau uchel. 'Dwi'n dal bỳs chwech. Fyddwn ni isio gneud *sound checks* a ballu. Wela i chdi fory.'

Ryw awr yn ddiweddarach, cyrhaeddodd Ed gyda phrydau Indiaidd a chaniaid o lagyr bob un ar eu cyfer. Ar ôl gwledda, swatiodd y ddau ar y soffa i wylio *Pride and Prejudice,* gan atalnodi'r ffilm â chusan o dro i dro. Ond wedi i'r ffilm ddod i ben, tua hanner awr wedi deg, daeth ansicrwydd dros y ddau. Beth oedd y disgwyliadau? Doedd gan y naill na'r llall ddim mwy o glem na phlant tair ar ddeg. Yn yr oes oedd ohoni, mwy na thebyg fod gan y rheini well syniad na dau ganol oed yn dechrau o'r newydd ar y busnes caru yma.

'Well i mi 'i throi hi, ma'n siŵr,' meddai Ed o'r diwedd.

'Ia. Ym... be am y car? Y lagyr 'na?'

'Dwi ddim yn meddwl 'mod i drosodd hefo un can. Er... dwi ddim o ddifri'n gwbod faint sy'n mynd â rhywun dros y terfyn.'

'Ella... basa well i ti aros 'ta.' Teimlodd Rhiannon ei hun yn ffwndro ac yn cochi. 'Mae 'ma lofft sbâr a... wel... ma llofft Eira'n wag heno hefyd...'

'Wela i.' Gafaelodd Ed amdani, ei lygaid gleision direidus yn chwerthin i'w llygaid hi. 'Finna'n meddwl 'mod i'n ca'l gwahoddiad i rannu d'un di.'

'Os mai dyna wyt ti isio...'

'O-o-o dyna dwi isio!' Dechreuodd ddatod botymau ei blows yn hamddenol dan ei llywio tua'r drws i'r cyntedd. 'Ffor'ma ma'r grisia, o be dwi'n gofio...'

Erbyn iddynt gyrraedd y llofft roedd y flows wedi ei diosg, a'i bronglwm a'i sgert wedi eu datod. Tynnodd Ed y cwrlid oddi ar y gwely, yna cododd hi yn ei freichiau mor rhwydd â phe bai'n bluen a'i dodi ar y fatres, cyn gorwedd wrth ei hochr. 'Ty'd, helpa fi i ga'l gwarad â'r dillad 'ma.'

Datododd Rhiannon fotymau ei grys a diosgodd yntau'r dilledyn. Yna'n fodiau i gyd aeth hithau ati i ymbalfalu â belt ei drowsus, a'r botymau ar ei wasg, ond wrth weld y chwydd dan y deunydd daeth swildod drosti a nogiodd cyn agor ei *zip*. Swildod…? Ynteu ofn oedd o? Chwarddodd Ed a diosg gweddill ei ddillad ei hun.

'Uffar o beth 'di bod allan o bractis 'te!'

'Ed…sorri…ma…deuddag mlynadd…ers y tro dwytha…'

'Ma tair i minna, ond paid â phoeni – dwi *yn* cofio be i' neud…' Ac aeth ati i brofi hynny mor dyner a chelfydd nes peri i Rhiannon raddol anghofio'i hansicrwydd a'i swildod a'i hofn a llwyr ymgolli mewn pleser. Dan riddfan ei fodlonrwydd, gorweddodd Ed yntau'n ôl am ysbaid, cyn ei godi ei hun i orffwys ar ei benelin a syllu i lawr ar Rhiannon. Plygodd drosti a'i chusanu'n hir.

'Dwi mor falch 'yn bod ni wedi cyfarfod. O'n i'n meddwl na faswn i byth yn medru mentro rhoi 'nghalon i neb eto.' Tynnodd Rhiannon ei ben i lawr ati a'i gusanu'n ôl.

'Dw inna'n falch hefyd,' meddai. Ond yna'n hollol annisgwyl i Ed daeth arswyd i'w llygaid. 'O! Ed…! Doedd gynnon ni ddim…ddaru ni ddim…'

'Be…? O, oes gin ti ofn 'yn bod ni wedi creu ail Eira Mai? Paid â phoeni, dwi wedi ca'l y snip ers blynyddoedd. Doedd Angela ddim isio plant.' Caeodd Rhiannon ei llygaid mewn rhyddhad; yna gwenodd.

'Mi fuo gin i gwpwl o gariadon ar ôl Rob, ond ddaru mi ddim ymgolli cymaint nes anghofio cymryd gofal ers noson cenhedlu Eira Mai. Ddim tan heno.'

'A ma hynna'n ddeud mawr. Mae o'n profi rwbath, Ms Huws. Yn bendant mae o'n profi rwbath.'

'Ydi. Ond diolch i'r drefn dy fod di'n fwy cyfrifol na fi. Er cymaint dwi'n caru fy merch, ma un Eira Mai'n fwy na digon!'

Tynnai'r parti yn y Delyn Aur tua'i derfyn. Erbyn hyn, canai'r band eu cân olaf – un araf. Gwelodd Eira fod Meic yn dal gyda Sioned: buasai'r ddau hefo'i gilydd o'r dechrau bron, ac erbyn y ddawns olaf hon rhoent yr argraff o fod yn un cwlwm clòs. Roedd y Bellamies wedi cael noson ardderchog, gan fod Melissa a Rhodri wedi copio off hefyd. Gwelsai Eira hwy'n dawnsio gyda'i gilydd drwy'r cyfnod y bu'r DJ'n troelli, a bellach safai Melissa o flaen y llwyfan, yn syllu'n addolgar ar Rhodri, ac yn ei ffilmio ar ei ffôn. Allai dwy egin garwriaeth roi'r farwol i'r syniad o symud i Leeds?

Ni theimlai Eira mor hapus ynglŷn â Mererid Wyn: roedd honno'n llawer rhy sobor! Y peth diwethaf a fynnai oedd i Mererid fod ddigon o gwmpas ei phethau i gofio nad yn nhŷ Dale Davies y treuliodd Eira'r noson, rhag ofn iddi agor ei cheg wrth ei mam. Doedd ganddi ond gobeithio y byddai myfïaeth Mererid yn peri iddi anwybyddu pawb ond hi ei hun a'i hannwyl Chico. Hongian o gylch gwddw hwnnw fel mwclis oedd ei diléit pennaf, felly hwyrach y dôi ei hobsesiwn â dihangfa i Eira. Penderfynodd Eira mai'r peth doethaf iddi ei wneud fyddai diflannu'n dawel heb ddweud gair wrth neb. Dododd ei sacs yn ei gâs, yna aeth i'r lle cadw cotiau i nôl ei siaced a'r bag lle gadawsai ei hesgidiau cerdded. Newidiodd o'i sodlau uchel, a chripian i lawr y grisiau'n ddistaw yn ei gwadnau rwber. Allan yn y stryd, brysiodd i gyfeiriad yr archfarchnad lle disgwyliai Llion amdani. Cyn i neb o'r rafins eraill ddod allan o'r Delyn Aur, roedd y Saxo hanner ffordd i Draeth Gweirydd.

'Gwin?' gofynnodd Llion ar ôl cyrraedd. ''Yt ti mor sobor â santes.'

'Santes ydw i!' meddai Eira, gan afael am ei ganol a dodi ei dwylo dan ei grys i anwesu ei gefn. 'Un sy'n ysu am golli 'i sancteiddrwydd. Ty'd!' Gafaelodd yn ei law a'i lusgo i fyny'r grisiau. 'Hon 'di'r llofft?'

Ar amrantiad, dechreuodd dillad dasgu i bob cyfeiriad. Yn noethlymun groen neidiodd y ddau ar y gwely a chusanu'n chwilboeth tra prysurai'r dwylo a'r bysedd â'u gwaith pleserus, ond cyn i'r caru gyrraedd pwynt di-droi'n-ôl yr uno, gwthiodd Eira Llion oddi wrthi.

'Lle maen nhw? Condoms?'

'Yn y drâr ar dy bwys di. Hasta, fenyw!' Ymbalfalodd Eira yn y drôr; tynnodd sach allan o'i amlen fechan a gwasgu'r aer allan o'r swigen ar ei blaen, yna gyda bysedd celfydd dododd hi yn ei le.

''Yt ti'n barod i fi…?'

'Mymryn bach eto…i fyny dipyn…O! O!! Rŵan! Ty'd…ty'd…'

Hergydiodd Llion ei hun i mewn iddi, ac wrth iddo hyrddio yn ei herbyn cynyddodd pleser y ddau nes ffrwydro'n ddygyfor o dân gwyllt drwy eu cyrff.

23

Fel y cerddai Eira Mai drwy'r giât i libart yr ysgol fore Llun, clywodd sŵn rhedeg.

'Eira, aros!' Sioned oedd yno, a'i gwynt yn ei dwrn. 'I le est ti nos Sadwrn?'

'Fedrwn i'm aros ddim hirach. Y sgeg 'na yn y bora…'

'O, ia. Oeddat ti fel bechdan, ma'n siŵr, rhwng hynny a'r canu. O'n i ofn ella bod ots gin ti…bod chdi ddim yn lecio…ti'n gwbod, Meic a fi…' Gwenodd Eira.

'O Sions! Siŵr iawn doedd dim ots gin i! Ma hynna drosodd. Pob lwc i chi!'

'Diolch byth! Dwi'm isio colli chdi fel ffrind.' Edrychodd Sioned yn swil. 'Dyna pam ces i wahoddiad. Dale yn setio fi fyny efo Meic. Meic 'di gofyn iddo fo.'

'Trystio Bellamy! Ofn trio copio off hefo chdi'n sobor, ma siŵr. Oedd o'n reit chwil tro cynta gofynnodd o i fi hefyd!'

Chwarddodd y ddwy.

'Eniwê, gin ti Gits rŵan 'does? Fasa'r parti ddim hwyl i ti hebddo fo.'

'N-na…' dechreuodd Eira'n ochelgar. Wyddai Guto ddim oll am gasgliadau Sioned am y ddau ohonynt. Byddai angen ei rybuddio. Ond cyn iddi gael cyfle i roi ei throed ynddi mewn unrhyw fodd aeth Sioned ymlaen.

'Oedda chdi'n blincin lwcus na 'nest ti ddim dŵad i dŷ Dale. Fuo 'na *raid*! Rhywun wedi deud wrth y cops basa 'na ddrygs yno.'

'Argol fawr! Oedd 'na?'

'Oedd. Y boi newydd 'na yn y band, gwallt sbeics, *squeeze* Mererid Wyn, hwnnw oedd y *pusher*. Ga'th o gop hefo llwyth o "E"s arno.' Dyna pam roedd Mererid mor sobor felly, yn yfed galwyni o ddŵr potel yn y gìg.

'Gafodd Mererid gop?'

'Mi oedd gynni hi ryw un arni. A Dale a'i gariad, a rhyw ffrindia iddo fo. Mi oedd pawb arall o'r band yn glir. Ac o'r ysgol.'

'Diolch byth! Ond Sioned, be sy 'di digwydd i'r rhai gafodd 'u dal?'

'A'th y cops â nhw odd'no. Dwi'm yn gwbod dim mwy. O'dd Meic yn deud laddith tad Dale fo. Dyn mawr efo'r Masons, efo'r tŷ crand 'na ar y prom: fo pia cwmni bildars Davies. Meddwl bod o'n "cream of Llanwenoro society", yn ôl Meic!'

'Wps! Gas gin i feddwl sut bydd hi ar Mêr hefyd. Sgwn i geith hi 'i hel o'r ysgol? Fasa'n bechod a hitha hefo dim ond chydig i fynd nes bydd hi'n gada'l. Ond Sions, be ddigwyddodd ar ôl y *raid*? Gafoch chi'ch troi allan yn oria mân y bora?'

'Naddo. Mi oedd chwaer fawr Dale a'i chariad yno, felly gafon ni aros yno i gysgu, achos doedd nelo hi ddim byd â'r cyffuria. Mi stopiodd y parti, elli fentro!'

Ar hynny, canodd y gloch ar gyfer y gwasanaeth a sgrialodd Sioned am y neuadd lle roedd i fod ar ddyletswydd. Cerddodd Eira'n fwy hamddenol y tu ôl i'r plant ieuengaf, ei meddwl yn prysur bwyso a mesur y newyddion a glywsai. Byddai stori'r cyrch yn siŵr o ddod i glyw ei mam yn hwyr neu'n hwyrach, a châi honno anhawster deall pam na chrybwyllodd Eira'r helynt, a hithau yn ei chanol hi yn nhŷ Dale – i fod. Hyd yn hyn, nid oedd Rhiannon wedi holi llawer am nos Sadwrn, rhag iddi hithau Eira ofyn sut aeth ei noson hi, mwy na thebyg. Calla dawo, o'r ddwy ochr! Ond pan ddôi halabalŵ'r cyffuriau i'w sylw, fyddai dim osgoi. Diolchodd Eira fod Sioned wedi rhoi rhagrybudd iddi. Câi gyfle i baratoi – paratoi ei chelwyddau…

Yn y bws mini ar y ffordd o Gaereirian daeth Guto i eistedd gydag Eira yn y cefn.

'Tydi'r bỳs 'ma'n wag?' meddai Guto. 'Oes 'na ffliw o gwmpas 'ta be?'

'Ella wir,' atebodd Eira. Gostyngodd ei llais. 'Gits, sut a'th hi nos Sadwrn?'

'Iawn.'

'Ydi o? 'Ta ydi o ddim?'

Syllodd Guto arni am eiliad, yna gwenodd fel giât.

'Ydi!'

'Anhýg! Ydach chi'n eitem rŵan felly?'

'Dibynnu…Hynny ydi, ddigwyddodd dim byd mawr. Jest mwynhau cwmpeini'n gilydd. O'n i'n falch, rîli, achos dwi'm 'di cynefino hefo'r syniad eto.'

'Cyn bellad â'ch bod chi'n dallt 'ych gilydd. Mi ddaw petha fesul dipyn.'

'Felly ma hi hefo chdi, Eira Mai?' Chwarddodd Eira fymryn.

'Mae 'na…ddatblygiad wedi bod. 'Nes i aros yno nos Sadwrn.'

'Ffyc mi! Mentro 'doeddach! Lle oedd dy fam yn feddwl oedda chdi?'

'Mi oedd gynnon ni gìg, yli, a'r parti'n mynd yn 'i flaen wedyn.'

'Hwnnw ga'th 'i rêdio? Ddeudodd Meic wrtha i.'

'Ia. Diolch bod Sioned wedi deud wrtha inna. Tasa Mam yn clywad y stori a finna'n gwbod dim…'

'Be am dy nain 'ta? Fasa'r cachu'n taro'r ffan go iawn tasa *hi*'n gwbod! Fedra i jest 'i chlywad hi: "Os nad oeddat ti yn y parti, Eira Mai, nac adra chwaith…?"'

'*Lle oeddat ti*?' meddai'r ddau hefo'i gilydd a rowlio chwerthin, nes peri i'r criw ym mlaen y bws droi i syllu arnynt.

'Os rhannith Sions 'i hamheuon amdanan ni'll dau hefo'r rheicw mi goelian bob gair,' meddai Eira. 'Ma hi 'di cym'yd yn 'i phen bod ni'n mynd hefo'n gilydd! Achos 'dydi hi ddim wedi'n gweld ni hefo'r criw ar nos Sadwrn ers sbel.'

'Perffaith, Eira Mai! Gawn ni'n dau lonydd i ddilyn 'yn ffansi,' meddai Guto.

Pan gyrhaeddodd y bws mini yn ôl at yr ysgol gwelodd Eira Menna Rhys yn ymlwybro i'w chyfarfod.

'Lifft adra, Eira? Ma dy fam a finna am weithio ar sgript y sioe gerdd heno.'

'O, diolch,' meddai Eira. Oedd y si am helynt nos Sadwrn wedi cael ei chwythu ar frig y morwydd tuag ystafell yr athrawon, tybed? Os oedd, yna byddai ei mam yn gwybod y cyfan cyn nos. Ond soniodd Mrs Rhys yr un gair yn ystod y daith i Gae Aron, felly hwyrach nad oedd y stori wedi cyrraedd clustiau'r staff. Wyddai Llion ddim, yn sicr: chawsai Eira ddim eiliad o breifatrwydd i sgwrsio ag ef.

'Ydi'r awen wedi chwifio'i hudlath uwch dy ben di?' gofynnodd Rhiannon i Menna dros baned a bisged yn stafell fyw Cae Aron.

'Nac'di, gin i ofn. Dwi 'di bod yn trio meddwl: ma'n siŵr dyla Gwenoro fod yn medru gwella rhyw afiechyd, neu'n nawddsantes rwbath neu'i gilydd.'

'Be am gantorion?' gofynnodd Eira. 'Gan mai sioe gerdd sy gynnon ni.'

'Mmm…syniad…Be fedra hi neud dros gantorion?' gofynnodd Menna.

'Adfer llais rhywun? Neu roi llais i rywun sy'n methu canu?' Awgrym Rhiannon oedd hwn.

'Ond…fasa rhywun heb lais yn dda i ddim cyn ca'l 'i wella!' meddai Eira. 'Hec, well i mi adael y sgriptio i bobol sy'n dallt y dalltings. Gin i TG i' neud.'

Gwahanodd y tair, Rhiannon a Menna i'r swyddfa, ac Eira i'w chell, lle'r aeth ati i weithio ar y dasg a gawsai'r dosbarth gan yr athro yn y prynhawn. Ond mynnai picil Mererid ymwthio i'w meddwl o hyd. Doedd ganddi ddim syniad pa fath o gosb a gâi rhywun am fod ag *ecstasy* yn ei feddiant. Dirwy? Carchar? Ddim am un dabled, siawns, er bod Eira'n siŵr erbyn hyn i Mererid lyncu mwy nag un y noson honno. Roedd hi'n od yn y gìg, cyn mynd i dŷ Dale – arch-lyshwraig y Chweched yn yfed yr holl ddŵr yna pan oedd môr o alcohol o'i hamgylch. Rhaid bod Eira'n gynddeiriog o ddiniwed i fethu darllen yr arwyddion, ond ddaeth y syniad y gallai un o'i ffrindiau hi gymryd cyffuriau ddim i'w phen am eiliad. A beth ddigwyddai pan ddôi'r hanes i glyw'r Prifathro? Gâi Mererid ei gwahardd dros dro? Os câi ei diarddel, doedd waeth i'w mam a Mrs Rhys roi'r ffidil yn y to ddim. Dim Mererid Wyn, dim sioe gerdd. Doedd llais neb arall yn yr ysgol yn yr un cae â llais *coloratura* soniarus Mererid.

Tua naw o'r gloch penderfynodd Mrs Rhys ei throi hi am adref, a daeth Eira o'i chell i ddweud nos dawch.

'Ddaru chi sgwennu dipyn?' gofynnodd i'w mam ar ôl i Menna fynd.

'Hitia befo'r sioe gerdd,' meddai hithau. 'Oes gin ti rwbath i' ddeud wrtha i?'

'Am be, Mam?'

'Am nos Sadwrn.' Dechreuodd calon Eira ddrybowndio.

'Ti…wedi clywad, do?' Croesodd ei bysedd mai am y cyffuriau roedd hi'n sôn.

'Do. Ond fedra i ddim dallt pam na ddeudist ti ddim ddoe.'

''Nest ti ddim gofyn.'

'Eira, fel arfar, does dim angan gofyn dim byd i ti. Mi wyt ti'n deud ohonot dy hun.' Cywilyddiodd Eira. Doedd ei mam ddim yn cael gwybod ei hanner hi bellach.

'O'n i ddim isio dy boeni di. Mi oeddat ti'n edrach mor hapus…' Ochneidiodd Rhiannon.

'Ddaru mi d'esgeuluso di braidd ddoe, do? Eira, be bynnag ddigwyddith…Ed a fi…dwi isio i ti wbod mai chdi fydd yn dŵad gynta bob amser.' Teimlodd Eira'i llygaid yn dechrau llenwi. Casâi dwyllo'i mam.

'Diolch, Mam. Lle clywist ti?'

'Mi fuo mi'n gweld Mrs Strong, a ges i ryw stori gymhleth am Mr Ellis o'r fflat nesa'n methu cysgu ac yn codi i edrach drwy'r ffenast yn oria mân y bora ac yn gweld dau gar heddlu'n mynd ar hyd y prom. Mi wyliodd y ceir nes arhoson nhw tu allan i dŷ Davies, y dyn gododd y fflatia. 'I hogyn o ydi'r Dale 'na 'te?'

'Ia...'

'Be gebyst oedd yn mynd ymlaen, Eira?'

'Cyffuria,' meddai Eira. 'Ond doedd gin i ddim byd i' neud hefo nhw, wir.'

'Pwy aethon nhw i'r rheinws?'

'Y boi newydd yn y band...'

'A'n gwaredo! Mi eith dy nain yn holics. Ma hi'n hefru'n barod am dy fod di'n dal yn y band 'na, a chditha hefo arholiada pwysig.'

'Dwi'n gwbod, ond plis gwranda, Mam! Mi oedd pawb yn y band yn glir o'r helynt ar wahân i'r Chico 'na. A...' Roedd mor gas ganddi chwidlo. 'Mererid.'

'O'r nefoedd! Mae 'na rwbath yn anaeddfed am yr hogan 'na.'

'Dim ond un dabled *ecstasy* oedd gynni hi, ddalltis i. Trio dangos 'i hun yn fwy o lancas nag ydi hi roedd hi 'sti, i Chico. Ma hi'n boncyrs amdano fo.'

'Does fawr er pan oedd hi wedi mopio am y barman hwnnw.'

'Fel'na ma hi 'te. Ond Chico 'di'r bai. Fo oedd y *pusher*.'

'Gobeithio byddwch chi'n ddigon call i ga'l gwarad â fo o'r band.'

'Rhodri sy i ddeud ond dwi'n siŵr gneith o. 'Di o ddim i mewn i ddrygs, a nos Sadwrn oedd o hefo chwaer Meic. Fasa Mel yn 'i ddympio fo'n syth tasa fo ar gyffuria. Eniwê, Mam, geith Chico'i roid yn y clinc rŵan, ceith?'

'Mwy na thebyg.'

'Ond be ddigwyddith i Mêr? Dwi'n poeni amdani hi.'

'Edrychwn ni ar y we i weld be 'di'r gosb. Ma'n siŵr mai rhybudd geith hi.'

'Gobeithio. Dwi'm isio gweld y sioe gerdd yn mynd i lawr y pan. Ond Mêr 'i hun sy'n 'y 'mhoeni fi fwya.'

Syllodd Rhiannon ar ei merch yn llawn cydymdeimlad.

'Ia, goelia i. Fuost ti ddim yn arbennig o hawdd dy drin, Eira Mai, ond mi wyt ti'n un driw. Ty'd, awn ni i weld be fedar ddigwydd i Mererid.'

Dydd Mawrth y daeth Mererid Wyn i'r ysgol. Fel y tybiai Rhiannon, rhybudd oedd yr unig gosb a gawsai, ac ni theimlai'r un iot o edifeirwch, yn ôl ei hymddygiad.

'Pam cymerist ti nhw, Mêr?' gofynnodd Eira iddi. Cododd Mererid ei hysgwyddau'n ddi-hid. 'Oedd o'n werth yr hasl? A ti ddim yn poeni am Chico?'

'Dim ond rhyw dair oedd gynno fo ar ôl pan gafodd o 'i ddal. Os g'nan nhw fo am *possession* yn lle *supply* cheith o ddim llawar o jêl. Hei, lle oeddat *ti*, Eira Mai? Dwi'm yn cofio gweld chdi yn y parti.' Meddyliodd Eira ar wib.

'Ella bod "E"s yn gneud rhywun yn anghofus, Mêr.'

'Ella. Dwn 'im. Ydi'r athrawon yn gwbod?'

'Chlywis i ddim sôn. Ofn ca'l helynt gin y Prif?'

'Os oedd y cops yn fodlon hefo *warning* mi ddyla hwnnw fod hefyd.' Cychwynnodd Mererid i lawr y coridor dan siglo'i phen ôl yn llances i gyd.

Yn ystod y bore, penderfynodd Math Miws gynnal ymarfer i bedwarawd gwasanaeth Santes Gwenoro ar ôl cinio.

'Ma hon wedi dŵad ymlaen yn dda,' meddai. 'Dach chi'n barod am fora Gwenar, ddeudwn i.' Rhoes ganiatâd i'r disgyblion fynd. 'Ond fasa ots gin ti aros am funud, Llion? Y sioe gerdd 'ma...'

Diflannodd Mererid a Bedwyr cyn gynted ag y gallent ond ysai Eira am gael aros i fusnesu. A bod yn agos at Llion. Edrychodd arno, a chan ei fod a'i gefn at ei gyd-athro ar y pryd gwenodd yntau'n gariadus arni.

'Oes 'na ryw negas i Mam, Mr Mathias? Am y geiria ne' ballu.'

'I dy fam?' Methodd Ed gadw tynerwch allan o'i lais. 'Waeth i titha wrando ar y tona 'ma ddim, Eira Mai. Mi fedri roi rhyw syniad iddi o be sy 'i angan.'

'Tasach chi'n dŵad â'ch allweddellau i tŷ ni, syr, mi fedrach 'u chwara nhw iddi, a mi fasa'n bosib iddi hi recordio'r gerddoriaeth yn syth ar 'i chyfrifiadur. Mi fedra hi neud CDs ohono fo. Mi fasa'r miwsig gin yr awduron wrth law ar hyd yr amsar.'

'Wsti be, Eira? Ma 'na dipyn mwy i ti na nyth o gyrls a gwên fel banana,' gwenodd Ed. 'Awn ni drwy'r caneuon 'ma rŵan i weld be ma Mr Oliver yn feddwl. Ty'd i droi'r tudalenna i mi, Eira Mai.'

Symudodd Eira i sefyll wrth ochr Edward Mathias, ac arhosodd Llion y tu ôl i'r piano, gyferbyn â hi. Câi drafferth i dynnu ei lygaid oddi arni, a phan gododd Eira'i llygaid hithau i edrych arno dan ei hamranflew tywyll, cyrliog a gwenu, teimlodd gynnwrf pleserus mewn lle na ddylai, yn enwedig ar lwyfan neuadd ysgol amser cinio.

Fodd bynnag, drwy fwriadus anwybyddu'r darn hwnnw o'i gorff a ymfalchïai yn ei ewyllys ei hun, a chanolbwyntio'n galed ar nodau'r piano, llwyddodd Llion, fel y ddau arall, i ymgolli yn y gerddoriaeth. Ni chlywsant neb yn dod i mewn i'r neuadd drwy ddrws yr ochr, a phan ddaeth clapio i'w clustiau ar ddiwedd cân neidiodd y tri.

'*Bravo*!' meddai Glenys the Menace. 'Sorri os rhois i sioc i chi.'

'Chlywis i monot ti,' meddai Ed. 'Trio paratoi ar gyfer y sioe gerdd.'

'Ia. O'n i'n meddwl…ella medrwn i helpu hefo'r cynhyrchiad. Symudiada, hynny ydi…Dawns…coreograffi…beth bynnag fydd isio.'

'Diolch,' meddai Llion yn ddi-ffrwt. 'So ni'n agos barod 'to, wrth gwrs.'

'Wrth gwrs, ond pan ddaw'r amsar, fydda i ar gael. Oes 'na fwy o ganeuon?'

'Un arall,' meddai Ed, a dechrau canu'r gân ar y piano.

Ciledrychodd Eira ar Llion a lledwenodd hwnnw arni. Bu hynny'n ddigon i Glenys; yn gam neu'n gymwys, penderfynodd fod rhyw fisdimanars yn y gwynt. Felly dyna pam y rhoddodd yr hyfryd Llion dìl iddi hi…

24

Fore Gwener, aeth gwasanaeth Dydd Gwenoro heibio'n ddianap. Oherwydd bod y Prif Fachgen a'r Brif Eneth yn canu yn y pedwarawd, daeth y dasg o ddarllen adnodau o'r ysgrythur i ran eu dirprwyon. Buasid yn disgwyl i Helen Lloyd, a anwyd i rieni o Gymry ac a fagwyd yn Llanwenoro, ddarllen yn y Gymraeg, ond am ryw reswm annirnadwy, iaith cyfathrebu'r teulu o'r dechrau fu'r Saesneg. Felly yn Saesneg y mynnodd Helen gael darllen. Gadawai hynny'r darlleniad Cymraeg i Meic.

''Nest ti'n wych bora 'ma, Meic,' sicrhaodd Eira ef ar yr iard amser egwyl

'Ti'n meddwl? 'Nes i rioed ddarllan yn Cymraeg o flaen yr ysgol i gyd o'r blaen. Dwi'n falch bod fi'n medru fo 'sti.'

'Ti'n siŵr o'i gofio fo os ei di'n ôl i Leeds. 'Ta ydi Sioned wedi gyrru Leeds i ebargofiant?'

Gwenodd Meic a chodi ei ysgwyddau.

'Gawn ni weld. Ma Mel yn boncyrs am *cousin* chdi rŵan, so dwi'm yn gwbod.' Yna gwelodd Eira ef yn syllu y tu hwnt iddi. 'O blydi hel! Ma *lost sheep* bach ti'n dŵad.' Troes Eira a gweld Rachel yn bownsio i'w chyfeiriad.

'Eira, fi 'di amhofio deud wrth chdi. Na'th fi ca'l deg allan o deg gin Mr Ofilyr am gwaith cartra fi ar Llwelin yn Llwola!'

'O! Ardderchog, Rachel! Llywelyn ein Llyw Olaf,' meddai Eira, gan obeithio'r mawredd ei bod yn dehongli testun y gwaith yn gywir.

'Ti isio gweld? Fi 'di copïo fo o llyfr sgwennu fi,' meddai'n falch.

Estynnodd Rachel ddalen o bapur wedi ei phlygu'n fach o boced ei throwsus ysgol, a'i roi iddi. Roedd y corneli wedi cyrlio a'r plygiadau wedi dechrau rhwygo. Yn amlwg buasai'r traethawd mewn lle o anrhydedd ym mhoced Rachel ers tro. Dechreuodd Eira ddarllen.

Llwelin yn Llwola

Oedd Llwelin yn Llwola yn grandson Llwelin Fawr ac yn twsog dwitha Cymru ond bod brawd fo Dafydd wedi bod yn twsog am dipin bach ar ôl fo ond Llwelin oedd yn pwisig. Nath fo prodi Elinor de Monffor a marwodd hi pan geniodd hi Gwenllian, hogan bach nhw. Wedin nath Llwelin cal lladd fo yn afon Irfon yn cannol Cymru rwla, a claddu fo rwla yn fanno. Cwffio saeson oedd o a wedin nhw ddaru curo. Nath Edward brenin lloegar dwyn Gwenllian achos oedd o ofn i hi dechra cwffio fo ond jyst babi bach oedd hi. Nath o gyru hi i lloegar. Wedin nath Edward bildio castelli yn bob man yn Cymru i stopio ni cwffio fo.

'Da iawn chdi, Rachel. Dwi'n siŵr bod Mr Oliver yn falch ohono chdi.' Dychwelodd Eira'r traethawd iddi a phlygodd hithau'r ddalen yn ofalus a'i dodi'n ôl yn ei phoced.

'Na'th Dad cym'yd fi i Caereirian i laibri ar moto-beic, a na'th dynas helpu fi.' Ar hynny canodd y gloch, a bownsiodd Rachel i ffwrdd at ei ffrindiau.

'Peth bach digri 'di honna,' meddai Meic. 'Ond o'n i'n meddwl fasa'i tad hi ddim yn gwbod be *ydi* 'laibri' heb sôn am boddro mynd â hi yno.'

'Be, ti'n 'i nabod o?'

'Ma fo'n dŵad i tŷ ni i garddio. Weithia fydd o'n dal acw pan ma Mel a fi'n cyrra'dd adra o'r ysgol, yn yfad te a byta sgons ni. Hynny 'di'r cwbwl mae o *yn* neud, dwi'n siŵr, achos 'di'r ardd ddim mwy twt ar ôl iddo fo fod.'

O diar! Swniai fel pe bai amheuon Eira'n gywir...

Roedd sgript y sioe gerdd wedi dechrau mynd yn fwrn ar Rhiannon. Tra eisteddai hi'n pendroni uwchben galluoedd gwyrthiol y Santes Gwenoro, dihoenai'r tasgau y câi dâl am eu gwneud ym mol y cyfrifiadur. Ddydd Mawrth byddai arni angen mynd â Mrs Strong i Lerpwl eto, a dylai fod ganddi hithau ryw gymaint o'i hôl i'w ddangos i'r cwmni yng Nghaer yr un diwrnod. I goroni'r cyfan, gan fod gwefan y Wavecrest yn barod, dylsai Rhiannon eisoes fod wedi mynd i ymweld â Peter de Bruno.

Tynnu'n ôl o brosiect y sioe gerdd, dyna'r unig ateb. Wedi'r cyfan, rheidrwydd oedd ennill bywoliaeth, a fu gweithio ar gyfer amser penodol erioed yn broblem iddi ym myd gwaith cyfrifiadurol. Ond am y byd creadigol, coeliai fod cael pen set o'i blaen yn rhwystr a barai iddi fethu meddwl heb sôn am gyfansoddi. Cael gair gyda Menna fyddai orau. Pan oedd ar fin codi'r ffôn agorodd y drws.

'Haia, Mam,' meddai Eira Mai. 'Ti'n OK?'

'Mi fydda i, unwaith ca' i warad â maen melin y sioe gerdd 'ma.'

'Be ti'n feddwl?'

'Tydi f'amsar i i gyd yn mynd yn trio dyfeisio stori. Ma raid i mi fynd yn ôl at 'y ngwaith go iawn, Eira, neu fydd gynnon ni ddim pres i brynu bwyd!'

'O-o-o!' nadodd Eira. 'Dwi'n lecio ca'l chdi'n rhan o'r sioe! Mi oedd gin Math Miws ganeuon newydd amsar cinio a fasa fo'n lecio i chdi 'u clywad nhw. Pam na ofynni di iddo fo ddŵad yma heno? Ac Oli Drama a Mrs Rhys? A Nain a fi! Ella basa lot o benna hefo'i gilydd yn llwyddo i greu stori.'

'Eira bach! Ar fin tynnu allan oeddwn i. Ac ella'u bod nhw'n brysur heno.'

'Fydd Math ddim yn rhy brysur i ddŵad yma, Mam! Dwi'n siŵr o hynny. Na Lli… M-Mr Oliver…' Edrychodd Rhiannon yn dreiddgar arni a rhusiodd Eira. 'Ma… ma *pawb* isio i'r sioe gerdd 'ma siapio, Mam. Mi 'na i 'u ffonio nhw…'

'Eira, twyt ti fel blincin tymestl, yn sgubo pawb o dy flaen! O, oréit, mi ffonia i nhw, i gau dy geg di.'

Felly, tua saith, ymgasglodd pawb yng nghegin fyw Cae Aron i feddwl. Mynnai Menna Rhys y gellid datblygu syniad Eira, sef gwneud Gwenoro'n nawddsantes cantorion. Ar ôl i Gwenoro a'i brawd Gweirydd gyrraedd y traeth mewn cwch, hwyrach y gellid cael recordiad o gerddoriaeth yn cael ei chwarae ar hen offerynnau megis pibgorn a thelyn, ac yn ystod hyn gallai Gwenoro roi diod o ddŵr clir ei ffynnon i'r pedwarawd. Byddai llais gan bawb o'r dechrau felly.

'Ond... be fasa'r stori?' gofynnodd Eira.

'Symud wedyn i'r presennol, hefo "disgynyddion" y cantorion, fel petai.'

'Ond mi fasa gynnon ni ryw un creadur neu greaduras – fel fi – yn methu canu, debyg, a bron â marw isio llais,' meddai Rhiannon.

'Ar 'i ben, Rhiannon! Rhywun ifanc, o Flwyddyn 7 neu 8. Y stori fasa'r ymchwil am ffynnon Gwenoro er mwyn cael llais canu i'r plentyn. A mi fydda ysbryd Gwenoro'n ymddangos i helpu'r plentyn bach. Mi fydd isio plotio'r holl beth yn ofalus, wrth gwrs, ond dyna'n fras y syniad sy gin i. Fel ymchwil am y Twrch Trwyth neu'r Greal Sanctaidd! Dach chi'n meddwl basa fo'n gweithio?'

'Sut basan ni'n dangos y cwch yn cyrraedd?' gofynnodd Eira. 'Ac os ydi'r ffynnon yno ar y dechra pan fydd Gwenoro'n rhoid diod a llais i'r pedwarawd, sut medar hi fod ar goll yn nes ymlaen?'

'Yffach gols, Eira, dal sownd!' chwarddodd Llion. ''Yt ti'n mynd o fla'n gofid nawr. Gad ti 'na i'r cyfarwyddwyr a'r cynllunwyr llwyfan.'

'Ga' i wbod, caf? Dwi'n gneud Dylunio Llwyfan i 'ngwaith ymarferol.'

'Wrth gwrs 'ny. Ond paid becso amdano fe nawr. Fydd isie sbel o gnawd ar esgyrn y plot i ddechre.'

'Faint o gymeriada oeddat ti'n meddwl ga'l, Menna?' gofynnodd Ed.

'Y pedwarawd,' atebodd Menna. 'Gwenoro, Gweirydd, plentyn...'

'Gynhaliwn ni wrandawiada,' meddai Ed. 'Sgin i ddim clem pwy gawn ni fel y plentyn. Dwi ddim yn dysgu'r rhai fenga.'

'Sylwes i ar rywun heddi,' meddai Llion. 'Mas ar y buarth amser cino, yn sgipio ymbytu'r lle wrth 'i hunan bach ac yn canu "Pwy sy'n dŵad dros y bryn"!'

'Argol fawr!' meddai Eira. 'Oedd hi'n meddwl bod hi'n Ddolig yn barod?'

'Pwy ym Mlwyddyn 7 sy'n boncyrs, Eira Mai?'

'Ddim…Rachel?'

'Rachel!' cadarnhaodd Llion, ac ysgydwodd Eira'i phen yn anghrediniol.

'Ond ma Rachel McGordon yn ara,' meddai Menna.

'*Alle* hi fod yn OK,' meddai Llion. ''Wy wedi ca'l gwaith 'itha deallus 'da hi, serch 'i Chymra'g truenus. O ran llaish, ma hi'n werth 'i hystyried.'

'Fflipin hec!' meddai Eira. 'Fasa hi'n gwirioni'n racs!'

'Hon ydi'r hogan bach sy'n meddwl mai chdi ydi 'i hangal gwarcheidiol hi?' gofynnodd Rhiannon.

Amneidiodd Eira dan wenu.

'Ma hi'n dipyn bach o bla ond ma hi'n annw'l ofnadwy.'

Teimlodd Llion ei lygaid yn tyneru wrth edrych ar Eira'n llawenhau dros Rachel: ysai am ei chofleidio. Pan symudodd pawb i gell Eira i glywed y caneuon diweddaraf, mentrodd ofyn:

'Gan i fi glywed y gerddoriaeth o'r bla'n, tybed fydde hi'n bosib i fi ga'l cip bach tu fiwn i'r bwthyn? Wy'n meddwl falle i fi adel llyfyr ar ôl 'na.'

'Cei, siŵr iawn, 'y ngwash i,' meddai Megan. 'Ddo' i hefo chdi, yli.'

'Arhoswch chi i glywad y miwsig, Nain. Dwi 'di clywad y caneuon o'r blaen hefyd,' meddai Eira. Cyn i'w nain allu gwrthwynebu, brysiodd allan o'r gell a dilynodd Llion hi. Ni sylwodd neb ar Rhiannon yn syllu ar eu holau braidd yn ansicr. Ym myw ei heinioes ni fedrai benderfynu a oedd lle i amau misdimanars rhyngddynt ai peidio.

Cerddodd Llion ac Eira ar draws y buarth yn barchus bell oddi wrth ei gilydd, ond yr eiliad y caeodd y ddau'r drws ar eu holau dechreuodd y cofleidio a'r cusanu.

'Ni'n ffaelu lapswchan lot yn hirach, Eira Mai,' meddai Llion ymhen ychydig, 'rhag ofan i rywun weld y bwthyn mewn tywyllwch. Y'n ni fod yn whilo am lyfyr.'

'Ydan. Well i ni roid gola ymlaen ym mhob stafall yn 'i thro a smalio, ia? A wedyn gawn ni snog arall.'

'Haden! Pryd cawn ni nosweth 'da'n gilydd 'to?'

'Dwi'm yn gwbod. Sgin i ddim esgus i fod allan drwy'r nos.'

'Allet ti weud bod ti'n mynd mas 'da'r gang nos fory a slipo bant am gwpwl o orie?'

'OK. Well i ni drefnu pob dim rŵan achos fiw i mi ffonio chdi na thecstio, nac'di? Nac e-bostio chwaith.'

'Na. Allen nhw archwilio'n ffone ni a'n cyfrifiaduron ni tase rhyw amheueth.'

'O, fflipin hec! Ma hyn mor *frustrating*. Ty'd, well i ni smalio chwilio, rhag ofn iddyn *nhw* ddŵad i chwilio amdanon *ni*.'

25

Ar ôl cinio ddydd Mawrth, penderfynodd Megan gymryd cip ar ei negeseuon e-bost. Nid ei bod o ddifrif yn disgwyl i neb fod wedi cysylltu â hi: yn yr edrych roedd y cynnwrf, y gobaith; fel yn nisgwyl y postmon neu wrando ar y peirant ateb ar ôl bod allan o'r tŷ. Ond y tro hwn cafodd lwc: gwelodd fod Lilian wedi e-bostio hanner awr ynghynt.

'Meg, fedri di gymryd galwad ar y compiwtar am ddau? Gad i mi wbod – mi wna i sbio ar fy e-mails am hanner awr wedi un, OK? Cofion fflamgoch, Lilian.'

Ychydig cyn dau daeth sŵn y Skype o'r cyfrifiadur ac atebodd Megan.

'Lilian? Wyt ti yna?'

'Ufflon dân, Meg! Mi oeddat ti'n swnio fel *medium* mewn *séance*!' Gostyngodd Lilian ei llais a rhoi cryndod ynddo. 'Y-ydw-w, dwi y-yma-a-a.'

'Callia'r hulpan!' chwarddodd Megan. 'Ydi pob dim yn iawn acw?'

'*Champion*! Mi gawson ni newydd da ddoe. Ma gynnon ni briodas yn y gwynt, Meg. Padraig, y fenga. Wedi cymryd 'i amsar, Padi – mae o'n ddeg ar hugian.'

'Chwara teg iddo fo. Gymeris inna f'amsar hefyd. Er rhaid i mi gyfadda mai methu ffindio neb oeddwn i.'

'Dos o'na! Hogan o Ddulyn ydi Siobhan ac yno byddan nhw'n priodi. Diwrnod dwytha'r flwyddyn – amsar twp 'te!'

'Pam lai? Parti gyda'r nos ydi'r ffasiwn rŵan. Dathlu'r briodas a'r flwyddyn newydd hefo'i gilydd.'

'Mi ddaw gwahoddiad swyddogol i ti cyn bo hir.'

'Fi? Nefi, gin ti homar o deulu, Lil, heb sôn am wa'dd hen ffrindia!'

'Faswn i wrth 'y modd tasat ti'n medru dŵad, Meg. Pwy ŵyr, ella mai dyma pryd cei di hyd i'r toi-boi 'na!'

'Fedar neb gymharu hefo'r un oedd yn y tŷ Saeson, Lil! Mi oedd Eira Mai'n meddwl 'yn bod ni'll dwy am gwffio drosto fo!'

'Ddaru ni ga'l ufflon o bnawn, do! Gei di barti a hannar eto os doi di i'r briodas. Ma'r Gwyddelod yn gwbod sut i fwynhau 'u huna'n. Mi ddoi, yn' doi? Mi wyt ti'n byw'n ddigon agos i Gaergybi.'

'Faswn i wrth 'y modd, os medra i. Ga' i feddwl drosto fo?'

Trip i Ddulyn. I briodas. Ar ei phen ei hun, a hithau heb fod ddim pellach na Llandudno ers cantoedd. Feiddiai hi fentro yn ei hoed hi? Diffyg menter fu ei phroblem yn ei hieuenctid, heb sôn am ei henaint. Câi weld.

Yn y cyfamser, rhaid fyddai paratoi stiw cig eidion ar gyfer heno. Rhag gorfod wynebu Big Mac unwaith eto, roedd Rhiannon wedi gwahodd Mrs Strong i swper.

Er mai ar neges drist y teithiai Mrs Strong a Rhiannon i Lerpwl y bore hwnnw, ni allai dim ddigalonni'r hen wraig. Unwaith eto, mwynhaodd ei thrip yn y Mazda sbriws, a'r jinsen gyda'i chinio yn y gwesty crand yng Nghaer. Teimlai'n hollol fodlon ar y trefniadau a wnaethai ei chyfreithiwr drosti, meddai, a châi fwynhau faint bynnag o fywyd a oedd ganddi ar ôl heb unrhyw bryderon. Gan i waith Rhiannon hithau gael derbyniad boddhaol yng Nghaer, dwy ddynes eithaf dedwydd a gyrhaeddodd Gae Aron tua phump o'r gloch.

'Why! What a cosy old farmhouse,' meddai Mrs Strong. Dyma'r tro cyntaf iddi weld y ffermdy gan mai Rhiannon a âi ati hi fel arfer. Gofynnodd Rhiannon iddi aros yn y car am eiliad tra âi hithau i ofyn i Eira am help i lusgo'r hen wreigan i'r tŷ. Pan welodd Mrs Strong Eira gwenodd yn llon.

'So this is Ira!' meddai. 'I've heard such a lot about you, my dear.'

'Welcome to Cae Aron,' gwenodd Eira'n ôl.

Bellach, daethai Rhiannon yn hen law ar dynnu Mrs S allan o sedd flaen y car isel, ond mynnai'r hen greadures siarad ag Eira yn lle canolbwyntio. Amheuai ei bod wedi gweld Eira yn rhywle o'r blaen, meddai. Yn siop Glan Don, efallai, meddai Eira. Bu'n gweithio yno yn ystod yr haf.

'Quite possibly, my dear, I do go there. I've got a very useful wheeled walking frame, you see, and the pavement is level all the way, and there are no side streets to cross. But I must tell you! I've got a motability scooter now! I can even get to the shop in the evening: it's got a small fog lamp. But the street lamps are quite bright enough in any case. And I never go on to the road.'

Erbyn hyn, daethai allan o'r car, a chydiodd Eira a Rhiannon ynddi, un ym mhob braich, a'i harwain i'r tŷ. Ond dechreusai Eira bryderu. Nos Sadwrn, wrth iddi gerdded o'r bws i gyfeiriad tŷ Llion, daethai hen wreigan fach gron ar sgwter i'w chyfarfod ar y palmant yn union cyn iddi gyrraedd y siop. Gobeithiai'r mawredd nad Mrs S oedd hi; a hithau'n ddigon o gwmpas ei phethau i gofio gweld Eira yn y siop fisoedd yn ôl, hawdd y gallai toc gofio gweld pen cyrliog melyn digamsyniol yng ngoleuni lampau'r prom ar adeg pan ddylsai'r pen hwnnw fod yn rhywle arall. Byddai'n rhaid iddi fod yn wyliadwrus o lygaid craff a thafod straegar cleient ei mam!

Wedi i Mrs Strong ymweld â'r stafell ymolchi a gwneud ei hun yn gysurus ar ôl ei thaith, cydiodd Eira yn ei braich a mynd â hi i eistedd wrth y bwrdd.

'My goodness, this casserole is tasty!' meddai pan ddechreuodd dalu i'r stiw. 'You made it, I presume, Megan? Oh, I've just remembered, your friend and my second cousin rang me last night.'

Do wir? gofynnodd Megan. Roedd Lilian wedi ei ffonio hithau hefyd.

'About the wedding? Exciting, isn't it? I think it'll be the only family wedding I've ever been to because we'd lost touch with everyone. Are you going?'

'I'm not sure yet. I'm invited, but…'

'Oh you *must* come! We could travel together.'

Gallai Rhiannon weld ar wyneb ei mam nad oedd yn rhy hapus â'r syniad o gyd-deithio â Mrs S ac ni allai ei beio. Nid cydymaith a fyddai, ond gofalwraig, â'r hen wraig mor fusgrell. Allai hi byth ag ymdopi, yn ddeg a thrigain oed ei hun.

Câi weld, meddai Megan; doedd y gwahoddiad swyddogol ddim wedi cyrraedd eto. Ar ôl i bawb orffen bwyta'u stiw cynigiodd bwdin i Mrs S – cacen gaws, ond nid un gartref, yn anffodus.

'I love cheesecake!' meddai Mrs S. 'Just a small piece then, please.' Rhoddodd Megan damaid helaeth iddi. 'I shouldn't have any because I'm diabetic but I do occasionally like a treat. I'm sure I should have dropped dead years ago!' ychwanegodd dan wenu'n siriol.

Ar ôl sglaffio dau damaid o'r gacen gaws a dogn dda o hufen, diolchodd Mrs S yn gynnes am y croeso a'r pryd, a phenderfynodd y dylai fynd adref.

'Megan and Ira,' meddai, 'would you like to see my flat?' Doedd dim pall ar egni'r hen greadures! Byddai'n rhaid i Rhiannon ei danfon adref, wrth gwrs, ond amheuai y byddai'n well gan Megan aros yn y tŷ i glirio'r llestri, ac Eira i wneud ychydig o astudio. Ond cytunodd Megan yn ddigon parod. Am ei rhesymau cudd ei hun, cyndyn o gydsynio oedd Eira. Ond roedd arni hefyd ofn pechu drwy wrthod, felly ymwthiodd pawb i'r Corsa a gyrrodd Rhiannon ef at Draeth Gweirydd.

'Do come and have a look round my home,' meddai Mrs S ar ôl cyrraedd. Roedd y fflat i gyd ar un llawr, a bu raid i'r merched ddilyn yr hen wraig a'i ffrâm gerdded mor araf â malwod o lolfa i gegin i stafell ymolchi a dwy stafell wely. Yna mynnodd iddynt fynd drwy ddrws cefn y bloc i'r lle parcio, lle cadwai ei sgwter. Wedi edmygu'r cerbyd yn frwdfrydig, gofynnodd Eira a fyddai wahaniaeth gan bawb pe cychwynnent adref, gan fod ganddi waith i'w baratoi ar gyfer y bore. Mewn gwirionedd, daliai ar bigau'r drain rhag ofn i Mrs Strong ei chofio.

'Yes, I'm sure you must have work to do, Ira dear. D'you know, I still have a feeling I've seen you somewhere quite recently. Do you visit these parts?'

'Well… I did come here with my friend Sioned…' Er iddi fod yno'n llawer diweddarach na hynny, dridiau yn ôl…

'Maybe that's it,' gwenodd Mrs S. 'And now I mustn't forget to pay your mother for today's work. Do come back into the flat.'

Rhag i'r hen wreigan ailddechrau brygowthan pymtheg yn y dwsin eto, rhoddodd Rhiannon allweddi'r car i Megan ac Eira, ac yn hytrach na dychwelyd i'r fflat aeth y ddwy drwy ddrws ffrynt y bloc i'r prom. Fel y safent dan un o lampau'r stryd yn datgloi'r car, daeth dyn heibio, gŵr oddeutu deg a thrigain oed. Cododd ei het yn foneddigaidd i'r merched a'u cyfarch.

'Good evening. Not too cold for the time of year, is it?'

'No, it's quite pleasant,' atebodd Megan yn ei hacen Gymraeg lydan.

'Cymry dach chi? Ddylwn i ddim synnu chwaith, yn

Llanwenoro. Ond pobol o bell sy wedi meddiannu'r ardal bach yma i gyd bron iawn. Fi 'di'r unig Gymro yn y bloc fflatia 'ma.'

'Rhy ddrud i'r Cymry ydi hi ffor'ma,' meddai Megan yn ei ffordd ddiplomataidd arferol.

'Gwir. Faswn inna ddim wedi medru fforddio prynu yma chwaith, 'blaw bod gin i dŷ go fawr i'w werthu tua Alderley Edge. Rhai o ffor'ma dach chi?'

'Chydig tu allan,' meddai Megan, 'ar y ffor i Fryn Eithinog.'

'Yn y cyfeiriad arall ces i fy magu. Wyddoch chi am Brynia?'

Na, erioed...! Amhosib! Syllodd Megan i lygaid tywyll y dieithryn.

'Fuoch chi yn Ysgol Gwenoro?' gofynnodd yn betrus.

'Do'n tad. Ysgol Ramadeg Gwenoro yn y dyddia hynny. Ma'r adeilad gwreiddiol yn dal yn ddigon tebyg i'r hyn oedd o erstalwm, ond bod 'na estyniada di-ri erbyn hyn.'

'Eric...?' Craffodd y dyn arni, edrych ym myw ei llygaid, llygaid brown cyn dywylled â'i rai ef ei hun.

'Ddim...Megan? Megan Davies?' Amneidiodd Megan. 'Wrth gwrs! Ma'r llgada mor ddyfn ag erioed. A tydi'r gwallt ddim llawar brithach chwaith. Megan, Megan! Pwy fasa'n meddwl? Ar ôl hannar can mlynadd!'

Gwyliodd Eira Mai'n llawn diddordeb a chwilfrydedd: dyn yn fflyrtio hefo'i nain! Rhywun o'i dyddiau ysgol. A hwnnw'n eitha stoncar yn ei ddydd hefyd, siŵr o fod, hefo llygaid tywyll a gwên sensitif, heb fod yn annhebyg i Llion. Ai fel hyn yr edrychai Llion pan fyddai hanner can mlynedd o fywyd priodasol wedi gadael eu hôl arno, ei wallt yn fop claerwyn a rhychau profiad wedi eu hysgythru'n rhywiol ar groen llyfn ei wyneb? Os felly, gwyddai na wnâi ei chariad tuag ato fyth leihau. Syllodd i ben draw'r prom, yn ysu am weld Saxo eurliw yn gyrru i'w chyfeiriad.

'Wyt ti'n byw yn y fflatia 'ma, ddeudist ti?' Deffrodd Eira Mai o'i synfyfyrio.

'Ydw. Ar y llawr isa. Ty'd i weld.'

'Na, ar gychwyn adra 'dan ni. Disgwl y ferch o'r fflat isa arall.'

'Nabod yr hen Fusus Strong, ydi hi?'

'Ma Rhiannon wedi bod â hi i Lerpwl heddiw: gneud trefniada'i chnebrwn, medda hi. Ond ma Rhiannon yn deud mai hi gladdith bawb ohonon ni!'

'Ma hi'n iawn! Ma honna'n dipyn o hen stîl.'

'Ddrwg gin i'ch cadw chi,' meddai Rhiannon pan ddaeth allan o'r bloc fflatiau. 'Fedra hi ddim ca'l hyd i'w llyfr siecia. Ddeudis i câi hi dalu eto, ond wnâi hynny mo'r tro o gwbwl gynni hi!'

'Cymêr, 'tydi Rhiannon?' meddai Eric, fel petai wedi ei hadnabod o'r crud. Daeth golwg ddryslyd i lygaid Rhiannon.

'Rhiannon, dyma i ti Eric Elias. Roeddan ni yn yr un dosbarth yn Ysgol Gwenoro erstalwm.'

'Dda gin i'ch cyfarfod chi,' meddai Rhiannon. 'Ym…chi ydi "Mr Ellis" o'r fflat nesa?' Chwarddodd Eric.

'Ia. Ma'r enw "Ellis" wedi plannu'i hun yn 'i phen hi a dwi wedi hen roi'r gora i drio'i chywiro hi. A phwy ydi'r ferch ifanc 'ma?'

'Eira Mai dwi,' meddai Eira, yn wên o glust i glust.

'Dwi'n falch iawn o gyfarfod teulu Megan. Mi oeddan ni'n dipyn o fêts erstalwm, toeddan Megan?'

'Oeddan.' Dim digon iddi hi chwaith, ar y pryd…

'Gwranda, ma raid i ni gadw mewn cysylltiad. Lle wyt ti'n byw?'

'Ma gin i gardyn yn fama,' meddai Rhiannon. Estynnodd gerdyn busnes o'i bag llaw a'i roi iddo. ''Dan ni i gyd yn byw hefo'n gilydd.'

'Gwych. Diolch. Mi ffonia i, Megan.'

Fel y cychwynnent tuag adref dechreuodd Eira Mai holi perfedd ei nain.

'OK, Nain. *Spill the beans*! Hen *squeeze* i chi oedd o, ia?'

'Hen *be?*'

'Cariad 'te.'

'Naci. Ond rhaid i mi gyfadda, faswn i wedi lecio tasa fo.' Gwenodd Eira.

'Tydi hi byth yn rhy hwyr, Nain, *byth* yn rhy hwyr!'

Pan gyrhaeddodd Eira a Rachel y stiwdio gerdd ar ôl cinio ddydd Gwener, roedd Math, Llion a Menna Rhys yno'n barod.

'A! Rachel,' meddai Math. 'Ydi Eira wedi deud wrthat ti be sy?'

'Chi isio i fi ganu, syr?' gofynnodd Rachel, ei llygaid yn llawn ofn.

'Paid â dychryn, 'mach i. Mr Oliver sy'n deud bod gin ti lais da.'

'Glywes i ti'n canu ar y clos, Rachel. Ar y cowt.'

'Chwara oedda fi, syr. Dim ond hefo ffrindia fi wedi canu yn ysgol.'

'Fasat ti'n lecio i Eira ganu hefo chdi?' gofynnodd Math yn garedig. Edrychodd Rachel ar Eira, ei llygaid yn pledio arni.

'Iawn,' meddai Eira. 'Pa ganeuon wyt ti'n wbod, Rachel?'

'Bugail Israel?' gofynnodd Rachel. 'Bydda fi'n mynd i ysgol Sul weithia. Amsar te parti Dolig a trip a petha.' Gwenodd y lleill ar ei gilydd.

'Bugail Israel amdani felly,' meddai Math, a mynd at y piano.

Pan ddaeth llais cyfoethog, bachgennaidd ei ansawdd, o enau Rachel, agorodd Math ei lygaid yn llydan mewn syndod. Canai Eira gyda hi, y ddwy'n unsain, ond drwy'r emyn gofalodd Eira gadw'i llais yn dawel, gan adael i Rachel arwain. Pan ddaeth yr emyn i ben troes Math i edrych ar y ferch fach.

'Rargian, Rachel, *ma* gin ti lais!' Syfrdanwyd Eira hefyd.

'Wedes i, naddo fe?' meddai Llion yn falch.

'Faswn i'n lecio i ti ganu yn y gwasanaeth ryw fora,' meddai Math. 'Nei di?' Daeth arswyd i lygaid Rachel eto ac edrychodd ar Eira. 'Ia, hefo Eira os bydd well gin ti.' Nodiodd Eira dan wenu.

'Iawn, Rachel, gei di fynd rŵan. Ma hi bron yn amsar y gloch,' meddai Math. Wedi i Rachel ei gwadnu hi troes at y lleill. 'Gawn ni weld sut gneith hi hefo Eira, ac os bydd hi'n iawn, mi triwn ni hi ar 'i phen 'i hun un bora.'

'Mi fasa hi wedi bod yn iawn ar 'i phen 'i hun rŵan,' meddai Eira. 'Dwi'n siŵr medar hi neud y sioe gerdd. Jest prop i'w hyder hi oeddwn i.'

'Mi oeddat titha'n canu'n hael hefyd, Eira Mai,' meddai Menna. 'Gada'l i Rachel ga'l y lle amlyca.'

Wrth glywed y ganmoliaeth i'w gariad, yn ei fyw ni allai Llion gadw'r tynerwch o'i lygaid, ac ni allai Eira hithau lai nag ymateb yn yr un modd. Syllodd Ed yn syn arnynt. Roedd y ddau'n ysu am fod ym mreichia'i gilydd! Sut na fuasai wedi sylwi o'r blaen? Oherwydd bod dyfodol disglair i'r ddau ym myd actio? Y ddau'n arbenigwyr ar guddio teimladau? Ynteu dim ond dechrau datblygu roedd y teimladau hynny a dim byd yn digwydd mewn gwirionedd? Wyddai Rhiannon? Na, gwell fyddai peidio poeni Rhiannon. Gobeithio na sylwodd Menna ar yr olwg gariadus yna.

'Dere i hôl d'aseiniad, Eira,' meddai Llion wrth i bawb wahanu. ''Wy am i ti ailfeddwl tam bach ymbytu fe.' Ond y peth cyntaf a ddywedodd wrthi yn y stiwdio ddrama oedd: 'Nos fory, alli di neud fel 'nest ti Sadwrn dwetha?'

'Fydd rhaid i fi fod yn ofnadwy o ofalus. Ma Mam a Nain yn nabod pobol yn Nhraeth Gweirydd, ac oedd un ohonyn nhw'n trio'i gora i gofio lle gwelodd hi fi o'r blaen. Basiodd hi fi pan o'n i'n cerddad ar hyd y prom nos Sadwrn dwytha.'

'O jawl! Falle fydde'n well i ni beido cwrdda am sbel fach, ti'n meddwl?'

'Ella. Laddith o monan ni i beidio ca'l…ti'n-gwbod-be am dipyn, na neith?'

'Delicet dros ben, Ms Huws!' Gwenodd Llion. 'Bydd rhaid i ni jyst dal ar 'yn cyfle os daw un, na fydd e?'

'Be tasa dim un yn dŵad tan i mi ada'l yr ysgol?'

'Ma 'da ti fishodd o ddiweirdeb o dy fla'n 'te! Neith e les i d'addysg di.'

'Nei di'm mynd hefo neb arall, na nei?'

'Wrth gwrs af fi ddim! Na ti?'

'Dwi'm isio neb arall. A fydda i byth chwaith.'

26

Pan gerddodd Eira i mewn i stafell y Chweched ganol prynhawn Mercher daeth ar draws Meic yn eistedd yno ar ei ben ei hun a golwg bell yn ei lygaid.

'Oréit?' gofynnodd Eira. Ni chafodd ateb: daliodd Meic i syllu i'r pellter dan dapio'i feiro ar y bwrdd nes dechrau mynd ar nerfau Eira. Aeth i eistedd at ei ochr.

'OK Bellamy, be sy?'

'Ti wedi gyrru *forms* UCAS i mewn?'

Crychodd Eira'i thalcen: ai dyna'r unig beth a'i poenai?

'Do. Bangor, Aber, a'r Coleg Cerdd a Drama yng Nghaerdydd. Chditha?'

'Leeds, Sheffield a Manchester.'

'Leeds yn ddewis cynta, debyg?'

'Dwi'm yn ffycin gwbod!' Lluchiodd Meic y feiro i ben draw'r stafell. Dododd Eira'i llaw ar ei fraich.

'Meic, *spill the beans*.' Edrychodd Meic arni'n anobeithiol.

'Eira, pam neuthon ni gorffan? Chdi 'di'r unig un dwi'n medru siarad efo.'

'Dyna pam, Meic. Y cwbwl o'n i i chdi erbyn y diwadd oedd cocyn hitio.'

'Y?'

'Dim ots – iaith Nain. Jest deuda.'

'Mam 'di mynd yn od – yn *fwy* od. Ma hi 'di stopio crwydro, ond ma hi'n anhapus, crio, blin.'

'Ydi'r garddwr wedi bod acw wsnos yma?'

'Dwi'm 'di gweld o. Pam, be sgin hwnnw i' neud hefo dim byd?'

'Meic, 'nest ti ddim meddwl o gwbwl ella mai fo oedd ffansi man dy fam?'

'*Jeeze*! Ti *for real*?'

''Nes i daro arno fo a Rachel ar y prom dro'n ôl tra o'n i'n disgwl am Sioned a Gethin, a mi yrrodd o Rachel i nôl hufen

iâ. Gyda a'th hi ddaru'r mochyn ddechra pawennu fi. Llaw ar
'y nghlun i. Ych-a-fi! A ofynnodd o o'n i'n perthyn i Bellamies
Brynia. Tebyg, medda fo. Dwi ddim yn debyg i Mel, nac'dw?'

'Gwallt gola – Mam! Lladda i'r *bastard*!'

'Yli, sgynnon ni ddim prawf. Ti'n meddwl bod y ddau wedi
ffraeo?'

'Ella,' meddai Meic. 'Shit! Dwi'm yn gwbod be 'di'r gora i
Mam – bod hefo fo 'ta bod hebddo fo.'

'Gobeithio cadwith o draw, ddeuda i. Ddaw dy dad di adra
Dolig?'

'Daw. Fydd rhaid i fi jest aros i weld sut fyddan nhw. Fasa mor
neis ca'l mynd i prifysgol yn Leeds tasa'r teulu i gyd yno hefo'i
gilydd yn hapus.'

'Be am Sioned?'

'Ma hi wedi rhoid Leeds fel un dewis hefyd. Dwi *yn* lecio
Sioned 'sti, ond ydi hi ddim yn gwrando 'run fath â chdi.'

'Dwi'n hollol barod i wrando, Meic. Cariad oedd yn flin fel
tincar ar bob dêt a'th yn ormod! Cofia hynny pan fyddi di hefo
Sions.'

'Dyma chdi, Eira Mai, pryd o fwyd iach ac ysgafn i drio dad-
neud effaith y sosej a tjips gest ti amsar cinio. A finna hefo chdi.'
Dododd Megan blateidiau o ddraenog y môr gyda thatw menyn
a ffa Ffrengig o flaen ei hwyres a'i merch cyn cyrchu ei phlatiaid
hithau o'r gegin. 'Bytwch fel tasach chi adra.'

'Mi ydan ni adra, Nain,' meddai Eira'n syn.

'Dim ond dywediad, Eira. Tydi'ch iaith chi betha ifanc wedi
mynd i'r gwellt.'

'Toedd Meic rioed wedi clywad am gocyn hitio heddiw,'
meddai Eira.

'Be? Wyt ti'n ôl hefo Meic?' gofynnodd Rhiannon.

'Nac'dw! Achos iddo fo neud fi'n ormod o gocyn hitio pan
oedd o'n flin!'

'O!' Teimlai Rhiannon braidd yn siomedig – nid am ei bod yn

ffafrio Meic yn arbennig, ond oherwydd nad oedd yn rhy siŵr o hyd ynglŷn â'r sefyllfa rhwng Eira a'i hathro Drama.

'Ydach *chi* wedi clywad gin 'ych cariad, Nain?'

'Am be wyt ti'n hefru, hogan?'

'Y dyn yn Traeth Gweirydd 'te, yn y bloc fflatia.'

'Eira bach, fuo Eric rioed yn gariad i mi. Ac eto, pwy ŵyr na fasa fo, tasa'r hen löyn byw hwnnw heb chwifio'i adenydd?'

Crychodd Eira'i thalcen yn ddryslyd.

'Dy nain wedi bod yn astudio *chaos theory*,' eglurodd Rhiannon. 'Y *butterfly effect*.'

'Fel medar un newid bach bach ar ryw bwynt yrru cyfeiriad bywyd rhywun naill ffor neu'r llall,' meddai Megan. '*Ella*, taswn i heb golli Mam, y baswn i wedi mynd i'r brifysgol, ac *ella* mai i Fanceinion baswn i wedi mynd, ac *ella* baswn i wedi taro ar Eric yno *cyn* i'r Patricia honno ga'l gafa'l arno fo. Ond ffor arall a'th petha...'

'Anghofia fo, Eira,' gwenodd Rhiannon. 'Nain sy'n gweld 'i bywyd wedi datblygu mewn ffor wahanol i'r hyn roedd hi wedi'i fwriadu, dyna sy.'

'Ac wrth bod 'na drefn, ma'r patrwm yn gallu'i ailadrodd 'i hun...' dechreuodd Megan.

Ciciodd Rhiannon hi dan y bwrdd.

'Be...? Fel Mam heb fwriadu ca'l plentyn pan oedd hi'n ifanc ac yn sengl, dach chi'n feddwl?'

'Paid â cham-ddallt, Eira...'

'Mae'n OK, Mam. Dwi'n gwbod mai mistêc oeddwn i, ond dwi'n gwbod bod chdi'n caru fi 'run fath.'

'Siŵr iawn 'mod i.'

'A toes ar dy fam na finna ddim isio gweld y patrwm yn ca'l 'i ailadrodd eto yn dy fywyd di, Eira Mai,' meddai Megan. 'Ca'l dy yrru ryw ffor na fwriedist ti ddim. Felly bendith y nefoedd i ti, cadw di draw oddi wrth löynnod byw!'

Ddydd Gwener, ar ôl y cinio cyntaf, gwnaeth Glenys Evans gwpanaid o goffi iddi ei hun a mynd i eistedd wrth ochr Llion.

''Nest ti fwynhau dy jips amsar cinio echdoe?' gofynnodd.

Edrychodd Llion arni'n hurt.

'Shwt yffach o't ti'n gwbod i fi ga'l tjips i gino echddo?' gofynnodd.

'Welis i di drwy ffenast Tjips Nelw,' atebodd Glenys. 'Chdi ac Eira Mai.'

'O'dd mam-gu Eira 'na 'fyd. 'Da hi o'n i'n moyn siarad.'

'Sut ar y ddaear wyt ti'n nabod nain Eira Mai?'

'Yn 'i bwthyn gwylie hi o'n i'n sefyll cyn hanner tymor. Nag o'dd y tŷ lle wy'n byw nawr ar ga'l bryd 'ny.'

'Duwcs. Mi oeddat ti'n gweld lot ar Eira Mai yr adag honno felly?'

'Na na. I'w mam-gu hi fydden i'n talu rhent. O'n i'n lico'r hen wraig. Pan weles i nhw yn y siop tjips es i miwn i siarad 'da hi. Wedyn demtodd y gwynt sglodion fi!'

'Oedd Eira wedi ca'l caniatâd i fod yno? 'Ta dengid ddaru hi fel bydda hi yn 'i dyddia cyn-Brif-Eneth?'

'O'dd hi 'na'n hollol gyfreithlon. Gwers sacsoffon 'da hi.'

'Yn amsar ysgol?'

'Mae'n debyg taw nos Iou yw amser arferol y wers ond nag o'dd yr athro ar ga'l neithwr, felly ofynnodd hi am ganiatâd i ga'l awr fach ar ôl cino dydd Mercher gan bod amser rhydd 'da hi. Wedi dod â'r sacs i lawr iddi o'dd Mrs Huws.'

'Ma'n siŵr dy fod di wedi dŵad i nabod Eira'n reit dda, twyt? Ddim hi ydi'r unig un sy gin ti ym mlwyddyn 13?'

'A Guto.'

'Guto? Meddwl mai Gwyddoniaeth ydi pyncia hwnnw.'

'Diddordeb sy 'da fe miwn Drama. Diolch amdano fe, weda i. Fydde'r rhanne ymarferol o'r cwrs yn anodd y cythrel 'da dim ond un disgybl. So nhw i fod i ddibynnu gormod ar fonologe.'

'O. Fedra i ddim gweld Guto Guest fel Romeo ne'r boi 'na

demtiodd wraig Llywelyn Fawr chwaith. Sgiwsia fi, Llion, dwi isio gair hefo Mari.'

Cododd Glenys yn ffwr-bwt a mynd draw at y Ddirprwy Bennaeth. Rhoes Llion yntau ochenaid o ryddhad. Pam y diddordeb sydyn yn ei gysylltiad ef ag Eira Mai? Oedd ganddi ei hamheuon? Byddai'n well iddo geisio cael gair rhybuddiol ag Eira. Gadawodd ystafell yr athrawon gryn chwarter awr yn gynnar yn y gobaith o daro arni yn rhywle o gwmpas yr ysgol, a gwelodd hi'n dod i'w gyfarfod ar ei ffordd i stafell y Chweched yng nghwmni Mererid Wyn a merch oedd yn ddieithr iddo ef.

'Eira,' meddai, 'y gwaith roies i'n ôl i ti bore 'ma. Licen i air bach arall ymbytu fe cyn bo' ti'n 'i ailwampio fe. Alli di ddod i'n stafell i cyn dy wers nesa?'

'Medra, syr. A' i i'w nôl o rŵan o stafall y Chwechad.'

'Gŵd. Dere â fe draw 'te.'

Doedd gan Eira ddim clem am ba waith y soniai, felly esgus ydoedd fwy na thebyg, ond byddai'n well iddi gydio mewn ffeil cyn mynd i'w weld. Brysiodd ar ôl ei ffrindiau.

'Pwy oedd hwnna?' gofynnodd Luned Bailey o Ysgol Daniel Edwards.

'Athro Drama,' atebodd Eira.

'Reu!' ebychodd Luned. 'Pam nes i ddropio Drama?'

'Joinia fand,' meddai Mererid. 'Dda'th o i practis Dipsy Donkeys ni ryw noson hefo Eira Mai, do, Eira?'

Collodd calon Eira guriad.

'Dim ond am bod o'n Samariad Trugarog.'

'Yn be?' Yn amlwg cawsai Luned lai o gysylltiad â dosbarthiadau ysgol Sul na hi ei hun hyd yn oed, a rhoesai hi'r gorau i fynd pan oedd yn un ar ddeg.

'Rhoid lifft i fi na'th o,' meddai. 'Jest unwaith, fel ffafr.'

'Fasa Chico wedi codi chdi,' cynigiodd Mererid.

'O'n i'm yn nabod Chico adag honno, Mêr. Ydi o'n dal o gwmpas ar ôl y...'

'Cym on,' meddai Mererid, 'i ni ga'l pum munud cyn Cerdd.'

Trystio Eira Mai i agor ei hen geg fawr! Roedd jarffio eofn Mererid wedi diflannu fel niwl y bore erbyn hyn, ac ofnai am ei bywyd i hanes yr 'E's ddod i glyw'r athrawon.

Trystio Mererid Wyn i sôn am Llion yn y practis! Er nad oedd Mererid wedi amau dim yn ôl pob golwg, byddai'n rhaid i Eira fod yn wyliadwrus ohoni, rhag ofn iddi ollwng anferth o gath wyllt o'i chwdyn.

'Be sy?' gofynnodd Eira ar ôl cyrraedd y stiwdio ddrama.

'Glenys Evans. Welodd hi ni yn y siop tjips echddo'.'

'Mi oedd Nain yno hefyd. Pam na chei di siarad hefo dy gyn-landledi?'

'Nag o'dd Glenys yn gwbod dim am 'ny. A'th hi mla'n i holi ymbytu'r gwersi: meddwl taw ti o'dd 'yn unig ddisgybl Safon A fi.'

'O fflipin hec! Ond tydi hi'n gwbod dim byd. Fedar hi ddim!'

'Yn gwmws beth o'n i'n feddwl. Ond rhaid bod rhywbeth wedi codi amheuon ynddi, so well i ti a fi fod yn garcus, Eira Mai. Dim gormod o gyfathrachu cyhoeddus, yn yr ysgol nag unman arall.'

'Ella'n bod ni'n lwcus ar y naw na ddaru hi ddim troi i fyny yn y ganolfan hamdden ar foreua Sadwrn! Wedi'r cwbwl, dysgu Ymarfar Corff ma hi. Jest y math o ddynas i chwara sboncen ne' rwbath gwyllt wallgo felly.'

'Ti'n iawn. O yffarn, ma hyn yn mynd i'n hala fi off 'y mhen! 'Yt ti'n gwbod be ddigwydde tasen ni'n ca'l 'yn dala, nag 'yt ti? Colli'n jobyn. A'n rhyddid! 'Yt ti dan ddeunaw, Eira: elen i i'r jael. A gorffod arwyddo'r gofrestr troseddwyr rhyw.'

'Be? Blydi hel! Ddim deuddag oed ydw i!'

'Taset ti mewn ysgol arall, neu goleg, neu'n gweitho, fydde dim problem. Ond 'yn ni'n dou yn yr un ysgol – 'wy *in loco parentis*. Chelen i byth weitho 'da plant 'to.'

'O Llion! Faswn i wedi sbwylio dy ddyfodol di! Mi fydd raid i ni fod yn ofnadwy o ofalus. Gynna' mi ddeudodd Mererid Wyn wrth Luned Bailey bod chdi wedi dŵad i ymarfar y Mulod Meddw. Hefo fi! 'Nes i egluro wrth Luned be oedd wedi digwydd go iawn. Ond deud y gwir, dwi'm yn meddwl bod Mererid yn ama dim eniwê. Dwi'n siŵr braidd bod hi wedi llyncu stori'r lifft.'

'Oedd yn digwydd bod yn wir.'

'Ia. Tan oeddwn i bron adra...' Pan gafodd hi'r gusan gyntaf honno, yr un oedd mor ysgafn â chyffyrddiad adenydd glöyn byw: hwnnw allai yrru bywyd rhywun y naill ffordd neu'r llall...

27

'Helô,' meddai Megan mewn ymateb i alwad hir a thaer y ffôn y bore Iau canlynol.

'Megan!' Llais dyn. 'Eric sy 'ma, Eric Elias.' Cynhyrfodd Megan yn lân. Erbyn hyn, meddyliai nad oedd Eric am gysylltu â hi: aethai dros bythefnos heibio ers iddynt gyfarfod mor annisgwyl yn Nhraeth Gweirydd.

'Wyt ti'n brysur pnawn 'ma?' gofynnodd Eric. 'Meddwl picio i dy weld di, os ca' i.'

'Wrth gwrs y cei di! Wyddost ti lle rydw i?' Doedd gan Eric ddim syniad, felly rhoddodd Megan gyfarwyddiadau iddo. 'Tria ddŵad tua dau,' gorffennodd.

'Iawn. Ma gynnon ni hanner can mlynadd o ddal i fyny hefo'n gilydd, 'toes?'

'Oes nen tad. Fedri di aros am bryd o fwyd gyda'r nos?' mentrodd Megan.

'Wel... medra... ond paid â mynd i draffarth o gwbwl.'

'Dim traffarth, Eric. Wela i di tua'r dau 'ma.'

Erbyn iddi ddodi'r ffôn i lawr curai ei chalon fel drwm. Beth yn y byd oedd yn bod arni, yn cynhyrfu'n lân yn ei henaint? Fel hogan ifanc yn mynd am ei phoints cyntaf gyda chariad newydd. Ynteu arwydd ei bod ar fin cael trawiad oedd y tryblith yn ei brest? Hynny'n nes ati, hwyrach.

Reit, ty'd at dy goed, ddynas! Beth oedd ganddi yn ei

chypyrddau bwyd? Fawr ddim, yn anffodus: erbyn dydd Iau byddent bron yn wag gan mai ddiwedd yr wythnos y gwnâi hi neu Rhiannon y siopio mawr. Rhaid fyddai iddi bicio i'r Llan, ond cyn mynd galwodd ar Rhiannon o waelod y grisiau.

'Oes arnat ti isio rwbath o'r Llan?'

Ymddangosodd Rhiannon ar y gris uchaf.

'O! *Fo* oedd ar y ffôn, ia? Isio gneud pryd sbesial!'

Teimlodd Megan ei bochau'n cochi fel glaslances, a chwarddodd Rhiannon. 'Os dowch chi â phwys o biff mi fedra inna baratoi ar gyfar nos fory. Fasach chi'n lecio i mi neud rwbath at heno, i chi ga'l amsar i siarad?'

'Rhiannon, ella byddan ni wedi deud hynny sy 'na i'w ddeud erbyn tri. 'Dan ni'n ddiarth i'n gilydd erbyn hyn, wsti.'

Yn Llanwenoro, aeth Megan yn syth i brynu hanner dwsin o sgons y becws lleol, i'w cael gyda phaned ganol y pnawn, a phan welodd darten afal – teisen blât – cafodd ei themtio gan honno hefyd. Châi Eric druan fawr o fwyd cartref, ond chwarae teg, roesai'r creadur ddim llawer o amser iddi i baratoi gwledd iddo. Yn syth â hi wedyn i'r archfarchnad yn y gobaith o gael gafael ar brydau parod go flasus; hwyaden mewn saws oren oedd ei ffefryn, ac aethai misoedd heibio ers iddi gael y saig honno. Y diwrnod hwnnw pan adawsai'r bobl ddieithr lanast yn y tŷ Saeson oedd hi, a phan ddaeth y Llion bach del yna i chwilio am lety, a pheri i'w stumog hithau fwrw'i thin dros ei phen yn union fel y parodd Eric iddi wneud drigain mlynedd ynghynt. A dyma hithau rŵan yn chwilio am yr un saig i'w rhoi o flaen Eric ei hun! Ar ôl iddi brynu potel o win a gwneud neges Rhiannon, cythrodd y Corsa bach yn ôl am Gae Aron.

Pan gyrhaeddodd Eric, cwestiwn cyntaf Megan iddo oedd:

'Be am banad a sgonsan tra byddwn ni'n siarad?'

Synhwyrai Eric y byddai paned yn cynorthwyo Megan i ymlacio yn ei gwmni, felly derbyniodd ei chynnig er nad oedd fawr ers iddo fwyta'i ginio. Gwnaeth y ddau ohonynt eu hunain yn gysurus yn y cadeiriau esmwyth yn yr ystafell fyw.

'Wel, Meg, be sy wedi digwydd i ti dros yr hannar canrif ddwytha 'ma?'

Soniodd Megan wrtho am ei deng mlynedd yn y siop dai, yna'i phriodas ag Ifan a'i bywyd ar y fferm, ond heb fynd i unrhyw fanylion.

'Fuost ti'n hapus?'

'Wel…mi wyddost sut beth ydi bywyd…'

'Pa fath o atab ydi hwnna, Meg?' Ystyriodd Megan.

'Un sy'n osgoi, beryg.'

'Ia. Dyna sut atab faswn inna'n 'i roi hefyd.' Ochneidiodd Eric. 'Y gwir ydi…camgymeriad fuo priodi Pat. Roeddan ni'n…be 'di'r gair…?'

'Anghymharus?'

'Ia, 'na fo – ieuo anghymharus. Isio, isio, isio, un felly oedd Pat. Finna'n slafio i drio ca'l petha iddi.'

'Mi lwyddist. Mi oedd gin ti dŷ mawr crand yn ochra Manceinion, meddat ti.'

'Diolch i'w rhieni hi – pobol fusnas. Dim ond Pat oedd 'na i'w etifeddu fo. Toeddwn i ddim digon da gynnyn nhw, 'sti. Dyn yn mynd i'r gwaith mewn ofyrôl.'

'Mi oedd gin ti grefft, Eric.'

'Oedd. A 'mwriad i ar ôl gorffan 'y mhrentisiaeth oedd dŵad yn ôl adra. I Traws neu'r Wylfa ella. Mi ddaru Pat roid stop ar hynna.'

'Eric, madda i mi am ofyn. Pam priodist ti hi? Dwy ar hugian oeddat ti…'

'Mi oedd hi'n ddel, yn siapus, yn randi…Ac yn disgwl. Dau fis rhwng y dyweddïad a'r briodas. Christopher yn ca'l 'i eni bum mis yn ddiweddarach. Abigail ddwy flynadd ar 'i ôl o. A rŵan, dyna Chris yng Nghanada ac Abi yn Awstralia.'

'Dim rhyfadd i chdi ddŵad yn ôl adra. Ond mi oedd gin ti ffrindia?'

'Oedd. Ond wir, ffrindia Pat oeddan nhw, ddim fy rhai i. Pan aeth Pat…'

'Faint sy ers iddi farw?' Oedodd Eric cyn ateb.

'Tydi hi ddim wedi marw, Meg. Mynd at un o'n "ffrindia" ni na'th hi – un mwy llwyddiannus a mwy cyfoethog na fi. Mi gawson ni ddifôrs bum mlynadd yn ôl. Rhannu'r aseda rhyngon. Diolch bod y tŷ yn enw'r ddau ohonon ni. Mi oedd o'n werth dros filiwn fel roedd petha'r adag honno.' Oedodd eto. 'Ond be 'di'r ots am bres. Dwi'n difaru na faswn *i* wedi 'i gada'l *hi*, yn syth ar ôl i'r plant fynd odd'ar 'yn dwylo ni. Ond dyna fo, magwraeth capal 'te? Dyletswydd i briodi, a phriodas yn clymu rhywun am byth: *till death us do part* a ballu. Mi o'n i o ddifri ynglŷn â hynny. Mi o'n i wedi gneud 'y ngwely, fel deudodd 'y nhad pan glywodd o am y babi.'

'Ia, felna roedd hi yn 'yn cyfnod ni. Dyna i ti Rhiannon wedyn, ddaru neb droi blewyn pan gafodd hi Eira.'

'Yma magwyd Eira?'

'Ia. Fi ddaru, mwy neu lai. Mi oedd gin Rhiannon ddigon i' neud yn ennill bywoliaeth. Lwc iddi etifeddu peth o synnwyr busnas 'i thad. A cha'l dipyn mwy o lwc na fo. Fuo ffarmio ddim yn hawdd.'

'Fedra i ddim dy ddychmygu di'n wraig ffarm, Meg. Ro'n i bob amsar yn meddwl mai mynd ymlaen hefo d'addysg basat ti. Mi oeddat ti'n reit glyfar.'

'Nac oeddwn, nen tad.'

'Lot clyfrach na fi! Allan o'n *league* i. Dyna pam na ddaru mi rioed fentro…'

'Mentro be?'

'Gofyn ddoit ti allan hefo fi.' Swniai Eric mor swil â glaslanc pymtheg oed.

Trawyd Megan yn fud. Y pum mlynedd hir yna o addoli o bell, y dyheu ofer, y torcalon, a'r cwbl am fod Eric yn meddwl ei bod yn rhy *glyfar* iddo fo! Hi, Megan, fyddai rywle tua chweched, seithfed, wythfed, mewn dosbarth o ddeg ar hugain, byth yn y tri cyntaf. Ni allai wneud dim ond syllu'n anghrediniol arno.

'Ia, wel, o'n i'n gwbod na ddoit ti ddim. Dda na 'nes i ddim gofyn, doedd?' meddai Eric gyda gwên drist.

'Fasach chi'ch dwy'n lecio chwiadan i swpar? Sgin i fawr o stumog.'

'Meddwl bod Eric yn aros am fwyd,' meddai Rhiannon.

'Finna hefyd. Ond penderfynu mynd ddaru o. Deud y gwir, mi a'th y sgwrs dipyn yn anodd, 'mhen sbel. Arna i roedd y bai, ymatab i rwbath ddeudodd o. Naci, methu ymatab i rwbath ddeudodd o. O, dwn 'im. Mynd na'th o, beth bynnag.'

'Bechod! Pam na ffoniwch chi o, Nain? Egluro.'

'Na, ma hi'n rhy hwyr. Mi a'th yn rhy hwyr dros hannar can mlynadd yn ôl.'

'Mam, gadwch y chwiaid yn y rhewgell a dowch i fyta hefo ni. Tatan bob.'

'Hen ddigon i mi. Diolch. Fedrwn i neud hefo'ch cwmpeini chi.'

'Ma hi'n lecio'r dyn yna o hyd, 'tydi Mam,' meddai Eira pan aeth Megan drwodd i'w chartref ei hun i roi'r hwyaid yn ôl yn ei rhewgell.

'Dw inna'n meddwl hefyd. Mae 'na fwy i hyn na wyddon ni, dwi'n siŵr.'

'Ddylian ni ofyn?'

'Na. Mi ddeudith hi os bydd hi isio.'

Ond ddywedodd Megan ddim rhagor, dim ond bwyta'n dawedog, heb siarad ond pan ofynnai rhywun gwestiwn iddi. Ar ddiwedd y pryd, daeth i benderfyniad: ffoniai Lilian. Llwyddodd i fynd drwodd ati ar Skype heb unrhyw drefniant blaenorol.

'Meg! Gest ti'r gwahoddiad i'r briodas?' oedd geiriau cyntaf Lilian.

'Ddim eto.'

'Mae o yn y post, meddai Siobhan. Mi wyt ti am ddŵad, twyt?'

'Dwi ddim yn hollol siŵr, Lil. Dwi'n dallt bod Marjorie Strong yn dŵad.'

'Ydi. Wrth 'i bodd: rioed wedi ca'l cyfla i fynd i briodas deuluol o'r blaen.'

'Felly deudodd hi. Y drwg ydi, ma hi isio trafeilio hefo fi, ac er 'mod i'n lecio'r hen greaduras, dwi'n ormod o hen greaduras fy hun i'w llusgo hi o gwmpas. Hefyd mi fasa raid i mi ddŵad hefo car, a chydig iawn dwi'n ddreifio rŵan.'

'Gweld dy bwynt di. Ddaru neb gysidro sut dôi Marjorie yma, rhaid cyfadda. Gormod o betha er'ill ar 'yn meddylia. Ma gynnon ni le i bawb aros; 'dan ni wedi cymryd gwesty cyfa drosodd! Un heb fod yn rhy ddrud a phawb yn talu 'i ffor 'i hun.'

'Fasa hynny ddim yn broblem. 'I musgrellni hi ydi'r drwg.'

'Ella basa Rhiannon yn dŵad hefo chi?'

'Dwn 'im sut ma hi arni hefo'i gwaith. Gawn ni weld, ia?'

'Ia. Gad o hefo fi.'

'Iawn. Ond gwranda, Lil, ma gin i newydd i ti. Ti'n cofio Eric Elias?'

'Meg, fedra dy ffrind gora di yn nyddia ysgol ddim *ang*hofio Eric Elias!'

'Na fedra, debyg. Mae o'n byw yn Nhraeth Gweirydd. Ddaru ni daro ar 'yn gilydd bythefnos yn ôl pan aethon ni â Marjorie Strong adra. Fo sy yn y fflat nesa ati.'

'Rargol fawr! Maen nhw'n nabod 'i gilydd felly?'

'Mae o'n gymydog da, yn ôl fel dwi'n dallt.'

'Ydi o'n ddyn rhydd, Meg? Wyt ti'n debygol o'i weld o eto?' Bu Megan yn dawel mor hir nes i Lilian ofni bod rhywbeth wedi digwydd iddi. 'Meg? Ti'n iawn?'

'Ydw. Diforsî ydi Eric. Mi fuo yma pnawn 'ma. Ond wn i ddim ddaw o eto.'

''Nest ti ddim ffraeo hefo fo?!'

'Naddo. Jest gneud ffŵl ohono' fy hun, fel arfar. Mi ddeudodd...y bydda fo isio gofyn i mi fynd hefo fo erstalwm, ond 'i fod o'n meddwl 'mod i'n rhy...rhy *glyfar* iddo fo! Glywist ti'r fath lol yn dy ddydd?'

'O Meg bach! Am beth i'w glywad ar ôl yr holl flynyddoedd 'na o fopio!'

''Te 'fyd? Fedrwn i ddeud dim gair, Lil, dim ond rhythu fel het. Mi feddyliodd 'i fod o'n iawn – na faswn i byth wedi mynd hefo fo. Dda na ddaru o ddim gofyn, medda fo. A mi a'th adra heb 'i swpar.'

'Meg, Meg, Meg! Mi wyt mor blydi hôples ag erioed!'

Gwenodd Megan.

'Tydw i hefyd? Ond dwi'n rhy hen i gofio sut i gogio caru erbyn hyn, Lil.'

'Prin buost ti rioed yn gwbod, Megan Defis! Be 'na i hefo chdi dywad?'

Fel y ffarweliai Megan â Lilian, ychydig a wyddai fod ymennydd ei ffrind yn tician fel cloc mawr. Byddai'n rhaid gwneud rhywbeth ynglŷn â Meg ac Eric Elias, a hynny ar fyrder.

'Bora da, Ms Huws. Gymrwch chi frecwast?' Troes Rhiannon drosodd yn y gwely i weld Ed yn sefyll yno a hambwrdd yn ei ddwylo, ac arno goffi a thost.

'Be dwi 'di neud i haeddu hyn?' gofynnodd.

'Bwyd neis i mi neithiwr. A rwbath arall neis i mi wedyn...'

Gwenodd Rhiannon gan godi ar ei heistedd.

'Wyt ti wedi ca'l brecwast dy hun?'

'Do, hefo un o 'nisgyblion Chweched Dosbarth.'

'O ufflon! Am sefyllfa! Sorri 'mod i wedi cysgu'n hwyr.'

'Bodlon dy fyd, ti'n gweld. Be sy gin ti i' neud heddiw?'

'Mynd i'r Wavecrest. Rhyw broblam bach hefo defnyddio'r wefan.'

'Dwi'n dŵad hefo chdi!' Chwarddodd Rhiannon.

'Dwi ddim yn mynd i neidio i'r gwely hefo Peter de Bruno, 'sti. Fuo mi yno wsnos dwytha'n rhoi cyfarwyddiada iddo fo a mi fuo'n ŵr bonheddig perffaith. Gin ti ormod o ddychymyg.'

'Dwi'n dŵad 'run fath. Mi fedrwn alw acw gynta i mi ga'l nôl CD dwi wedi gaddo'i menthyg i Llion.'

Yn nerbynfa'r gwesty, synnodd Ed o weld Glenys Evans yn dal pen rheswm â'r perchennog. Clywodd De Bruno'r drws yn cau a throi i edrych.

'Ah! Reeannun! You've come about that little blip I've had with the website.'

Cododd ei fraich y tu ôl i gefn Rhiannon i'w harwain i'r swyddfa, ond heb ei chyffwrdd. Cuchiodd Glenys Evans. Troes at Ed.

'Be wyt *ti*'n neud yma?'

'Dwâd hefo Rhiannon 'nes i. Dwi'm yn trystio'r boi 'na.'

'Dwi'm yn dallt. Ddim mam Eira Mai oedd honna?'

'Ia. 'Y nghariad i, Glenys. A tydi hwnna ddim yn mynd i ga'l rhoid 'i hen facha budron arni hi.'

Y blydi teulu Huws yna! Bwrn ar enaid Glenys, dyna oeddan nhw. Llion yn ffansïo Eira, a rŵan, erbyn iddi hi droi ei golygon i gyfeiriad Peter de Bruno, dyna hwnnw'n ffansïo'i mam hi! Honno wedyn, wedi llwyddo i rwydo Edward Mathias, oedd yn brifo gormod ar ôl ei ysgariad i chwarae'r gêm pan geisiodd hi ei gornelu. Ond o'r tri, am Llion roedd hi'n blysio fwyaf. Damio Eira Mai. Pe bai hi ond yn gallu cael prawf o'i hamheuon...

'Dwi isio mynd i fyny i weld Llion hefyd,' meddai Ed, 'gan 'mod i yn ymyl.'

Gwyddai Glenys mai rywle yn y cyffiniau yr oedd cartref Llion, gan iddo gerdded i'r Wavecrest i gyfarfod pawb arall noson y parti dyweddïo, ac aros i'r bws mini eu cludo oddi yno cyn cerdded yn ôl adref. Ond ni wyddai yn union ym mhle. Y noson yr aeth y ddau gyda'i gilydd i brynu pryd Chinese, chafodd hi ddim cynnig mynd gydag ef i'w fwyta. Dyma'i chyfle!

Pan adawodd Ed a Rhiannon y Wavecrest, aeth Glenys allan ryw funud ar eu holau. Gwyliodd gar Ed yn teithio i fyny'r lôn ac yn aros y tu allan i dŷ'n uwch i fyny. Rhoes amser iddo ef a Rhiannon fynd i'r tŷ, yna aeth hithau yn ei char eu holau. Pen Rallt. Go dda. Os gallai ddal Eira Mai yng nghyffiniau Pen Rallt, byddai ganddi obaith cael dial...

28

'Cardyn Dolig i chi o Ddulyn, Mam,' galwodd Rhiannon drwy'r drws a gysylltai'r ddau dŷ. Roedd hi'n ddydd Mercher yr wythnos gyntaf o Ragfyr. Daeth Megan drwodd, ond nid *Cyfarchion y Tymor* a ddymunai'r cerdyn iddi.

'Y gwahoddiad i briodas Padi, mab fenga Lilian. Ma'n siŵr bydd un Marjorie Strong wedi cyrra'dd hefyd,' meddai'n ddigalon.

'Tydach chi ddim yn hapus o gwbwl ynglŷn â theithio yno hefo hi, nac'dach?'

'Weli di fai arna i? Dwi ddim digon cry i'w helpu hi, Rhiannon. Nid yn unig ma hi'n fusgrall, ma hi'n drwm hefyd. Dwi wedi egluro wrth Lilian, a mi ofynnodd fedrat ti ddŵad hefo ni.'

'Anodd. Dwi wedi ca'l gwaith gin y brifysgol a ma Dolig yn dŵad ar 'i ganol o…' Ystyriodd Rhiannon am funud. 'Twt, derbyniwch y gwahoddiad. Os na fydd 'na atab arall, mi ddo' i. Ac Eira. Awn ni â'ch car chi. Dim ond bod yna i helpu hefo'r teithio fydd isio; mi fydd yna ddigon o bobol i edrach ar 'i hôl hi yn y briodas.'

'Os wyt ti'n siŵr…'

'Ydw. A dwi 'di ca'l syniad arall. Gobeithio nad oes dim ots gynnoch chi, ond faswn i'n lecio ca'l Ed yma hefo ni ddydd Dolig. Mi fedra fynd at 'i chwaer, ond…'

'Yma basa fo'n lecio bod? Rhiannon bach, dim ots gin i o gwbwl.'

'Be am i ni ofyn i Mrs S hefyd? Sôn am fynd i'r Wavecrest i ginio Dolig oedd hi pan welis i hi ddwytha; deud bod y *nice Mr Ellis* 'na'n mynd yno hefyd. Fasa'n gyfla i chi weld fedrach chi neud hefo hi yn y gwesty yn Nulyn: lle bynnag byddwch chi'n aros, ma'n siŵr byddwch chi'n gorfod rhannu stafall.'

'Ma Lilian wedi deud wrtha i am ada'l petha hefo hi. Dwn 'im be sy gynni hi i fyny 'i llawas, ond mi gaf wbod toc, mwn.'

'Cewch…Mam, os bydd gynnon ni ddau ychwanegol yma

ddydd Dolig, waeth i ni chwanag ddim. Fasach chi'n hoffi ca'l y *nice Mr Ellis* yma?'

'Dwn 'im ddaw o!'

'O Mam! Be bynnag ddaru chi ddeud, neu ddim 'i ddeud, wrtho fo'r dydd o'r blaen, dwi'n siŵr na ddaru chi ddim pechu cymaint â hynny! Gynigiwn ni, ia?'

'Wel…ia, dyna chdi 'ta.' Hwyrach y câi hithau gyfle i wneud cyfaddefiad, un cyffelyb ddigon i'r un a wnaethai Eric ei hun yr wythnos cynt.

Ar gwr gogleddol Llanwenoro, bwytâi Glenys Evans ei swper mewn unigrwydd. Nos Wener, a phenwythnos hir o'i blaen. Y nos Wener cynt, aethai gyda Mari Parri i'r Wavecrest am bryd; dwy hen ferch heb neb ond ei gilydd yn gwmni. Nage, *un* hen ferch: roedd Mari Parri tua phump a deugain. Dim ond tri deg tri oedd hi ei hun, a daliai i fyw mewn gobaith. Y noson honno y penderfynodd efallai fod Peter de Bruno'n werth rhoi tro arno. Clywsai ei fod yn sengl gan y ffrind a gynhaliodd ei pharti dyweddïo yn y Wavecrest. Gan nad oedd Glenys yn un i wastraffu amser, dychwelodd i'r gwesty fore Sadwrn dan yr esgus o fod wedi colli clustdlws go werthfawr yno. Cafodd wybod gan y dderbynwraig nad oedd neb wedi dod â chlustdlws colledig iddi hi, ond mynnodd Glenys gael gair gyda'r perchennog i wneud yn siŵr y cadwai pawb olwg amdano (er bod y tlws yn ddiogel yn ei flwch ar ei bwrdd gwisgo gartref). Dyna pryd y cerddodd Edward Mathias i mewn gyda mam Eira Mai, ac yr anelodd De Bruno fel bwled am y ddynes Huws felltith. Doedd ryfedd fod Ed wedi mynnu dod gyda hi â'r ddau bellach yn eitem, er na wyddai Glenys hynny nes i Ed ei goleuo. Oedd y Rhiannon yna'n gymaint o hoeden â'i merch, tybed? Digon posib; chlywsai Glenys erioed sôn am dad i Eira Mai.

Ar ôl golchi ei llestri, penderfynodd fynd i ganol y dref i logi DVD. Dewisodd *Pretty Woman*. Roedd y ffilm bron cyn hyned â hithau a gwelsai hi droeon, ond heno teimlai fel gwylio rhywbeth rhamantus gyda digon o ryw ynddi. Dim agos cystal â rhyw go-iawn, wrth gwrs. Hefo Llion Oliver. Tân ar ei chroen oedd dychmygu'r hyfryd Llion yn dyrnu Eira Mai. Nos Wener: dim ysgol fory. Ai dyma'r noson i'w dal? Gyrrodd Glenys i Draeth Gweirydd, ar hyd y prom ac i fyny at fwthyn Pen Rallt.

Ar ochr dde'r ffordd yn unig y safai tai, sef ochr y môr. Gwelodd Glenys lôn gul gyferbyn â Phen Rallt a throes drwyn y car i mewn iddi. Yna gwelodd giât yn arwain i gae, a digon o le i barcio o'i blaen, felly baciodd y car i'r bwlch. Gan fod gwrych rhyngddo a'r ffordd, ni allai neb weld y car, ond oddi yno gallai hi weld llidiart Pen Rallt yng ngolau lamp y stryd. Os cerddai Eira Mai i fyny o gyfeiriad y prom ni allai ei cholli. Setlodd Glenys i lawr i wylio.

Ar ôl bod yno am beth amser heb weld dim ond cwpwl o geir a aeth heibio tua'r tai'n uwch i fyny na chartref Llion, dechreuodd Glenys deimlo'n oer. Edrychodd ar ei horiawr a'i bysedd llewyrchol. Wyth o'r gloch. Os oedd y ffifflen geneth yna am ddod o gwbl byddai wedi cyrraedd bellach. Amser troi am adref. Clywodd sŵn car yn dod i fyny'r allt, felly arhosodd iddo fynd heibio cyn tanio'i pheiriant. Ond trodd y car i mewn i'r lôn bach. Yr eiliad y gwelodd y golau'n dod i'w chyfeiriad dowciodd Glenys ac ymguddio. Y peth olaf a fynnai oedd cael ei dal yn loetran ger tŷ Llion. Clywodd y car yn bacio'n ôl i'r stryd a pharcio ychydig yn is na'r tŷ. Ni fentrodd godi ei phen am ychydig, ond pan wnaeth, gwelodd gefn dyn yn mynd i mewn drwy giât Pen Rallt: Edward Mathias! Diolch ei bod wedi cuddio!

Wedi rhoi digon o amser i Ed fynd i mewn i'r tŷ, taniodd Glenys beiriant y car a dianc am ei bywyd. Yn ôl i'w chartref unig. Richard Gere, potel o win, a'i dyrnwr-crynu, dyna fyddai ei rhan hi heno.

Gwnaeth Ed ei hun yn gyfforddus ar un o gadeiriau esmwyth Llion.

'Dwi 'di colli fy lle parcio heno: mi oedd 'na gar o flaen y giât.'

'O'dd e? Sa i'n meddwl bod neb yn y tai drws nesa penwthnos hyn 'fyd.'

'Clio bach oedd o, un gwyn. X25 G rwbath. GLE dwi'n meddwl.'

'Yffarn! Rhif personol Glenys Evans. 'Wy wedi'i weld e wrth yr ysgol.'

'Be o'dd hi'n neud yn hongian o gwmpas yn fanna? Welis i moni, cofia. Mi oedd y car yn edrach yn wag.'

'Os gwelodd hi ole dy gar di'n dod i'w chyfeiriad hi, fydde hi wedi cwato!'

'Ma gin ti *stalker*, mêt.'

'Synnen i fochyn!' meddai Llion yn sychlyd.

'Pam? Ydi hi'n gwbod rwbath na wn i ddim?'

'O!... Paid becso ymbytu hi.'

'Oes gin hyn rwbath i' neud hefo disgybl fach benfelen dwi'n dy gofio di'n 'i galw ryw dro'n Miss Cyrls a Choesa?'

Tynnodd Llion wyneb.

'Nag o'n i'n nabod hi bryd 'ny. Ddylen i ddim bod wedi 'i weud e.' Yna ychwanegodd braidd yn bryderus: 'Pam o't ti'n gofyn?'

'Menna ddeudodd rwbath clên amdan Eira pan fuo Rachel yn canu i ni. Mi oedd yr olwg yn dy llgada di'n ddigon, was. A'i rhai hitha.'

Ystyriodd Llion am ychydig. Beth fyddai ddoethaf, gwadu ai peidio?

'Nag y'n ni'n gweld 'yn gilydd, Ed. Ar fy llw.'

'Ond mi ydach chi'n dallt 'ych gilydd...' Amneidiodd Llion.

'Odi Rhiannon yn gwbod?' gofynnodd.

'Dwi ddim wedi deud wrthi, a tydi hitha wedi sôn dim. Ond tydi hi ddim yn ddall 'sti, nac yn dwp. Yn lle ma Glenys the Menace yn dŵad i mewn i hyn, ar wahân i'r ffaith 'i bod hi'n dinboeth drostat ti?'

'Welodd hi fi 'da Eira yn y siop tjips wthnos dwetha.'

'Diawl gwirion! Fedrat ti ga'l lle mwy cyhoeddus, hefo'r ffenast fawr 'na?'

''Da'i *mam-gu* o'dd Eira!' Eglurodd Llion beth oedd wedi digwydd, gan watwar Glenys yn holi: 'Sut wyt ti'n nabod nain Eira Mai?' Chwarddodd Ed.

'Wydda hi ddim i ti fod yn byw yn y bwthyn gwylia?'

'Na wydde. Ond fel tase 'na ddim yn ddigon a'th hi mla'n ymbytu'n gwersi ni, fel 'sen ni'n ca'l *orgy* bob dydd. Nag o'dd hi'n sylweddoli bod Guto 'na 'fyd.'

'Ma'n amlwg na ddaru hi goelio dim gair ddeudist ti wrthi.'

'Treial 'y nala i mas ma'r ast. Be wy'n mynd i' neud os ddechreuith hi whilibawan mas 'na bob whip stitsh?'

'Wel, os wyt ti'n deud y gwir, nad wyt ti ddim yn gweld Eira Mai tu allan i'r ysgol, mi sylweddolith cyn hir 'i bod hi'n gwastraffu 'i hamsar. Ac os deil hi i stelcian, mi fydd rhaid chwilio am ryw ffor i roi sbocsan yn 'i holwyn hi, bydd?'

Brynhawn Sadwrn, clywodd Megan sŵn car yn cyrraedd y cowt. Ni chymerodd sylw – rhywun i weld Rhiannon, siŵr o fod. Yna canodd cloch ei drws hi ei hun.

'Eric!' Roedd o'n dal i siarad hefo hi felly. Arweiniodd ef i'r ystafell fyw, ond edrychai Eric ar binnau. Eisteddodd ar ymyl y gadair a thynnu amlen o'i boced.

'Drycha be dda'th bora 'ma.'

Cymerodd Megan yr amlen: marc post Dulyn, a chyfeiriad Mr E. Elias, Flat ?, Seaview, Traeth Gweirydd…Edrychodd ar Eric; roedd ei dalcen wedi crychu.

'Darllan o.' Gwyddai Megan o deimlo'r amlen mai cerdyn oedd y cynnwys, a doedd ganddi fawr o amheuaeth sut fath o gerdyn. Gyda'r gwahoddiad gwelodd ddarn o bapur ac arno ysgrifen Lilian:

> Eric, clywed dy fod di'n ôl yn yr hen ardal ac yn gymydog i 'nghyfyrdres i, Marjorie Strong. Mi faswn wrth fy modd yn cael dy gyfarfod a hel tipyn o atgofion. Mab Ryan a fi ydi Padraig. Gobeithio'n fawr y medri di ddŵad i'w briodas o. Cofion, Lilian.

'Fedri di?'

'Medra. Mrs Strong yn deud dy fod titha'n mynd. Trafeilio hefo'ch gilydd.'

'Ydw.' Beth oedd gan Lil mewn golwg? Gofyn i Eric fynd i'r briodas er mwyn iddi hi, Megan, gael help hefo Marjorie Strong? Ynteu dod ag Eric a hi at ei gilydd? Rhoi cyfle i Megan wneud iawn am roi camargraff i Eric yr wythnos diwethaf? Unwaith eto, bu'n ddistaw yn rhy hir. Cododd Eric ar ei draed.

'Yli, ddo' i ddim os wyt ti ddim isio i mi.'

'Naci, stedda. Plis, Eric. Faswn i wrth fy modd tasat ti'n dŵad i'r briodas.' Eisteddodd Eric eto. 'Ma Rhiannon ac Eira am ddŵad i fy helpu fi i lusgo Marjorie o gwmpas. Ddim i'r briodas; ond mi fyddan ar ga'l yn ystod y siwrna.'

'O. Ydyn nhw *isio* dŵad? 'Ta dim ond trio helpu maen nhw?'

'Wel...mi fasan yn medru gneud mymryn o siopa yn Nulyn, debyg...'

'Dyna chdi 'ta. Mi ddo' i ar 'y mhen fy hun. Mi ga' i wbod y trefniada eto.'

'Ac eto ma gin Rhiannon beth wmbrath o waith ar hyn o bryd, a ma hi'n helpu'r ysgol hefo sgript sioe gerdd. A dwi'n meddwl bydd gin Eira arholiada toc.'

'Meg, be *wyt* ti isio? Mi dwi'n hollol fodlon trafeilio ar fy mhen fy hun, ond dwi hefyd yn berffaith hapus i chdi a Mrs Strong ddŵad hefo fi yn 'y nghar i. Mi fedra *i* dy helpu di hefo hi. Dim rhaid i Rhiannon ac Eira ddŵad o gwbwl os oes gynnyn nhw ormod o waith.' Gwenodd Megan ei rhyddhad.

'Diolch, Eric. Dyna fasa ora gin i. Dwi'n meddwl mai trio gneud 'i dyletswydd tuag at 'i hen fam roedd Rhiannon mewn gwirionedd.'

'Chwara teg iddi, ond toes dim mymryn o angan. Mi wnawn ni'n *champion*, Meg, a mi fydd yn braf ca'l mynd yn ôl i Ysgol Gwenoro hefo Lilian Jôs!'

'Bydd.' Gwenodd: Lilian Jôs a Megan Defis oedd y ddwy i Eric o hyd. 'Eric...mi oedd Marjorie'n sôn am fynd i'r Wavecrest am ginio Dolig, medda Rhiannon. Deud dy fod titha'n mynd hefyd.'

'Waeth i mi fanno ddim. Mi ga' i dynnu cracyr hefo'r hen Marj os neb arall.'

'Ma Rhiannon yn bwriadu cynnig iddi ddŵad yma am y dwrnod, a fasan ni wrth 'yn bodda tasat titha'n dŵad hefyd. Mi fydd Ed, cariad Rhiannon, yma, ac "os gwelwch chi dwmpath gnewch o'n fwy", fel byddan ni'n llafarganu erstalwm.'

'Wyt ti'n siŵr? Mi fydd gynnoch chi angan twrci cymaint ag *ostrich*.'

'Dim problam. Fel arfar 'dan ni'n byta'r bali deryn am oes nes byddwn ni'll tair yn clegar 'run fath â fo.' Chwarddodd Eric: o'r diwedd teimlai y gallai ymlacio.

'Meg, ma'n ddrwg gin i 'mod i wedi gada'l mor ffwr-bwt wsnos dwytha, a chditha am neud swpar i mi. O'n i ofn 'mod i wedi deud gormod... dy ddigio di.'

'Naddo siŵr. Annisgwl oedd o, dim byd arall.' Dyma'i chyfle i ddweud wrth Eric sut y teimlai hithau amdano fo erstalwm. Ond unwaith eto, methodd fagu'r plwc. Haws oedd bod yn ymarferol.

'Yli, arhosa am dama'd o fwyd hefo fi heno 'ta. Neith wy a tjips a bechdan ffresh y tro?'

'Mi fydd yn wledd,' atebodd Eric.

Yn llewyrch lampau blaen ei Saxo gwelodd Llion rywbeth yn sgleinio drwy fwlch bychan yn y berth gyferbyn: crôm ar du allan car? Oedd Glenys yn y gilfach o flaen yr iet heno eto? Gyrrodd Llion allan o'i ddreif ac i lawr y tyle.

Wedi cyrraedd y prom, arafodd: toc daeth car arall i lawr y rhiw. Ni allai weld yn y drych pa fath o gar ydoedd, ond roedd yn fach, a'i liw yn olau. Cyflymodd Llion i ddeng milltir ar hugain: dilynodd y llall ef i ben draw'r prom a thua Llanwenoro. Yno trodd Llion i mewn i Stryd yr Eglwys, gan lwyddo o'r diwedd i golli Glenys.

Ychydig iawn o le oedd ar gael i barcio. Tynnodd Llion i mewn i'r bwlch cyntaf a welodd, yna cerddodd at dŷ Ed, gyda'r CD roedd am ei dychwelyd iddo yn ei law. Wrth ganu cloch y drws, ciledrychodd yn ôl i fyny'r stryd. Yn araf droi i mewn heibio'r gornel roedd trwyn car bach tebyg i'r Clio.

'Sa i'n sefyll; ti'n dishgwl Rhiannon sbo,' meddai wrth Ed. 'A…fuodd 'da fi *rywun* wrth 'y nghwt nes pen Stryd yr Eglwys. 'Wy bytu bod yn siŵr taw hi o'dd yn troi miwn i'r hewl pan ganes i'r gloch.'

Winciodd Ed arno, diffodd y golau ac agor bwlch bach rhwng y llenni.

'Ti'n iawn! Pasio rŵan.' Daliodd i sbecian. 'A ma hi'n tynnu i mewn i barcio mhellach draw.' Caeodd y llenni a chynnau'r golau. 'Oedd hi yn yr un lle eto heno?'

'O'dd. So hi'n sylweddoli sbo, ond ma crôm 'i char hi i'w weld yn shino trwy ganghenne'r berth yng ngole 'nghar i. Feta i ddaw hi'n ôl pan a' i gatre. Meddwl bod nos Sadwrn yn nosweth garu.'

Erbyn i Llion adael tŷ Ed, roedd Glenys wedi troi ei char yn ôl yn barod. Gwnaeth Llion yntau dro trithro a'i chychwyn hi am adref. Mewn tywyllwch, safodd Ed yn ffenest ei stafell fyw i'w wylio, ac ymhen eiliad neu ddau gwelodd Glenys yn ei ddilyn, ac yn troi am Draeth Gweirydd. Yn amlwg, bwriadai lercian yno am beth amser eto, yn y gobaith o weld Eira Mai'n dod i gadw oed. Cyn gynted ag y tybiai Ed fod Llion wedi cyrraedd diogelwch Pen Rallt, ffoniodd ef i adael iddo wybod. Penderfynodd Llion yntau'n syth bìn y dylai roi gwybod i Eira, rhag ofn iddi fethu ymatal ryw noswaith deg a phenderfynu dod i'w weld.

Amser egwyl fore Mawrth y llwyddodd i'w chornelu, a gofyn iddi roi help llaw iddo amser cinio i dacluso storfa'r stafell ddrama.

'Pam 'dan ni yma? Oes 'na broblem?' gofynnodd Eira.

'Glenys. Ma hi wedi dechre llercan yn y car tu ôl i'r berth ar gyfer Pen Rallt. Ddilynodd hi fi nos Sadwrn i dŷ Ed, sefyll yn y stryd nes des i mas, a 'nilyn i gatre wedi 'ny. Wy'n credu iddi fod 'na nes bytu wyth o'r gloch. Ac o'dd hi 'na'r nosweth cyn 'ny 'fyd; welodd Ed y car.'

'Ydi hi yno *bob nos*?'

'Sa i'n gwbod.'

'Alla ddŵad ar nos Ferchar. Nos Sadwrn bach. Lot yn mynd allan.'

'Yn gwmws. So, ar bo'n dy fywyd, Eira, paid dod yn agos i 'nhŷ i!'

'OK. Cheith *neb* sbwylio petha i ni. Dwi mor falch bod fi'n ca'l dy weld di yn yr ysgol. A dwi'n gwbod twyt ti ddim yn bell ar benwythnosa. Ond dwn 'im be 'na i pan ei di i ffwr dros y Dolig.'

'Sa i'n mynd i unman, bach.'

'Twyt ti ddim yn mynd adra?'

'Nag o's "adra" 'da fi.' Syllodd Eira'n syn arno.

'O'n i'n jest yn cym'yd yn ganiataol...'Dan ni rioed wedi sôn am dy hanas di.'

'Wastod 'da ni bethe gwell i' neud pan ddôi cyfle,' gwenodd Llion.

'Oedd. 'Nes i ddim meddwl o'r blaen ond mi wyt ti'n...enigma, Llion. Glanio'n 'yn canol ni'n annisgw'l, dim gorffennol, dim cysylltiada, acan wahanol...'

'Wy'n gobitho na neith e ddim gwahanieth i ni'n dou,' meddai Llion yn ddifrifol.

'Be?'

'Taw bachan o Mars odw i.'

'Idiot!' Colbiodd Eira ef yn chwareus. Yna difrifolodd. 'Ydi dy rieni di wedi...?'

'Do. Damwen car. O'n i'n saith a wedi mynd i barti pen-blwydd ffrind, ca'l sefyll y nosweth 'da fe. A'th Dad a Mam i Ga'rdydd i weld siew, dod gatre'n hwyr y nos. A'th lorri mas o reoleth...'

'O, Llion!' Dododd Eira'i breichiau am ei ganol a gorffwyso'i phen ar ei frest. Anwylodd Llion y cyrls melyn.

'Dere, bach. Ma fe'n hen hanes nawr. Ond sa i'n mynd mas o'n ffordd i weud wrth neb, ti'n dyall?'

'Ydw. Ydw siŵr. Ond pwy fagodd di?'

'Rywbryd 'to, ife? Gei di wbod, wy'n addo. Dim cyfrinache, nage fe?'

'Ia.' Ar wahân i rai pobol eraill. 'Llion...mi fydd gynnon ni lond tŷ dydd Dolig. Mr Mathias, Mrs Strong – y ddynas ma Mam yn gweithio iddi, Mr Elias – hen ffrind ysgol Nain…Pam na ddoi di acw hefyd? Fasa dim byd yn od yn hynny. Mi wyt ti'n ffrind i'r teulu ar ôl bod yn byw yn y bwthyn.'

'Fydden nhw'n folon, ti'n meddwl?'

'Wrth gwrs byddan nhw! Nain yn ca'l 'i toi-boi yn ymyl! Jest i ti beidio cwffio drosti hi hefo Eric Elias.' Chwarddodd Llion.

'Ddwlen i ddod,' meddai.

29

'Beth a wnaf heb Euridi-ice? I ble'r a-af heb gariad ho-on?' rantiodd Eira Mai ganu i gyfeiliant piano Edward Mathias.

'Eira,' meddai Ed wedi iddi orffen y gân, 'cofia mai galaru ar ôl Euridice rwyt ti yn fama, ddim mynd i *rave* hefo hi.'

Piffiodd Eira chwerthin.

'Sorri, syr.' Gwenodd ar Ed o glust i glust. Syllodd yntau ar y wên fradwrus.

'Mantra i ti, Eira Mai. *Fama hyn, rŵan hyn,* ys deudan nhw tua Phen Llŷn. Canolbwyntia. Be wyt ti'n 'i neud *y funud yma* sy'n bwysig. Dwi'n gwbod dy fod di'n hapus, a mi wn i o'r gora pam, ond mae 'na dros wsnos i fynd tan ddydd Dolig.'

'D-dolig?' Difrifolodd Eira.

'Toes dim isio bod yn ddewin i wbod pam wyt ti'n edrach ymlaen, 'mach i,' meddai Ed yn addfwyn. 'Byhafiwch 'ych dau tan yr ha, a chewch chi ddim problema.'

Aeth Eira i'r pot yn lân: sut gwyddai o? *Faint* wyddai o?

'Ydi Mam yn…?'

'Ddim drwyddaf fi, ond ma gynni hi ddau lygad yn 'i phen, 'sti. Ty'd, rho dro arall ar y gân 'ma.'

Canodd Eira eto, yn dawelach ac yn fwy lleddf y tro hwn.

'Dyna welliant,' meddai Ed. 'Ma hon yn gân anodd, Eira, ond

mi wyt ti'n ddigon tebol i'w thaclo hi. Ma gin ti'r llais, a ma gin ti'r empathi hefyd, ond i ti gysidro be wyt ti'n 'i ganu. Ma digon o amsar cyn y profion ddechra tymor yr ha.'

'Diolch am fynd drosti hefo fi, Mr Mathias. Toeddwn i ddim yn siŵr o hon. Er, dwi'n teimlo'n annifyr, fel taswn i'n ca'l ffafriaeth dros y lleill achos chi a Mam.'

'Dim isio i ti. Dwi'n siŵr na fydd dim angan eto. Gweithia di'n galad a mi nei di'n iawn. Ond ma *raid* cadw dy feddwl ar y gwaith, Eira Mai!'

O hynny hyd ddiwedd y tymor, gwrandawodd Eira ar ei gyngor, yn enwedig gan fod ganddi *mocks*, a bu ei mam yn llafurio'n ddiwyd wrth ei gwaith hefyd. Megan a gafodd y dasg o ysgrifennu cardiau Nadolig. Hefyd, cafodd gyfle i fynd i chwilio am ddillad ar gyfer y briodas: gan nad âi i gymowta llawer, nid oedd ganddi unrhyw beth addas i'w wisgo. Yna, wedi i wyliau'r ysgol gyrraedd, bu raid i bawb ohonynt ddechrau meddwl am yr ŵyl. Aeth Eira ati i rigio'r trimins, a rhyngddynt llwyddwyd i gasglu'r angenrheidiau ar gyfer y cinio a'r te.

Fore'r Nadolig, bu'r tair wrthi fel lladd nadroedd. Y diwrnod cynt aethai Rhiannon i'r siop-fferm i gyrchu'r twrci, neu'r estrys, fel y mynnai Eira'i alw ar ôl clywed am sylw Eric, a lled-rostiwyd yr anghenfil y noson honno, gan ei orffen y bore wedyn. Tynnwyd un o bwdinau clwt Megan i lawr o nenfwd ei chegin lle buasent yn hongian, yn union fel y crogai pwdinau ei mam oes y cogau'n ôl, ac edrychai Megan ymlaen am ei flasu gyda menyn toddi. Fu Megan erioed yn gogyddes o fri, ond ni chafodd yr un Nadolig fynd heibio heb iddi ddilyn rysáit pwdin clwt ei mam, pwdin golau na chadwai'n hir iawn. Ar ôl dydd Nadolig câi ei dafellu a'i fwyta'n oer, fel teisen. Glafoeriai Eira Mai wrth feddwl amdano.

Tua hanner dydd, dechreuodd y gwesteion gyrraedd. Eric a Mrs Strong oedd y rhai cyntaf, a thoc daeth Ed a Llion gyda'i gilydd yng nghar Ed. Yn hollol naturiol, wrth weld cwpwl canol oed a chwpwl ifanc yn bresennol, yn ogystal â Megan ac Eric, neidiodd Marjorie i'r canlyniad amlycaf.

'Oh, thank you, Rhiannon dear,' meddai pan estynnodd Rhiannon ddogn helaeth o jin a thonic iddi. 'It's so good to see all three of you with your partners. I feel a proper gooseberry, I must say!' Chwarddodd Rhiannon.

'You needn't, Mrs Strong. It's not like that at all. As you know, Mr Elias and my mother were in school together, that's all.'

'But I have a feeling that he still regrets not doing anything further about it,' meddai Mrs S yn gyfrinachol.

'Ed and I are together, yes, but Llion was just a tenant in our holiday home. He's Eira Mai's Drama teacher, so there's nothing going on there, I can assure you.'

'If you say so, dear.' Doedd hi'n coelio dim gair o'r datganiad yna yn ôl ei thôn, ac wrth weld Eira a Llion yn sgwrsio gan fethu'n lân â pheidio syllu'n gariadus i lygaid ei gilydd, doedd Rhiannon ddim chwaith. Fu hi'n ddoeth yn caniatáu i Llion ddod i dreulio'r diwrnod hefo nhw? Wel, fedrai dim byd mawr ddigwydd rhwng y ddau yng nghanol y fath gwmni niferus.

'Fydd cinio ddim yn hir,' meddai. '*All hands on deck,* ferched Cae Aron.'

Wedi i bawb gael eu gwala a'u gweddill o ginio a phwdin, sychodd Mrs Strong ei cheg â'i napcyn ac ochneidio'n fodlon.

'That was delicious,' meddai, 'every single morsel of it. Thank you so much, girls.' Adleisiodd y dynion ei chanmoliaeth.

''Yn tro ni'r bois i weithio rŵan,' meddai Eric. 'Dowch, hogia, gliriwn ni'r bwr a golchi'r llestri.'

'Mi eith y llestri i'r peiriant,' meddai Rhiannon. 'Mi ddo' i yna i'w stacio fo achos ma isio trefn i roi popeth i mewn.'

'Diolch yn fawr!' meddai Ed. 'Sgin ti fawr o ffydd ynon ni, nag oes?'

'Gei di olchi'r sosbenni, yli. Ti isio menthyg brat?'

''Yt ti dan y fawd ishws, Ed!' Lluchiodd Llion ei geiniogwerth i'r cellwair.

'Gei ditha wisgo brat i'w sychu nhw,' meddai Eira Mai gan wenu'n braf.

'Eira Mai! Cofia di hefo pwy wyt ti'n siarad!' ceryddodd Megan.

'Ŵ, sorri syr,' meddai Eira'n gellweirus.

'Twt twt! Aros miwn ar ôl ysgol i ti ddechre'r tymor, Eira Mai,' pryfociodd Llion, ei lygaid yn awgrymu'r arhosai yntau i'w goruchwylio.

'Gymra i'r *detention*,' ychwanegodd Ed. 'Gei di awr o ganu galarnadus am Euridice nes byddi di'n gryg. Gaeith hynny dy geg di am unwaith.'

'Help! Mrs Strong, they're all being nasty to me!' cwynodd Eira.

'Are they, dear?' gofynnodd Mrs S dan wenu'n glên. Buasai'r hen greadures yn gwrando ar y malu awyr heb ddeall gair. 'D'you know, Ira, even if I understood what they're on about, I couldn't defend you because I think I'm about to fall asleep.' Doedd ryfedd, ar ôl y jin anferth hwnnw a dogn helaeth o win gyda'i chinio!

'Would you like to lie down, Marjorie?' gofynnodd Megan. 'If we go through to my house you can lie on the bed. My bedroom's downstairs.'

'That's an offer I can't refuse,' atebodd Mrs S. 'Where did I put my frame?'

Parodd hynny i bawb symud er gwaethaf eu stumogau llawn. Penderfynodd Megan ac Eric adael y gwaith clirio i'r criw ieuengach ac aros yn y tŷ nain i gadw cwmni i Mrs Strong. Wedi iddynt lwyddo i wthio Marjorie ar y gwely, aethant i eistedd i'r stafell fyw.

'Mi fedrwn ni 'i chlywad hi o fama os gwaeddith hi,' meddai Megan. 'Ella mai methu codi bydd hi. Ma hi wedi ca'l llond 'i chratsh o ddiod feddwol.'

'Mi wagist titha dipyn ar y poteli 'na hefyd, 'mechan i,' pryfociodd Eric. 'A 'blaw 'mod i'n dreifio mi faswn inna wedi ca'l tropyn neu ddau mwy na fy siâr.'

'Hitia befo. Fyddi di ddim isio dreifio i nunlla noson y briodas, Eric Elias. Mi gawn ni noson o ddathlu.'

'Dathlu be, Meg Defis?' gofynnodd Eric yn chwareus. 'Y briodas? Y trip? Aduniad rhai o ddisgyblion yr hen Ysgol Ramadeg Gwenoro…?'

'Beth am…ga'l hyd i'n gilydd ôl hannar can mlynadd ar wahân?' Roedd y gwin wedi plannu plwc ym mynwes Megan; plwc roedd hi wedi methu'n llwyr â dod o hyd iddo'r troeon o'r blaen.

'O, mi fydda *i*'n dathlu hynny,' meddai Eric, 'fel y gwyddost ti. Ond ges i'r argraff nad oedd fawr o ots gin ti.'

'Ia, wel, dyna lle rwyt ti'n methu, yli. Y gwir ydi…yn yr ysgol mi oedd gin i'r crysh mwya uffernol arnat ti, Eric. O'r eiliad cynta gwelis i chdi, reit tan yr amsar gadewist ti. Wel…nes priodist ti, fwy ne' lai. Dim ond wedyn rhois i i fyny'r ysbryd a dechra sylweddoli bod 'na hogia er'ill yn y byd 'ma. Pathetig 'te?'

Lleisiodd ei chyffes heb edrych arno, a swildod yn ei llethu er gwaetha'r gwin. Pan na chafodd ateb, mentrodd gip ar ei wyneb: roedd ei lygaid yn llaith, a'i lais, pan siaradodd, yn floesg..

'Meg, Meg, Meg! Taswn i ond yn gwbod…'

'O'n i'n meddwl nad oedd gin ti ddim diddordab. Dy weld di hefo genod er'ill ar nos Sadwrn yn Llan. Dwi'n cofio pwy oeddan nhw, bob un: Jane Bifan, 5A; Mair Pierce, 4N; Nan Owen, Fform *Thri*…'

'Ia, mi oedd honno braidd yn ifanc…Ond ddaru ti rioed feddwl pam nad oeddwn i byth yn sticio hefo neb? Ddim nhw oedd gin i isio, Meg.'

'Fedra i ddim amgyffrad y ffaith dy fod di'n meddwl 'mod *i*'n rhy glyfar i chdi, 'sti. Dei Siop Baent fydda wastad yn gynta, a'r efeilliaid yn ail a thrydydd.'

'Poppy a Pansy! Gym'odd hi oes i mi fedru deud pa un oedd pa un.'

'Wedyn mi fydda 'na dri neu bedwar o rai er'ill, a wedyn Lil a fi bob yn ail. Dwi'm yn meddwl i mi erioed fod yn uwch na seithfad yn y dosbarth yn ôl fy ripôrts.'

'Mi oedd hynny'n glyfar i mi, Meg. Rwla tua'r pymthegfad fyddwn i.'

'Wel? Toedd hynny ddim yn ddrwg. Mi fydda 'na bymthag ar d'ôl di.'

'Tydan ni wedi gwastraffu'n bywyda, dywad?'

'Ydan a nac'dan, Eric. Fasat ti wedi lecio bod heb dy blant?'

'Hebddyn nhw rydw i 'te. Mi wyt ti'n lwcus; ma Rhiannon hefo chdi, ac Eira Mai.'

Meddyliodd Megan am y pedwar a olchai'r llestri'n swnllyd yng nghegin y tŷ.

'Hyd yn hyn, 'te Eric, hyd yn hyn.'

Edrychodd Rhiannon o amgylch ei chegin; roedd fel pìn mewn papur.

'Diolch i chi,' meddai. 'Mi aethon ni drwy hynna fel fflamia, hefo'n gilydd.'

'Croeso,' meddai Ed. 'Dwn 'im be amdanoch chi, ond mi fasa'n reit braf ca'l rhoid 'yn traed i fyny am bum munud rŵan.'

'A phanad o goffi arall?' gofynnodd Eira Mai. 'Mi 'na i fo.'

'Itha reit, 'fyd, gan taw ti yw'r ifanca.'

Y tu ôl i gefn ei mam ac Ed, tynnodd Eira'i thafod yn gynnil ar Llion gan hanner cau ei llygaid yn rhywiol yr un pryd. Ymatebodd yntau yn yr un modd â'i lygaid, a chwythu drwy'i wefusau ar ffurf cusan. Pe bai'r lleill wedi sylwi, ni fyddai ganddynt unrhyw amheuaeth am yr hyn oedd ar feddwl y ddau. Ond ymatal fu raid: rhoes Eira ddŵr yn y tecell ac aeth Llion drwodd i'r ystafell fyw at Rhiannon ac Ed.

'Wy'n meddwl af fi am wâc wedi 'ny,' meddai Llion dan fwynhau ei baned. 'Ar y llwybr tu cefen i'r bwthyn. 'Wy wedi gweld 'i isie fe. Gerddes i shwt gyment arno fe pan o'n i'n byw 'ma, a rhedeg hefyd.'

'O, ia. Ma gynnon ni angan ymarfar corff ar ôl yr holl fwyd 'na,' porthodd Eira. Taflodd Rhiannon ac Ed gipolwg ar ei gilydd.

'Mi wyt ti yn llygad dy le, Eira Mai,' meddai Ed. 'Mi neith tro les i bawb.'

Penderfynwyd cychwyn i gyfeiriad y felin, a cherddodd y pedwar gyda'i gilydd nes cyrraedd y bompren.

'Ffor awn ni rŵan?' gofynnodd Ed. 'Dros y bont?'

'Ia,' atebodd Eira. 'Cychwynnwch chi. Dwi isio sbec tu mewn i'r felin.'

'Na, Eira, ma hi wedi dirywio lot. Mi alla fod yn beryg.'

'Dim ond sbec bach, Mam. Eiliad fydda i.'

'Peidwch becso, shgwla i ar 'i hôl hi,' meddai Llion. Gwyddai Ed ar wyneb Rhiannon mai dyna'r union beth oedd *yn* ei 'becso'.

'Peidiwch â hel dail 'ta,' meddai. 'Mi ddisgwyliwn ni amdanoch chi ar ben y bonc acw.' Cychwynnodd y ddau yn eu blaenau dros y bont. 'Ydi gweld y ddau yna heb neb i'w gwarchod yn dy boeni di?' gofynnodd yn dawel.

'Dwi ddim yn siŵr,' meddai Rhiannon. 'Weithia dwi'n 'u hama nhw, a weithia dwi'n meddwl mai fi sy'n hen gnawas ddrwgdybus. Ond at 'i gilydd...ydw, dwi'n ama bod 'na rwbath yn mynd ymlaen. Mi wyt titha hefyd, twyt?'

'Yli, sonis i ddim byd tan rŵan, rhag dy boeni di...Paid â dychryn ond...*ma*'r ddau wedi syrthio am 'i gilydd; ma Llion wedi cyfadda hynny. Ond dydyn nhw ddim yn gweld 'i gilydd tu allan i'r ysgol.'

'Wyt ti'n siŵr?'

'Felly mae o'n deud. Mi fasa'n rhy beryg iddo fo, 'sti. A mi fasat titha wedi sylwi tasa Eira Mai'n diflannu heb ddeud i le.'

'Ia...baswn...' Arhosodd Rhiannon a throi i edrych yn ôl. Rhyw stwna y tu allan i'r felin a wnâi Eira a Llion, gan edrych i mewn drwy'r ffenestri a'r drws.

'Fel deudist ti, mi arhoswn ni amdanyn nhw ar ben y boncan,' meddai. 'Mi fedrwn ni weld y felin yn glir o fanno.'

'O'dd dy fam yn iawn. Ni'n ffaelu mynd miwn, ma hi'n rhy ddanjerus.' Roedd llawr y felin wedi dymchwel ac yn amlwg yn berygl bywyd. 'Tr'eni 'fyd. Allen ni gwato.'

'Dim ots. Ma gynnon ni chydig o amsar i siarad. 'Nest ti addo basat ti'n deud wrthaf fi am dy blentyndod.'

'Ie. Sorri. Ma fe tam' bach yn anodd.'

'Os wyt ti ddim isio…'

'Na. 'Wy isie i ti wbod achos…sneb erio'd wedi golygu shwt gyment i fi o'r bla'n.' Syllodd Llion yn ddwys ar Eira am foment, yna taflodd gip i gyfeiriad Rhiannon ac Ed: daliai'r ddau i ddilyn y llwybr tua'r boncen. Aeth i sefyll ar y bompren, a safodd Eira wrth ei ochr, ond nid yn rhy agos ato. Yno, yn gwylio dŵr afon Gwenoro'n llifo dan y bont, adroddodd Llion hanes ei blentyndod wrth ei gariad, heb gelu dim. Ysai Eira'n ddagreuol am ei gofleidio, ond gwyddai nad oedd wiw iddi.

'Felly o flaen plant, mi fedrist ada'l dy blentyndod dihyder ar ôl? A dyna pam wyt ti'n dysgu, ddim actio?'

'Ie. A hefyd, o'n i'n meddwl, os gallen i roi help i ddim ond *un* plentyn fel roiodd Mr Phillips help i fi, fydde 'ny'n cyfiawnhau 'newis i o yrfa.'

'A ti wedi, do? Rachel. Pa obaith sy gin hogan bach fel hi? Ond mi sylwist ti ar 'i llais hi a rŵan ma hi am ga'l rhan yn y sioe gerdd. Mi fydd wedi gwirioni.'

'Lwc o'dd 'ny. Tase hi heb fod yn canu ar y clos…Ti sy wedi helpu Rachel.'

'OK, y ddau ohonon ni,' meddai Eira. 'Ac ar ôl clywad dy hanas di, dwi'n fwy penderfynol nag erioed o beidio gneud dim byd i ddifetha d'yrfa di fel athro. Felly ar ôl heno, mi fydd hi'n ta-ta tan ddechra'r tymor, Llion Oliver, achos cheith y blydi Glenys the Menace 'na ddim sbwylio petha i ti chwaith!'

Nac unrhyw löyn byw bach dieflig, meddai wrthi ei hun.

30

A'r Nadolig drosodd, buan y cyrhaeddodd yr amser i westeion y briodas gychwyn am Ddulyn. Pan agorodd Eric gist ei gar ar gowt Cae Aron, sylweddolodd Megan mor ffodus ydoedd o fod yn berchen ar glampyn o BMW. Eisoes cynhwysai'r gist ddau gês, a blwch crwn henffasiwn i ddal het Mrs Strong. A'i ffrâm gerdded, wrth gwrs: gellid plygu honno i'w chludo o fan i fan. Ychwanegodd Eric gês Megan at y llwyth.

'Meddwl mai dim ond am ddwy noson dach chi'n mynd!' pryfociodd Eira Mai, a ddaethai allan gyda'i mam i ffarwelio â hwy.

'Dillad gaea'n cymryd lot o le,' meddai Eric. 'A fedrwn ni ddim trafeilio yn 'yn dillad priodas, na fedrwn. Be tasa hi'n stormus ar y môr a ninna'n mynd yn sâl?'

'Taw wir! Dwi ddim isio meddwl am hynny!' meddai Megan.

Drwy drugaredd, bu'r môr fel gwydr drwy gydol y fordaith, ond er gwaethaf llonyddwch y lli, cynigiodd Mrs S brynu brandi bach bob un iddynt – rhag ofn. Gwrthododd Eric oherwydd y byddai'n rhaid iddo yrru'r car o Dún Laoghaire i Ddulyn ymhen llai na dwyawr.

'Come on, Megan,' meddai Marjorie, 'you'll have one, won't you? Let's start as we mean to go on!' Cododd ei llaw i alw'r stiward.

Cynyddodd pryder Megan. Chwarae teg i'r hen wraig, roedd wedi llwyddo i gerdded yn bur dda hyd yn hyn, ond os mai ei syniad hi o fwynhau ei hun oedd lysio'n chwildrins am ddeuddydd, beth petai ei thraed yn rhoi'r ffidil yn y to'n gyfan gwbl? Diolchodd Megan y byddai Eric gerllaw.

Cyrhaeddwyd y gwesty'n ddiogel, un heb fod yn rhy grand, fel y disgwylient, gan fod ei brisiau'n rhesymol. Ar ôl mynd i fyny yn y lifft i'r llawr cyntaf, ymgartrefodd y tri yn eu llofftydd. Rhwng y ddwy lofft ceid stafell ymolchi, un addas i'r methedig, fel y gofynnwyd amdani, a drws bob ochr iddi'n arwain i'r stafelloedd cysgu. O adael y drysau heb eu cloi, ni fyddai raid i Megan ond mynd drwy'r stafell ymolchi i gael cymorth Eric petai ei angen arni.

'Cofia di gloi'r drws i fy llofft i pan fyddi di yn y bath, Meg, rhag ofn i mi gerddad i mewn a chditha'n borcyn,' pryfociodd Eric.

'Fasa'n beryg i ti ga'l hartan, Eric Elias! Ddim ugian oed wyt ti, 'sti. Cofia di, fasa gweld corff crebachlyd hen greaduras fel fi fawr o wledd i chdi.'

'Ddeudwn i mo hynny, Megan Defis. Mi wyt ti wedi dy biclo'n reit dda.' Gwenodd Megan a phwyntio tua'i llofft hi a Marjorie Strong.

'Fel madam dylwn i edrach 'ta. Hi sy wedi'i phiclo, mewn brandi a jin!'

'Shall we have an Irish coffee?' gofynnodd Marjorie ar ôl swper. 'After all, we're in Ireland. Come on, Eric, you're not driving anywhere tonight. Do go and ask that good-looking young barman to change our order.' Ers dydd Nadolig aethai'r 'Mr Ellis' ffurfiol i ebargofiant.

'I'll do that, Marjorie,' meddai Eric, gan wincio ar Megan. Yn amlwg rhoesai Mrs S ei bryd ar ei phiclo'i hunan fwyfwy yn ystod ei thrip i Ddulyn. Ond cofiai'r ddau arall fod ganddynt briodas i fynd iddi drannoeth, felly cymedroldeb a gafodd y llaw uchaf, hyd yn oed gan Marjorie. Diolchai Megan: ni ffansïai orfod codi bob hanner awr i helpu Mrs S i fynd i'r toiled. Ond fel y digwyddai, gallai'r hen wraig ymdopi'n iawn gyda'i ffrâm gerdded, felly cafodd Megan noson weddol o gwsg.

Drannoeth, yn yr eglwys ac yn y neithior, rhoddwyd Marjorie, Megan ac Eric i eistedd gyda'i gilydd. Ni chafodd yr un ohonynt lawer o gyfle i siarad â Lilian hyd ddiwedd y neithior, a gynhelid yn y gwesty lle'r arhosai pawb. Bryd hynny, mynnodd Lilian amser i hel straeon gydag Eric a Megan. Er mwyn i'r tri gael llonydd, cymerodd ei merch hynaf ei modryb dan ei hadain. Cafodd Lilian fodd i fyw yn hel atgofion am Ysgol Gwenoro ac yn cael peth o hanes Eric, ond gan na wyddai fod Megan o'r diwedd wedi llwyddo i gyfaddef wrtho sut y teimlai amdano yn ei hieuenctid, osgôdd y sgwarnog honno fel y pla. Ryw ddwyawr ar ôl i'r neithior orffen, dechreuodd y parti min nos, gyda mwy fyth o westeion.

'Fedra i ddim byta cegiad arall heno,' meddai Megan. 'Dwi'n llawn dop.'

'Medri, tad! Dim ond bwffe fydd 'ma, a hynny ddim tan naw. Dawnsio gynta.' Rhoes Lilian bwniad i ystlys Megan. 'A lysio! Gaethon ni ufflon o barti da'r pnawn hwnnw yng Nghae Aron, do?'

'A ches i ddim anghofio amdano fo gin Eira Mai am wsnosa!'

'Noson dda arall heno, Meg! A heno, dwi'n disgwl i ti ac Eric siapio, ti'n dallt?' Aethai Eric i'r lle chwech ar y pryd.

'Rhy hen, Lil bach, rhy hen.'

'Choelia i fawr! Ma Eric yn dal yn reit heini i'w weld. Digon sbriws i...byrfformio! Ti'n cofio?'

'Drwy niwl o alcohol, ydw! Fydd 'na ddim math o byrfformio heno i ti, ddim hefo Mrs S ar 'yn dwylo ni. Ma hi'n hannar sianal yn barod.'

'Yli, ma Eric yn dŵad yn 'i ôl. Mi a' i at Marj am dipyn. Ma'n amsar i mi roid dipyn o sylw iddi.'

'Be rŵan, dywad?' gofynnodd Eric i Megan.

'Dawnsio ac yfad, yn ôl Lilian,' atebodd Megan.

'Ma hi *yn* perthyn i Marjorie 'ta! Synnwn i dama'd weld Marjie ar y llawr yn dawnsio hefo'i ffrâm. Sbia arni, yng nghanol y criw 'na, yn ca'l blas ar bob eiliad.'

'A phob llowciad! Ma'r priodfab newydd roid glasiad o rwbath iddi. Os ceith hi ddiod gin bob un o blant Lilian heno, ar ben y gwin a'r siampên gafodd hi pnawn, duw a'i helpo hi! A finna!'

'Gad iddi. Gei di ddŵad ata i i'r gwely dwbwl 'na sy gin i, yli.'

'Eric Elias! Twyt ti ddim ffit!' Chwarddodd Eric, ond a barnu oddi wrth y ffordd yr edrychai arni gallai'n hawdd fod yn golygu pob gair o'i wahoddiad. Teimlai Megan fel hogan ddeunaw oed.

Na, yn ddeunaw oed phrofodd hi erioed deimladau fel hyn! Yn ddeunaw oed, fyddai hi byth wedi ildio i demtasiwn, ddim â hualau Rehoboth yn ei llyffetheirio. Heno, er gwaetha'i thri ugain mlynedd a deg...Ond châi hi ddim cyfle: byddai ganddi lawer gormod o waith gwarchod.

'Well i ninna roid mymryn o sylw i'r hen wraig hefyd,' meddai wrth Eric.

'Hello, you two,' meddai Marjorie pan welodd Megan ac Eric yn nesáu. 'Are you enjoying yourselves? I am.' Datganiad dianghenraid os bu un erioed. 'Oh look! Padraig and Siobhan are starting the dancing. Now Eric, you must take Megan onto the floor. That is the very best way to get her into your arms, you know.'

Edrychodd Megan ac Eric ar ei gilydd a chwerthin braidd yn chwithig. O weld eu bod yn teimlo embaras cipiodd Ryan Megan yn ei freichiau.

'No no no,' meddai. 'I'm claiming the first dance with my wife's best friend.' Ysgubodd Megan ar y llawr a'i harwain mewn *waltz*, yn feistraidd gyda chamau pendant. Nid oedd Megan wedi dawnsio ers dyddiau ei hieuenctid, a dawnswraig bur wachul oedd hi bryd hynny, ond ni allai fethu cam gyda Ryan yn ei harwain. Doedd ryfedd iddo hudo Lilian i Iwerddon mor hawdd.

'Old Marj is getting a bit embarrassing with all that booze inside her, isn't she Meg?' meddai.

'I think we all do,' meddai Megan. Chwarddodd Ryan.

'You're too damn right!' meddai. 'What the hell did you pour down Lil's throat that day at your house? Methylated spirits?'

'We did go a bit...'

'Over the crockery?' Chwarddodd eto wrth weld Megan yn syllu'n syn arno.

'Lil's taught me all the Welsh idioms in English!' meddai.

'Trust Lilian! You should be dancing this first dance with her, you know. It's your son's wedding.'

'The last one, thank God! Trouble is, the eldest grandchildren are of an age to be wed by now. It's going to be never-ending.'

'But Lilian tells me you Irish know how to enjoy yourselves. Plenty of opportunity then.'

'Sure. You must come over again. You…and Eric.' O, ufflon, beth oedd Lil wedi ei ddweud wrtho? Gobeithiai nad oedd pawb yn y lle'n mynd i'w gwylio drwy'r parti i weld oedden nhw'n clicio! Dau hen begor yn eu hail ieuenctid!

'Seriously, Meg, if you and he hit it off, go for it. You deserve a bit of happiness from what Lil's told me, and I hope you don't mind that she has. Just you grab every opportunity before it's too late.'

Daeth y ddawns i ben a dychwelodd pawb at eu byrddau, gydag Eric yn anelu'n syth at ochr Megan.

'Ty'd i fy helpu fi i nôl rownd,' meddai. Bu raid iddynt aros am dipyn gan fod y bar yn brysur. 'Ma siŵr mai dawnsio'r petha ifanc 'ma ddaw rŵan. Bobio i fyny ac i lawr yn 'u hunfan.'

'Wyt ti'n cofio'r *twist* erstalwm? Mi fedrwn i neud honno ond a'm helpo fi pan fyddan nhw'n dechra ar y *rock 'n roll*! Baglu dros 'y nhraed, a ma Eira Mai druan wedi etifeddu'r genyn.'

'Felly byddwn inna hefyd. Y *waltz* a'r *quickstep* fedrwn i neud ora. Gobeithio cawn ni gyfla ar un o'r rheini cyn diwadd y noson. Er gwaetha piwsio Marj.'

Aeth yn ddiwedd rhan gyntaf y parti cyn i'r band chwarae dawns araf, yr olaf cyn yr egwyl ar gyfer y bwffe, pan ddechreuai'r DJ ar ei droelli. Bachodd Eric ar ei gyfle'r tro hwn, ac arwain Megan ar y llawr. O'r diwedd, dyma hi ym mreichiau Eric Elias! Teimlad braf, er nad oedd o mo'r tro cynta chwaith. Tybed oedd o'n cofio? Ac a feiddiai hi ofyn? Gwenodd Eric i lawr arni.

'Wyt ti'n cofio dawns Ffermwyr Ifainc yng Nghaereirian ryw Ddolig? Ma'n siŵr 'yn bod ni tua deunaw oed a finna adra o Fanceinion. Ges i ufflon o job i fagu digon o blwc i ofyn i ti ddawnsio.'

'O'n i'n falch i chdi neud. Nes inna drio magu plwc adag y *ladies' invitation* a'r *ladies' excuse me*, ond mi fethis.'

'Toeddan i'n ddau o betha llywa'th? Mi o'n i'n dal yn rhy swil i ofyn i ti ddŵad allan hefo fi. Gormod o ofn i ti wrthod.'

'A doedd hi ddim yn dderbyniol yn y dyddia hynny i hogan ofyn i hogyn, oedd hi? Faswn i byth wedi mentro, p'un bynnag.'

Syllodd Eric arni'n annwyl.

'Dwi'n dal i gofio be oeddat ti'n wisgo'r noson honno, Meg! Ffrog wen a smotia coch arni. Y sgert yn sticio allan gymaint nes bod ar y ffor!' Gwenodd Megan.

'Pais hefo haena o net o dani hi. Pawb yn dilyn y ffasiwn yn ifanc.'

Yn raddol, llywiodd Eric eu traed i gyfeiriad drws allan o'r neuadd ddawnsio.

'Ty'd i chwilio am rwla lle cawn ni fymryn o lonydd.'

Toc canfu'r ddau eu hunain mewn coridor di-raen yng nghefn y gwesty, â ffenest yn edrych allan ar ale yr un mor ddi-raen. Yno, mewn llecyn dilewyrch mewn gwesty eilradd ar gwr dinas Dulyn, y cafodd Megan Defis, Tŷ'n Rardd, ei chusan cyntaf gan Eric Elias Brynia.

'Sorri,' meddai Eric. 'O'n i isio rwla fymryn mwy rhamantus na hyn!'

'Affliw o ots!' meddai Megan dan wenu. 'Dim ar ôl trigian mlynadd o aros!'

31

'O Mam, dwi 'di blino,' meddai Eira Mai.

'Goelia i wir,' meddai Rhiannon. 'Prin rwyt ti wedi stopio ers tua tair wythnos, rhwng yr arholiada a'r cyfweliada a dechra ar y sioe gerdd.'

'Wyt titha wedi gorfod rhuthro o gwmpas hefyd, Mam; mynd â Mrs Strong i Lerpwl eto. Ddylwn i fod wedi mynd i Gaerdydd ac Aber ar ben 'yn hun.'

'Paid â bod yn hurt! Ar fysys a thrêns am oria? Mi oedd angan i ti fod o gwmpas dy betha i neud argraff dda yn dy gyfweliada.'

'Dwn 'im lwyddis i yn y diwadd. O wel, ma wastad flwyddyn nesa, ma siŵr.'

'Eira, tydi hyn ddim fel chdi.' Cododd Eira'i hysgwyddau'n ddiymadferth. 'Yli, dos i dy wely. Noson iawn o gwsg a fyddi di ddim yr un hogan.'

Cymerodd Eira'i chyngor. Gwnaeth gwpanaid o lefrith cynnes iddi ei hun, yna swatiodd dan ei dwfe, gyda photel ddŵr poeth i roi cysur iddi. Ond ni chysgodd am oriau – gormod o feddyliau'n mwydro'i phen. Gobeithiai i'r arholiadau fynd yn iawn, ond oedd hi wir wedi gwneud llanast o'i chyfweliadau? Un peth a wyddai i sicrwydd: roedd gorfod peidio â gweld Llion y tu allan i'r ysgol wedi mynd yn fwrn arni. A bod yn agos ato bob dydd yn yr ysgol heb allu cyffwrdd pen ei bys ynddo, heb sôn am ei gofleidio, yn annioddefol. Amheuai ei fod yntau'n teimlo'r un fath. Ni fedrent wneud esgus o dwtio'r storfa neu drefnu offer yr adran ddrama'n rhy aml gan y byddai rhywun (fel Glenys Evans) yn siŵr o sylwi. A chan fod Mari Parri'n mentora Llion yn ei flwyddyn brawf, prin y caent gyfle i siarad yn gyfrinachol yn y gwersi chwaith. Wyddai Eira ddim a oedd Glenys yn dal i stelcian y tu allan i Ben Rallt, hyd yn oed.

Roedd methu rhannu ei chyfrinach â'i mam yn ei phoeni hefyd. Yr unig un y gallai ymddiried ynddo oedd Guto, ond yn ddiweddar, bob tro y cornelai hwnnw ar ei ben ei hun dôi rhywun heibio a dechrau tynnu eu coes. Gwnaethai Sioned waith da o blannu'r stori amdanynt drwy'r Chweched, ond os oedd Glenys yn dal wrth ei thriciau budron, rhaid nad oedd y si wedi cyrraedd stafell yr athrawon.

Diolchodd y byddai'n ddydd Sadwrn drannoeth: câi gysgu'n hwyr ac i'r diawl â'r hunanamddiffyn. Ond ar ôl codi, dim byd ond gwaith gwaith gwaith. Ei mam hefo dêt, ei *nain* hefo dêt, er mwyn popeth! A hithau? Dim ffrindiau, dim Delyn Aur na Llew Coch, dim Llanwenoro, dim Llion... Yn sydyn, yng nghanol ei hunandosturi, daeth glöyn byw ei nain i'w phen: hwnnw allai newid cyfeiriad bywydau pobl. Mwstrodd Eira'i holl benderfyniad: châi'r blydi trychfilyn 'na ddim difetha gyrfa Llion. *Rhaid* oedd dyfalbarhau. Noson o gwsg fyddai'r ffisig gorau. A chael rhoi'r farwol i'r twyll a'r celwydd. A gallu bwrw'i bol: ysai am gael bwrw'i bol…

'Rhiannon, dwi'n mynd i Draeth Gweirydd.'

'Ydach chi wir? I un o fflatia Seaview, dwi'n cymryd.'

'Fanno ma Marjorie Strong yn byw,' meddai Megan yn ddiniwed, a gwenodd Rhiannon. 'Mi fydda i adra cyn iddi dwllu.'

'Pam nad arhoswch chi tan fory?'

'Rhiannon! Dim lefran ddeunaw ydw i. A dim ond ers tair wsnos 'dan ni'n…'

'Eitem, chwedl Eira Mai? Mi *wyddwn* i fod 'na rwbath sbesial wedi digwydd tua'r briodas 'na!'

'Ia…ella'n bod ni'n fymryn bach mwy na ffrindia erbyn hyn.' Dylsai fod wedi dweud wrth Rhiannon: roedd y ddwy wedi closio'n ddiweddar, gyda Rhiannon yn haws ei chyrraedd nag y byddai. Ers i Ed ddod i'w bywyd, efallai.

'Go dda!' meddai Rhiannon. 'Ond os nad ydach chi isio cysgu hefo fo, mae 'no fwy nag un llofft, 'toes? 'Run fath ag yn fflat Mrs S.'

'Ga' i weld. Os na ddo' i'n ôl, wel…'

'Mi fydda i'n gwbod 'ych bod chi'n saff.'

'Jest *reputation* chi fydd wedi mynd, ia, Nain?' Ymddangosodd Eira Mai yn y drws yn gwenu fel gondola.

'Eira Mai! Y gnawas bach! Clustfeinio tu ôl i ddrysa!'

'Sorri. Do'n i'm yn gwrando, wir. Jest clywad nes i.'

''Run peth 'di ci a'i gynffon,' meddai Megan. 'Pa'r un bynnag, ma'n siŵr bydd gynnon ni gwmpeini. Marjorie isio sgwrs.'

'Fydd gynnon ninna hefyd, Mam.' Pwyntiodd Rhiannon tuag at Eira. 'Ond mai cwsberan faswn i'n 'i galw hi.' Daeth golwg ofidus i lygaid Eira.

'Sorri, Mam. Mi 'na i gadw o'ch ffor' chi, wir rŵan.' Llithrodd deigryn annisgwyl i lawr ei grudd.

'Eira, dim ond pryfocio…Ty'd yma…' Rhuthrodd Eira i freichiau ei mam a dechrau beichio crio. Gwnaeth Megan siâp ceg 'be sy?' ar Rhiannon. 'Dwi'm yn gwbod,' meimiodd hithau'n ôl, 'cerwch chi.' Yn bryderus, cychwynnodd Megan am Draeth Gweirydd. Toc, arafodd ochneidio Eira Mai a mwythodd ei mam ei gwallt.

'Ma'n ddrwg gin i, cariad. Toeddwn i ddim yn meddwl hynna 'sti. A chditha i dy weld gymaint gwell na neithiwr hefyd. Dwi wedi gneud poitsh iawn, do?'

'Na, ma'n OK, jest…pa bryd fydd Mr Mathias yn dod yma?'

'Tua'r tri 'ma. Ond os wyt ti isio mi ddeuda i wrtho fo am beidio dŵad.'

'Naci! Dwi isio iddo fo ddŵad. Isio…dysgu caneuon y sioe gerdd…'

'O. Neith o 'u chwara nhw i chdi, dwi'n siŵr.'

'Ond efo chdi bydd o isio bod, Mam.'

'Dwi'n siŵr medrwn ni neud heb 'yn gilydd am hannar awr.'

''Na i gadw o'ch ffor' chi wedyn drwy gyda'r nos,' addawodd Eira.

Pan gyrhaeddodd Ed gwnaeth Rhiannon baned o de iddo a gadael iddo wybod am gais Eira i gael clywed caneuon y sioe.

'Od,' meddai yntau. 'Ma hi wedi'u clywad nhw droeon, a ma gynni hi grap reit dda ar rai ohonyn nhw'n barod.'

'Ma rwbath o'i le dyddia yma, Ed. Ma hi'n ddigalon, a gynna mi ges i ddilyw o ddagra ar ôl mymryn o bryfôc. Dwn 'im be sy a dwi'n poeni braidd achos ma hi'n hogan mor agorad wedi bod erioed. Deud y cwbwl bydda hi – gormod weithia.'

'Wyt ti wedi trafod Llion hefo hi o gwbwl?'

'Naddo. Meddwl ella mai'r lleia'n y byd wn i, gora'n y byd.'

'Ga' i weld be fedra i ga'l allan ohoni. Paid â phoeni. Dwi'n gwbod nad ydyn nhw ddim yn gweld 'i gilydd. Ac ella mai hynny ydi craidd y broblam: rhwystredigaeth lwyr.'

Curodd Ed ar ddrws cell Eira, a chilagorodd hithau ef.

'Ga' i ddŵad i mewn? Dy fam yn deud basat ti'n lecio trio rhai o'r caneuon.'

'O...ia.' Agorodd y drws yn iawn.

'Wyt ti'n siŵr mai canu wyt ti isio? 'Ta fasa well gin ti siarad?' Amneidiodd Eira'i chadarnhad. 'Be sy, 'mach i? Llion?'

'Dwi'm yn ca'l cyfla i siarad hefo fo; ydi Miss Evans yn dal i' watsiad o?'

'Ydi, cyw. Welis i gip ar 'i char hi neithiwr ddwytha. A mi ddaru hi 'i ddilyn o i'r Indian ryw noson pan a'th o i nôl *take-away* yn o hwyr.'

'Be haru hi? Neith hi ddim gweld dim byd. Toes 'na ddim *iddi* hi weld!'

'Dwi'n gwbod pa mor anodd ydi cadw ar wahân, ond toes gynnoch chi ddim dewis, ddim os ydi Llion am gadw'i yrfa. Ac os daw rwbath o'ch carwriaeth chi, ma gyrfa Llion yn bwysig i dy ddyfodol ditha hefyd, ac i unrhyw blant allach chi ga'l.'

'Wn i. Methu ca'l siarad hefo neb sy'n stwmp ar 'yn stumog i. Dim ond chi a Guto sy'n gwbod. Diolch i chi am wrando, Mr Mathias.'

'Wyt ti wedi trio dy fam?'

'Ydi hi *yn*...?'

'Ydi. Dwi'n casglu 'i bod hi'n ama ers tro, ond ddim yn siŵr. Egluris i'r sefyllfa iddi, gan 'mod i wedi gwthio Llion i ddigon o gornal i gyfadda.'

'Ydi hi'n flin?'

'Nac'di. Ond ma hi'n bryderus. A mi fasa ca'l 'i merch onast yn ôl yn help.'

'Ia. Fasa'n help i fi 'fyd.'

Ond pa mor wirioneddol onest fyddai'r gonestrwydd? Eisoes bu twyll – twyll na ellid byth bythoedd ei ddatgelu na'i ddad-wneud.

Pan ddisgwyliai Eira'r bws ysgol fore Llun, daeth Chwilen VW bach piws i'w chyfeiriad dan ganu ei gorn yn wallgof. Gan nad oedd yn adnabod y car, anwybyddodd Eira'r twrw, ond daeth y gyrrwr i stop wrth ei hochr. Gwelodd Eira wên lydan Guto Guest yn serennu arni. Agorodd hithau ddrws y teithiwr.

'Ti isio lifft, Eira Mai? Basis i 'nhest ddydd Sadwrn.'

'Ti'n siŵr bod chdi'n saff?'

'Digon saff i 'nhaid 'y nhrystio fi hefo'i *pride and joy*. Ty'd i mewn.' Ufuddhaodd Eira.

'Dwi'm 'di gweld hwn o gwmpas. Faswn i'n siŵr o'i gofio fo taswn i.'

'Taid Aberadda pia fo. A'th Dad â fi yno i'w nôl o ddoe. Dwi'n ca'l 'i fenthyg o nes bydd yr hen gono wedi ca'l tynnu'i cataracts.'

'Clên iawn.'

''Te 'fyd? Ma hi'n amsar i hen begor fel fo fynd am gar mwy sidêt, ti'm yn meddwl? Ella baswn i'n ca'l y Bîtl bach wedyn, tynnu cataracts ne' beidio. Hei, sut ma petha rhyngddo chdi ac Oli erbyn hyn?'

''Dan ni'm yn gweld 'yn gilydd, dim ond yn yr ysgol.'

'Dach chi ddim 'di gorffan?'

'Naddo, ond ma gynnon ni broblam. *Stalker.*'

'Arglwydd annwl! Pwy?'

'Glenys the Menace. Welodd Math Miws 'i char hi dros y ffor i dŷ Llion, er bod hi 'di trio cuddio. A ma hi'n dilyn Llion yn y car. Trio'n dal ni'n cyfarfod ar ôl 'yn gweld ni yn y siop tjips. Ti'n cofio'r dwrnod hwnnw pan dda'th Nain â'r sacs i lawr i fi achos bod gin i wers yn y pnawn? Dda'th Llion i mewn i siarad hefo Nain ond mi gymerodd Glenys mai hefo fi roedd o.'

'Dda'th hynny ddim i'w ben *o*, siŵr o fod...' meddai Guto'n ddiniwed.

'Gits! Eniwê, fiw i ni gyfarfod o gwbwl rŵan, ne' mi fydd Llion ar y dôl ne' yn y jêl achos ma'r ast yn dal i stelcian. Dwi'n ffed-yp, dwi'n deud 'tha ti!'

'Fetia i. A fynta, debyg.'

'Eniwê Gits, toes gin *ti* ddim problem cwarfod Justin rŵan, hefo'r car 'ma. Pob dim yn OK?'

'Ydi. Er…mi ddaru rwbath od 'y nharo fi dydd o'r blaen, Eira Mai. Digwydd gweld Sioned hefo'r brawd bach 'na sy gynni hi a meddwl…faswn inna wrth 'y modd ca'l brawd bach.'

'Deuda wrth dy dad a dy fam!' Chwarddodd Guto.

'Fasa Mam yn mynd i ben caetsh! Na, be trawodd fi oedd baswn i'n lecio ca'l plant 'yn hun.'

'Ma posib mabwysiadu, Gits. Neu ga'l *surrogate*.'

'Oes…Cymhleth 'di petha, 'sti. Taswn i'n hollol siŵr 'mod i'n hoyw…Ond tydw i ddim. Dwi'n teimlo rŵan 'mod i'n caru Justin, ond…rargol, chydig yn ôl o'n i'n ffansïo Mererid Wyn! Ac o'n i 'di mopio hefo chdi ar un adag…'

'Oeddan ni'n ormod o ffrindia, Gits.'

'Oeddan. Sylweddolis i bod chdi fwy fel chwaer i fi na chariad. Pwy fedra garu hefo hogan bach dwi'n gofio'n codi'i ffrog at 'i chanol a thynnu'i blwmar i lawr at 'i ffera a mynd ar 'i chwrcwd i bi-pi am ben briallu Mam?'

'Be? Dwi'm yn cofio gneud hynna!' Gwenai Eira o glust i glust.

'Tair oed oeddan ni: cyn geni Gwennan. Fedrwn i'm dallt lle oedd dy beipan di.'

Chwarddodd Eira nes bod ei hochrau'n bynafyd.

''Sti be, Gits? Ges i benwsnos uffernol. O'n i mor isal. Ond ma deg munud o dy gwmpeini di'n well na blwyddyn o Prozac!'

Gwenodd Guto.

'Weli di ddim llawar arna i'n nes ymlaen. Rhaid i mi golli rhan gynta'r wers Ddrama. Gorfod mynd i'r lab Ffis. Nei di ymddiheuro drosta i?'

'Reit!' meddai Llion, 'Arhoswn ni nes bo' Guto'n cyrredd cyn dechre trafod *Lysh* gan Aled Jones Williams. O's rhyw broblem licet ti sôn ymbytu? Gwaith fi'n meddwl nawr,' ychwanegodd gan wenu.

'Wn i ond…ti'n gwbod yn iawn be 'di 'mhroblam fwya fi. Mr Mathias yn deud bod hi'n dal i sbecian.'

'Odi. Ma 'ddi'n glynu fel blincin *gorilla glue*. Shgwla, agor dy lyfyr a chadw lygad ar y drws rhag ofan i Miss Parri ddod miwn, OK?' Ufuddhaodd Eira.

'Be fedrwn ni neud?'

''Wy wedi bod yn meddwl am 'na. Ma 'ddi'n hen bryd i ni ddechre whare tricie ar *her ladyship,* weden i.'

'Sut dricia?'

'Wel, wrth bod hi'n 'y nilyn i i bobman yn dishgwl i fi dy gwrdda di, falle taw'r peth gore fydde iddi weld fi'n cwrdda rhywun arall. Fwy nag unweth.'

'Ond pwy? Fedra chdi ddim cyfarfod hogan arall rhag ofn i honno feddwl bod o'n ddêt go iawn! A fedra chdi ddim egluro iddi, achos fiw i neb wbod amdanon *ni*.'

'Sa i wedi gweitho 'na mas 'to.'

'Dwi'n lecio'r syniad ond ma arnon ni angan 'yn *thinking caps.*'

'O's. Ond nage nawr, Eira Mai. Dere, 'bach o waith. Wyt ti wedi meddwl rhagor am ddylunio llwyfan y sioe gerdd tshag at dy brosiect ymarferol…?'

Ar ddechrau ail hanner y wers ddwbwl cyrhaeddodd Guto, a dechreuwyd astudio *Lysh*. Gwibiodd yr amser heibio ac ar y diwedd cawsant dasg, sef ysgrifennu eu hadwaith personol hwy i'r ddrama.

'Be naethoch chi cyn i mi gyrra'dd?' gofynnodd Guto. Doedd dim brys i ddal bws gan fod Eira am gael lifft yn y Chwilen Biws.

'Penderfynu chwara tricia ar 'yn *stalker,*' meddai Eira.

'Dew ia? Pa ran o'r *syllabus* 'di hwnnw?'

Eglurodd Llion y syniad iddo.

'Siawns na roie hi'r gore i 'nilyn i tase hi'n 'y ngweld i'n cwrdda'r un person droeon,' meddai. 'Ond so ni'n gwbod pwy. Fydde hi'n rhy ddanjerus i ni ddatgelu'n cyfrinach wrth neb.'

Pendronodd Guto am sbel cyn mentro dweud:

'Ma gin i…ffrind, syr. Wel…cariad, deud y gwir. Justin…'

'OK,' meddai Llion. 'Beth ymbytu fe?'

'Blydi hel! Ma pawb yn fwy cŵl am hyn na fi fy hun!'

'Ca'l dy dynnu'r ddwy ffor' wyt ti, Gits.'

'Ia debyg…Meddwl o'n i, ma Justin yn hollol dryst, a dwi'n gwbod na ddeudwch chi'ch dau ddim wrth neb…Ella medrwn ni'ch helpu chi. Ma'r Chwechad yn meddwl bod Eira a fi'n eitem yn barod. Ella tasa *chi*'n cyfarfod Justin…'

'Hei, dal sownd nawr, Guto. Nag o's diddordeb o gwbwl 'da fi mewn dynon!'

'Dim problam, faswn i wedi egluro iddo fo. Jest 'ych gweld chi'n mynd am beint hefo ffrind basa Glenys. Fasa'n gwbod nad ydach chi ddim hefo Eira, ac ella basan ni'n medru trefnu rywsut iddi weld Eira a fi hefo'n gilydd.'

'Mmm. Cyn 'ny, allen i ddechre si ymbytu chi'ch dou tsha stafell yr athrawon. Fydde Glenys yn credu dim gair o'r stori, wrth gwrs, felly fydde hi'n dala i stelcan. Wedi 'ny allen i fynd a chwrdda Justin – a cha'l 'y nilyn – a stico 'da Justin. Allen ni fynd am beint – wel – rhywbeth dialcohol. Mor belled â bo' fe'n dyall y sgôr, ife Guto?' Gwenodd Guto.

'Mi fydd o, syr, dwi'n gaddo. Mae o'n foi neis a dwi'n siŵr bydd o'n barod i helpu. Ac i gau'i geg.'

'A fasan ni'll dau'n medru mynd i'r pictiwrs ne' rwbath. Fasa Glenys yn gwbod mai hefo ffrind buo chdi, Llion, ac yn derbyn bod Guto a fi'n gariadon.'

'Biti 'di o ddim yn dric fasa'n helpu chi i ga'l bod hefo'ch gilydd,' meddai Guto.

'Mi fasa'n ca'l gwarad â Glenys, Gits. Hynny sy'n bwysig. Fedra i ddim mynd i Draeth Gweirydd eniwê, 'sti. Mae 'na bobol yno'n nabod fi.'

'Wel,' meddai Guto, 'os cawn ni warad â Glenys Evans, mi fasan yn rhydd i neud yr un fath eto. A ffeirio partneriaid tua Bangor ne' Llandudno.'

'Ma fe'n yffach o demtasiwn, ond falle ddylen ni ystyried 'bach mwy.'

'Ia. Peidio cyfarfod fasa galla, ond mi fasa bod wedi chwara tric budur ar Glenys the Menace yn ddigon o wobr,' meddai Eira.

'Ti'n gweud 'tho i! Yr ast ag yw hi! Guto, diolch i ti. Ddim lot fydde'n mynd i shwt ffwdan dros 'i ffrindie.'

'Croeso, tad mawr! Gas gin i weld pobol yn dihoeni yng nghrafanga cariad rhwystredig, yn enwedig 'yn hen fêt Eira Mai.'

32

Dros frecwast o gig moch, selsigen ac wy, myfyriai Eric Elias ar ei rawd. Ar ôl treulio oes o anhapusrwydd gyda Pat yn dâl am gamgymeriad ei ieuenctid, dyma fo o'r diwedd wedi cael ei wir gariad, ei gariad dyddiau ysgol, yn ôl yn ei fywyd. Megan Defis, y ferch lygatddu, swil ond doniol, a oleuai ei fyd erstalwm. Oni bai amdani hi buasai wedi mynd yn sowldiwr yn y dosbarthiadau lawer gwaith, wrth geisio deall cymalau brawddegau Saesneg ac ymrafael â berfau Ffrangeg a llefaru *hic haec hoc* gyda chriw o laslanciau gwatwarus. Fedrai o byth gofio pethau felly yn ei arholiadau. Ond medrai Megan, er mai gwyddoniaeth oedd ei chryfder. Oedd, er gwaetha'i phrotestiadau roedd hi *yn* glyfar, yn rhy glyfar iddo fo. Ac oherwydd ei daeogrwydd yn ei chwmni methodd yntau'n lân â gofyn iddi ddod yn gariad iddo. Gwaeth fyth, torrodd ei chalon drwy fynd gyda merched eraill, a hynny rhag bod yn wahanol i'w ffrindiau yn hytrach nag am ei fod yn hoffi'r merched. A Pat? Chwant oedd hynny, dim arall. Ond cafodd ei gosb; do, fe dalodd y pris.

Cliriodd Eric ei blât a gwneud paned o goffi iddo'i hun gan ddiolch am Lilian Jôs. Tipyn o gownslar fu honno erioed, a help i ferch weddol swil fel Megan. Tra myfyriai Megan, gweithredu a wnâi Lilian. A chwarae teg iddi, dyna *action woman* Lil wedi gweithredu eto, a gosod y llwyfan i ddod ag Eric a Meg at ei gilydd ym mhriodas ei mab.

Ie, un fyfyrgar oedd Megan o hyd: ac un ddiwair o hyd hefyd. Nid bod Eric wedi ceisio'i darbwyllo i gysgu hefo fo, ond tipyn o bla oedd ei gweld yn dianc adref cyn iddi dywyllu bob tro y dôi i Seaview. Methu gyrru yn y nos oedd y rheswm. Ynteu esgus oedd o? Ofn beth allai ddigwydd pe bai'n aros yn hwyr…yn aros dros nos? Ond gwyddai erbyn hyn fod ganddo lofft sbâr, a siawns na sylweddolai na fyddai Eric, yn ei henaint, byth yn ceisio peri iddi wneud unrhyw beth na fynnai. Hwyrach mai cysgod y gorffennol oedd y broblem: cysgod ei gyfathrach gynamserol o â Pat. A chysgod y bregeth a'r moddion gras, yr ysgol Sul a'r seiat…Er gwaetha'i ddeng mlwydd a thrigain, rhôi Eric unrhyw beth am allu llacio'r hualau.

Edrychodd ar ei oriawr. Y mawredd! Roedd ei bensynnu wedi ei wneud yn hwyr yn ffonio'r hen Marjorie. Cododd y ffôn a deialu ei rhif. Dim ateb. Arhosodd bum munud cyn ffonio eto: pe bai yn y tŷ bach neu rywle cymerai amser iddi gyrraedd y ffôn gyda'i ffrâm. Dim ateb y tro hwn chwaith. Allai hi byth â bod wedi mynd am y siop ar ei sgwter yr amser yma o'r bore: yn amlach na pheidio byddai ar ei chymalau angen cryn deirawr i ystwytho. Dim ond o reidrwydd a chydag anhawster dybryd y symudai'n gynt na hynny, fel pan âi i Lerpwl gyda Rhiannon. Cydiodd Eric yn ei allwedd i fflat Mrs S a chroesi'r cyntedd at ei drws.

Ni welai olwg ohoni yn ei stafell fyw na'i chegin, ac roedd drws y stafell ymolchi ar agor. Curodd ar ddrws un o'r llofftydd: dim siw na miw. Curodd ar ddrws y llall a gwrando. A glywai ryw fwmian? Agorodd y drws.

Dyna lle roedd hi, yn ei gwely, bron yn anymwybodol. Rhuthrodd Eric at y ffôn a galw ambiwlans, yna ffoniodd Rhiannon.

'Dwi'n ama'i bod hi wedi ca'l trawiad,' meddai.

'Mi ddo' i yna'n syth,' atebodd Rhiannon. 'Os bydd yr ambiwlans wedi mynd, mi ddo' i i'r ysbyty.'

'Wyt ti isio lifft adra, Eira Mai?' gofynnodd Guto. Dôi'r Chwilen biws i'r ysgol bron bob dydd erbyn hyn. 'Gin i ddigon o le. Well gin Gwennan fynd ar y bỳs. Ma hi'n ffansïo rhyw hogyn o rwla tu draw i Bryn Eithinog.'

'Dwi'm yn ca'l llawar o gyfla i siarad hefo chdi rŵan,' meddai Eira.

'Disgwl amdana i bob bora 'ta. Wedi'r cwbwl, 'dan ni'n caru, tydan?'

'Wyt ti wedi trefnu petha hefo Justin?' gofynnodd Eira dan chwerthin.

''Nes i sôn nos Sadwrn dwytha. Pan fyddwn ni wedi penderfynu pa bryd i weithredu mi ffonia i o. Driwn ni ga'l sgwrs hefo Oli ar ôl Drama pnawn fory, ia?'

'Ia. Fydd isio plannu'r stori amdanan ni'll dau yn stafall yr athrawon.'

'Os coelith Glenys, fydd dim pwynt i'r tric. Mi roith y gora i stelcian heb 'yn help ni.'

'Neith hi ddim coelio. Am ryw reswm ma hi wedi cymryd yn 'i phen bod Llion a fi'n camfyhafio a toes dim byd yn mynd i newid 'i meddwl hi.'

'Fydd 'na bractis sioe gerdd fory?'

'Bydd, ma siŵr. Amsar cinio.'

'Ddo'i i'r neuadd. Ma Meic a fi am helpu Fizzy Pop hefo'r sain a'r goleuo, felly well i mi wbod be sy'n digwydd.' Mr Popplewell, yr athro Ffiseg, oedd Fizzy Pop. 'A ma Gwens ni 'di ca'l rhan bach hefyd.'

'OK. Gawn ni'll dau dipyn o fwytha o flaen Glenys, ia? Ma hi wedi penderfynu bod gynnon ni i gyd angan hyfforddiant i symud a dawnsio, felly mi fydd yn siŵr o ddŵad i fusnesu.'

Danfonodd Guto Eira'r holl ffordd adref, felly cyrhaeddodd yn gynt nag arfer. Doedd neb yn y tŷ. Od, chlywsai hi ddim sôn fod ei mam na'i nain yn mynd allan i unman. Gwnaeth baned o de a brechdan jam iddi ei hun a dechrau ar ei gwaith. Aeth yn hanner awr wedi pump cyn iddi glywed y drws yn agor. Hwyliodd Eira Mai allan o'i chell yn sŵn i gyd.

'Lle dach chi wedi bod yn jolihoitio?' gofynnodd yn llawen. Yna gwelodd yr olwg ddifrifol ar wynebau ei mam a'i nain, a sylweddolodd fod Eric Elias yno hefyd. Difrifolodd Eira. 'Oes rwbath wedi digwydd?'

'Oes,' meddai Rhiannon. 'Mrs Strong. Ma hi wedi marw.'

'O na!' Neidiodd dagrau parod i lygaid yr Eira Mai deimladwy.

'Paid â chrio, Eira,' cysurodd ei mam hi. 'Mi oedd hi'n hen, 'sti. A does dim dwywaith na ddaru hi fwynhau 'i bywyd.'

'O'n i'n lecio hi,' meddai Eira.

'Mi oeddan ni i gyd, Eira bach,' cadarnhaodd Megan. 'Doro gyllyll a ffyrc ar y bwr, 'na hogan iawn. 'Dan ni wedi dŵad â bwyd Chinese i bawb.'

Ar ôl bwyta, ac ail-fyw holl drybini'r dydd, aeth Eric a Megan drwodd i'r tŷ nain, a thuag wyth, penderfynodd Eric y dylai gychwyn adref.

'Mi fydd yn od,' meddai. 'Anamal byddwn i'n gweld yr hen ledi gyda'r nos, ond o leia mi wyddwn 'i bod hi yna. Mi oedd hynny'n gwmpeini.'

'Aros yma, os leci di,' meddai Megan.

Edrychodd Eric arni'n apelgar.

'Ddoi di acw, am heno?'

Pan ddywedodd wrth Rhiannon ac Eira'i bod am fynd i fflat Eric am y nos, disgwyliai gael tynnu ei choes, ond roedd digwyddiadau'r diwrnod wedi sobri'r ddwy gymaint â hithau. Cyrhaeddodd y ddau Draeth Gweirydd, a rhyfedd oedd gweld dim golau yn ffenest ochr fflat Marjorie.

'Oes gin ti ddillad i'r gwely sbâr?' gofynnodd Megan wedi iddynt fod yn eistedd a siarad am beth amser. 'Mi ddylwn fod wedi dŵad â sach cysgu Eira Mai hefo mi. Llai o draffarth.'

Syllodd Eric yn hir arni.

'Mae 'na ddigon o le i ddau yn 'y ngwely i, 'sti.' Gafaelodd yn ei llaw. 'Ma rwbath fel hyn yn gneud i rywun feddwl. Ŵyr neb ohonon ni'r awr. Isio i ni fyw i'r eitha sy, Meg Defis, tra medrwn ni.' Syllodd Megan yn ôl arno'n fyfyriol.

'Mi wyt ti'n iawn, Eric Elias. Mi 'dan ni wedi gwastraffu hannar can mlynadd a mwy yn barod…'

Drannoeth, ar ôl y cinio cyntaf, bwriedid cynnal un o ymarferiadau'r sioe gerdd. Fel y cerddai Eira Mai ar hyd y coridor tua'r neuadd clywodd lais Meic.

'Eira, aros am fi.' Arhosodd Eira iddo'i chyrraedd. 'Ti'n mynd i'r practis?'

'Ydw. Dda'th dy dad adra Dolig?'

'Do. Na'th *under-manager* fo weithio yn lle fo, so gafodd o tair noson adra.'

'Sut a'th hi acw?'

'O blydi hel, o'n i ofn fysa'r to'n chwthu off yn y dechra. Oedd y ddau fel *hedgehogs,* yn *prickly* i gyd. Ond ddaru nhw byhafio dydd Dolig a gafon ni amsar neis. Wellodd petha wedyn yn ara deg, a noson ddwytha dwi'n siŵr i fi glywad twrw *rumpy-pumpy.*'

Chwarddodd Eira.

'Hynny'n addawol.'

'Oedd. Fuon nhw ar y ffôn cwpwl o weithia wsnos wedyn. Blwyddyn Newydd oedd Dad yn gweithio, i'r dyn arall ga'l gwylia, a benderfynodd Mam mynd ato fo i Leeds. Oedd Mel a fi ddim isio mynd achos oedd gynnon ni parti nos Calan yn Llan. Gymeron ni tacsi adra a dda'th Sioned a Rhodri yn ôl hefo ni.'

'O-o! Glywodd yr hen dŷ fwy o dwrw *rumpy-pumpy* felly.'

Chwarddodd Meic.

'Be amdan chdi a Gits nos Calan?'

'Mi oedd Gits yn cadw cwmpeini i Gwennan er mwyn i'w fam a'i dad o ga'l noson allan. Tydi Gwens ddim yn lecio bod adra ar ben 'i hun. Dim ond Mam a fi oedd yn tŷ ni. Nain mewn priodas yn Werddon.'

'*Stone me*, ti wedi newid, Eira Mai! Dim partis gwyllt, dim *booze,* dim *sex*…'

'Guto'n dda i fi, ti'n gweld. Hei, o'n i'n falch bod Mel wedi ca'l rhan yn y sioe gerdd.'

'Ges i uffar o sioc! Dwi rioed wedi clywad hi'n canu, dim ond yn y bath!'

'Ma gin Rachel ran hefyd.' Erbyn hyn roedd y ddau y tu allan i'r neuadd ac arhosodd Eira am eiliad. 'Ym…'i thad hi…?'

'Byth yn gweld o rŵan, *thank God*!'

Agorodd un o ddrysau cefn y neuadd a daeth pen Glenys the Menace drwyddo.

'Ty'd yn dy flaen, Eira Mai, yn lle janglio'n fanna. Ma pawb yn disgw'l amdanat ti.' Gwelodd Eira fod pawb arall eisoes wedi ymgasglu.

'Sorri, Mr Mathias, Mr Oliver. O'n 'im yn sylweddoli'r amsar.'

'Mi oeddan ni wedi penderfynu dechra hebddat ti,' meddai Ed, 'hefo'r darn agoriadol, ond yn sydyn mi ddaru ni sylweddoli nad oes gynnon ni ddim Gweirydd.'

'O sh…iwgwr lwmp!' ebychodd Eira a dechreuodd Gwennan biffian nes cael pwniad gan Guto.

'Gweirydd 'di'r un drwg sy'n lluchio baw i'r ffynnon, Eira, a llygru'r dŵr rhag i neb arall ga'l llais canu,' meddai Mererid Wyn yn hunan-gyfiawn, i brofi ei bod wedi gwneud ei gwaith cartref.

'O, ia.' Cofiodd Eira rediad y stori. 'A ma Gwenoro'n dyncio'i ffon hud yn y dŵr i'w buro fo.'

'Dyncio'i ffon hud! Santes ydi hi, Eira Mai, ddim tylwythan deg,' gwawdiodd Glenys the Menace. 'Ti'n gneud iddi swnio fel hen wrach hefo mari-bisged a mygiad o de!'

Serch mai tynnu blewyn o drwyn Eira oedd bwriad Glenys, cafodd ei geiriau effaith hollol groes. Chwarddodd pawb, do, ond chwarddodd Eira Mai gyda hwy heb unrhyw embaras, a chlywodd Glenys Guto'n dweud:

'Trystio Eira Mai! Cadw traed pawb ar y ddaear!'

Yn anffodus, rhwng popeth aeth yr ymarfer i'r gwellt, a phenderfynwyd mynd dros y deuawdau. Yn ystod rhai o'r rheini cafodd Eira a Guto gyfle i glosio mewn cornel, gan obeithio lluchio llwch i lygaid Glenys. Gwelodd Eira hi'n taflu cipolwg amheus tuag atynt ac yn gofyn rhywbeth i Menna Rhys. Gwnaeth honno figmans dwi'm-yn-gwbod fel ateb. Pan ddaeth yr ymarfer i ben, cerddodd Eira a Guto gydag Oli i'w stafell, gan mai Drama dwbwl oedd eu gwersi nesaf.

'O'ch chi'ch dou'n acto sboner a wejen mor dda tra o'n i'n canu fues i bytu ffaelu mynd mla'n,' meddai Oli ar ôl cyrraedd. 'Jawled!'

'Dwi'm yn meddwl bod ni wedi argyhoeddi Miss Evans chwaith,' meddai Eira. 'Ma gin ti waith tua'r stafell athrawon, Llion. Ond ma digon o amsar. Dwi ddim yn teimlo fel mynd allan nos Sadwrn yma, achos ddaru ffrind i ni farw ddoe. Oedd hi'n hen, ond o'n i'n lecio hi.'

'Nage'r hen wraig o'dd 'co ddiwarnod Dolig?'

'Ia. Mrs Strong. Hi a'i *gin and tonics.*'

'Jiw jiw! O'dd shwt archwaeth am fywyd 'da hi!'

'Bechod,' meddai Guto. 'Driwn ni nos Sadwrn nesa 'ta, ia? Ffonia i Justin.'

'OK, Guto. Ond fydd rhaid i fi dreial plannu'r stori ymbytu chi'ch dou fory. Gaf fi weld wedi 'ny, nos fory a nos Sadwrn, fydd Glenys wedi'i llyncu hi neu beido.'

33

Brynhawn Sul, cafodd Eira ymwelydd annisgwyl. Gydag Ed Mathias, y gwyddai ei fod yn dod i weld ei mam, cyrhaeddodd Llion.

'Yn y swyddfa ma dy fam?' gofynnodd Ed. 'A' i i fyny ati. Ma hi wrthi'n ailwampio mymryn ar sgript y sioe gerdd. Fydda i ddim chwinciad.'

'Pidwch dechre snogo ma 'na'n feddwl,' gwenodd Llion wedi iddo fynd.

'Reit sydyn 'ta, deud 'tha fi, gest ti'r negas drosodd i Glenys?'

'Erbyn i fi gyrredd stafell yr athrawon amser egwyl bore Gwener, o'dd Menna Rhys wedi gneud y gwaith drosto i.'

'Welis i Glenys yn tynnu'i sylw hi at Gits a fi.'

'Ma'n debyg i Menna ofyn i Sioned yn blwmp ac yn blaen o'ch chi'n mynd 'da'ch gilydd.'

'A chan mai'n rheolwraig llwyfan ni ddechreuodd y stori yn y lle cynta…'

'Yn gwmws. O'dd y cloncan yn dew drwy'r lle. Ond: "Fedra i ddim credu," wedodd Glenys, "'di o ddim 'i theip hi." Dy wncwl di achubodd dy gro'n di. "Fuo Eira a Guto'n mynd hefo'i gilydd o'r blaen am dipyn," medde fe. "Boi iawn, Guto. Neith ŵr da i rywun." Stopodd 'na'r tshopsan!'

'Do, fetia i. Ond stopiodd o'r stelcian?'

'Naddo. O'dd hi 'na 'to nos Wener a neithwr.'

'O'n i'n ama. Wyt ti'n meddwl bod hi'n saff i ni drio'r tric?'

'Wy'n meddwl taw'r peth gore fydde i ni dreial 'i cha'l hi i 'ngweld i 'da Justin fwy nag unweth, ond peido dy weld di a Guto mas yr un nosweithe. Alle hi feddwl bod ni i gyd am gwrdda. Ond fydd rhaid i chi neud 'bach o siew o chi'ch hunen o'i bla'n hi yn yr ymarferion. Fyddan nhw'n dechre ar ôl yr ysgol wthnos hyn.'

'Ia. A fydda i'n siŵr o ga'l lifft adra yn y Chwilan Biws.' Gwenodd yn ddireidus. 'Ga' i roid sws i Gits?' Cymerodd Llion arno wgu.

'Os neith e les. Ond dim tafode!' Chwarddodd Eira. Ar hynny daeth Ed a Rhiannon i lawr y grisiau a dod o hyd i Eira a Llion yn eistedd ar ddwy gadair lathenni oddi wrth ei gilydd.

'O, helô Llion. Ddeudodd Ed ddim dy fod di yma,' meddai Rhiannon.

'Dod i weud bod yn flin 'da fi glywed am Mrs Strong. Annishgwl, nag o'dd e?'

'Oedd, ofnadwy. Ac eto, rhaid i rywun gofio'i hoed hi, a bod gynni hi glefyd siwgwr. A'i bod hi'n lecio'i thropyn! Mi gawson ni fodd i fyw yn clywad mam ac Eric yn deud 'i hanas hi tua'r briodas yn Nulyn. Do, Eira?'

'Do. Ni'll dwy'n ista yn fama'n sbio ar 'yn gilydd nos Calan tra oeddan nhw'n ca'l rêf.'

'A finne'n jyst disghwl ar y teli.'

'Druan ohonoch chi i gyd! Fi, mi o'n i ym Mhwllheli'n darllan *Sali Mali*. Dyna sy'n digwydd pan ma chwaer rhywun yn dechra planta yn 'i thridega.'

'O leia mi fydd gin ti deulu i alaru amdanat ti pan gici di'r bwcad, Ed. Ma Marjorie wedi gneud trefniada od ofnadwy. Dim isio i neb fynd i'r cnebrwn. Y trefnydd angladda i fynd â hi Lerpwl, 'i hamlosgi hi yno, a gwasgaru'r llwch ar yr un plot â llwch 'i gŵr. Dim ond gweinidog a'r twrna fydd yno.'

'Nefoedd,' meddai Ed. 'Fel claddu ci.'

'Deud y gwir,' meddai Rhiannon, 'faswn i'n lecio bod yno i dalu'r gymwynas ola, ond un felna oedd hi: ddim isio gneud traffarth i neb. Mynnu talu i mi am bob dim … A'r cwbwl gafodd hi'n ôl oedd cwpwl o bryda bwyd yma yn y tŷ.'

'Ond mi oedd hi wrth 'i bodd yma, Mam.'

'Ama dim, er iddi gysgu drwy sbel o ddiwrnod Dolig! Glywis i sŵn car rŵan?'

'Eric Elias?' gofynnodd Eira.

'Na, ma Nain wedi mynd yno. Ma hi'n mynd hefo fo i gapal Jeriwsalem, Traeth Gweirydd, pnawn 'ma.' Pan welodd yr olwg ddireidus yn llygaid Eira, ychwanegodd: 'A chyn i ti ddeud dim, nag oes, toes 'na *ddim* argoel priodas!' Piffiodd Eira, a mynd i agor y drws. Dilynodd Llion hi i'r gegin.

'Af fi nawr,' meddai. 'Ma Glenys yn stelcan ambell nos Sul 'fyd. Sa i isie iddi 'ngweld i'n cyrredd gatre o unman. Ma hi'n dechre mynd ar 'y nerfe i. Wy'n teimlo fel carcharor.'

'Reit, wsnos nesa, ma *raid* i ni weithredu,' meddai Eira. Agorodd y drws a gweld y Chwilen Biws wedi'i pharcio'n dwt wrth ochr y Saxo eurliw a'r Volvo glas.

'Jiw jiw, odi Guto'n dechre cymeryd 'i ddyletswydde'n rhy seriws, yn dy gwrso di brynhawn Sul?' gofynnodd Llion, wrth weld Gits yn dod allan o'r car.

'S'mai,' cyfarchodd Guto. 'O'dd Gwennan ddim yn siŵr oedd hi isio canu'r gloch ai peidio, wrth weld gynnoch chi lond tŷ.'

'Wy'n mynd nawr, Guto.'

'Ym… wedi dŵad â Gwennan i ofyn rwbath i Eira ydw i, ond gan bod chi yma, syr, a Mr Mathias…' Pwyntiodd at y Volvo. '…geith hi ofyn i chi'ch dau.'

'Diddorol,' meddai Eira. 'Ydi hi am ddŵad allan o'r car, 'ta oes isio i bawb fynd ati hi?' Amneidiodd Guto ar Gwennan i ddod atynt.

'Tydi hi ddim yn arfar bod yn swil ond ma hi fymryn yn groendena am hyn. Ty'd, Gwens,' galwodd, 'neith neb dy fyta di.'

Yn betrus, daeth Gwennan o'r car.

'Ty'd i'r tŷ, Gwennan,' meddai Eira. 'Gei di ddeud be ti isio wrth bawb.'

'Fasa well gin i ofyn i chdi,' meddai Gwennan.

'Reit, cerwch chi'ch dau drwodd at Mam a Mr Mathias, a geith Gwennan a fi sgwrs yn y gegin.'

Diflannodd Guto a Llion i'r stafell fyw.

'Stedda, Gwens. Be sy'n dy boeni di?'

'Ti'n gwbod maen nhw isio rhywun i actio Gweirydd, a chanu… Os ydi o'n ddyn drwg, sut lais sy gynno fo?'

'Dwn 'im. Bas, ia? Isal isal? Ti'n gwbod am rywun?'

Cochodd Gwennan.

'Siôn ab Eurig. Mae o yn blwyddyn 12 yn ail-neud rhai o'i TGAUs ac yn dechra GNVQ Uwch. Ne' rwbath felly. Mis Medi dda'th o i'r Gwenoro. Y teulu wedi symud i tu draw i Bryn Eithinog.' A-ha! Hwn oedd y boi ar y bỳs. 'Gynno fo lais dyfn. A mae o'n chwara gitâr fas. Dwi'n trio perswadio fo i drio am ran Gweirydd.'

'I chi'ch dau ga'l aros ar ôl i ymarfar, ia? Ti ddim isio fo'n mynd adra ar y bỳs a chditha'n styc yn yr ysgol, nag oes?' Gwridodd Gwennan fwy fyth.

'Be ma Guto 'di ddeud?' gofynnodd. 'Ladda i fo!'

'Paid â phoeni, ddeuda i ddim byd am hynna,' chwarddodd

Eira. 'Ella byddwch chi wedi copio off erbyn bydd y sioe gerdd drosodd, Gwens. Os bydd o'n plesio'r bosys. Ty'd, awn ni drwodd.'

Yn betrus, dilynodd Gwennan hi i'r stafell fyw.

'Ma gin Gwennan awgrym ar gyfar Gweirydd, Mr Mathias. Siôn ab...?'

'Eurig.' Daeth pincrwydd del i fochau Gwennan eto.

'Blwyddyn 12. Llais bas. Ma hi wedi awgrymu iddo fo ofyn am glyweliad, ond dwn 'im ydi o wedi cym'yd 'i ddarbwyllo eto.'

'Mi chwilia i amdano fo fory, Gwennan. Diolch iti am ddeud.'

'OK, Gwens?' gofynnodd Guto. 'Mi awn ni 'ta. Gin i waith i' neud.'

'Rhaid i finne fynd hefyd,' meddai Llion. Aeth Eira gyda hwy i'r cowt. Diflannodd Gwennan i'r car, ar fyrder a chyda rhyddhad, a chau'r drws yn glep arni ei hun, ei thasg anodd wedi ei chwblhau.

'Gan bod y tri ohonon ni yma,' meddai Guto. 'Mi 'nes i egluro'r cynllun wrth Justin neithiwr, a mae o'n fwy na pharod i helpu. Methu dychmygu neb mor sbeitlyd o benderfynol â Glenys. Ond ma 'na broblem ynglŷn â'r amseru. Ma hi'n hannar tymor wsnos nesa, 'tydi? Ma Just yn mynd i lawr i Gaerdydd Sadwrn nesa am wsnos o diwtora ychwanegol mewn Electroneg gin rywun fydda'n rhoid gwersi iddo fo llynadd. Mi fydd rhaid i ni aros tan ddiwadd wsnos wedyn.'

'Falle fydd Glenys 'i hunan bant dros hanner tymor 'fyd. Guto, diolch i ti. Allwn ni fynd dros y manylion pan fydd yr ysgol wedi ailagor. Gwbod shwt wy'n nabod Justin a phethach.'

'O, mi fydd y ddau ohonoch chi'n gwisgo rhosod pinc yn 'ych gwalltia,' pryfociodd Guto cyn diflannu i'r car at Gwennan.

Yr wythnos honno dechreuodd yr ymarferion o ddifrif. Oherwydd bod Eira, Mererid a Bedwyr ar eu blwyddyn Safon Uwch, a Melanie, sef Gwenoro, ar ei blwyddyn Uwch Gyfrannol, penderfynwyd ymarfer cymaint â phosibl amser cinio, ac aros ar ôl yr ysgol am awr a hanner ddwy noson yr wythnos. Os âi'n banig gwyllt at y diwedd, yna byddai'n rhaid ychwanegu at y nosweithiau hwyr.

'Reit, bawb. Ddechreuwn ni,' meddai Llion amser cinio ddydd Iau. 'Nawr bod Siôn wedi ymuno â ni, allwn ni fynd drwyddo'r olygfa gynta. Wy isie Gwenoro, Gweirydd a Dyddgu'r forwyn lan ar y llwyfan.'

'Sbia ar Gwens,' meddai Guto wrth Eira. 'Gwirioni'n bot, ca'l y boi 'na yn ymyl.'

Gwenodd Eira'n addolgar gan syllu i lygaid Guto a gafael yn ei law; safai Glenys heb fod yn bell oddi wrthynt. 'Ydi'r ast yn stagio?'

Plygodd ei ben a gorffwys ei dalcen ar dalcen Eira.

'Ydi, ac yn edrach fel tasa hi isio chwdu. Gawn ni ram-dam mewn munud.'

Ni allai Glenys fethu sylwi ar eu cogio caru, a chogio oedd o hefyd. Dim peryg bod y ddau yna'n gwpwl. Taflu llwch i lygaid pobl, dyna bwrpas yr holl glosio. Nid er ei mwyn hi, oherwydd wyddai neb ei bod yn cadw llygad ar Eira a Llion. Weithiau teimlai mai gwastraffu ei hamser a wnâi: buasai'n gwylio Llion ers deufis a hanner, fwy neu lai, ar wahân i'r gwyliau Nadolig pan fu gorfodaeth arni i fynd adref at ei rhieni, ond nid aethai Llion ar gyfyl Eira Mai yn ystod yr holl wythnosau. A go brin eu bod yn gweld ei gilydd ar nosweithiau canol yr wythnos, pan na chadwai hi olwg: gwyddai fod Eira'n cymryd ei hastudiaethau o ddifrif. Un felly fu hi erioed, a bod yn deg â'r gnawes fach. Ond os bu camymddwyn parhaus yn rhan o'i chyfansoddiad erioed, doedd bosib ei bod yn cadw at y llwybr cul drwy'r amser y dyddiau hyn, er gwaetha'r newid a ddaethai drosti. Roedd ganddi lawer gormod o ddylanwad ar Llion, beth bynnag, ac ar Ed hefyd. Sut arall y cafodd chwaer hen gariad iddi ran eithaf amlwg yn y sioe gerdd yma? A chwaer ei chariad presennol (ha-ha!) ran hefyd? Chlywsai neb erioed nodyn yn dod o geg yr un o'r ddwy o'r blaen. Ond dyna fo, beth arall oedd i'w ddisgwyl, a'r ddau gyfarwyddwr yn sniffian fel dau hen gi o gwmpas y fam a'r ferch?

Un peth a rôi fodlonrwydd i Glenys, a hynny oedd y ffaith mai dwy fricsen oedd gan Eira Mai ar waelod ei choesau yn hytrach na dwy droed. Câi roi diawl o amser iddi wrth ei hyfforddi i ddawnsio ac i symud yn osgeiddig – os dysgai hi wneud hynny byth! A dyna'r Bedwyr Morus yna hefyd: roedd yntau'r un mor drwsgl ag Eira Mai. Edrychodd arno'n rhythu ar y llwyfan: ffansïo un o'r merched, mwy na thebyg. Os mai'r hogan Guest yna oedd wedi ei lygad-dynnu, toc iawn byddai yntau yn yr un cwch â Llïon Oliver: rhyw bedair ar ddeg oedd hi. Penderfynodd Glenys fynd draw at Bedwyr i'w rybuddio bod gwersi symud a dawnsio yn yr arfaeth.

'Bedwyr.' Neidiodd y bachgen: roedd wedi ymgolli yn harddwch Melissa Bellamy. Buasai'n ei ffansïo ers tro ond clywsai ei bod yn canlyn y Rhodri Davies hwnnw oedd yn hogyn mawr Blwyddyn 11 pan oedd o 'i hun ym Mlwyddyn 7, oesoedd yn ôl. Mwy na thebyg nad oedd ganddo obaith ei dwyn oddi arno ac yntau yn y band y canai Eira Mai a Mererid Wyn ynddo. Ar wahân i gymryd rhan mewn ambell sioe gerdd yn yr ysgol, canu clasurol oedd diléit pennaf Bedwyr, ac ni pherthynai'r un *glamour* i'r byd hwnnw ag i fyd canu pop.

'Miss?'

'Mi fydd gin ti angen hyfforddiant i symud yn fwy gosgeiddig, dwi'n meddwl – chdi ac Eira Mai. Toedd 'na fawr o siâp ar 'ych dawnsio chi'r dydd o'r blaen. Ma dy draed di'n fwy cyfarwydd efo cicio pêl nag efo waltsio.' Syllodd Bedwyr i lawr arni o uchder ei chwe throedfedd a hanner.

'Iawn, Miss Evans. Mi dria i 'ngora.' Y mawredd! Doedd Glenys erioed wedi sylwi ar lygaid Bedwyr o'r blaen: llygaid glas dwfn dwfn, a'r rheini'n wrthgyferbyniad i'w wallt, oedd mor ddu â glo. Allai neb alw'r hogyn yn ddel, ond o edrych arno'n agos, roedd o'n eitha trawiadol yr olwg.

'Ella mai rŵan ydi'n cyfla ni. Fydd arnyn nhw mo d'isio di os mai ar y tri acw maen nhw am ganolbwyntio amsar cinio 'ma. Ty'd, awn ni i'r stiwdio gerdd a rhoi CD ymlaen i ymarfer y dawnsio.'

'Ac Eira?' gofynnodd Bedwyr.

'Ia. Dos i'w nôl hi.'

Ufuddhaodd Bedwyr, er mai syllu ar Melissa oedd dymuniad ei galon, a chychwynnodd ef ac Eira ar ôl Glenys allan o'r neuadd. Ond cyn iddynt fynd drwy'r drws daeth deuawd Gwenoro a Dyddgu i ben a chlywsant lais Llion.

'Eira, paid jengyd. Licen i i ti neud y gân gyda Rachel nawr.'

'Sorri, Miss Evans,' meddai Eira. 'Tro nesa, ia?' Aeth Glenys a Bedwyr ymlaen i'r stiwdio a chwiliodd Glenys ymysg y CDau.

'Ma angan i ti ymarfar pob math o ddawnsio. Fyddi di'n mynd i bartis?'

'Dim llawar,' atebodd Bedwyr. Doedd o ddim yn fachgen arbennig o gymdeithasol, a thra buasai'n mynd allan gyda Helen Lloyd y llynedd, eu prif ddiddordeb fu chwilio am lefydd preifat i garu ymysg y rhedyn uwchlaw Traeth Gweirydd. Gan fod rhieni Helen o'r farn iddynt fagu angyles fach, prin oedd y gobaith y câi unrhyw fachgen groeso i'w gwely hi.

'Reit,' meddai Glenys, 'mi ddechreuwn ni hefo'r dawnsio modern.' Treuliodd Bedwyr gryn ddeng munud yn dysgu neidio i fyny ac i lawr heb faglu dros gareiau ei esgidiau, yna penderfynodd Glenys roi tro ar y *waltz*.

'Ty'd,' meddai, 'toedd gin ti fawr o syniad sut i afa'l yn Eira Mai echdoe. Fel hyn, yli.' Gafaelodd yn llaw chwith Bedwyr a'i dal i fyny'n wastad â'i ên, yna cymerodd ei law dde a'i dodi i orffwys ar ei gwasg, a rhoi ei llaw chwith ar ei ysgwydd. 'Reit, felna ma gafa'l, Bedwyr. Paid ag anghofio tra bydda i'n cychwyn y CD.' Cyn i'r gerddoriaeth ddechrau rhuthrodd yn ôl at ei disgybl a gafael ynddo eto. 'Dy droed chwith ymlaen i ddechra. Dilyna fi.' Gwnaeth Bedwyr ei orau ond llwyddodd i sathru ar droed Glenys ddwywaith.

'Bedwyr, fedri di ddim dawnsio hefo neb a chditha hyd braich oddi wrthyn nhw. Rŵan, ty'd yn nes.' Gafaelodd yn dynn ynddo a dechreuodd Bedwyr deimlo'n chwithig. Yn fuan iawn, aeth i deimlo'n fwy chwithig byth, oherwydd synhwyrodd fod rhywbeth hynod o annifyr yn digwydd y tu mewn i'w drowsus.

O na! Ddim o achos Glenys the Menace! Coesau siapus y slasen Melissa 'na ar y llwyfan oedd y drwg. A chofio giamocs Helen Lloyd ymhlith y rhedyn. Ceisiodd ryddhau ei gorff ychydig, ond gafaelai Glenys ynddo fel feis. Ymhell cyn i'r gerddoriaeth ddod i ben, roedd embaras Bedwyr wedi chwyddo i'w lawn dwf.

Daeth syndod i lygaid Glenys. Rhaid bod y llefnyn yma mor rhwystredig â hithau. Dynes bymtheng mlynedd yn hŷn na fo, a honno'n athrawes ar ben hynny! Ond ufflon, roedd ganddo rywbeth gwerth ei fwytho y tu mewn i'r clos ysgol 'na! Câi hwn osod ei ddyrnwr mawr ynddi unrhyw bryd y mynnai!

Hulpan! Fyddai wiw iddi syrthio i'r un trap â'r Oli Drama yna. Dim ond un ymarfer eto cyn hanner tymor, heddiw ar ôl yr ysgol, a thebyg y byddai angen y pedwar prif gymeriad ar y llwyfan bryd hynny. Ddôi dim cyfle i fod ar ei phen ei hun hefo hwn eto am bron i bythefnos, os o gwbl, o gofio bod ar Eira angen gwersi hefyd. Byddai disgwyl iddi hithau ei hun fynd adref at ei rhieni bregus dros y gwyliau.

Pan ddaeth y gerddoriaeth i ben, canodd y gloch i ddynodi dechrau gwersi'r prynhawn. Gollyngodd Bedwyr ei afael fel petai Glenys yn golsyn poeth, ac i arbed embaras iddo, troes hithau ei chefn arno a mynd i ddiffodd y peiriant chwarae CDau.

'Tria ymarfar mymryn dros y gwylia, Bedwyr,' meddai. 'Gei di drio hefo Eira Mai y tro nesa.'

'Iawn, Miss,' meddai Bedwyr heb droi i edrych arni.

Syllodd Glenys arno'n diflannu drwy'r drws: o'i gefn rhôi'r argraff ei fod yn dal ei ddwylo o flaen ei afl. Gwenodd y Menace: doedd dim angen iddo boeni. Fel y dywedodd wrtho, byddai Eira Mai gyda hwy y tro nesaf...

34

Aeth y gwyliau hanner tymor heibio fel y gwynt i Eira Mai oherwydd iddi weithio mor galed. Daeth Guto i'w gweld ddwywaith er mwyn iddynt gael ymarfer peth o'u gwaith actio. Ar y nos Fercher cawsai Ed ac Eric wahoddiad i swper, a digwyddai ei Yncl Iori fod o gwmpas y lle hefyd, wedi bod yn trwsio silffoedd i Megan.

'Gymeri di fwyd hefo ni, Guto?' gofynnodd Rhiannon.

'Nefi, gynnoch chi hen ddigon yma hebddo fi,' meddai Guto.

'Arhosa, Guto: dwi ar gychwyn adra,' meddai Iori. 'Ma gin Eira isio'i chariad yma, 'sti. Glywis i'ch hanas chi yn stafall yr athrawon.' Edrychodd Rhiannon yn syn ar Eira ac ar Ed. Pan aeth drwodd i'r gegin amneidiodd ar Ed i'w dilyn.

'Ella 'mod i'n dwp, Ed, ond dwi'n meddwl 'mod i'n colli rwbath yn fama,' meddai Rhiannon. 'Dim ond ffrindia 'di'r ddau yna, er pan oeddan nhw'n dair oed. Ddaru nhw ryw fflyrtio mymryn ar un adag ond buan da'th hynny i ben.'

'Y stori sy'n dew yn yr ysgol,' eglurodd Ed, 'a tydyn nhwtha'n gneud dim i roi taw arni. Deud y gwir, maen nhw'n megino'r fflam, os ca i 'i roi o felna. Gwell hyn nag i rywun gysylltu Eira hefo Llion.' Nid oedd Ed wedi dweud wrth Rhiannon am ystrywiau Glenys, rhag ei phoeni.

'Ydi. Ydi, ti'n iawn. Guto'n rhan o'r gyfrinach, ma raid. Ma Llion yn colli allan heno. Pawb yma ond fo. Fasa well 'i ffonio fo?'

Aeth Ed allan i'r buarth i ffonio, rhag i neb glywed.

'Fuo Glenys heibio o gwbwl penwythnos dwytha?' gofynnodd i Llion.

'Naddo,' daeth yr ateb. 'Wy'n meddwl bod hi bant am yr wthnos.'

'Ma hi'n saff i ti ddŵad i fyny i Gae Aron felly. Mae 'ma griw i swpar. Maen nhw isio i titha ddŵad.'

'Grêt. Wrth gwrs, os nad yw hi bant, fydd hi'n hwyrach yn cyrredd 'ma, nawr bod y nosweithe'n oleuach.'

'Ma'n siŵr 'i bod hi i ffwr tan nos Sul, 'sti. Mi ddo' i acw hefo chdi pan ei di adra. Os bydd hi yna, mi fydd yn gwbod i ni fod yn rwla hefo'n gilydd.'

Wrthi'n dodi'r bwyd ar y bwrdd oedd Rhiannon pan ganodd y gloch.

'Dos i agor y drws, Eira,' meddai.

'Pwy bynnag sy 'na, maen nhw wedi cyrra'dd ar amsar anghyfleus,' ychwanegodd Eira. Yn gyndyn yr agorodd y drws, gan ddychmygu ei swper yn mynd yn oer, felly pan welodd Llion yn gwenu'n annwyl arni cafodd gymaint o syndod nes lluchio'i breichiau am ei wddf a'i gusanu. Yn anffodus i'r ddau, daeth Rhiannon drwodd i'r gegin a'u dal. Caeodd ddrws yr ystafell fyw ar fyrder a phesychu'n ochelgar. Datglymodd y ddau eu breichiau.

'Sorri, Mam, ges i gymaint o syrpréis...'

'O'n i'n meddwl nad oedd dim byd felna'n digwydd,' meddai Rhiannon.

'Toes dim...wel, ddim yn amal. A byth ddim byd mwy na hynna.'

'Oréit. Dowch drwodd.'

Wrth y bwrdd, yn eistedd rhwng Llion a Guto, gwenai Eira Mai fel petai wedi ennill y wobr gyntaf yn raffl fawr y ganrif. Ond ni chafodd Rhiannon gystal siawns i fwynhau ei phryd: gyda'i bod wedi dechrau bwyta, canodd y ffôn.

'Twrna Mrs Strong oedd 'na,' meddai. 'Poeni am y fflat. Ofn bod 'no fwyd yn dechra drewi.'

'Dwi wedi bod yn meddwl yr un peth,' meddai Eric. 'Gin i oriad, ond toes gin i ddim hawl i fynd yno rŵan.'

'Wel, mae o'n gofyn tybad fasa rhywun yn clirio'r bwyd allan. Toes dim isio poeni am ddim arall nes ceith y wyllys 'i phrofi, 'mhen rhyw bythefnos, medda fo.'

'Mi 'na i hynny,' meddai Eric.

'Mi helpa inna,' porthodd Megan. 'Fetia i bydd pres yr hen greaduras yn mynd i elusenna. Cartrefi cŵn a chathod, ma'n siŵr.'

'Chlywis i rioed moni'n sôn am anifeiliaid,' meddai Rhiannon. 'Haws gin i feddwl mai at achosion meddygol yr eith 'i harian hi. Meddyg oedd 'i gŵr hi.'

'Be am Lilian a'r plant?' gofynnodd Eric. 'Mi oedd gynni hi deulu rŵan.'

'Dwi'm yn meddwl rywsut,' meddai Rhiannon. 'Dim ond newydd ddŵad i'w nabod nhw roedd hi. Ac am y rheini yng Nghaereirian,' chwarddodd, 'mi ddaru gymryd yn eu herbyn nhw'n syth bìn! P'un bynnag, faswn i'n meddwl iddi neud 'i hewyllys flynyddoedd yn ôl. Yn syth ar ôl colli 'i gŵr, mwy na thebyg.'

'O wel,' meddai Megan, 'beth bynnag geith unrhyw un arall, Eric, chdi a fi geith y llefrith 'di suro!'

Fel y gyrrai Glenys Evans drwy Fryn Eithinog daeth y Chwilen Biws allan o stryd ochr yn annisgwyl, a bu raid iddi frecio'n sydyn. Guto Guest wedi pasio'i dest, meddyliodd. Petai odli'n ei goglais buasai wedi gwenu, ond ei gwylltio a wnaeth ymddangosiad disymwth y Chwilen.

'Blydi disgyblion,' meddai'n uchel. I ble roedd hwnna'n mynd yn lle bod â'i drwyn yn ei lyfrau? Nid i gyfarfod Eira Mai, rhôi ei phen i'w dorri, er gwaetha'r sioe a wnâi'r ddau ohonynt eu hunain yn yr ysgol. Gyrrai Guto'n bwyllog rownd y troadau, yn rhy bwyllog i Glenys, ac ni allai fynd heibio iddo nes cyrraedd y darn lle cawsai'r ffordd ei sythu. Ond ar y rhan syth, daeth nifer o geir i'w cyfarfod a gorfodwyd hi i aros y tu ôl i'r Chwilen. O'r diwedd, fflachiodd Guto arwydd i ddangos ei fod am droi i'r chwith. Arafodd Glenys i roi amser iddo, a chan nad oedd cyflymder ei char wedi cynyddu llawer erbyn iddi fynd heibio pen y lôn gul y diflannodd y Chwilen iddi, gallodd ddarllen yr arwydd uwchben y saeth: Cae Aron. Fu ganddi erioed syniad yn lle roedd cartref Eira Mai, na diddordeb hyd yn ddiweddar, ond cofiodd glywed Ed yn crybwyll mynd i Gae Aron i weld Rhiannon un diwrnod.

Erbyn hyn daethai stelcian yn ail natur i Glenys: stopiodd y car, ei facio'n ôl, a throi ym mhen y lôn. Ychydig lathenni ymhellach i lawr roedd yr agoriad i'r gilfan a luniwyd pan sythwyd y ffordd. Gyrrodd Glenys ei char i mewn iddi: os mai i gyfeiriad Bryn Eithinog yr âi'r Chwilen Biws pan ddychwelai o Gae Aron, ni allai fethu'r lliw llachar. Ond gallai fethu gweld pwy oedd ynddo, felly daeth allan o'r car a chuddio tu ôl i foncyff praff coeden dderw.

Ni fu raid iddi aros yn hir. Pan wibiodd y Chwilen heibio – yn llawer cyflymach na phan yrrai o'i blaen hi, sylwodd – yn ochr y teithiwr gwelodd ben crych golau. Felly roedd y ddau *yn* mynd allan gyda'i gilydd! Aeth Glenys yn ôl i'r Clio dan fyfyrio. Na…na, doedden nhw *ddim* yn caru. Rhaid bod Guto wedi adnabod ei char hi wrth ei weld yn ei ddrych gynnau. Pam arall y gyrrai mor araf, heblaw i'w phryfocio hi? Gwibiai fel sgyrsion gydag Eira wrth ei ochr, heb ddisgwyl i Glenys eu gweld. Ynteu oedd o *yn* disgwyl i Glenys eu gweld? Hwyrach mai mynd ag Eira Mai am dro yn y car yn fwriadol a wnâi, er mwyn profi iddi hi eu bod yn eitem. Ond na, gwyddai Guto mai i gyfeiriad Llanwenoro y teithiai hi. Pam mynd y ffordd arall? Amau ei bod yn gwylio? Yn disgwyl amdanynt? Ond doedden nhw ddim yn gwybod am ei stelcian wrth gartref Llion, felly pam y dylen nhw amau…? Teimlai Glenys ei meddwl yn clymu'n gwlwm-cwlwm. Oedd hi'n dechrau mynd yn paranoid? Nag oedd, roedd hi'n hollol gall. Hi oedd y gallaf o'r blydi lot. Ac fe ddaliai'r sguthan Eira Mai 'na hefo Llion pe bai'r peth olaf a wnâi! Ond nid heno. Heno roedd y ffifflen yn saff yn rhywle hefo'r clown 'na, Guto Guest.

Ynta oedd hi? Ella mai sgwarnog oedd Guto. Toc, hwyrach yr hwyliai'r bali VW Beetle 'na yn ei ôl hefo gwên haerllug ar ei wyneb, wedi gadael Eira Mai yn rhywle i gyfarfod ei chariad go-iawn. Byddai, byddai'n rhaid iddi wylio tu allan i Ben Rallt eto heno. A hithau'n nos Sadwrn olaf y gwyliau, beth petai Eira Mai'n dod adre gyda Llion? Aeth Glenys yn ei blaen i Lanwenoro, prynu pryd parod i'w roi yn y popty ping, ac ymbaratoi am noson arall o stelcian wedi machlud haul.

Amser cinio ddydd Mawrth, ailgydiwyd yn ymarferion y sioe gerdd, gan ddechrau gyda Siôn ab Eurig yn rhuo. Er nad oedd angen iddo, daeth Guto yno i wylio.

'Cadw'r act i fyny hefo chdi ydi'r peth pwysica, Eira,' meddai Guto. Cawsent eisoes wybod gan Llion i Glenys fod y tu allan i'w dŷ nos Sadwrn. 'Meddylia, mynd i sbecian ar dŷ Oli er iddi 'ngweld i'n mynd i tŷ chdi. Oedd hi'n gwbod yn iawn mai 'nghar i oedd o. Sgin neb arall fforma Chwilan Biws.'

Cyn diwedd yr ymarfer, fe drodd Glenys the Menace i fyny hefyd, er nad oedd ei hangen hithau chwaith y prynhawn hwnnw. Yr olygfa gyntaf a welodd oedd Eira a Rachel yn sefyll ar flaen y llwyfan yn cael cyfarwyddyd o'r llawr gan Llion, a geisiai gael Rachel i ynganu'r enw Eurgain, cymeriad Eira, yn gywir. Roedd gwên ar wyneb Eira wrth iddi wrando ar ymdrechion Rachel, a phefriai ei llygaid wrth iddi syllu i lawr ar ei hathro Drama. Gwyddai Glenys o'r gorau...Nid felna'r edychai'r ast fach ar Guto Guest. Luchien nhw byth lwch i'w llygaid *hi*!

35

Y nos Wener ganlynol, fel y dynesai at dafarn y Gaseg Winau lle roedd i fod i gyfarfod Justin, aeth Llion i deimlo'n fwyfwy nerfus. Gwyddai fod ei gwt y tu cefn iddo byth ers iddo adael Pen Rallt, serch i ambell gar ddod rhyngddynt ar ôl goddiweddyd Glenys. Er mwyn gwneud pethau'n haws i'w stelcwraig ac iddo ef ei hun, gadawsai Llion iddynt ei oddiweddyd yntau.

Rhoddodd arwydd i'r dde mewn da bryd cyn troi i faes parcio'r dafarn, ac aros mor agos i olau ag y gallai. Ar ben y wal o dan y lamp, yn smocio sigarét, eisteddai llanc pryd golau a gwallt at ei ysgwyddau. 'Co fe, siŵr o fod. Rhoes Llion glo ar y car a mynd at y bachgen ifanc.

'Justin, ife?' Neidiodd Justin o ben y wal ac estyn ei law.

'Iê,' meddai. 'Llion?'

'Iê. Wy'n ddiolchgar ofnadw i ti am 'yn helpu fi mas fel hyn.'
Ysgydwodd Llion y llaw a'i gollwng yn syth bìn. Ffŵl! Roedd y
bachan yn dyall y telerau.

'*No probs*,' meddai Justin. 'Ti fel, mynd mas 'da merch o ysgol
ti, fel?'

'Fydda i pan fydd hi wedi bennu 'na.'

'Iê. Oedd Guto'n gweud. Ydi *stalker* ti abytu?'

'Ma hi wedi 'nilyn i, wy'n gwbod 'ny, a so'i char hi wedi paso,
felly ma hi wedi stopo nôl 'na, sbo. Wy'n gobeitho all hi'n gweld
ni 'da'n gilydd.'

'Ti isie hi meddwl bod ti'n fel ... *gay*?'

'Nagw. Jyst taw ffrind 'yt ti. Nagw i'n erbyn pobl hoyw, cofia,'
ychwanegodd yn frysiog. 'Ife tafarn hoyw yw hon?'

'Na. Ma fe jyst yn lle rîli dda i cwrdda fel. Ma'r drws ffrynt
rownd y cornel yn edrych tsha'r hewl. Bydd hi'n gweld ni'n mynd
miwn: ma gole 'na.'

Ychydig lathenni cyn cyrraedd y dafarn, mewn cilfan aros ar
gyfer bysiau, safai car Glenys. Fel y gellid disgwyl mewn cilfan
o'r fath, roedd lamp stryd ar y palmant, ond parciodd Glenys
mor bell oddi wrthi ag y gallai. Nid oedd yn rhy siŵr sut i gael ei
maen i'r wal. Ar ôl i'r Saxo ddiflannu heibio cornel y dafarn i'r
maes parcio, ni welodd olwg o Llion, felly mwy na thebyg ei fod
wedi mynd i mewn drwy ddrws yn y cefn. Diawlai'n helaeth os
byddai'n rhaid iddi hithau fynd i mewn: doedd arni ddim eisiau
cael ei gweld. Pan oedd ar fin dod allan o'r car, ymddangosodd
ei phrae rownd y gornel gyda dyn arall. Gallai eu gweld yng
ngolau'r lamp lachar uwchben y drws, a chydiodd yn ei sbienglas
i gael golwg well. Yn ffodus iddi, edrychai'r ddau'n ddwfn mewn
sgwrs ddiddorol, mor ddiddorol nes peri iddynt sefyll o dan y
lamp am gryn ddau funud i drafod. Dyn tal, hefo gwallt hir at
ei ysgwyddau: wyddai Glenys ddim pwy ydoedd. Un peth oedd
yn sicr, allai o ddim bod yn Eira Mai mewn *disguise*! Dododd y
dyn ei law ar gefn Llion fel pe i'w gyfeirio, a diflannodd y ddau i'r

dafarn. Be rŵan? Tybed allai hi weld unrhyw beth drwy'r ffenest? Ddoen nhw ddim allan am beth amser os oedd y ddau am gael peint.

Taniodd Glenys beiriant y Clio a gyrru i gefn y dafarn, gan ofalu parcio'n ddigon pell oddi wrth y Saxo a'r lampau. Yna aeth i sbaena drwy'r ffenestri. Dyna lle roedd y dyn dieithr wedi eistedd, yn gyfleus iawn, wrth fwrdd yn y ffenest. Bachgen o'r deunaw i'r ugain yma, y gwallt hir yn olau ei liw. Myfyriwr? Hen ffrind ysgol neu goleg? Châi hi byth wybod, wrth gwrs; ddylai hi ddim fod wedi ei weld yn y lle cyntaf. Ymhen eiliad gwelodd Llion yn cyrraedd gyda dau wydryn peint ac yn gwenu. Canolbwyntiodd Glenys ar y gwefusau siapus, sensitif, na chawsai erioed gyfle i'w blasu. Rhywbeth fel: ''Co ti, shandi', dyna ddywedodd o. Gobeithio hynny, beth bynnag, rhag ofn i'r glas ei ddal ar ei ffordd adref. A wel...doedd waeth iddi hithau fynd adref hefyd ddim. Hwyrach mai nos fory fyddai noson Eira Mai.

Yn y Gaseg Winau, cymerodd Llion a Justin eu hamser dros eu shandi. Roedd yr hogyn yn gwmni difyr. Eglurodd iddo fethu ei Lefel A llynedd, a dim rhyfedd hynny â'i hanes tua Chaerdydd yn fodd i fyw! Cyn gwahanu, cytunodd y ddau i chwarae'r un tric eto y noson ganlynol, fel y bu i Llion awgrymu wrth Eira. Os na rôi Glenys y ffidil yn y to ar ôl eu gweld gyda'i gilydd ddwy noson yn olynol, fyddai gan Llion ddim dewis ond dioddef ei hollbresenoldeb hyd ddiwedd y flwyddyn ysgol.

'Ond falle fydd stori newydd yn mynd abytu'r ysgol dydd Llun,' meddai Justin. 'Am ti a fi, fel!'

'Y nefoedd!' ebychodd Eric. 'Fedrat ti glywad y drewdod 'ma o Gae Aron!'

'Caws glas, debyg. Ma hwnnw'n beth drewllyd pan fydd o'n ffresh, heb sôn am yn wythnosa oed.' Arogleuodd Megan hithau gynnwys oergell Marjorie Strong.

'Sbia, llefrith wedi suro, menyn, cig moch...Reit: y llefrith i lawr y tŷ bach a'r gweddill i'r bin brown.'

'A phob dim sy yn y cwpwr rhew hefyd, Eric. Pan geith y fflat 'i werthu fydd neb isio prynu bwyd yr hen Marjorie.'

'Wyt ti'n meddwl mai 'i werthu geith o?'

'Be arall? Toedd gynni hi neb, ond perthnasa newydd sbon danlli. Dyna pam da'th hi fforma, i wlad 'i nain. Er nad oedd hi'n nabod neb yma chwaith. Rhyw resymu felna oedd tu ôl i'r hel acha, dwi'n meddwl.'

'Ia. Dŵad yn ôl at 'y ngwreiddia oedd 'y mwriad inna hefyd.'

'Ond yn Brynia roedd dy wreiddia di, Eric. Pam nad est ti yno i fyw?'

'Cartra plentyndod oedd Brynia 'sti, hefo Nhad a Mam a Dora'n chwaer. Fasa fo ddim 'run fath ag oedd o.'

'Dwi ddim yn cofio Dora. Fuo hi yn yr ysgol?'

'Naddo, phasiodd hi mo'r sgolarship. Mi oedd hi ddwy flynadd yn hŷn na fi. Mi fuo farw'n hannar cant. MS. Lot o gystudd.'

'Gneud i rywun sylweddoli mor lwcus ydan ni.'

'Ydi.' Agorodd Eric ddrws y rhewgell: roedd bron yn llawn. 'Mi oedd Marj wedi bwriadu byw am ddeng mlynadd arall. Pam nad ei di â'r stwff 'ma adra?'

'Mi fasa wedi dadmar cyn i mi gyrra'dd. Cadw di o. Ga' inna'r tunia.'

'Ga' i weld faint o le sy gin i. Ty'd, awn ni â fo drwodd a nawn ni banad.'

Llwythodd Eric y bwydydd rhew i fag bin a gadael drysau'r rhewgell a'r oergell yn agored cyn i'r ddau fynd drwodd i'w fflat ef.

'Ddaru ti setlo'n iawn yn Nhraeth Gweirydd o'r dechra?' gofynnodd Megan dros ei phaned ar ôl i Eric gadw'r bwydydd rhew.

'Go lew,' atebodd Eric. 'Chydig iawn oeddwn i'n nabod erbyn hyn. Dyna pam es i i'r capal: i gyfarfod pobol. Mi o'n i wedi rhoi'r gora iddi ym Manceinion.'

'A finna yn fama. Mi es tra oedd Ifan yn iach, ond wedyn mi oedd gormod o angan gofal arno fo. Ac ar ôl 'i golli o, doedd gin i fawr o awydd mynd yn ôl.'

'I Jeriwsalem byddat ti'n mynd?'

'Naci, Rehoboth. Y Delyn Aur! Profiad odia 'mywyd i, mynd yno am bryd o fwyd a photela'd o win! Dŵad ag atgofion yn ôl, a rhai o'r rheini ddim yn rhy felys.'

'Gneud i ti deimlo'n euog, debyg.'

'Yn rhannol. Teimlo rhyddhad hefyd. Ar ôl ca'l dy fagu hefo crefydd yn dy lyffetheirio di, ma hi'n ofnadwy o anodd torri'n rhydd. Dal i chwilio am rwbath, am wn i.' Syllodd Megan i'r pellter am ychydig. 'Dyna i ti Iori, wedyn: athro Bywydeg, Darwin a ballu. Os bydd pobol yn holi lle ma Duw pan fydd daeargryn yn digwydd, neu losgfynydd yn poeri tân, be ddeudith hwnnw ydi na chafodd y bydysawd mo'i greu'n berffaith, er gwaetha be ddyfyd Genesis, 'i fod o'n dal i newid a datblygu: platia tectonig yn symud, galaetha'n mynd yn bellach oddi wrth 'i gilydd – petha felly. Tydi perffeithrwydd ddim yn bod, medda Iori, a tydi cwymp oddi wrth berffeithrwydd ddim yn bod achos toedd 'na ddim perffeithrwydd i gwympo oddi wrtho fo. Na dim angan adfer dyn i berffeithrwydd chwaith, felly.'

'Anffyddiwr rhonc?'

'A sicir o'i betha. Dim ond pum mlynadd ydi o fengach na fi, ond tydi o ddim yn agos cymaint o blentyn y pumdega â fi. Wyddost ti, yn hofran rhwng hen foesoldeb a moesoldeb newydd, neu ddiffyg moesoldeb ella ddylwn i ddeud. Dwi *yn* derbyn petha fel maen nhw rŵan, ond ma un droed i mi'n dal yn y llyffethair 'na.'

'Meg bach! A finna'n dy demtio di. Mi ddaru'r llyffethair 'i gneud hi'n anodd iawn i ti gysgu hefo mi, dwi'n siŵr.'

'Naddo. Wyddwn i ddim be ddiawch oedd ar ôl i mi mewn bywyd nes…nes doist ti'n ôl iddo fo,' meddai Megan yn swil.

Gafaelodd Eric yn ei llaw.

'Meg Meg Meg. Mi wyt ti'n dal yn fyfyrgar, yn rhy glyfar i mi. Ond be ddiawl ydi'r ots? Prioda fi, Meg…'

Am yr ail noson yn olynol, wedi iddi dywyllu, gyrrodd Glenys Evans i'w chuddfan gyferbyn â Phen Rallt. Ni fu raid iddi aros yn hir cyn i'r Saxo bach eurliw ddechrau rhuo a chychwyn ar ei daith i'r un cyfeiriad â'r noson cynt. Heno, nos Sadwrn, teimlai Glenys yn sicr mai ymlaen i Fangor neu rywle yr âi: yno, byddai Eira Mai wedi teithio ar y bws a chyrraedd o'i flaen i groesawu ei gwir gariad â breichiau agored mewn rhyw gilfach, ymhell o olwg llygaid Llanwenoro. Neu felly y bydden *nhw*'n tybio: ychydig a wyddent y byddai un pâr o lygaid yn eu gwylio gyda diddordeb ysol.

Ond ail a gafodd Glenys. Unwaith eto, troes y Saxo i mewn i faes parcio'r Gaseg Winau, ac unwaith eto arhosodd y Clio yn y gilfan. Yna, fel y noson cynt, ymddangosodd Llion a'r bachgen hirwallt rownd y gornel dan siarad yn fywiog a nodio'u pennau yng ngoleuni'r lamp uwchben drws y dafarn, cyn cerdded i mewn am eu peint o shandi.

Ystyriodd Glenys: oedd hi am fynd i sbecian drwy'r ffenestri eto heno? Beth petai Eira Mai yno'n disgwyl am Llion? Guto wedi mynd â hi yno, efallai? Roedd y ddau'n sicr i fyny llewys ei gilydd. Pan oedd Glenys ar fin tanio'i pheiriant, clywodd gar yn rhuo i'w chyfeiriad o'r tu ôl. Dim ond un modur y gwyddai hi amdano a wnâi'r fath dwrw byddarol: Chwilen VW, a hwnnw'n un piws. Troes i edrych, ac wrth i'r car wibio heibio iddi, gwelodd Glenys ben melyn cyrliog; digwyddai Eira fod wedi rhoi'r golau bach ger y drych ymlaen i ddarllen rhywbeth. Ar amrantiad, penderfynodd Glenys ddilyn y Beetle, rhag ofn i'r Saxo ymuno ag o'n nes ymlaen.

Teithiodd y Chwilen Biws at y sinemâu yng Nghyffordd Llandudno, a gwelodd Glenys Guto ac Eira'n rhuthro i mewn: rhaid bod y ffilm ar fin dechrau. Eisteddodd hithau yn ei char am beth amser rhag ofn i'r Saxo gyrraedd: pwy a wyddai nad cyfnewid partneriaid yn nhywyllwch y sinema oedd y cynllun? Ymhen hir a hwyr, fodd bynnag, dechreuodd amau ei bod yn gwastraffu ei hamser a phenderfynodd droi am adref. Rhaid mai treulio'r min nos yn y Gaseg Winau oedd bwriad Llion a'i ffrind.

Llion a'i ffrind. Ond ai *ffrind* oedd o? Trawodd y syniad hi fel bwled annisgwyl o wn cudd-saethwr, a bu agos iddi â gyrru i gefn car oedd wedi arafu i droi i'r dde. Na, amhosib. Ond oedd, roedd o *yn* bosib. Tybed mai dyna pam nad oedd arno eisiau dim i'w wneud â hi ar ôl parti dyweddïo'i ffrind, yn hytrach nag am ei fod wedi gwirioni hefo Eira Mai? Os felly, buasai'n gwastraffu ei hamser go-iawn, nid yn unig heno ond ers wythnosau.

Reit, penderfynodd, daethai'n bryd rhoi stop ar y stelcian a symud ymlaen. Roedd bywyd yn llawer rhy fyr i golli amser yn dihoeni dros ddyn nad oedd ganddo bwt o ddiddordeb ynddi. Yn enwedig â digon o rai eraill o gwmpas: dim llawer tua'i hoedran hi, hwyrach, ond rhai hŷn (wel, hen…) a rhai ifainc. Rhai ifainc fel y Bedwyr Morus 'na. Gwenodd. Gallai ddal i deimlo'i ddyrnwr mawr yn ei phwnio! Hwyrach, os medrai gael gwared ag Eira Mai o un o'u sesiynau ymarfer dawnsio…

Yn sydyn, daeth twrw rhyfedd o beiriant y car. O na! Plis, dim torri i lawr ar ffordd dywyll. Llywiodd y Clio mor agos i'r ochr ag y gallai, a dodi'r goleuadau perygl i fflachio. Doedd ganddi ddim syniad am berfeddion injian: yr unig beth i'w wneud fyddai ffonio'r AA. Chwiliodd am y rhif ar ei ffôn symudol. Gorfu iddi aros peth amser am ateb, a phan ddaeth, cafodd wybod y byddai'n rhaid iddi ddisgwyl am tuag awr am gymorth. Yn anniddig a nerfus, setlodd Glenys i lawr yn ei sedd.

Ofnai am ei bywyd i ryw yrrwr diofal neu feddw beidio â sylwi ar ei goleuadau a tharo cefn y Clio. Ond pan welodd gar yn mynd heibio iddi ac aros o'i blaen cafodd fwy o fraw. Nid dyn yr AA oedd hwn: beth petai rhywun yn ei threisio, ei llofruddio?! Caeodd ei llygaid yn dynn. Curodd rhywun ar ei ffenest.

'Glenys.' Llais Llion! Yn y tywyllwch, ac yn ei chyflwr ofnus, nid oedd wedi adnabod ei gar. Agorodd y ffenest.

'Be sy wedi digwydd?'

'Dwn 'im. Dwi'n disgwl am yr AA.'

'Paid becso. Sefa i 'da ti. Well i finne ddodi'r *hazards* mla'n 'fyd.'

'Diolch.' Crynai llais y fenyw gan arswyd. Un peth oedd

loetran mewn cilfach â thai gerllaw a lamp allan yn y stryd. Peth arall oedd bod ar ei phen ei hun ar ffordd brysur gefn trymedd nos. 'Tydi hyn rioed wedi digwydd i mi o'r blaen.'

Ar ôl i Llion ddod i eistedd wrth ei hochr, dechreuodd Glenys deimlo'n well: yn ddigon gwell i sylweddoli mor hyfryd fuasai'r sefyllfa hon dan amgylchiadau gwahanol. Ond doedd waeth iddi heb â meddwl am hynny; roedd rhwystr ar ei ffordd, er na wyddai pa un ai benywaidd ai gwrywaidd oedd hwnnw. Penderfynodd bysgota.

'Wyt ti wedi bod yn rwla neis?'

'Jyst am beint bach 'da ffrind.'

'Rhywun dwi'n nabod?'

'Na. Bachan o Gaerdydd. Fuest ti yn rhywle neis?'

'Gweld ffrind fuo fi hefyd. Ma hi'n dysgu yng Nghonwy.'

Ddilynodd hi Eira a Guto i Landudno, tybed?

'Shwt ma'r hyfforddiant danso'n mynd?' Daeth y cwestiwn fel gwibfaen.

'O, ym … ia … iawn am wn i. Dwi ddim wedi dechra hefo Eira eto.'

'Weles i Bedwyr ar ôl 'i wers cyn hanner tymor.'

'Do?' Oedd o'n awgrymu rhywbeth? 'Gynno fo sbelan o waith ymarfar.'

'Paid becso, ma fe'n siŵr o ddod.' Be?!

'Ia … ia, daw, mi ddysgith. Sut ma'r ymarferion actio'n mynd?'

''Bach o shambls weithe, 'da Rachel McGordon. Ond gaf fi drefen arni. So hi mor dwp â ma pobol yn feddwl.'

Ar hynny, cyrhaeddodd dyn yr A A. Edrychodd ar y peiriant a dweud mai'r ffanbelt oedd wedi torri. Gallai roi un dros dro, a âi â hi adref, ond i'r garej y byddai'n rhaid i'r Clio fynd am y ffanbelt iawn ar ei gyfer.

'Gobeithio bod o'n iawn,' meddai Glenys. 'Dwi ddim isio torri i lawr eto.'

'Shgwl, cer di gynta, a ddilyna i di,' meddai Llion, yn ymwybodol o eironi'r fath sefyllfa. 'Naf fi'n siŵr bod ti'n cyrredd gatre'n saff.'

'Fydd isio trefnu i hwn fynd i'r garej bora Llun, meddai Glenys ar ôl cyrraedd. 'Os bydda i'n hwyr i'r ysgol nei di egluro?' Amneidiodd Llion. 'Heicio i'r gwaith i mi am dipyn. Ond os na fedar athrawas Ymarfar Corff heicio, pwy fedar 'te?'

36

'Wy'n meddwl allwn ni ddod i ben 'da'r sioe gerdd heb ga'l mwy na dou ymarfer hwyr yr wthnos,' meddai Llion dros baned sydyn yn stafell yr athrawon ar ôl yr ymarfer amser cinio. 'Be 'yt ti'n weud, Ed?'

'Ydi, ma hi'n mynd yn reit dda,' atebodd Ed. 'Oes gin ti isio llawar o amsar eto hefo Eira a Bedwyr, Glenys?'

'Mi o'n i'n disgwl y basa,' meddai Glenys, 'a'r ddau fel eliffantod. Ond er syndod i mi, ma Eira Mai wedi dŵad ymlaen yn dda rhwng nos Fawrth a heddiw.'

'Eira wedi bod yn danso 'da'r *Gwyddoniadur* ar 'i phen, sbo,' gwenodd Llion.

'Boncyrs!' meddai Glenys. 'Ma isio sbel chwanag o bractis ar Bedwyr. Fyddwch chi 'i angan o heno?'

'Na, ganolbwyntiwn ni ar Rachel,' meddai Ed.

'Call iawn!' oedd sylw deifiol Glenys. 'Ga' i Bedwyr felly?'

'Cei.' Gwenodd Glenys.

Ddiwedd y prynhawn, gan nad oedd Bedwyr wedi cael stag ar unrhyw ran o gorff yr hardd Felissa yn y neuadd, llwyddodd i gadw'i feddwl ar ei draed yn hytrach nag ar ddarn mwy diddorol ohono'i hun, ac aeth y wers heibio heb embaras i neb. Ond braidd yn siomedig y teimlai Glenys: ni allai anghofio'r trysor yn y trowsus.

'Wyt ti'n cerddad adra, Bedwyr?' gofynnodd. Gwyddai mai fferm ychydig y tu hwnt i'w bwthyn hi oedd ei gartref.

'Ydw, Miss,' atebodd Bedwyr.

'A finna. Ma 'nghar i yn y garej yn ca'l 'i drin. Ddaru mi ama bod rhywun yn 'y nilyn i nos Fawrth. Dychymyg rhy gry, debyg, ond mi gododd ofn arna i braidd.'

'Fedrwn ni gerddad hefo'n gilydd, Miss, os…dach chi isio.'

'Chwara teg i ti am gynnig. *My knight in shining armour,*' gwenodd Glenys.

Pur herciog fu'r sgwrs ar y ffordd adref, gan mai bachgen swil a thawedog oedd Bedwyr ar y cyfan, ond gwnaeth Glenys ei gorau. Pan gyrhaeddodd y ddau ei bwthyn, syllodd Glenys i fyny i'r ddau lygad glas gryn droedfedd uwch ei phen a gwenu'n serchog. Gallai weld dryswch yn y glesni dwfn, ond tybed oedd yna fymryn o ddiddordeb ynddynt hefyd?

'Fasat ti'n licio menthyg CD i ymarfar adra, Bedwyr?'

'OK. Diolch, Miss.'

'Ty'd i'r tŷ 'ta, i mi ga'l chwilio amdano fo.'

'Stedda,' meddai Glenys ar ôl cau'r drws. Diflannodd i stafell arall, â Bedwyr yn syllu ar ei hôl gyda dryswch cynyddol. Peth anghyffredin iawn oedd gweld gwên ar wyneb y Menace. Gwgu oedd ei harfer, ac arthio, a sbeitio pawb ond ei ffefrynnau, sef y criw a ragorai mewn chwaraeon. Hwyrach ei fod yn gôl-geidwad di-fai, ond pam roedd hi mor glên hefo fo ac yntau'n rhoi'r fath drafferth iddi gyda'r dawnsio? Roedd rhywbeth eithaf dymunol ynddi heb y cuchio tragwyddol. Dychwelodd Glenys gyda'r CD yn ei llaw a'r wên yn dal ar ei gwefusau.

'Dyma fo. Wyddwn i ddim yn iawn yn lle roeddwn i wedi'i gadw fo.' Cododd Bedwyr ar ei draed.

'Diolch, Miss Evans. Mi dria i 'ngora i gofio sut dwi i fod i neud.'

'Rho ryw chwartar awr iddo fo heno, yli, a ty'd i ddeud wrtha i fory os cei di drafferth. Mi gawn ni drefn ar y dawnsio 'ma rhyngon, paid di â phoeni.'

'Eira Mai, dwi 'di bod yn meddwl,' meddai Guto brynhawn Llun ar y ffordd adref o'r ysgol yn y Chwilen Biws. Yn ôl ei harfer, aethai Gwennan ar y bws.

'Dew! Llongyfarchiada, Gits!'

'Dim isio bod felna nag oes, a finna'n mynd i neud *proposition* i chdi! Rŵan bod y Menace wedi stopio'i stelcian, yn ôl be ddeudodd Oli bora, nos Sadwrn nesa mi fasach chi'n medru ca'l amsar efo'ch gilydd. Fi'n dy nôl di er mwyn taflu llwch i llgada dy fam a dy nain, Oli a Justin yn mynd i Fangor ne' rwla yn 'u ceir 'u huna'n, y pedwar ohonon ni'n cyfarfod, a ffeirio partnars. Heb fisdimanars Glenys, mi fasach yn reit saff ond i chi beidio mynd i nunlla cyhoeddus. *Sex in a Saxo,* Eira Mai. Be ti'n ddeud?'

'Ma hi'n demtasiwn. Gawn ni weld be ddeudith Llion, ia? Fiw i ni fentro gormod ar ôl medru cadw petha'n ddistaw mor hir.'

'Wn i. Ddaru Justin fwynhau cwmpeini Llion, medda fo. Pan gewch chi'ch dau gyfla am sgwrs dwi'n siŵr cei di hanas *gay bars* Caerdydd o bant i bentan!'

'Cyn bellad na ddaru o ddim 'u gneud nhw'n *rhy* ddeniadol, Gits! Dwi'm isio i Llion droi'n hoyw arna i ar ôl yr holl helbul 'ma!' Gwenodd Guto.

'Gin ti wastad fi, yli. Er, dw inna'n da i fawr ddim i ti rŵan chwaith, nac'dw?'

'Ti *yn* hapus hefo Justin, twyt?'

'Ydw. Ond diawl o beth 'di bod ddim yn siŵr...O wel, fedra i neud dim byd ond gweld be ddigwyddith. Os syrthia i am hogan a honno'r un iawn, mi 'na i briodi a cha'l clamp o deulu. Os syrthia i am hogyn a hwnnw'r un iawn, wel...*so be it.*'

Pan gyrhaeddodd Eira'r tŷ, daeth Rhiannon i lawr y grisiau ar wib.

'Mae 'ma lythyr i ti,' meddai, 'a dwi bron â marw isio gwbod be 'di o! Sbia ar yr amlen.' Marc post Lerpwl, ac enw R. J. Galsworthy, Solicitor.

'Twrna Mrs Strong? Pam mae o'n sgwennu i mi?'

'Agor o'r jolpan! Gei wbod wedyn.' Agorodd Eira'r amlen, gyda'i mam chwilfrydig yn edrych dros ei hysgwydd.

'O! O, na, dwi'm yn credu hyn! Mam?'

Troes Eira at ei mam, a'i llygaid yn llenwi. Edrychai Rhiannon hefyd fel petai wedi ei tharo gan fellten. Ynghyd â nodyn byr gan y twrnai, cynnwys yr amlen oedd copi o ran o ewyllys Mrs Strong. I Ms Eira Mai Huws, roedd yr hen wraig wedi gadael hanner can mil o bunnau, i dalu am ei haddysg uwch os byddai'n eu hetifeddu cyn mynd i'r brifysgol, neu i ad-dalu ei benthyciadau myfyriwr os byddai'n etifeddu ar ôl gorffen ei chwrs.

'Mam! Fedra i ddim cymryd yr holl bres 'ma! Fydd rhaid i mi 'u rhoid nhw i... i'r Ambiwlans Awyr, neu Tŷ Gobaith... neu 'u rhannu nhw hefo'r lleill sy'n mynd i'r brifysgol...' 'Nes i ddim byd erioed drosti hi, ddim byd i haeddu hyn!'

'Eira, mi wyt ti wedi ca'l sioc, a finna hefo chdi. Pwylla am funud. Mi wyddwn i fod yr hen greaduras yn graig o arian ond mi oeddwn i'n disgwl i'r cwbwl fynd i elusenna. Diolcha'i bod hi wedi meddwl amdanat ti. Fydd dim isio i ti boeni rŵan am ariannu dy gwrs prifysgol.'

'*Chdi* fuo'n ffeind wrthi, Mam, ddim fi.'

'Lle mae ariannu dy gwrs di yn y cwestiwn, yr un un wyt ti a fi.'

'Ia... Mi fydd hyn yn help i chdi hefyd, bydd? O...' Yn sydyn dechreuodd y dagrau yn llygaid Eira lifo i lawr ei gruddiau. 'Dim ond rŵan dwi'n sylweddoli bod hi wedi mynd go-iawn. Pam dwi'n teimlo fel hyn, Mam? Dim ond rhyw dair gwaith 'nes i 'i chyfarfod hi.'

'Mi oedd hi'n ddynas oedd yn gneud argraff ar bawb y tro cynta, dwi'n meddwl. Mwynhau pob eiliad o'i bywyd.'

'Dwi'n gobeithio bod hi *wedi* gada'l pres i elusenna. Rheini sy'n haeddu ca'l rwbath ar 'i hôl hi.'

'Ydi, tad. Mi ges i'r argraff bod gynni fwy na digon, er ma'n siŵr i werth 'i ffortiwn hi fynd i lawr yn y dirwasgiad. A mi fydd 'na dreth etifeddiaeth i'w thalu, wrth gwrs. Ond fedar hi ddim bod wedi gada'l pres oedd ddim gynni hi i neb, paid â phoeni. Mi fydd y twrna wedi edrach ar ôl pob dim.'

'Pan est ti â hi i Lerpwl, i neud trefniada'i chladdu ddeudodd hi 'te?'

'Ia, a mi lyncis inna'r stori.'

'Newid 'i wyllys i gofio am ffrindia newydd?'

'Edrach felly. Dwn 'im be oedd pwrpas mynd yno ar ôl Dolig chwaith.'

'Ti'n gweld? Chdi fuo'n 'i lygio hi o gwmpas y lle. So lle ma dy siâr di?' Chwarddodd Rhiannon.

'Lygio 'di'r gair hefyd, Eira! Ond mi dalodd hi i mi tra oedd hi'n fyw, ti'n gweld, am y gwaith o'n i'n 'i neud. Fuo mi ddim ar 'y nghollad, yn bendant iti. Dwi'n ddigon hapus 'mod i wedi ca'l tegwch gin yr hen Marj.'

Drannoeth, fel y cychwynnai Megan i fflat Eric, disgynnodd llythyrau pawb ar fat-sychu-traed y tŷ nain. Postmon newydd oedd hwn, mae'n rhaid. Aeth Megan drwodd i'r ffermdy a gweiddi yng ngwaelod y grisiau.

'Rhiannon, ty'd i lawr. Bosib bod 'ma rwbath o fantais i ti yn fama.' Yn chwilfrydig, ymunodd Rhiannon â hi yn y stafell fyw.

'Be felly?' Rhoddodd Megan yr amlen iddi: R. J. Galsworthy, Solicitor. 'Rwbath i ddeud bod matar yr ewyllys wedi'i setlo fydd hwn.'

'Wyt ti'n meddwl?' Dangosodd Megan amlen arall iddi, wedi ei chyfeirio ati hi ei hun. Gwenodd Rhiannon yn anghrediniol.

'Byth! Tydi hi ddim wedi lluchio chwanag o'i phres at deulu Cae Aron? Fedra i ddallt pam cafodd Eira Mai rwbath gynni hi, a hitha ar fin mynd i'r coleg ond...'

'Agor o, gei weld.'

'Agorwch chi'ch un chi gynta!'

'Cachgi!' chwarddodd Megan, ac agor yr amlen. Fel un Eira, cynhwysai nodyn gan y cyfreithiwr, a chopi o ran o ewyllys Mrs S. I Mrs Megan Huws, o Gae Aron, Bryn Eithinog, roedd wedi cymynroddi'r swm o... syrthiodd Megan yn un sypyn i gadair.

'Can mil o bunnau!' Syllodd yn anghrediniol ar Rhiannon. 'Pam? Be 'nes i erioed iddi?'

'Mynd hefo hi i'r briodas yn Nulyn. Fasa hi byth wedi medru mynd heblaw amdanoch chi.'

'Eric fuo fwya o help – mynd â'i gar. Hebddo fo, fasa wedi bod yn amhosib.'

'Chi ddaru neud bwyd iddi ar ôl i ni fod yn Lerpwl. Chi na'th ginio Dolig…'

'Y tair ohonon ni…'

'OK, chi na'th y pwdin clwt! A chi ddaru roid menthyg 'ych gwely iddi yn y pnawn pan oedd hi'n chwil!' Gwenodd Megan.

'Yr hen greaduras! Yli, dwi'n meddwl basa well i titha agor yr amlen 'na.'

'Dwi'n ddigon hapus efo'r tâl ges i am weithio iddi,' meddai Rhiannon. Yr un oedd cynnwys ei hamlen hithau, ond i Ms Rhiannon Huws, Cae Aron, gadawsai Mrs Strong y swm o…Os cawsai Megan sioc, bu agos i Rhiannon gael trawiad.

'Dau gant a hannar o filoedd! Mam, ma hynna'n *chwartar miliwn!*'

'Tu hwnt i bob rheswm!' Ysgydwodd Megan ei phen. 'Ac eto, rho fo mewn perspectif, Rhiannon. Tydi o'n dal yn ddim ond pris tŷ gweddol gyffredin.'

'Dwi ddim angan tŷ, Mam! Dwi ddim angan y pres, chwaith, ddim ac Eira hefo'i harian 'i hun rŵan.'

'Ella daw 'na amsar pan fydd gynni *hi* isio help i brynu cartra. Mi 'nest ti lot fawr dros Marjorie 'sti…'

'A cha'l 'y nhalu.'

'Do, dwi'n gwbod, ond at bwy bydda hi'n troi pan oedd angan help arni, lifft i rwla ne' ballu? Mi fuost ti'n ffrind iddi.'

'Wel, ma hitha wedi profi i fod yn ffrind i ninna. Dwi'n gwbod nad ydi o ddim fel ennill miliyna ar y lotyri, ond pwy mewn difri sy angan miliyna? Mi fyddwn ni'n tair yn eitha cysurus o hyn allan.'

'Well i mi fynd,' meddai Megan, 'mi fydd Eric…' Ar hynny

canodd cloch drws y tŷ nain, ac edrychodd Megan drwy'r ffenest cyn agor drws y ffermdy. 'Rargian, sôn am y diawl, chwedl y Sais! Ddim fi oedd i fod i ddŵad acw?'

'Hwyr oeddat ti…' Daeth Eric i'r gegin.

'Ia, sorri, Eric. Mi o'n i ar 'i hôl hi'n cychwyn, a wedyn…'

'Dim ots, cyn bellad â dy fod di'n iawn. Ofn bod damwain wedi digwydd.'

'Eric, mi wyt ti ar biga'r drain!'

'Dwi'm isio i ddim byd dy ddwyn di oddi arna i, Meg. Ddim rŵan.' Sylweddolodd Eric fod Rhiannon ym mhen draw'r stafell yn eu gwylio gyda diddordeb. 'Mi wyt ti wedi deud wrth Rhiannon, do?'

'Ym…ddim eto.'

'Ond ma dros wsnos ers i ni…'

'Dwi'n gwbod. O'n i ddim yn siŵr…'

'Ddim yn siŵr oeddat ti'n gneud y peth iawn?'

'Naci, ddim hynny.'

'Gwrandwch,' meddai Rhiannon, 'mi a' i'n ôl i fyny i'r swyddfa. Ma gynnoch chi waith trafod.'

'Nagoes,' meddai'r ddau ar unwaith.

'Fi 'di'r drwg,' ychwanegodd Megan, 'yn methu gwbod sut i ddeud wrthat ti…bod Eric a fi am briodi.'

Syllodd Rhiannon yn gegrwth arnynt: fedrai hi ddim cymryd llawer chwanag o siocs mewn un diwrnod! Yna dadebrodd, wrth sylweddoli bod Megan ac Eric yn disgwyl rhyw ymateb ganddi.

'O! Llongyfarchiada!' meddai. Yn annodweddiadol ohoni hi, rhuthrodd at ei mam a'i chofleidio'n dynn. 'Dwi mor falch, Mam.' Yna cofleidiodd Eric.

'Wyt ti, o ddifri? Yn falch?'

'Wrth gwrs 'mod i. 'Ych cariad cynta chi!'

'Toeddwn i ddim yn siŵr sut basat ti'n teimlo. Dy dad…'

'Anghofiwch y gorffennol. Dach chi'n haeddu hapusrwydd a ma hi'n hen bryd i chi 'i ga'l o. Dwi'n 'ych cofio chi'n deud rwbath tebyg wrtha i pan dda'th Ed a fi at 'yn gilydd a finna ofn ymatab Eira Mai.'

'Gin inna ryw go, f'aur i. Wyt ti'n meddwl bod yr hen löyn byw bach 'na wedi difaru'r hyn na'th o i ni'll dwy ac yn trio gneud iawn?' Chwarddodd Rhiannon.

'Ella wir. Neu mae o wedi dechra colli 'i bwera.'

'Gobeithio'i fod o. Dwi'n dal ofn iddo fo neud llanast o fywyd Eira Mai.' Rhythai Eric yn hurt ar y ddwy.

'Am be dach chi'n paldaruo, dwch?'

'Mi eglura i i ti rywbryd. Yli, waeth i ni aros yma mwy na mynd i'r fflat.'

'Iawn. Diawl…' Sylwodd Eric ar amlenni'r twrnai ar y bwrdd. 'O'n i gymaint o ofn dy fod di wedi ca'l damwain, Meg, mi anghofis am wyllys yr hen Marj. Ges inna lythyr gin Mistar Galsworthy bora 'ma hefyd. Can mil o bunna jest am nôl amball bresgripsiwn a ffonio bob bora i neud yn siŵr 'i bod hi'n iawn. Ac yn y diwadd, mi dda'th 'na fora pan nad oedd hi ddim, do? Yr hen greaduras annwl…'

37

Yn yr ymarfer ar ôl cinio ddydd Iau, bu Bedwyr yn mynd dros ei ganeuon. Hefyd, ar anogaeth Glenys, cafodd gyfle i fynd dros beth o'i ddeialog. Diawliai Llion yr ymarfer pytiog, ond mynnai Glenys fod arni angen y bachgen ar ôl yr ysgol i ddysgu'r dawnsfeydd iddo.

'Pam yffarn ma fe angen shwt gyment o wersi un-i-un, gwêd?' gofynnodd Llion i Ed. 'Ma isie i'r lleill gydweitho 'da fe yn y coreograffi. Wy'n dechre difaru gadel iddi ddod â danso miwn o gwbwl!'

'Dwi'n siŵr bod Bedwyr druan hefyd,' meddai Ed. 'Y creadur, yn gorfod treulio'r holl amsar 'na hefo Glenys the Menace, o bawb.' Cawsai Bedwyr ymarfer nos Fawrth hefyd, a buasai'n danfon Glenys adref, gan fod ei char yn dal yn y garej.

'Car o Ffrainc ydi'r Clio, fel gwyddost ti,' meddai Glenys wrtho. 'Ma hi'n cymryd dipyn o amser iddyn nhw ga'l gafa'l ar y darn.' Fel hithau...

Erbyn nos Fercher, swatiai'r car yn ddiogel yn ei gwt ei hun, ac o'r golwg yn y cwt y cafodd aros. Mwynhâi Glenys gwmni Bedwyr, ac amheuai na fyddai'n hir iawn cyn y câi fwynhau mwy na'i gwmni. Cawsai'r hogyn ei gynhyrfu eto wrth ddawnsio'r *waltz* nos Fawrth, ac nid edrychai'n agos mor chwithig â'r tro cynt. Byddai'r afal yn barod i'w gasglu toc iawn. Nos Iau, cyflwynodd Glenys Bedwyr i'r *quickstep*.

'Ty'd rŵan, gafa'l yn dynn a mi gerddwn ni gynta. *Slow, slow, quick-quick slow.* Dyna'r cwbwl ydi hi.'

Cafodd Bedwyr grap gweddol ar y *quickstep*; hefyd, unwaith eto, cafodd godiad. Amheuai Glenys ei fod yn dechrau mwynhau ei hun, ond gobeithiai na ddigwyddai hyn iddo ar y llwyfan pan ddawnsiai gydag Eira neu Mererid! Roedd yn hen bryd i'r hogyn gael gwared â pheth o'i rwystredigaeth. A hithau hefyd...

Ar ôl iddynt gerdded cyn belled â bwthyn Glenys, gwahoddodd ef i'r tŷ.

'Ma gin i CD *quickstep* gei di fenthyg os lici di. Aros am eiliad. Dwi'n gwbod yn union lle ma hon.' Agorodd ddrôr ac estyn y CD. 'Wyt ti ar frys?'

'Nac'dw, Miss.'

'Driwn ni hon 'ta, ia?' Dododd Glenys y CD ar y peiriant a gafael yn dynn yn Bedwyr. Wrth iddynt ddawnsio, cynhyrfwyd Bedwyr unwaith eto. Gan ei fod ben ac ysgwydd yn dalach na Glenys, syllodd yn syth yn ei flaen, ond daeth yn ymwybodol ei bod hi wedi codi ei phen ac yn edrych i fyny i'w wyneb. Er ei waethaf, teimlodd ei lygaid yn cael eu tynnu i syllu i'w rhai hi: llygaid gwyrdd, clir, fel llygaid cath. Ond llygaid del. Yn araf, ymgripiodd y llaw a orffwysai ar ei ysgwydd i fyny at ei wegil a dechrau chwarae â'i wallt, yna tynnodd Glenys ei ben i lawr tuag ati.

Bwriadai Glenys gymryd ei hamser fel pe bai'n cosi brithyll, a chwarae â'i deimladau cyn ei gusanu, ond yn sydyn cusanodd Bedwyr hi. Er ei bod yn amlwg iddo gael ambell ferch yn ei fywyd o'r blaen, doedd o'n sicr ddim yn giamstar ar y gwaith. Fis Hydref nesaf, byddai rhyw stiwdent fach yn rhywle'n gwerthfawrogi'r hyfforddiant y golygai hi ei roi iddo. Ond nid heno, ara deg a phob yn dipyn… Toc, gwahanodd gwefusau'r ddau.

'Bed-wyr!' sibrydodd Glenys, a rhyw led-awgrym o gerydd yn y sibrwd.

'Sorri, Miss,' meddai Bedwyr, er mai hi a ddechreuodd.

'Dim isio i ti. Mi oedd hynna'n neis.' Gwenodd y llanc.

'Ym, well i fi fynd.'

'Paid ag anghofio'r CD. Gei di ddŵad â fo'n ôl unrhyw bryd lici di…'

''Dan ni ddim di ca'l pryd allan ers y noson honno yn y Wavecrest,' meddai Mari Parri wrth Glenys drannoeth. 'Sgin ti ffansi mynd i rwla nos fory?'

'Ym…' dechreuodd Glenys. Roedd wedi gobeithio cornelu Bedwyr a cheisio'i gael i ddod i'r bwthyn nos Sadwrn. Yn anffodus iddi, ar yr eiliad honno ni fedrai feddwl am esgus i osgoi gwahoddiad Mari. Hwyrach mai doethach fyddai peidio â gwneud trefniadau pendant gyda Bedwyr, p'un bynnag. Gadael i bethau ddigwydd yn eu hamser eu hunain fyddai gallaf. 'Iawn,' meddai.

'Be am ga'l mymryn o newid a mynd i Fangor am Indian?' gofynnodd Mari.

'Dyna chdi 'ta. Fasa ots gin ti fynd â char? Ma f'un i'n ca'l 'i drin…'

'Af, tad,' atebodd Mari. 'Goda i di dipyn cyn saith.'

Yng nghornel arall y stafell sibrydai Ed Mathias a Llion Oliver.

'Hannar can mil yr un!' meddai Ed. 'Be dda'th dros ben y ddynas?'

'Wy'n ffaelu dyall. A'r ddou ohonon ni heb gwrdd â hi ond unweth.'

'Be 'di'r cyfrinacha mawr 'ma?' gofynnodd Glenys, ar ei ffordd allan.

'Dim ond trafod chydig o fanylion y sioe,' meddai Ed. 'Dwi'n meddwl bod pawb arall wedi ca'l llond bol ar yr hen beth.'

'Tydw i ddim,' meddai Glenys dan wenu'n glên cyn mynd yn ei blaen. Edrychodd Ed a Llion ar ei gilydd. Beth oedd wedi dod dros ben honna?

'Syr, fedrwn ni ga'l gair bach, plis?'

'Wrth gwrs 'ny, Eira. Dewch lan i'r stiwdio, y ddou ohonoch chi. Ma 'bach o amser nes canith y gloch.' Winciodd Guto ar Eira a dilyn Llion i'r stiwdio ddrama.

''Dan ni 'di bod yn trafod,' meddai Eira ar ôl cyrraedd. 'Rŵan bod Glenys 'di stopio'i stelcian, fasa posib i ni gyfarfod yn rwla am *foursome*.'

'Ia. Eira a fi'n mynd yno hefo'n gilydd,' meddai Guto, 'chi ar ben 'ych hun, syr, a Justin 'run fath, a ffeirio partneriaid.'

Gwenodd Llion yn ddireidus.

'Ma fe'n yffarn o demtasiwn, ar ôl yr holl fisho'dd hyn. Ti'n siŵr, Eira?'

'Ydw, ond dwi'm isio difetha pob dim ar ôl i ni fod mor ofalus chwaith.'

'Lle allen ni gwrdda mas o olwg pobol?'

'Wn i lle,' meddai Guto. 'Fymryn tu draw i'r Gaseg Winau ma 'na lôn bach gul yn troi i'r chwith. Tywyll bitsh. Ma hi'n agor allan fymryn wedyn: dymp answyddogol sy 'no dwi'n meddwl. Hynny ydi, os oes dim ots gynnoch chi garu mewn toman.'

'OK,' meddai Llion dan chwerthin. 'Sa i'n meddwl ddaw neb i whilo amdanon ni yng nghenol sbwriel.'

'Reit,' meddai Guto. 'Hannar awr wedi saith yn y doman byd.'

'Wyt ti'n siŵr dy fod di'n iawn i fynd i'r Indian 'ma, Glen? Mi oeddat ti'n edrach yn welw gynna.' Gyrrai Mari Parri i gyfeiriad Bangor.

'Mi fuo'n stumog i dipyn bach yn rhyfadd neithiwr.'

'Ella ma'i hypsetio hi eto basa cyrri. Fedra i ffonio i ganslo os leci di.'

'Os nad oes ots gin ti. Mi fasa'n haws gin i fyta rwbath ysgafn.' Tynnodd Mari Parri'r car i ochr y ffordd a ffonio'r bwyty Indiaidd.

'I le basat ti'n lecio mynd? Dwn 'im sut fwyd sy yno, ond tydi'r Gaseg Winau ddim yn bell iawn.'

Gwyddai Glenys o'r gorau nad oedd y Gaseg Winau ddim yn bell iawn. Beth petai Llion Oliver yno eto? O wel, pa wahaniaeth a wnâi hynny? Roedd ganddi hi a Mari gystal hawl i fod yno â fo a'i ffrind – neu beth bynnag oedd y boi.

'Driwn ni fanno 'ta, ia?' meddai.

Fel yr arwyddai Mari ei bod am dynnu allan i'r ffordd, rhuodd y Chwilen Biws heibio ar wib a diflannu heibio'r tro.

'Ma'r blincin car 'na'n bla!' meddai Glenys. 'Fedra i fynd i nunlla heb i'r hogyn Guest 'na fod ar y lôn. I le mae o'n mynd ag Eira Mai heno, tybad?'

'O, ia, glywis i 'u bod nhw'n canlyn. Chwara teg i Eira, ma hi wedi gneud Prif Eneth dda.' Penderfynodd Glenys mai cadw'i barn am Eira Mai iddi hi ei hun fyddai gallaf, ond ni allai ymatal rhag difrïo'r berthynas rhyngddi hi a Guto.

'Twyt ti ddim wedi'i gweld hi hefo'r hogyn 'na yn ymarferion y sioe gerdd! Nhw'u huna'n ydi'r sioe. Anodd dychmygu, 'tydi?'

'Be, Glen?'

'Wel…Guto ac Eira. Guto ac unrhyw hogan, hefo'i drowsusa pinc a'i grysa oren a ballu o gwmpas y dre tu allan i oria ysgol. Rêl blwmin syrcas.'

Oedd Mari wedi ei thwyllo'i hun ynglŷn â Glenys? Oedd ganddi ffobia am…? A hithau wedi gobeithio…Dim ots. Mwynhau cwmni ei gilydd dros bryd o fwyd, dyna'r cyfan oedd yn bwysig heno. Troes Mari drwyn y car i mewn i faes parcio'r Gaseg Winau. Rai llathenni ymhellach i lawr y ffordd, dim ond rhyw ychydig funudau ynghynt y troesai Guto drwyn y VW i gyfeiriad y domen. Ac ychydig funudau'n ddiweddarach, troes Saxo eurliw ei drwyn yntau i'r un cyfeiriad…

Yng Nghae Aron, daethai chwaneg o dystiolaeth i haelioni Marjorie Strong i'r fei. Pan ffoniodd Ed i drefnu ym mhle i gyfarfod fin nos, cafodd Rhiannon wybod am yr arian a etifeddodd ef a Llion, a phenbleth y ddau wrth geisio deall pam.

'Yr unig beth alla i feddwl,' meddai Rhiannon wrth Megan yn ddiweddarach, 'ydi 'i bod hi wedi cymryd yn 'i phen y bydd Ed a finna'n setlo i lawr efo'n gilydd.'

'Ac yn hynny o beth, dwi'n meddwl 'i bod hi'n iawn.'

'Mam! Dim ond am 'ych bod *chi* wedi ca'l hyd i'ch dyn delfrydol!'

'Mi fetia i ganpunt na fyddi ditha ddim yn hir cyn 'y nilyn i i fyd y fodrwy.'

'Gawn ni weld…A mi oedd yr hen ledi wedi cymryd yn 'i phen hefyd bod Eira a Llion yn gwpwl. Mi ddaru mi egluro wrthi mai athro Eira oedd Llion ond mi oedd gynni hi duedd i weld yr hyn oedd hi isio'i weld, yn hytrach na'r gwir.'

'Mi 'nes inna'u lled-ama nhw Dolig, rhaid cyfadda,' meddai Megan. Roedd Rhiannon wedi dychryn. 'Ddaru ti ddim sylwi? Roeddan nhw i'w gweld yn dipyn o fêts, wsti. Ond ddeudis i ddim byd, rhag ofn 'mod i'n methu. Ma'n dda hynny, dwi'n gweld rŵan. Hefo Guto ma hi heno?'

'Ia. Mi dda'th i'w nôl hi gynna.'

'O'n i'n meddwl i mi glywad twrw'r tun petrol piws 'na sy gynno fo.'

'Dwi'n siŵr bod gynno fo dwll yn yr egsôst. Gobeithio daw o â hi adra mewn da bryd neu mi ddeffrith holl boblogaeth Llanwenoro â'r rheini dair milltir i ffwr.'

'Reit, mi a' i drwodd, cyn i Ed gyrra'dd,' meddai Megan.

'Mi ddaw Eric toc hefyd.' Ond fel y cychwynnai am ei thŷ nain, canodd y ffôn. Megan atebodd.

'Meg? Lil. Fethis i dy ga'l di ar Skype.'

'Dwi drwodd hefo Rhiannon. Sorri, ma'r alwad yn mynd i fod yn ddrud i ti.'

'Dim affliw o ots! Gin i dipyn dyfnach pocad nag oedd gin i wsnos dwytha!'

'Paid â deud! Marjorie wedi cofio am 'i theulu?'

'Wel, ia. Ni a'r plant. A hitha rioed wedi gweld llawar arnon ni.'

'Ma hi wedi bod yn anhygoel o hael, Lil. Ma pawb oedd yma hefo hi ddydd Dolig wedi ca'l pres ar 'i hôl hi.'

'Dwi'n falch ofnadwy 'i bod hi wedi cofio amdanoch chi acw. Ma Rhiannon wedi gneud cymaint drosti hi. Adawodd hi rwbath i'r crachach tua Caereirian, tybad?'

'Gwbod dim, cofia. Toedd gynni hi fawr i' ddeud wrthyn nhw, beth bynnag.'

'Be am Eric?'

'Do do. A ma gin i newydd i ti am Eric. Mae o wedi gofyn i mi 'i briodi o.'

Daeth gwich mor uchel o Iwerddon, gallai Megan dyngu iddi ei chlywed heb help y ffôn.

'O, Meg Meg Meg! Pam ddiawl na fasa fo wedi magu plwc hannar can mlynadd yn ôl? Cofia 'mod i isio gwadd i'r briodas.'

'Siŵr iawn y cei di! Priodas fach fydd hi, cofia, ond heb dy help di a phriodas Padraig, mwy na thebyg na fasa fo ddim wedi magu plwc rŵan chwaith!'

'O! Anghofis i ddeud. Fydd dim angan lle i aros ar Ryan a fi pan ddown ni drosodd. Ni sy wedi etifeddu fflat yr hen Marj. Isio i mi ga'l lle i roi 'mhen i lawr yn yr hen ardal, medda'r twrna.'

'Wel, Lil, pan ddoi di yno, cofia ddŵad â bwyd hefo chdi,' meddai Megan, 'achos ma tunia bêcd bîns Marj gin i, a'i *frozen chips* hi gin Eric!'

'Sorri,' meddai Eira, a thorri cusan yn fyr. Doedd y *sex in a Saxo,* chwedl Guto, ddim yn mynd rhagddo'n rhy dda.

'Eira? Beth yw'r broblem? Nag wyt ti'n moyn bod 'da fi?'

'Ydw siŵr. Jest…dwi'm yn hapus yn y lle 'ma. Ma hi mor dywyll…'

''Na'n gwmws y pwynt, bach.'

'Dwi'n gwbod. Ond fedra i'm peidio meddwl bod 'ma lygod mawr a ballu.'

'Fydden nhw'n ffaelu dod miwn i'r car,' chwarddodd Llion.

'Sorri,' meddai Eira eto. 'Mae 'na rwbath arall. Os 'dan ni'n pedwar wedi dŵad i fama rhag i neb 'yn gweld ni, ella bod 'na bobol er'ill yn gwbod am y lle hefyd. Ti'n gwbod, rhywun yn ca'l affêr ne' rwbath. Rhywun fedra weld y Saxo yng ngola'i gar 'i hun wrth gyrra'dd fel oedd Gits a fi'n gweld car Justin. Be tasa rhywun yn nabod dy gar di? 'Yn dal ni…'

'Sa i'n nabod neb sy'n ca'l affêr.'

'Fasa chdi ddim, idiot! Fasa fo ddim 'di deud wrth neb, na fasa? Be tasa Fizzy Pop yn shagio Glenys the Menace…' Chwarddodd Llion dros y lle. 'Hisht, nei di!'

'Eira Eira, ma 'da ti ormod o ddychymyg. Sneb 'ma, bach. Dim ond ni a Guto a Justin. A'r llygod, wrth gwrs.' Colbiodd Eira ef.

'Fflipin hec! Dwi o ddifri, Llion.'

'Be sy wedi digwydd i ferch fwya direidus Ysgol Gwenoro? Ti'n swno fel 'se ti ofan dy gysgod. Ma 'da ti amddiffynnydd, groten. 'Yf fi 'ma 'da ti!'

'Dyna 'di'r pwynt, y lob! Dim ots gin *i* ga'l 'y nal, ond os cei *di* dy ddal a difetha dy holl fywyd, 'na i byth fadda i fi'n hun. 'Dan ni wedi ca'l gormod o getawê'n barod. Neith 'yn lwc ni byth ddal.'

Ystyriodd Llion.

'Ti sy'n iawn. Os wyt ti'n ofnadw o anghysurus, bach, ewn ni gatre, ife?'

'Ond ma raid i ni ddeud wrth y ddau arall. Fedrwn ni ddim mynd draw at y car; be tasan ni'n styrbio rwbath lyfli?'

'Ffona Guto.'

'Ti'n OK, Eira Mai?' oedd cyfarchiad Guto.

'Dwi'm yn hapus, Gits…'

'Ti ddim 'di ffraeo hefo Llion?'

'Naddo siŵr. Y lle 'ma sy'n codi'r crîps arna i, a dwi ofn i ni ga'l 'yn dal.'

'Iawn, cyw. Awn ni o'ma.'

'Dwi'm isio sbwylio dy noson di a Justin.'

'Paid â phoeni. Dim ond siarad buon ni. Mi ddo' i at y Saxo i dy nôl di.' Troes Guto at Justin. 'Eira ofn yn y lle 'ma. Isio mynd.'

'Iê. Ma fe'n *creepy* fel, i fenyw. Ond ym…wyt ti isie cwrdda 'to?'

'Oes siŵr. Pam wyt ti'n gofyn?' Anwylodd Justin ei wyneb.

'Fi'n cwmpo am ti, Guto. Ond os 'yt ti'n moyn llawn tŷ o blant…! Amser i ti gneud meddwl ti lan…'

Yn y Gaseg Winau, wrth y bwrdd yn y ffenest lle'r eisteddai Llion a Justin bythefnos ynghynt, bwytâi Glenys a Mari eu swper bar. Erbyn hyn daethai stumog Glenys ati ei hun a sglaffiai blatiaid o gyw iâr Kiev gyda sglodion a phys, tra mwynhâi Mari salad ham. Pe bai Glenys wedi eistedd yno ychydig yn hwy, a'i hwyneb at y ffenest, buasai toc wedi gweld golau car yn gwthio'i drwyn o lôn ochr i'r ffordd fawr. Wrth i'r car agosáu, yng ngolau un o lampau'r maes parcio buasai wedi ei adnabod fel y Chwilen biws hollbresennol. Toc wedyn, buasai wedi sylwi ar Saxo eurliw yn dilyn y Chwilen, yna gar o frîd anniffiniol yn dilyn hwnnw. Ond penderfynodd Glenys fod arni angen gwydraid arall o win i orffen ei phryd.

'Gymeri di ddiod arall, Mari?' gofynnodd.

'Sudd oren, plis, Glen. Dwi wedi ca'l fy nogn lawn o win am heno.'

Aeth Glenys at y bar i godi'r diodydd. Bu raid iddi aros ei thro am ychydig o funudau, yna ar ôl talu amdanynt, troes yn ôl i gyfeiriad ei bwrdd. Bu agos i'r hyn a welodd beri iddi ollwng y gwydrau. Yn cerdded i mewn drwy'r drws cefn o'r maes parcio yr oedd Llion Oliver a'r bachgen hirwallt. Clywodd Glenys Llion yn dweud wrth y llall:

'Un diod bach, ife, i ddiolch i ti.'

'Iê, *no probs* fel,' atebodd hwnnw dan wenu braidd yn drist.

Ni theimlai Glenys unrhyw amheuaeth bellach. Os am ddyn go-iawn, Bedwyr Morus amdani!

38

Y bore Iau canlynol, cysgodd Glenys yn hwyr. Doedd dim amdani ond tynnu'r Clio o'i guddfan a gyrru i'r ysgol. Wrth y giât aeth heibio i Bedwyr a chododd ei llaw arno. Tra bu'n parcio, cafodd yntau gyfle i'w dal.

'Pa bryd geuthoch chi'r car yn ôl?' gofynnodd.

'Neithiwr,' atebodd Glenys yn gelwydd i gyd. 'Gwranda...' Gostyngodd ei llais. 'Heno, mi fydd gin i rwbath i'w ddangos i ti.' Awgrymai'r olwg yn ei llygaid nad camau unrhyw ddawns fyddai hynny. 'Arhosa i ddim yn yr ymarfar. Ar dy ffor adra, dos i lawr y llwybyr wrth dalcan y bwthyn ac i'r ardd drwy'r giât. Agora i'r drws cefn i ti.'

Gwenodd Bedwyr a nodio. Am unwaith, dechreuodd ei ddychymyg llwm arferol weithio goramser, gan rag-weld pleserau prin i ddyfod. Gyda sbonc newydd yn ei draed trwsgl brysiodd tua'i ddosbarth cofrestru a'i wers gyntaf.

Ar ôl yr ymarfer, roedd yn llwyd-dywyll pan gyrhaeddodd Bedwyr fwthyn Glenys. Edrychodd o'i gwmpas yn llechwraidd cyn sleifio i lawr y llwybr a thrwy'r giât i'r ardd. Curodd yn ysgafn ar y drws cefn, a phan agorodd Glenys ef, sleifiodd unwaith eto, y tro hwn i'r gegin, lle roedd Glenys eisoes wedi cau'r llenni. Cyn iddo gael amser i dynnu ei gôt, hyd yn oed, aeth Glenys i'r afael ag ef. Pan ddaeth y gusan i ben, roedd Bedwyr yn dyheu am ei anadl.

'Ga' i dynnu 'nghôt?' gofynnodd.

'Cei, a phob dim arall,' atebodd Glenys yn flysig. 'Ty'd.' Gafaelodd yn ei law a'i lusgo i fyny'r grisiau tua'i llofft. Ni fu fawr o dro cyn ei ddihatru'n borcyn.

'Helpa fi,' meddai, gan ddechrau diosg ei dillad ei hun. Yn fodiau i gyd, ceisiodd Bedwyr ddatod botymau ei blows, a'r ddau fach-a-dolen ar ei bronglwm, tra ciciai hithau ei throwsus a'i nicyr dros ei thraed. Yna neidiodd Glenys i'r gwely a thynnu Bedwyr ar ei hôl.

Yn anffodus i Bedwyr, er ei fod yn sylweddoli o'r gorau beth oedd i ddod, wyneb yn wyneb â noethni benywaidd, ac yn arbennig noethni athrawesol, cafodd y bachgen fraw. Ddigwyddodd dim byd yn yr ardd ŷd islaw, a hongiai'r dyrnwr mawr mor llipa â llyngyren ddaear.

'Wyt ti wedi…wsti…bod hefo hogan o'r blaen?' gofynnodd Glenys.

'Do.'

'Ia, ddim jest chwara o gwmpas dwi'n feddwl. Ti wedi ca'l secs?'

'Do…wel…rhyw fath.'

'Dwi'n gweld. *Heavy petting* fydden nhw'n ddeud yn nyddia dy nain, siŵr o fod. Aros di, was. Ddangosa i i ti be 'di be.'

Ac ar y gair, aeth ymlaen i wneud hynny. Ymatebodd Bedwyr a'r dyrnwr i'r mwytho, ond yn anffodus, ni lwyddodd yr un o'r ddau i oedi nes i Glenys gael ei boddio, na hyd nes i'r dyrnwr gyrraedd ei briod le. Cysurodd Glenys ef.

'Hitia befo. Mi fydd gwell siâp ar betha tro nesa. Ma gin ti syniad sut i fynd o'i chwmpas hi rŵan, a mi edrycha inna ar d'ôl ditha. Ti am ddŵad yma eto, twyt?' Barnai ei bod yn werth iddi ddyfalbarhau gyda'r anfeidrol ei faint.

'Ew, ydw, Miss!' atebodd Bedwyr.

Erbyn wythnos olaf y tymor, bythefnos yn ddiweddarach, roedd popeth yn barod ar gyfer y sioe gerdd. Gwerthwyd pob tocyn ar gyfer y nos Fercher a'r nos Iau, a bu raid cynnal perfformiad ychwanegol ar y nos Fawrth. Er nad oedd gan 'Rhonwen' ond un unawd a chwpwl o ddeuawdau i'w canu (gan mai tua'r diwedd y câi ei 'llais' gan y Santes Gwenoro), seren ddiamheuol y sioe oedd Rachel McGordon. Ar y noson olaf, daeth ei rhieni i'w gweld. Arhosodd y ddau yn y neuadd iddi newid o'i dillad llwyfan, a rhedodd Rachel atynt yn orfoleddus. Gyda deigryn yn ei lygad, cofleidiodd ei thad hi a'i chodi i'r awyr.

'My little Rache!' meddai Roddy. 'Star of the show!' Gwelodd Eira gerllaw, wedi dilyn Rachel. 'Wasn't she, Ira My?'

'Definitely,' atebodd Eira. 'You can be sure that next time a musical is produced she'll have a really big part. Excuse me, I need to talk to my mother.'

Wrth gychwyn i gyfeiriad ei mam, gwelodd Eira Karen Bellamy yn rhythu'n filain i gyfeiriad Roddy McGordon. Edrychodd hithau ar Roddy, a'i weld yn troi ei gefn ar y ddynes yn hollol fwriadol. Pam pam pam bu raid i'r ddau ddod i weld eu merched yn perfformio ar yr un noson? Yn lle mynd at ei mam, aeth Eira at Meic, oedd yn gofalu bod yr offer goleuo'n ddiogel tan y bore, pan gaent eu tynnu i lawr.

'Meic, ma dy fam wedi gweld Roddy McGordon a tydi hi ddim yn hapus.'

'O shit!' ebychodd Meic. ''Nes i pasio test dreifio fi dydd Sadwrn, a dwi 'di bod yn rhoid lifft adra i Rachel bach 'na pob nos. Dylsa fi 'di gwbod fasa'i tad a mam hi'n dŵad yma heno achos oeddan nhw ddim yma neithiwr na noson cynt. Shit!'

'Dal yn ypsét, ydi, dy fam?'

'Blydi blin ma hi rŵan. Bod o wedi gneud stomp o bywyd hi. Isio patsio petha fyny go-iawn hefo Dad.'

'Mi a' i i longyfarch Mel. Ella neith hynny symud meddwl dy fam.'

'Diolch, Eira. Ti'n *star*.'

Aeth Eira i longyfarch Melissa ar ei pherfformiad ac i gael sgwrs fach â Karen; yna aeth i longyfarch Gwennan, a arhosai i'w brawd orffen didoli'r offer sain.

'Canu wyt ti'n galw'r sŵn drwg oedd gin hon?' pryfociodd Guto. 'Glywis i gi'n canu'n well.'

'Paid â gwrando arno fo, Gwens,' meddai Eira. 'Lwc bod ni'n nabod o, yntydi? O, a deuda wrth Siôn bod fi'n llongyfarch fo 'fyd. Reit, ydw i wedi ca'l gair hefo pawb?' Edrychodd o'i chwmpas. 'Naddo, Mererid a Bedwyr yn fancw.'

Safai Mererid a Bedwyr yng nghefn y neuadd yn siarad, heb sylweddoli bod perchennog pâr o lygaid gwyrddion yn eu gwylio. Pam gythraul nad âi pobl adref, iddi gael cyfle am air cyfrinachol gyda'i thoi-boi? O na, dyna'r blydi clep melin yna, Eira Mai, yn ymuno hefo nhw rŵan…

'Llongyfarchiada!' meddai Eira. 'Y ddau ohonoch chi. A'th hi'n dda, do?'

'Neuthon ni ddim baglu dros 'yn gilydd eniwê, Eira,' meddai Bedwyr.

'I chdi oedd y diolch, Beds. Yr holl wersi ychwanegol 'na gest ti gin Glenys the Menace wedi gweithio fel watsh!'

''Nest ti sathru bawd 'y nhroed i,' meddai Mererid. 'Mae o'n dal i frifo.'

'O! S-sorri…'

'Paid â gwrando arni hi! Gin ti lais ded secsi, beth bynnag am draed mawr!' Gwenodd Bedwyr, wedi ei blesio.

'Meddwl mai tenors ydi'r *romantic leads* gora gin genod,' meddai.

'Ma tenor ni'n ded secsi 'fyd,' ochneidiodd Mererid Wyn.

Syllodd Eira arni gyda braw.

'Be? Ti'n ffansïo *fo* rŵan?'

''Mond i *lais* o, siŵr dduw! Mae o'n ditsiyr, 'tydi? *Complete* blydi *turn-off!*'

'O…ia…'

'Dwi'n mynd,' meddai Mererid. 'Dwi 'di blino.'

Gwelodd Glenys hi'n cychwyn, ond arhosodd Eira i siarad gyda Bedwyr. Pam gebyst nad âi honna i jangio hefo'r clown 'na o gariad oedd ganddi, neu hefo'i mam a'i jymp, neu…

'Noson ddê, Glenys.' Neidiodd Glenys: daethai Roy Popplewell at ei hochr yn ei sgidiau-dal-adar, mor llechwraidd â chath. 'Dwi'n barod i fynd adre 'fyd. Dim ond moyn cwpwl o 'mhethe o'r offer sain. Neud yn siŵr bod nhw sêff, yntê? Er, ma Guto'n ddigon clên – cyfrifol, chware teg.'

Aeth Roy ymlaen at Guto, a throdd Glenys ei golygon yn ôl i gyfeiriad Bedwyr. Go dam las! Sut llwyddodd yr hogyn i ddiflannu mewn hanner eiliad fel yna? Penderfynodd chwilio amdano.

Yng nghefn y llwyfan, cymerai Llion fantais o bum munud iddo'i hun i ymlacio pan glywodd sŵn traed ei anwylyd yn dynesu. Doedd dim posib eu camgymryd: pwy ond Eira Mai allai faglu dros ddarn bychan bach o bren a ymwthiai allan o waelod y set? Gwenodd, a chodi ar ei draed i'w chyfarch. Roedd hithau'n wên o glust i glust, a lluchiodd ei breichiau am ei wddf.

'Neb yma, nag oes?' Ysgydwodd Llion ei ben a'i chusanu. 'Mmmm! Neis! Dwi 'di llongyfarch pawb ond chdi. So llongyfarchiada.'

'Ac i chithe, Ms Huws. Perfformiad anfarwol.' Tynhaodd Llion ei freichiau amdani a dechrau ei chusanu eto.

'Bedwyr?' Llais isel yn galw o ben arall y llwyfan. Neidiodd y ddau'n euog. Datglymodd Eira'i hun o freichiau Llion a diflannu ar wib i un o'r stafelloedd gwisgo ac eisteddodd Llion ar gadair a chymryd arno ymlacio drachefn. Jest mewn pryd. Agorodd drws ochr y set a daeth pen Glenys the Menace i'r golwg.

'O, Lli-Llion. O'n i jest angan gair bach hefo B-be…'

'Bedwyr? A'th e lawr i'r neuadd sbel 'nôl. Sa i wedi 'i weld ers 'ny.'

'Ella bod o wedi mynd adra. Jest isio CD yn ôl gynno fo. Miwsig y dawnsio…Gychwynna inna am adra rŵan, dwi'n meddwl. Sioe dda. Llongyfarchiada.'

'Diolch.' Gwadnodd Glenys hi a sbeciodd Eira drwy gil drws y stafell wisgo.

'Whiw! Ca'l a cha'l! Well i fi fynd o fama'n reit handi. Be ddiawch oedd hynna i gyd?'

'Paid gofyn i fi! Ma'r bachan Bedwyr 'na wedi gorffod godde digon o Glenys a'i danso i bara hyd dragwyddoldeb. Sa i'n meddwl fydd e isie'i gweld hi byth 'to!'

Welodd Glenys yr un golwg o Bedwyr yn y neuadd, felly'n ddigalon a braidd yn fyr ei thymer cychwynnodd am ei char. Ond wrth iddi groesi'r cyntedd tuag at y drysau allan, daeth Bedwyr i'r fei o gyfeiriad y coridor.

'Lle gythral est ti?' gofynnodd Glenys mewn llais isel ond ffyrnig.

'I'r bog,' atebodd Bedwyr.

'Dwi'n mynd i'r car a mi arhosa i am dipyn cyn cychwyn. Cerdda i lawr y lôn cyn bellad â'r lle tywyll 'na yng nghysgod y coed. Goda i di yn fanno.'

'OK.' Aethai pythefnos heibio ers y noson gyntaf honno pan ddirywiodd pethau'n ffradach yn y gwely, a daethai Bedwyr a Glenys i drefniant. Gan fod yr arholiadau'n prysur nesáu, gweithiai Bedwyr hyd naw o'r gloch, yna âi allan am dro, gan esgus wrth ei rieni fod arno angen awyr iach ac ymarfer corff i beri iddo gael noson dda o gwsg. Rai nosweithiau câi ddogn dda o'r ddau: ar nosweithiau Glenys, pur ychydig o awyr iach a lanwai ei ysgyfaint ond ymhyfrydai ei gorff mewn digonedd o ymarfer brwdfrydig.

Pan gyrhaeddodd y rhan dywyll o'r ffordd yng nghysgod y coed, arhosodd ac ymguddio yn y ffos. Mewn eiliad, daeth y Clio at ei ochr. Agorodd Bedwyr y drws.

'Fuo bron i mi dy basio di,' meddai Glenys. 'Fedrwn i mo dy weld di, reit yn yr ochor felna.' Eisteddodd Bedwyr wrth ei hochr. 'O'n i'n meddwl na fasan ni byth yn ca'l dengid. Mi a'th yr Eira Mai 'na rownd pawb yn y lle.'

'Llongyfarch y cast oedd hi. Gneud 'i job fel Prif Eneth, am wn i.'

'Be amdanat ti? Mi wyt titha'n Brif Fachgen hefyd.'

''Nes i roid *thumbs up* i'r Siôn 'na.'

'Da iawn Bedwyr!' Yn ddeifiol.

'Ella bod fi'n ddewis od i Brif Fachgen ond ma'r hogia'n lecio fi. Dwi'n *goalie* da, meddan nhw.'

'Deud dim. Merchaid ydi dy broblem di. Ond hitia befo, mi fydda i wedi dysgu tipyn o *charm* i ti erbyn ei di i'r brifysgol.'

'Dwi'm isio *charmio* neb. Gin i chdi. Dim ond i Bangor dwi'n mynd.'

Bu bron i Glenys golli rheolaeth ar y car. Dyna'r tro cyntaf iddo'i galw'n *chdi*. Ac os oedd o'n mynd i Fangor er mwyn cael aros yn agos ati hi…! Daethai'n amser rhoi'r brêc ar y dyrnwr mawr.

'Heno fydd y tro dwytha, Bedwyr. Mi fydd rhaid i mi fynd adra dros y Pasg.'

'Iawn. Gin inna lot o waith i' neud. Ond fedra i aros dros nos heno. Ma Dad a Mam wedi mynd at Taid a Nain. Ond fydd rhaid i mi fynd adra'n gynnar gynnar yn y bora achos ma 'mrawd yn dŵad acw i odro.'

'Ella basa'n well i ti fynd adra'n syth bìn 'ta. Rhag ofn i ti gysgu'n hwyr.'

'Be, heb…? O'n i'n meddwl basa'n neis i ni ga'l noson gyfa hefo'n gilydd.'

O, grêt! Dyna hi wedi ei frifo fo rŵan. Ac erbyn meddwl, gan iddi lwyddo i ddysgu cryn amrywiaeth o gampau rhywiol iddo yn ystod y pythefnos diwethaf buasai'n bechod eu gwastraffu mor ffwr-bwt. Roedd o'n ddysgwr sydyn.

'OK 'ta. Mi osoda i'r cloc larwm am chwech.'

'Grêt, Glenys! Ti'n *ace!*'

A chditha, boi bach, meddai Glenys wrthi ei hun, ydi'r *joker*!

39

Ar ôl hwrlibwrli'r sioe gerdd, bu raid i bawb o griw Blwyddyn 13 ymroi o ddifrif i adolygu dros wyliau'r Pasg. O dro i dro rhôi Rhiannon neu Megan eu trwynau i mewn drwy ddrws cell Eira Mai i weld a oedd arni eisiau paned neu damaid o dost. Droeon cafodd ei dal yn gwastraffu amser.

'Compiwtars heddiw, ia?' gofynnodd Megan un diwrnod wrth weld ei hwyres a'i thrwyn yn ei chyfrifiadur. Cyn i Eira gael cyfle i feddwl, safai ei nain wrth ei hochr, yn syllu ar y sgrin. 'O! Be 'di hwn?'

'Facebook,' atebodd Eira'n dinfain. 'Jest edrach oedd 'na negas.'

'Ac oes 'na?'

'Oes. Sioned yn *fed up* ar Lorca, Meic isio dympio'i lyfra Maths yn y môr, a Guto ddim yn ffansïo byta macrall hefo *equations* yn 'i fol.'

'Tydach chi ddim yn gall,' meddai Megan, 'ddim un wan jac ohonoch chi. Druan o brifysgolion.' Dan ysgwyd ei phen, gadawodd, ac atebodd Eira'i ffrindiau.

'*Sodio Lorca ac Einstein a Bartok! Awn ni'n bobol bin. Lot mwy o les i iechyd cymdeithas a global warming. lol. Reu, stiwdants!*'

Negeseuon twp, bob un. Rhoddai'r byd am gael anfon geiriau cariadus a llond lle o swsys i Llion, ond doedd wiw iddi. Pythefnos ar ôl tan ei phen-blwydd yn ddeunaw, a fyddai wiw iddi ei wahodd i'w pharti dod i oed na dim. Câi ei weld ar y diwrnod mawr, wrth gwrs, yn ei gwers Ddrama, ond byddai'n *rhaid* iddi gael gweld mwy na hynny arno neu ddrysu! Ar Fai 1af byddai gan Eira Mai broblem, problem a olygai ofyn caniatâd i ymweld â storfa'r stiwdio ddrama amser egwyl...

Chwe wythnos hir i fynd cyn y câi adael yr ysgol yn gyfan gwbl, a hyd yn oed wedyn fyddai'r tymor ddim yn gorffen am fis arall. Fyddai hi'n dal yn ddisgybl tan tua diwedd Gorffennaf?

Yn swyddogol? Âi'n boncyrs, yn benwan, os byddai'n rhaid iddi guddio'i pherthynas â Llion am ddeng wythnos eto! Hwyrach y gallai Math Miws ei goleuo: roedd ei darpar-dad, fel y meddyliai amdano bellach, wedi mwy na hanner awgrymu sawl gwaith y dôi hi'n briodas rhwng ei mam ac yntau, a hynny wedi peri iddo ef ac Eira lithro fwyfwy i gyfrinachau ei gilydd. Clywodd sŵn car yn cyrraedd y cowt: fo oedd hwnna? Rhuthrodd i'r gegin fel y pwysai Ed gloch y drws.

'Rargian! I mi ma'r croeso, 'ta oeddat ti'n disgwl rhywun arall?' gofynnodd.

'I chi. Dwi'n gwbod mai Mam dach chi isio weld, ond plis plis *plis* ga i bum munud gynnoch chi?'

'Wrth gwrs y cei di!' Dilynodd Math hi i'r gell. 'Trwbwl hefo'r gwaith?'

'Naci. Isio gwbod dwi, ydw i'n ca'l gada'l yr ysgol yn swyddogol ar y dwrnod dwi'n gorffan 'yn arholiada, 'ta dwi'n dal yn ddisgybl tan ddiwadd y tymor?'

'Mewn geiria er'ill, ma gin ti isio gwbod pa bryd cei di fynd allan hefo Llion yn hollol agorad heb ddŵad â fo na chdi dy hun i drybini.' Gwenodd Eira'n swil.

'Dach chi'n nabod fi'n rhy dda.' Chwarddodd Math yn ysgafn.

'Ond i atab dy gwestiwn di, dwi ddim yn siŵr. Ma pawb *yn* gada'l ar ôl gorffan 'u harholiada ond pa mor swyddogol ydi hynny a lle ma hynna'n rhoi perthynas rhwng athro a disgybl...Dwi'n meddwl byddi di ar y gofrestr tan ddiwadd y tymor.'

'O!' Llanwai siom ei llais. 'Ma pen-blwydd un-deg-wyth fi ar Fai y cynta, ac o'n i'n meddwl ca'l parti hefo'r criw ar ôl i'r arholiada orffan, ond dwi *rîli rîli* isio ca'l Llion yno. Fydd rhaid i fi aros mis arall, ella.'

'Yli, mi hola i – yn o gynnil 'lly.'

'Diolch. Dach chi'n ffantastig!' Lluchiodd Eira Mai ei breichiau am wddf ei hathro Cerdd a phlannu cusan ysgafn ar ei foch – fel y dôi cnoc ar ddrws y gell.

'Be 'di hyn, Eira Mai?' gofynnodd Rhiannon. 'Un athro ddim yn ddigon?'

'Dad fi 'di hwn!' atebodd Eira gyda'i gwên leuad gorniog.

Dechreusai tymor yr haf. Fore Iau digwyddai fod gan Ed a Llion wers rydd, ac eisteddai'r ddau yn stafell yr athrawon. Darllenai Ed ei bapur newydd, ond cynrhoni a wnâi Llion: codi, syllu allan drwy'r ffenest, eistedd, codi eto...

'Llion bach, twyt ti fel gafr ar drana. Be sy'n dy gorddi di, boi?'

'Sorri.' Bu'n dawel am eiliad. 'Heddi yw pen-blwydd deunaw o'd Eira Mai a sa i wedi'i gweld hi 'to. Ma Drama 'da ni ar ôl cino ond wy'n ffaelu aros.'

'Idiot,' chwarddodd Ed. 'Mi wyt ti'n ddyn yn d'oed a d'amsar i fod, ddim hogyn pymthag oed yn glaf o gariad!'

'Fi'n mynd i'r stiwdio...' Aeth Llion allan ar wib heb gyfarch Glenys Evans, oedd ar ei ffordd i mewn. Syllodd Glenys ar ei ôl.

'Oedd gynno fo rocet yn 'i din?' gofynnodd. Heb ddisgwyl ateb gan Ed edrychodd allan drwy'r ffenest. 'O, blydi hel!' myngialodd dan ei gwynt, a chychwyn allan eto, ond yn y drws cyfarfu â Mari Parri.

'Aros am funud, Glenys.' Yn anfoddog, dilynodd Glenys hi i ochr bellaf y stafell. Gostyngodd Mari ei llais. 'Sgin ti ffansi pryd yn y Wavecrest eto nos Sadwrn? Gawson ni ffidan anhygoel yno tro dwytha, do? Lot gwell na'r Gaseg Winau 'na.'

'I-ia, iawn,' atebodd Glenys. Dyna un ffordd i osgoi Bedwyr Morus. Ei ddojio rŵan hyn oedd ei phroblem, ac yntau newydd gerdded i fyny'n hwyr at ddrws yr ysgol. Miglodd Glenys hi tua'r gampfa i baratoi ar gyfer gwers gyda Blwyddyn 10. Ddôi o ddim ar ei hôl i fanno: gallai glanio ymhlith criw o enethod lysti hanner noeth roi sioc farwol i'r llo cors.

Amser egwyl, curodd Eira'n barchus ar ddrws y stiwdio ddrama.

'Oes gynnoch chi eiliad bach i'n helpu fi, plis, syr?' gofynnodd yn gwrtais. 'Faswn i'n lecio copi o *Siwan*, plis.'

'Wy'n siŵr allwn ni ffindo un. Dere i whilo 'da fi.' Cerddodd y ddau'n sidêt i'r storfa a chau'r drws ar eu holau. Yna'n ddiymdroi, lapiodd cyrff am ei gilydd a sugnodd gwefusau a llyfodd tafodau nes bod y ddau allan o wynt yn llwyr.

'Pen-blwydd hapus i ti, 'nghariad i. Ti'n oedolyn cyfrifol nawr.'

'Ded cyfrifol, yn union 'run fath â chdi!' Chwarddodd y ddau.

'Bydd rhaid i ti fynd cyn i gloch y wers nesa ganu. Ma jawled Blwyddyn 9 'da fi. Alli di ddychmygu'r lapan tase'r rheini'n 'yn dala ni?'

'Fasa'r stori drwy'r ysgol fel tân!'

'O! Dy ddiwarnod sbesial di a ni'n gorffod gwahanu. Shwt 'yt ti'n dathlu?'

'Achos cha' i ddim bod hefo chdi mi 'dan ni am ga'l pryd bach adra. Jest Mam a Nain a fi. Fel byddan ni erstalwm, cyn i ryw hen ddynion ddŵad i'n bywyda ni.' Gwenodd Llion. 'Pan fydd hi'n gyfreithlon i chdi a fi ga'l 'yn gweld hefo'n gilydd, mi dwi am ga'l hymdingar o barti. Fydd o lot gwell na prom Ysgol Danial Edwards. Ond ella fydd rhaid aros tan wylia'r ha.'

'Paid becso. Fe ddaw'r amser. Gei di anrheg pan ga' i wbod be licet ti, ond am nawr…'co ti.' Chwifiodd Llion amlen o flaen ei thrwyn. 'Cwata fe, OK?' Stwffiodd y cerdyn i lawr blaen sgert Eira.

'Sec-sî! O! Dwi'm isio gada'l chdi!' Daliodd ei gafael yn dynn ynddo.

'Fi'n gwbod, cariad. Ond ni'n gorffod. Wel…nes y wers prynhawn 'ma!' Datglymodd Eira'i breichiau a chychwyn tua'r drws.

'Jawch, sa' funed!' Estynnodd Llion lyfr iddi. 'Dy *alibi* di.'

Gwenodd Eira a chusanu clawr y llyfr.

'Chwara teg i Siwan. Hogan ddrwg oedd hon hefyd!'

Wrth gyrraedd adref, rhoes Glenys ochenaid o ryddhad. Welsai hi'r un arlliw o Bedwyr drwy'r dydd. Ond ar ôl iddi gadw'r car, galwodd islais o'r llwybr.

'Glenys! Aros.' Doedd waeth iddi heb â chymryd arni nad oedd wedi ei glywed: ni wnâi ond curo ar ddrws y cefn.

'Dos drwy'r giât,' sibrydodd. Pan agorodd y drws o'r gegin i'r ardd, dyna lle roedd o, a golwg ddiysbryd yn ei lygaid.

'Welis i ddim golwg ohonot ti yn yr ysgol.'

'Bedwyr, Ymarfar Corff a Chwaraeon dwi'n ddysgu! Dwi yn y gampfa neu allan ar y cae chwara bron drwy'r dydd. Sut gebyst cyrhaeddist ti yma o 'mlaen i?'

'Cur pen. 'Nes i ddengid yn gynnar. Mi oedd o gin i bora hefyd.' Dyna pam y cyrhaeddodd o'r ysgol yn hwyr felly.

'Well i ti fynd adra 'ta, i gymryd rwbath ato fo.'

'Ond dwi'm 'di ca'l bod hefo chdi ers tair wsnos.' Hmm, *tension headache*?

'Be wyt ti 'di 'i golli? Fi 'ta dy damad?'

'Glenys! Chdi, siŵr.' Hynny'n union a ofnai.

'Gwranda, Bedwyr, ddeudis i cyn y gwylia bod rhaid i hyn stopio, do? 'Di o ddim yn iawn. A ma raid i ti ganolbwyntio ar adolygu rŵan.'

'O'n i'n canolbwyntio lot gwell pan o'n i'n ca'l dy weld di. Ga' i ddŵad yma heno, 'run fath ag o'r blaen?' Ochneidiodd Glenys.

'OK 'ta. Ond ma hi'n ola'n hwyr rŵan, 'sti. Bydda'n ofnadwy o ofalus.'

Gyda gwên yn llonni'i wyneb y sleifiodd Bedwyr allan o'r llwybr. Ond gyda chalon drom y paratôdd Glenys ei phryd parod yn y meicrodon. A wel! Nos Sadwrn, o leiaf, am un noson, câi swper gwerth ei gael, ac esgus i osgoi Bedwyr yr un pryd.

'Eira Mai druan! Yn gorfod dathlu'i phen-blwydd deunaw oed hefo stiw cig oen.'

'Nain, stiw cig oen chi 'di pryd bwyd gora fi yn y byd! A ma

313

hi'n neis dathlu hefo neb ond y tair ohonon ni, 'run fath â phen-
blwydd Mam yn 40 ac un chi'n 70.'

'Biti bod dy ddwrnod mawr di mor agos i'r arholiada,' meddai
Rhiannon. 'Er, ella basa clamp o barti wedi bod yn fymryn o help
i sgafnu'r baich.'

'Fasa pawb ddim wedi medru dŵad.' Sylweddolodd Rhiannon
ei chaff gwag yn syth, ond ni allai grybwyll enw Llion gan na
wyddai Megan am y garwriaeth.

'Pwysig ca'l pen clir i swotio, ia?'

'Rwbath felly, Mam,' gwenodd Eira. 'Ond dim ots. Dwi'n
nabod chi'ch dwy ac yn caru chi'ch dwy ers oes, yn bell cyn i fi
nabod neb arall!'

Rhwng y wledd a'r botelaid o Châteauneuf-du-Pape (hanner
pris o Tesco'r tro hwn), mwynhaodd Eira'i 'pharti pen-blwydd'
yn ardderchog, er na chafodd gwmni na chariad na ffrindiau i
ddathlu gyda hi. Wedyn, prin ei bod mewn cyflwr i ddychwelyd
at unrhyw waith, felly eisteddodd y tair gyda'i gilydd i wylio DVD
o Poirot.

'Fflipin hec, ma'r David Suchet 'na'n actor da,' meddai Eira
fel y gorffennai'r ddrama. 'Cymeriadu gwych – y cerddad, yr
acan…'Swn i'n lecio taswn i'n medru gneud hannar cystal yn
arholiada ymarferol fi wsnos nesa.' Ochneidiodd Megan.

''Toes gynno fo llgada bendigedig?' meddai.

'Nain! Toes dim rhaid i chi ffansïo actorion ddim mwy!
Gynnoch chi Eric.'

'Llgada tebyg i Eric sy gynno fo.'

'O! Sorri, Nain. Fi 'di'r bai. Ddylwn i fod wedi gofyn i Eric a
Math heno.'

'Dy noson di oedd hi,' meddai Rhiannon, 'a chdi oedd i wadd
dy westeion.'

'Siŵr iawn,' ategodd Megan. 'Ond pam na fasat ti wedi gofyn
i'r carmon?'

'B-be…?'

'Dwi'n siŵr basa fo wedi medru fforddio un noson heb rifeisio.'

'O!' Gyda rhyddhad, sylweddolodd Eira mai Guto oedd y 'carmon' a olygai Nain. 'Gawn ni ddathlu rywbryd eto. Fydd *o'n* un-deg-wyth diwadd Gorffennaf.'

'Reit, ciando cynnar, i mi,' meddai Megan. Dwi 'di blino.'

Cusanodd Eira hi.

'Diolch, Nain, am y stiw ac am yr anrheg pen-blwydd.' Gwisgai Eira'r gadwen a'r clustdlysau arian gyda phatrwm Celtaidd a roesai ei nain iddi.

'Tydyn nhw ddim yn betha pobol ifanc, ma'n siŵr, ond o'n i isio i ti ga'l rwbath fasa'n para. Dwi'n meddwl y byddi di'n 'u gwerthfawrogi nhw yn y dyfodol.'

'Dwi'n lecio nhw *rŵan*. Ond 'na i ddim 'u gwisgo nhw i fynd i bartis a ballu rhag ofn i mi 'u colli nhw. Fyddan nhw gin i o hyd pan fydda i'n hen a pharchus!'

'Fyddi di byth, Eira Mai. Mewn rhai petha, mi wyt ti'n tynnu gormod ar ôl dy nain!' meddai Megan cyn diflannu tua'r gegin a'i thŷ ei hun.

'Fedra i fynd i nunlla heb i rywun o'r bali ysgol 'na droi i fyny!' meddai Glenys wrth Mari Parri dros eu cwrs cyntaf yn y Wavecrest nos Sadwrn. 'Ma Ed Mathias a mam Eira Mai yn fan'cw.' Gwyliodd Peter de Bruno'n glafoerio dros y ddau.

'Reeannun, my dear! So good to see you again. Where would you like to have your *canapés*? The lounge or the terrace?' Gan ei bod yn noson heulog a chynnes, penderfynodd Ed a Rhiannon fynd â'u diodydd allan ar y teras.

'Ma'r boi 'na'n codi pwys arna i,' meddai Ed am De Bruno.

'Mae o'n berchennog *hands-on* dros ben, beth bynnag,' ychwanegodd Rhiannon.

'Mmm. Gin i syniad go dda ar be basa fo'n lecio rhoid 'i *hands* hefyd.' Bu agos i Rhiannon â thagu ar ei sherri.

'Mi wyt ti wedi dychmygu petha am hwnna o'r dechra, do?' chwarddodd. 'Toes gynno fo affliw o ddim diddordab yno' fi siŵr.'

'Fydd waeth iddo fo heb ar ôl heno,' meddai Ed.

'Wyt ti am roid cweir iddo fo?' gofynnodd Rhiannon dan wenu.

'Nac'dw. Dwi am...' Yr union foment honno cyrhaeddodd Mandy Bryant a gweinyddes arall gyda'r bwydlenni a'r *canapés,* a bu raid dewis eu prydau.

'Mi oeddat ti ar hannar deud rwbath gynna,' meddai Rhiannon toc.

'Oeddwn? Ia...oeddwn...' Cymerodd Ed ddrachtiad helaeth o'i wisgi. 'Rhiannon, nei di 'mhriodi fi? *Plis!*'

Syllodd Rhiannon arno am eiliad, yna gwenodd.

'O, Ed! Oedd o mor anodd â hynna? G'na siŵr!'

Syllodd Ed yn ôl arni, yna dechreuodd y ddau chwerthin yn aflywodraethus. Dyna pryd y daeth Peter de Bruno atynt i ddweud bod eu bwrdd yn barod.

'Rhiannon has just promised to marry me!' meddai Ed yn fuddugoliaethus.

'Congratulations,' meddai De Bruno'n sychlyd. 'If you'd like to follow me...'

'Iesu bach, mi 'nes i fwynhau hynna!' cyhoeddodd Ed wedi iddynt eistedd wrth eu bwrdd. 'Chei di ddim mwy o drwbwl hefo *fo.*'

'Ed,' meddai Rhiannon dan wenu, 'ches i rioed drwbwl hefo fo. *Chdi* oedd yn ca'l trwbwl!'

O'i bwrdd yr ochr arall i'r stafell fwyta gallai Glenys weld Ed a'i ddynes yn wên o glust i glust. Roedd y ddau yna ar ryw berwyl.

'Glen, dwi am bicio i'r toiled cyn iddyn nhw ddŵad â meniw'r pwdin,' meddai Mari toc. Ar ei ffordd aeth heibio i Peter de Bruno'n hofran fel barcud. Pan welodd hwnnw Glenys ar ei phen ei hun, anelodd y barcud am ei ysglyfaeth.

'Was everything all right for you, madam?' gofynnodd.

'Yes, lovely, thank you,' atebodd Glenys.

'Err...I think I saw in last night, did I not?'

'Yes. Foolishly we'd forgotten to book so I came in personally.'

'Forgive my asking, but did you not lose a piece of jewellery once when you were here? I'm afraid we never found it.'

'Oh!' Nefi, roedd o'n cofio! Aethai misoedd heibio ers hynny: hwyrach iddi wneud peth argraff arno, wedi'r cwbwl. 'I was mistaken. It was in the car. It must have dislodged itself on my way home.'

'I'm pleased you found it, dear lady. There's nothing more irritating than losing something.' Taflodd gipolwg ar Rhiannon...Ond gallai wneud yn waeth na meithrin hon, os gwir tystiolaeth ei llygaid...Arhosodd De Bruno i sgwrsio â hi nes i Mari gyrraedd yn ei hôl, i weld Glenys yn serennu ar berchennog boliog y gwesty. Ar ôl cael hwyl ar y *dear lady*, teimlodd yntau y dylai fod yn ddigon maddeugar i holi hynt y cwpwl hapus. Sicrhaodd fod y pryd wedi plesio, yna meddai:

'I believe we have some colleagues of yours in...'

'Of Edward's, yes. I can see Miss Evans over there,' meddai Rhiannon, 'and from the back I think that's Miss Parri with her.'

Fel y gadawai Mari a Glenys y stafell fwyta'n ddiweddarach, gwelodd De Bruno Mari'n gofyn rhywbeth i Mandy Bryant.

''Na i ddangos i chi, Miss Parri,' meddai Mandy, ac arwain Mari i gyfeiriad y lle gadael cotiau i gyrchu ei siaced, gan adael Glenys yn y dderbynfa. Dyna Miss Parr-ee, felly Miss...*Curses*! Miss beth ddywedodd Reeannun? Cymerodd gip ar y llyfr bwcio: saith o'r gloch...Ah! Yna anelodd am Glenys.

'I do hope you've enjoyed your evening, Miss Menace,' meddai. Neidiodd cynddaredd i lygaid Glenys a min i'w llais.

'My name is Miss Evans,' meddai gyda chymaint o rew ag y gallai ei fwstro.

'Oh! Oh!! I'm so sorry! In the bookings...Someone is going to pay for this.!'

Melltennai ei lygaid, a gwyddai Glenys y medrai fod mor filain â hithau pan âi rhywbeth o chwith. Diddorol. Gallai cwffas hefo hwn fod yn bleser...

'Shw ma'i heno?' gofynnodd Llion wrth iddo gerdded i mewn drwy ddrws y Wavecrest.

Ni chafodd ateb. Edrychai Mari Parri'n ofidus a fflachiai tân a brwmstan o lygaid Glenys Evans. Gobeithio na pharai eu cweryl awyrgylch gas yn yr ysgol.

Eisteddodd Llion yn y dderbynfa i aros am Ed a Rhiannon. Cawsai wybod cyfrinach a phwrpas eu cinio gan Ed, felly, fel ffrind cywir, roedd wedi cynnig bod yn *chauffeur* iddynt. Wrth gwrs, soniodd neb am y gobaith o gael gweld Eira Mai...

Âi rhyw gythrwfl ymlaen yng nghyffiniau'r ddesg: rhuthrodd un o'r merched bach gweini yno ar ffrwst a bloeddiai'r perchennog, oedd yn amlwg yn gandryll.

'Mandy, I gather you're involved in this.' Gwelodd Llion ef yn dangos y llyfr bwcio iddi. Trawodd Mandy ei llaw ar ei cheg mewn arswyd. Yn amlwg, roedd storm o fellt a tharanau ar godi. Dechreuodd Llion glustfeinio...

Gwahanol iawn oedd yr awyrgylch yng Nghae Aron hanner awr yn ddiweddarach. Pan glywodd y newydd da, lluchiodd Eira Mai ei breichiau am bawb, yn cynnwys y cariad-nad-oedd-yn-gariad. Methodd hwnnw'n lân ag ymgadw rhag ei chofleidio'n ôl. Dim ond pan gafodd bwniad yn ei hystlys gan Rhiannon y cofiodd Eira nad oedd ei nain ac Eric yn gwybod ei chyfrinach. Guto oedd y carmon i Nain.

'Fyddwch chi *yn* "Dad" i fi rŵan!' meddai wrth Ed. 'Yn lle priodwch chi, Mam? Capal? Eglwys? Gwesty? Gretna Green?'

'Dwi ddim wedi twllu drws lle o addoliad ers blynyddoedd, Eira. Fasa gin i ddim gwynab i *ddefnyddio* capal nac eglwys. Gwesty ella?' Edrychodd ar Ed.

'Y Wavecrest,' meddai hwnnw'n ddieflig. 'Troi'r gyllall yn y briw!'

'Mi wyt ti'n ddrwg,' chwarddodd Rhiannon. 'Gyda llaw, Llion, welist ti be oedd yn digwydd yn y dderbynfa? Fedren ni glywad o'r lle byta. Methu dallt pam gebyst nad aeth y dyn â nhw i'w swyddfa yn lle creu helynt yng nghlyw'r holl le.'

'Gasgles i bod rhywun wedi bwco Glenys Evans miwn fel Miss Menace...'

'Mandy Bryant! Fetia i!' Bloeddiodd Eira chwerthin.

Chwarddodd Ed hefyd.

'A ddaru'r sbrych 'na 'i galw hi'n Miss Menace yn 'i gwynab, debyg?'

'Swno fel 'ny. 'Na i gyd alla i weud oedd be glywes i...'

Ymddangosai i Glenys Evans alw y noson cynt i gadw bwrdd erbyn saith o'r gloch y noson ganlynol, gan roi enw Mari Parri a'i henw'i hun. Cofnododd Kathy, wrth y ddesg, enw Ms Parri, yna tynnodd rhywun ei sylw am eiliad, ac anghofiodd Kathy'r ail enw. Yna gwelodd Mandy'n rhuthro i mewn, yn hwyr i'w gwaith, fel arfer, ac yn cyfarch Glenys Evans fel yr âi honno allan.

'Who was that?' gofynnodd Kathy.

'Menace,' atebodd Mandy. 'I'm soddin' late.' A heglodd hi am y gegin.

Menace? Enw od. Ond dyna fo, os oedd gan bobl enwau fel Balls a Cocks a Willey, pam lai Menace? O leia roedd hwnnw'n weddus! Ychwanegodd Kathy enw Ms Menace at enw Ms Parri.

Gorffennodd Llion ei ddisgrifiad gafaelgar ymysg bonllefau o chwerthin.

'Fflipin hec! Dwi'm 'di chwerthin cymaint ers oes,' meddai Eira. 'Ond...be ddigwyddodd wedyn?'

'A!...'Ma ble ma'r wherthin yn stopo. Sacodd e'r ddwy.' Gwelodd ddagrau'n dechrau cronni yn llygaid Eira Mai. 'Sorri, Eira. Ddylen i 'di cadw 'na i fi'n hunan. 'Wy 'di sbwylo popeth nawr.'

'Naddo,' meddai Rhiannon. 'Fi ofynnodd. Ac ella erbyn bora Llun bydd Peter wedi ailfeddwl. Ella gwelith o'r ochor ddoniol i'r holl helynt.'

'Neith Glenys the Menace ddim,' meddai Eira Mai.

40

'May I speak to you, please, Peter?'

'Reeannun? Did my staff do something to upset you last night?' Roedd hwn yn dechrau mynd yn *paranoid*...

'No,' meddai Rhiannon. 'On the contrary. I found them all most obliging.'

'Hmm. I'm glad someone did...'

'But this *is* about last night...' Eglurodd fel y digwyddai un o gyd-weithwyr ei dyweddi fod yn disgwyl yn y dderbynfa i roi lifft adref iddi hi ac Ed, ac fel y clywodd am y broblem ynglŷn ag enw un arall o'u cyd-weithwyr.

'With respect, Reeannun, may I ask what this has to do with you?'

Dim oll, meddai Rhiannon, ond a gâi hi bwyntio allan fod Peter, trwy drafod y mater mewn llais uchel ac mewn lle cyhoeddus, wedi ei wneud yn fusnes i bwy bynnag a ddigwyddai fod yn y cyffiniau? Deallai Rhiannon fod un o ffrindiau ei merch am gael ei diswyddo. Ac roedd hynny wedi effeithio ar allu Eira i astudio ar gyfer ei harholiadau Lefel A: wedi ei thaflu oddi ar ei hechel yn lân ac andwyo'i chanolbwyntio. Felly, yn ddigymell, daethai'r holl helynt *yn* fusnes iddi hi. Derbyniai fod angen cerydd ar y merched, ond tybed a fyddai Peter yn fodlon gadael y mater ar hynny? Swniai'r amryfusedd yn fwy o ddiffyg meddwl nag o falais, a doedd dim dwywaith na fyddai'r genethod yn llawer mwy gofalus o hynny allan.

Syllodd Peter de Bruno i lygaid gwyrddion prydferth Reeannun Heoos a diawlio sut y bu iddo adael i hon lithro o'i afael. Roedd yn rhy hwyr arno bellach, ond câi hi'n ferch anodd ei gwrthod o hyd. Daeth i benderfyniad. Dibynnai'r cyfan ar Ms Evans, meddai. Os byddai hi'n barod i faddau, byddai yntau'n barod i adael i'r merched ddianc gyda cherydd yn unig. Byddai'n rhaid iddynt aros draw o'r gwaith am wythnos – a cholli eu pae – iddo gael cyfle i drafod gyda Ms Evans. Fyddai hynny'n ysgafnhau baich *young Snowflake*? Bu bron i Rhiannon chwerthin.

'Thankyou, Peter. I knew you were not an unreasonable man, and I'm very obliged to you.' Gweniaith, ond roedd *yn* ddiolchgar iddo. Os oedd amheuon Ed yn gywir, yna chawsai'r dyn mo'r noson hapusaf neithiwr. Aeth Rhiannon adref i godi calon *young Snowflake.*

Roedd tymer y cythraul ar Glenys o hyd. Fore Mawrth, clywodd Mari Parri hi'n bloeddio ar rai o'r plant amser egwyl. Byddai'n rhaid cael gair â hi. Llwyddodd i'w chornelu ar ei phen ei hun ar ôl cinio.

'Glen,' meddai'n dyner, 'paid ag ypsetio cymaint am yr helynt hefo dyn y Wavecrest.' Ni chymerai Glenys y byd â'i goleuo, ond wyddai Mari ddim bod 'dyn y Wavecrest' wedi chwalu ei gobeithion yn ogystal â'i sarhau.

'Tydi'r glasenwa 'ma ddim yn bwysig. Felna ma plant ysgol. Oli Drama, Math Miws, Fizzy Pop…Chwara ar eiria. Dyna'r cwbwl maen nhw'n neud hefo d'enw di. Aralleiriad ar y cartŵn ydi o, dyna i gyd.'

'Wn i hynny. Ond tydi rhywun ddim yn disgwl ca'l 'i gyfarch fel cymeriad cartŵn gin berchennog gwesty.'

'Mi fydd o wedi gneud rwbath ynglŷn â'r troseddwyr, paid di â phoeni.'

'Bydd, greda i!' Cofiodd Glenys am y cynddaredd yn llygaid De Bruno: matsh iddi hi ei hun, yn bendant. Efallai, petai o'n ymddiheuro mewn sachlïain a lludw…yn rhoi'r fantais gychwynnol iddi hi…Na! Faddeuai hi byth iddo! Diawl dig'wilydd!

Pan laniodd Bedwyr Morus ar garreg ei drws tua naw y noson honno, cafodd groeso y tu hwnt i'w obeithion.

'Diolch i'r drefen bod Eira'n OK nawr. 'Nes i gawlach o bethe nos Sadwrn on'do fe – y groten 'na'n mynd i fod mas o waith a phethach. O'n i'n becso'n ofnadw, yn arbennig gan fod 'da hi'r arholiade ymarferol wthnos hyn. Ma Drama fory.'

'Teimlo i'r byw dros bawb ond hi 'i hun, dyna 'di problem Eira Mai. Paid â phoeni, fydd hi'n OK 'sti. Mi gafodd 'i phrofion Cerdd ddoe a ma hi'n deud iddyn nhw fynd yn iawn. Dwn 'im be na'th y De Bruno 'na ar ôl i Rhiannon fod yn siarad hefo fo, ond dwi'n ddigon siŵr bod o wedi cymryd sylw. Tydi Rhiannon ddim yn 'y nghoelio fi, ond mi oedd gynno fo ffansi go-iawn ati hi. Wel mae o'n tŵ blydi lêt, fel bydda rhyw hen fêt i Nhad yn deud erstalwm.'

Cyrhaeddodd y ddau stafell yr athrawon. Yno, ar ei phen ei hun, a'i thrwyn mewn llythyr, eisteddai Glenys Evans. Ni chymerodd sylw ohonynt: roedd cynnwys y llythyr yn rhy ddiddorol. Gofynnai Peter de Bruno a fyddai'n fodlon mynd i siarad ag o heno – nos Fercher – a chael cinio nos yn ei gwmni, *on the house*. Roedd arno angen ei help i ddelio gyda phroblem y nos Sadwrn cynt, os byddai mor garedig. Cododd Glenys heb ddweud gair o'i phen a mynd i'r gampfa i gael llonydd i ffonio.

'Mr de Bruno? . . . Yes, I'll be there.'

'Meg, twyt ti byth yn mynd allan i le'n byd bron iawn. Be am i ninna fynd i'r Wavecrest 'ma i swpar heno?'

'Mae o'n ddrud, Eric!' rhybuddiodd Megan.

'Toes gynnon ni ddim angan poeni am bres rŵan! Diolch i Marjorie.'

'Nag oes, wrth gwrs. Anodd tynnu cast o hen gasag!'

Cyrhaeddodd Glenys y gwesty yn union yr un pryd â Megan ac Eric, a daliodd Eric y drws iddi. Hen ddyn bonheddig . . . Digon del hefyd, cyn ddeled ag y gallai hen ddyn fod. Ond ble gwelsai hi'r ddynes o'r blaen?

'Ms Evans. Thank you for coming.' Roedd De Bruno'n ei disgwyl. 'Oh! Excuse me just one moment.' Yn sydyn sgrialodd heibio iddi i gyfarch yr hen gwpwl.

'Mrs Heoos? Reeannun's mother? Welcome to the Wavecrest again.'

O fy ngwlad! Cenhedlaeth arall o'r blydi teulu 'na'n fwrn ar enaid Glenys! Bu raid iddi aros i Peter eu danfon i'r stafell fwyta cyn cael rhagor o'i sylw.

'I'm so sorry,' meddai. 'The mother of a friend.' A tasa titha wedi ca'l hannar cyfla mi fasa honno'n dipyn mwy na ffrind. Pam ddiawl oedd hi'n cyboli hefo'r dyn 'ma? 'Come, Ms Evans. Our table is ready.'

Penderfynodd Glenys wneud yn fawr o'i swper am ddim: dewisodd y seigiau drutaf ar y fwydlen, cimwch i'w phrif gwrs. Haeddai gymaint â hynny, siawns. Dros ginio, eglurodd De Bruno iddi sut y digwyddodd y camgymeriad anffodus ynglŷn â'i henw. Mandy, y weinyddes, oedd ar fai yn y pen draw, meddai.

Mandy Bryant! Mandy oedd athletwraig orau'r Gwenoro yn ystod ei dyddiau ysgol. Fawr o iws yn y gemau tîm – dim digon chwim ei meddwl – ond am redeg a neidio, allai neb ei churo. A bod yn onest, buasai'n dipyn o ffefryn gan Glenys drwy gydol ei phum mlynedd fel disgybl. Oedd hi o ddifrif am fynnu i Peter de Bruno roi Mandy ar y clwt? Gofynnodd iddo am ei farn.

'At first I was adamant that they should both be dismissed,' meddai Peter. 'But having reflected on the situation, I think that possibly a week's unpaid suspension and a warning might be sufficient punishment. But you are the one who was wronged. What's your opinion?' Ond doedd maddeuant ddim yn rhy hawdd ei gael.

'Well…' Ystyriodd Glenys. 'Reluctantly… but yes, I'll agree to that.'

Oddi mewn, rhoes De Bruno ochenaid o ryddhad: buasai wedi bod mewn strach go iawn gyda Reeannun a Snowflake pe bai Glenys wedi gwrthod. Estynnodd ei law a'i dodi ar ei llaw hi ar y bwrdd.

'Thank you, dear lady. I do appreciate this.' Wrth syllu i'w llygaid, sylweddolodd eu bod bron yr un lliw â llygaid Reeannun. Ddim llawn mor lluniaidd, efallai: blew'r amrannau'n fyrrach a heb fod llawn mor gyrliog, ond… 'I wonder… There's a ball before long…in Landydnow…something to do with the tourist trade. I wonder if you would care to accompany me? I would be most obliged.'

A ball! Am eiliad cafodd Glenys y syniad ei fod yn mynd i sôn am gêm-bêl. Twpsan! Pwy ond athrawes Chwaraeon…? Ond dawns! Yr unig ddawnsio a wnaethai ers cantoedd oedd gyda Bedwyr Morus a'i draed eliffant. Ei chysur oedd fod gan hwnnw rywbeth arall oedd bron mor fawr â'i draed…

'I'd love to,' meddai. 'Thank you.'

'Wonderful! Before you go I must have your address.' Gyda hynny, cerddodd Megan ac Eric i'w cyfeiriad ar eu ffordd allan. Moesymgrymodd De Bruno iddynt. 'Thank you both. Good night,' meddai. Yna ychwanegodd wrth Glenys: 'I'm so pleased you agreed with me about Mandy. Young Snowflake would have been most distressed had her friend been dismissed.'

'Who?' gofynnodd Glenys yn syn.

'Reeannun Heoos's daughter: Snowflake.'

Syllodd Glenys arno mewn arswyd. Sut *uffarn* y gwyddai Reeannun a blydi *Snowflake* am y llanast Ms Menace?

Fore Gwener, gan na chaniateid i'r disgyblion aros adref i adolygu – er mawr ofid i Megan, a gofiai i Rhiannon a Iori gael pythefnos cyn eu Lefel A – cafodd Eira a Guto wers ddwbwl yn rhydd i baratoi. Gyda Guto'n eistedd un ochr i'r stiwdio Ddrama ac Eira'r ochr arall, ac Oli'n darllen yn dawel yn y blaen, caed tawelwch a llonydd llwyr. Wedi awr a hanner o astudio caled canodd cloch yr egwyl. Penderfynodd Eira fynd allan am awyr iach, a phwy a ddaeth i'w chyfarfod ar y buarth ond Mandy Bryant.

'Mandy, gest ti gadw dy job?'

'Sut wyt ti'n gwbod am hynny?'

'Mi oedd 'y ng…ym, ffrind i teulu ni yn risepsion yn disgwl rhoid lifft adra i Mam a'i chariad. Mi oedd yr ap Arth yn gweiddi 'i ben i ffwr, medda fo.'

'Ap be?'

'Arth – Bruin – Bruno. Wel...os 'di o'n 'y ngalw fi'n *Snowflake*...'

'Blydi hel, Eira Mai! *Some snowflake!*' chwarddodd Mandy. 'Ap Arth! Gofia i hynna. Ydw, dwi yn ca'l cadw'n job. Dechra'n ôl dy' Llun.'

'Diolch byth! O'n i'n poeni amdanagari chdi.'

'O! Chwara teg i chdi! Ond dwi ar y ffor' i apolojeisio rŵan. I'r Menace. Well i fi fynd tra ma hi'n amsar brêc ne' fydd hi allan yn y caea eto.' Rhedodd Mandy yn ei blaen a dal Glenys yn yr union bryd.

'Plis, Miss Evans, oes gynnoch chi funud bach?'

'Dda gin i glywad dy fod di'n cofio'n enw fi, Mandy.'

'Ia. 'Di dŵad i apolojeisio dwi. Sorri ofnadwy am hynna. O'n i mor hwyr y noson honno o'n i'n poeni – ddim yn meddwl be o'n i'n ddeud.'

'Ca'l d'yrru i 'ngweld i 'nest ti?'

'Naci. Isio dŵad o'n i. Isio deud sorri.'

'Dyna ni 'ta. Anghofiwn ni am bob dim. Wyt ti'n dal i neud *athletics*?'

'Nac'dw.'

'Gwastraffu dy dalant. Pam nad ei di i redag pan gei di gyfla? Mi fedrat ti drio ras yr Wyddfa'n hawdd tasa ti'n trênio go iawn.'

''Na i feddwl am hynna, Miss Evans. A...diolch i chi, am bob dim.' Braf cael rhywun yn cymryd diddordeb ynddi fel hi ei hun, yn lle dim ond fel robot i ruthro a slafio. Aeth Mandy adref yn teimlo'n llawer gwell. Syllodd Glenys ar ei hôl. *Good deed for the day*! Yn enwedig os dechreuai Mandy redeg eto. Erbyn hyn, teimlai Glenys yn well hefyd – nes gwelodd Bedwyr Morus yn dynesu. Miglodd Miss Menace hi am y cae hoci, lle disgwyliai rapsgaliwns Blwyddyn 10 amdani.

O'r diwedd, cyrhaeddodd Gŵyl y Banc, a'r wythnos ganlynol dechreuodd yr arholiadau. Cerdd oedd un o'r rhai cyntaf. Ar ôl gorffen daeth Mererid Wyn at Eira.

'Honna'n grêt, 'toedd?' meddai'n hyderus.

'Ddim yn ddrwg, Mêr. Beds, gest ti hwyl arni?' galwodd Eira ar Bedwyr.

'Do,' atebodd Bedwyr. 'Braf ca'l un hawdd i ddechra. Codi calon rhywun.'

'TG nesa i fi,' meddai Eira. 'Bora Gwenar.'

'Saesnag i ni,' meddai Bedwyr, a astudiai'r un cyfuniad o bynciau â Mererid. 'Bora Gwenar ma honno hefyd. Dwi am fynd adra i swotio rŵan, a cha'l mymryn o amsar off nos fory.' Ychydig a wyddai ei gyd-ddisgyblion pam y deisyfai gael 'amsar off'. Tuag wyth nos Iau aeth allan am dro, a throi i mewn i ardd gefn y bwthyn.

'Yma eto, Bedwyr?' gofynnodd Glenys. 'Sut ma gin ti amsar, hogyn, a'r arholiada wedi dechra?'

'Ma raid i fi ga'l rhywfaint o gyfla i rilacsio,' meddai Bedwyr.

'O, dyna wyt ti'n neud yma, ia? Fi 'di dy *valium* di.'

'Naci, Glenys, chdi 'di 'nghariad i!' Gwaredodd Glenys. *Cariad*, o ddiawl! Sawl gwaith roedd hi wedi dweud wrtho yn ystod yr wythnosau diwethaf fod raid rhoi'r gorau i'r sleifio llechwraidd a'r misdimanars? Yntau'n dal i ymrithio yn y bwthyn byth a hefyd fel ysbryd aflan: hithau'n methu'n glir ag ymwrthod â themtasiwn... A wel! Ar ôl nos Sadwrn, os dôi Peter de Bruno i fyny i'r safon, câi Bedwyr Morus fynd i ganu! Ond am heno...

'Ty'd 'ta,' meddai.

Gyrrai Mari Parri adref o gyfeiriad Aberadda wedi noson gysurus yng nghwmni ei chwaer. Wrth iddi nesáu at fwthyn Glenys gwelodd olau drwy ffenest ochr y portsh: Glenys yn dal ar ei thraed felly. Penderfynodd Mari alw i ofyn iddi a ffansïai fynd am bryd o fwyd eto. Parciodd y car yn y ffordd ac aeth i ganu cloch drws y ffrynt.

Yn llofft gefn y bwthyn gorweddai Glenys a Bedwyr yn borcyn mewn gwynfyd ôl-gnychiol. Pan ganodd y gloch cododd Glenys ar ei heistedd mor sydyn â phe bai ganddi sbrings rhwng ei chluniau a'i chorff.

'Pwy sy 'na'r amsar yma o'r nos? Mi eith odd'na mewn munud, siawns.' Ond canu eto a wnaeth y gloch; ac eto.

'Damia!' Neidiodd Glenys o'r gwely a dechrau gwisgo amdani'n frysiog. 'Rho dy ddillad amdanat, Bedwyr! Ty'd!'

Dechreuodd Bedwyr yntau wisgo, ond gan fod Glenys wedi cael blaen arno ni chafodd lawer o amser. Lluchiodd ei grys a'i drôns a'i drowsus amdano a stwffiodd ei sanau i'w bocedi, cyn taro'i esgidiau am ei draed noethion. Yna dilynodd Glenys i lawr y grisiau. Dododd Glenys y gadwen ar y drws a'i gilagor. 'Mari! Galw'n hwyr…'

'Ar fy ffor' adra. Gweld gola gin ti felly doeddat ti ddim yn dy wely.'

'Ia…nag oeddwn…Aros am funud i mi ga'l tynnu'r tsiaen i ffwr.' Wrth wneud hynny allan o olwg Mari, arwyddodd ar i Bedwyr ddianc i'r gegin. Yn anffodus, yn lle ymguddio yno nes i Mari fynd, anelodd Bedwyr am y drws allan, a gwelodd hithau gip ar ei gefn drwy'r drws agored rhwng y cyntedd a'r gegin.

'Glenys, gin ti fyrglar!' Rhewodd Bedwyr yn y fan a'r lle.

'N-na. Bedwyr Morus sy 'na. Dŵad â CDs yn ôl. 'Nes i banad…Yli, ty'd trwodd. N-naci…dos i'r stafall fyw.' Doedd dim arlliw o baned yn y gegin.

'Dwi'm isio steil, Glen bach.' Brasgamodd Mari heibio Glenys ac i mewn i'r gegin. 'Bedwyr. Dim adolygu heno?'

Erbyn hyn dechreusai Bedwyr ddadmer.

'D-do, Miss Parri. Jest cym'yd sbel bach. Y…y CDs ges i fenthyg…'

'Ia siŵr.' Syllodd Mari Parri arno: ar y gwallt blêr, fel nyth brân; ar y crys a'i fotymau wedi eu cau'n gam; ar y traed noethion o fewn yr esgidiau trymion…Wrth gwrs, allai hi brofi dim, ond…bu *rhywbeth* ar droed yma!

'Well i ti fynd adra, Bedwyr,' meddai Glenys. 'Twyt ti ddim isio bod yn rhy hwyr yn mynd i dy wely. Ddeudist ti ddim bod gin ti arholiad bora fory?'

'Oes, Miss. Saesnag. N-nos dawch…' Heglodd Bedwyr hi drwy'r drws.

'Oedd o yma ers meitin?' gofynnodd Mari ar ôl iddo ddiflannu.

'Nag oedd, tad,' atebodd Glenys gan roi dŵr yn y tecell. 'Be na'th i ti alw?'

'Meddwl tybad oeddat ti'n ffansïo mynd i'r Indian ym Mangor nos Sadwrn.'

'Na, sorri, gin i drefniada nos Sadwrn. Dawns yn Llandudno. Rwbath i' neud hefo twristiaeth. Hefo dyn y Wavecrest.'

'Dwi'n gweld. Hwnnw wedi ca'l maddeuant, ydi o?'

''Dan ni'n dallt 'yn gilydd rŵan.' Yr unig beth na chawsai eglurhad amdano oedd sut y cafodd yr Huwsiaid grap ar y stori. Ond yn amlwg roedd Teulu'r Fall wedi penderfynu cau eu cegau, felly doedd dim gwahaniaeth. 'Deud y gwir, ges i bryd o fwyd bendigedig am ddim gynno fo un noson, i neud iawn am yr holl halabalŵ.'

Suddodd calon Mari Parri. Beth a wnaethai iddi erioed dybio bod Glenys o'r un tueddiadau rhywiol â hi ei hun? Os cydiai'r berthynas gyda rheolwr y Wavecrest, châi hi fawr o *gwmni*'r ddynes o hyn allan, heb sôn am unrhyw beth mwy. A beth am ei chysylltiad â Bedwyr Morus? Gobeithio'r nefoedd nad oedd unrhyw beth amheus yn digwydd rhwng y ddau, ond os oedd, a wyddai Bedwyr am Peter de Bruno?

Ni ddymunai Mari Parri i unrhyw anfri ddod i ran Glenys Evans, ond os achosai broblemau addysgiadol neu ddioddefaint emosiynol i un o ddisgyblion yr ysgol, a hynny ar adeg mor bwysig yn ei yrfa, gwae hi!

41

Eisteddodd Megan yn ôl ar y soffa, pwyso'i chefn yn erbyn y glustog ac arogleuo'n synhwyrus. Mmm! Oglau cyw iâr yn rhostio: ei hatgoffa o Nadoligau ei phlentyndod, pan oedd ei mam yn fyw ac yn teyrnasu'n dawel ond yn gadarn yn Nhŷ'n Rardd. Cyw iâr fyddai'r cinio Nadolig bob blwyddyn bryd hynny; dim sôn am dwrci na gŵydd i deuluoedd prin eu harian fel nhw. Ond tlawd neu beidio, bryd hynny roedd bywyd yn braf, yn heulwen er gwaetha'r glaw, yn haf er gwaetha'r gaeaf. Bryd hynny, cyn i'r glöyn byw bach haerllug hwnnw ddechrau chwifio'i adenydd...

Edrychodd Megan unwaith eto ar dudalen agored y llyfr yn ei llaw. *Chaotic control; control theory*...Erbyn hyn roedd yr awdur yn ceisio honni bod modd rheoli'r aflunieidd-dra y buasai'n damcaniaethu amdano drwy gydol y gyfrol. *Swat the right butterfly: stop a hurricane.* Sut gebyst y gallai hi fod wedi rhoi stop ar y storm a wnaeth draed moch o'i bywyd? Allai hi ddim fod wedi anwybyddu gorchymyn ei thad. Un ar bymtheg oedd hi pan orfododd ef hi i adael yr ysgol: pum mlynedd hir o'i blaen cyn dod i oed yn un ar hugain. Ysgydwodd ei phen yn ddiymadferth: roedd byd o wahaniaeth rhwng damcaniaethau a bywyd go iawn, byd o wahaniaeth.

Faint o'r gloch oedd hi? Mawredd, roedd Eira Mai'n ddychrynllyd o hwyr yn dod adref o'r ysgol. Siawns na chyrhaeddai oddi wrth y bws bump. Yr eiliad honno clywodd Megan ruo peiriant car ar y cowt, ac mewn hanner munud hwyliodd Eira Mai hithau i'r gegin.

'Helô, Nain.' Synhwyrodd yn frwdfrydig. 'Ogla neis. Pryd bydd o'n barod?'

'Tua chwech. Lwc na ddechreuis i ddim arno fo'n gynt, a chditha'n hwyr.'

'Ia, sorri. Ddaru Guto feddwl am rwbath alla droi i fyny ar

y papur Drama, ac aethon ni i weld Oli i neud yn siŵr bod ni'n gwbod pa ffor i' daclo fo.'

'Call iawn. A gest ti dipyn o amsar hefo'r carmon 'run pryd.'

'I-ia…do…' cytunodd Eira'n ansicr. 'Dwi am fynd i roid trefn ar be sy raid i mi swotio heno,' ychwanegodd cyn diflannu i'w chell.

O ran personoliaeth, roedd rhywbeth *chaotic* ynglŷn ag Eira Mai; wyddai neb byth yn iawn beth wnâi hi nesa. Ac eto, roedd trefn yn rhan o'i natur: gwyddai'n union beth a wnâi bob amser yng nghyswllt ei gwaith ysgol. Fethodd hi erioed arholiad (er bod tro cynta i bopeth, wrth gwrs!) ac fel arfer enillai raddau da ym mhob pwnc. Naill ai ni ddaethai'r un glöyn byw ar ei chyfyl erioed, neu gwyddai'n union i ba un i roi swadan farwol.

'Dach chi'n dal i astudio hwn, Mam?' gofynnodd Rhiannon pan ddaeth drwodd.

'A dallt dim,' atebodd Megan gan roi'r llyfr o'i llaw a dod at y bwrdd swper. 'Ar ôl deud bod un newid bach bach yn medru gneud i rwbath ddigwydd neu beidio digwydd, yn groes i'r disgwl 'lly, mae o'n trio deud rŵan bod modd rheoli'r holl rwtsh. *Swat the right butterfly: stop a hurricane.*'

'O'n i'n gwbod!' ebychodd Eira Mai'n orfoleddus. Troes dau bâr o lygaid chwilfrydig i'w chyfeiriad. Dyna hi wedi rhoi ei throed ynddi eto! 'Sorri. Jest rwbath o'n i 'di bod yn meddwl amdano fo. 'Di o'm byd.'

Ond roedd hi *yn* gwybod. Dim ond iddi hi a Llion beidio â chyfarfod ar ôl y ddwy noson nefolaidd hynny ym Mhen Rallt, allai neb eu dal. Dyna'r glöyn byw wedi cael y farwol. Ond gallsai'n hawdd fod wedi atgyfodi, droeon. Dyna'r noson honno yn y domen byd, chwedl Gits. Ar y llwyfan ar ôl y sioe gerdd wedyn. A sawl sesiwn snogio yn storfa'r stiwdio ddrama: mor hawdd y gallsai rhywun fod wedi dod i mewn yn ddistaw bach a chwythu anadl einioes yn ôl i'r pili-pala. Penderfynodd. O hyn allan, yr unig adegau y byddai ganddi esgus dilys i fod yn yr ysgol fyddai ar amserau arholiad. Wel, pan fyddai yno, âi hi ddim ar gyfyl y stiwdio ddrama. Rhôi hynny waldan go iawn i'r trychfilyn bach chwedleugar yna.

Cadwodd Glenys ei llestri te ac eistedd i lawr i ddarllen ei phapur newydd, ond buan y collodd ddiddordeb yn hwnnw. Yn hytrach, gadawodd i'w meddwl grwydro'n ôl i'r nos Sadwrn cynt: i'r ddawns gyda Peter de Bruno.

O ddyn â chlamp o fol cwrw, roedd Peter yn eithriadol o ysgafndroed: yn ddawnsiwr medrus a chadarn ei arweiniad. Profodd hefyd ei fod yn gwmni difyr. Rhwng hynny a'r bwyd blasus a'r gwin a'r siampên, mwynhaodd Glenys ei noson yn fawr. Wedi i Peter ei danfon adref yn ei Jaguar – yn hollol sobor – diolchodd iddi'n foesgar am ei chwmni ac addo dod i gysylltiad â hi eto'n fuan. Yna arhosodd iddi fynd i'r tŷ'n ddianaf cyn troi am y Wavecrest. Dim cusan, dim cwtsh…

Dod i gysylltiad yn fuan: pa mor fuan, tybed? Tua'r penwythnos? Na, nosweithiau Gwener a Sadwrn oedd y rhai prysuraf mewn gwesty. Gobeithiai ei fod o ddifrif ynglŷn â'i gweld eto. Hwyrach, y tro nesaf, y deisyfai ychydig mwy na'i chwmni…Canodd cloch y drws ffrynt. Nid Bedwyr fyddai hwnna, diolch byth!

'Peter! How nice to see you. Please, do come in.'

Allai Peter ddim aros yn hir. Buasai cynhadledd yn y gwesty, ac roedd yntau wedi dwgyd hanner awr i alw heibio Glenys ar ôl iddi orffen. Rhaid fyddai iddo fynd yn ôl toc i gael tamaid o fwyd cyn ymgymryd â dyletswyddau'r hwyr.

'You work so hard,' meddai Glenys.

'But I am taking this coming weekend off,' meddai Peter. 'And I wondered…I've been invited to stay at a hotel owned by a friend of mine, near Chester. On Saturday evening there will be a dance-band and…well, knowing how beautifully you dance…I would be honoured if you would accompany me, my dear…'

'Thank you,' atebodd Glenys. 'I'd love to.' Ond i ddawnsio? Dim byd arall?

'Good! I'm so pleased, dear lady. So pleased.' Ond pwy fyddai'n gofalu am y Wavecrest am benwythnos cyfan? 'Oh, my under-manager,' meddai Peter. 'My son.'

Howld on, boi bach! Os oes gin ti fab, oes gin ti wraig yn rwla? Nid bod hynny o'r consýrn pennaf ganddi chwaith.

'I didn't realise you had a son.' Deallodd Peter yr islais yn y geiriau.

'From a long-past relationship,' meddai. 'We never married and Liam was brought up by his mother. I had access visits, of course, and when Liam decided to go into the hotel business at sixteen he came to live with me. It's worked out very well.'

Roedd Glenys yn falch iawn drosto, meddai. Mab yn ddirprwy iddo – hwyluso bywyd yn fawr. Ond sgwn i faint ydi d'oed di, Peter de Bruno? Nid bod ots. Byddai shagio dyn hanner cant yn newid o boncio glaslanc deunaw oed. Os oedd shag ar y cardiau. Ond doedd hwnnw ddim yn gwestiwn y gallai'n hawdd ei ofyn.

'Erm…I'm reluctant to ask you such an indelicate question, Glenys, but we do need to come to an understanding…About the sleeping arrangements…would erm…would one room…?'

'No problem!' meddai Glenys gan wenu. Cofleidiodd Peter de Bruno hi mor glòs ag y caniatâi ei fol cwrw, a'i chusanu'n solet.

'Beds? Wyt ti'n OK?'

'Mi fydda i ar ôl ca'l ffag, Eira Mai.'

'Bedwyr Morus! Stompio'r llais bendigedig 'na!'

'Ma *raid* i mi, Eira. Ma'n nerfa fi'n racs. Dwi'n mynd rownd cefn y cantîn.'

Sgidadlodd Bedwyr heibio talcen y ffreutur a thanio'i sigarét. Tynnodd yn drwm ar y mwg tybaco, a theimlo'i hun yn dechrau ymlacio. Ei broblem fawr oedd nad oedd wedi gweld Glenys na chael ei ddôs o *valium,* chwedl hithau, ers dros wythnos. Cawsai ei wala o'i chwmni, a'i *valium,* nos Iau, wythnos i neithiwr, yna diflannodd Glenys i rywle am dridiau heb eglurhad. Oherwydd bod ganddo yntau dair arholiad yr wythnos hon, bu raid iddo ymroi i adolygu bob awr o'r nos, a'i nerfau'n tynhau wrth i bob munud fynd heibio. Nid oedd wedi ysmygu llawer o'r blaen, dim ond ambell un gyda ffrindiau, ond â'i du mewn fel sbring cloc canfu ei hun yn ysu am sigarét, a phrynodd baced ar ei ffordd adref o'r ysgol echdoe. Gwnaeth y mygyn y tu cefn i'r cantîn ei waith yn dda, a chafodd Bedwyr eithaf hwyl ar ei bapur Cymraeg.

Gan ei bod yn ddydd Sadwrn drannoeth, a'i fod yn weddol barod ar gyfer ei bapur Cymraeg arall ddydd Llun, teimlai y gallai fforddio amser i fynd am dro a galw heibio Glenys y noson honno. Yn ôl ei arfer, sleifiodd i lawr y llwybr a thrwy'r giât fach i'r ardd cyn curo ar y drws cefn. Toc, daeth Glenys i'r drws.

'Meddwl mai chdi oedd 'na. Toes dim angan i neb arall fod mor llechwraidd.'

'Dwi'm 'di dy weld di ers oes, Glenys.' Syllodd Glenys arno'n hir. 'Be sy?'

'Bedwyr, sawl gwaith dwi 'di deud bod rhaid dŵad â hyn i ben?'

'Ond twyt ti ddim *wedi* gneud, naddo?'

'Dwi'm isio d'ypsetio di, a chditha ar ganol d'arholiada a phob dim, ond ma'r amsar wedi dŵad pan fydd *raid* i mi.'

'Dwi'm yn dallt. Pam rŵan?'

'Yli, mi gawson 'yn dal gin Miss Parri i ddechra.'

'Ond dwi 'di bod yma ar ôl hynny. A mi roist ti reswm iddi'r noson honno.'

'Goeliodd hi, Bedwyr? Mi oedd golwg y diawl arnat ti, dy fotyma di'n gam a dy wallt di fel brwsh llawr. Toedd dim isio Ph.D. i wbod be ddigwyddodd, 'sti.'

'Ddeudodd hi ddim byd wrth neb.'

'Ddim hyd yn hyn. Dim prawf. Tasa hi'n 'yn dal ni eto... heno ella...'

'Well i ni fod yn sydyn 'ta.' Cychwynnodd Bedwyr am y grisiau.

'Naci, Bedwyr, gwranda arna i. Mae 'na... reswm arall dros stopio...'

Peter de Bruno. Cawsai Glenys benwythnos i'w gofio. Dawnsio, bwyd da, gwin da... a rhyw anhygoel! O do, mi fu'r rhyw yn aruthrol! Hwyrach nad oedd cyfarpar Peter mor drawiadol ag un Bedwyr, ond boi! oedd o'n gwybod be i'w wneud hefo fo! Bron na chredai Glenys ei bod yn dechrau syrthio mewn cariad.

'Ma gin i rywun arall.' Daeth golwg ddolurus i lygaid Bedwyr. Allai hi ddim bod yn dweud y gwir! 'Es i i ffwr hefo fo dros y Sul a gin i feddwl y byd ohono fo.'

'Ond ma gin *i* feddwl y byd ohono *chdi*! Dwi'n dy *garu* di!'

'Nag wyt. Ella bo' chdi'n meddwl hynny, ond... dwi 'di deud wrthat ti, tawelu dy nerfa di dwi 'di bod yn neud, a ti'n gwbod sut.'

'Naci! Ti'n lot mwy na hynny i fi!'

'Gwranda, dwi'n gwbod nad ydi rŵan mo'r amsar gora i neud hyn i ti, ond ma raid i mi. Rhwng y peryg o ga'l 'yn dal a cholli'n swydd, a'r ffaith 'mod i wedi syrthio am rywun arall, *fedra* i ddim cario mlaen ddim rhagor. Plis, Bedwyr, dos.'

Roedd hi'n fore Llun, ac Eira Mai'n sefyll arholiad Drama. Ar y chwith iddi eisteddai Bedwyr Morus, yntau'n brwydro ag un o'i bapurau Cymraeg. Pan gyrhaeddodd Bedwyr y stafell arholiad gynnau, sylwodd Eira fod ei lygaid yn bŵl, a bagiau mawr duon oddi tanynt.

'Ti'n oréit, Beds?' gofynnodd Eira. Codi ei ysgwyddau oedd ymateb Bedwyr, a dechreuodd Eira bryderu amdano, yn enwedig ar ôl y busnes sigarét i dawelu'r nerfau hwnnw ddydd Gwener. Pan gafodd ei phapur arholiad, bu raid iddi ganolbwyntio ar ei gwaith a rhoi problemau Bedwyr o'r neilltu, ond tua thri chwarter y ffordd drwy'r papur, digwyddodd godi ei phen am eiliad o seibiant, a gwelodd Bedwyr yntau'n cael sbel fach hefyd. Pwysai'n ôl yn ei gadair dan gnoi pen ei feiro. Ond fel y dychwelai Eira at ei gwaith cafodd gip ar Bedwyr yn pwyso ymlaen a rhoi ei ben i orffwys ar ei ddesg. O nefi! Oedd o'n iawn, tybed? Ymhen rhyw ddau funud, edrychodd ar Bedwyr eto, a gweld bod ei ben yn dal i orffwys ar ei ddesg. Doedd o erioed wedi cysgu ar ganol arholiad? Gan nad oedd ganddi hawl i gyfathrebu ag o, rhoddodd ei llaw i fyny a daeth Jess Pritchard, un o'r cymorthyddion dysgu a oruchwyliai'r arholiad, i holi beth oedd ei phroblem. Pwyntiodd Eira at Bedwyr ac aeth Jess ato.

'Bedwyr? Be sy? Wyt ti'n sâl?' gofynnodd yn dawel. Cododd Bedwyr ei ben, a dychrynodd Jess o weld yr olwg ofidus a di-gwsg yn ei lygaid. 'Fedri di fynd ymlaen hefo'r arholiad?' Ysgydwodd Bedwyr ei ben.

'Fedra i ddim meddwl.'

'Fasat ti'n lecio mynd i stafall y nyrs i orwadd?'

Amneidiodd Bedwyr.

'Ty'd 'ta.' Casglodd Jess Pritchard bapurau Bedwyr at ei gilydd i'w gadael gyda'r goruchwyliwr arall, ac arwain y bachgen allan o'r neuadd yng ngŵydd yr holl ddisgyblion. Syllodd Eira'n syn ar ôl ei chyd-Brif Ddisgybl: doedd ganddi ond gobeithio iddo roi atebion trylwyr i'r cwestiynau y llwyddodd i'w hateb.

'Gorwedda ar y gwely, yli,' meddai Jess Pritchard yn stafell y nyrs, gan estyn diod o ddŵr i Bedwyr. 'Wedi blino wyt ti? 'Ta teimlo'n sâl?'

'Dwn 'im,' atebodd Bedwyr. 'Dwi jest...Dwn 'im.'

'Yli, rhaid i mi fynd yn ôl at yr arholiad ond mi ddo' i yma gyda byddwn ni wedi gorffan. Biti nad ydi'r nyrs ddim yma pnawn 'ma.'

'Ydi...ydi Miss Parri'n brysur?' gofynnodd Bedwyr.

'Wyt ti isio siarad hefo Miss Parri?'

'Plis.' Ffoniodd Jess Pritchard stafell Mari Parri, a phan ddeallodd honno pwy oedd yn holi amdani, daeth yno'n syth.

'Bedwyr? Pam daru ti ddŵad allan o'r arholiad?' gofynnodd Mari mewn llais caredig. 'Sâl wyt ti? Ynta...oes rwbath yn dy boeni di?' Bu Bedwyr yn ddistaw am ysbaid hir, fel petai mewn cyfyng gyngor. 'Oes nelo hyn rwbath â'r noson honno pan alwis i yn nhŷ Miss Evans?' Roedd y llais yn dal yn dyner, ac er mawr embaras iddo, glampyn o fachgen ag ydoedd, teimlodd Bedwyr ddagrau'n neidio i'w lygaid. 'Paid â bod ofn deud. Ma gin i syniad go lew be ddigwyddodd, wsti.'

'Dwi'm isio creu trwbwl iddi hi.'

'Bedwyr, ma'r hyn oedd yn mynd ymlaen yn amlwg wedi peri gofid mawr i ti, ac yn amharu ar dy yrfa addysgol di. Ma hynny'n beth difrifol iawn.'

'O'dd pob dim yn iawn rhyngon ni, ond rŵan ma hi wedi gorffan hefo fi.'

Diawliodd Mari Glenys. Doedd dechrau carwriaeth hefo disgybl ddim y peth doethaf i'w wneud, ond i roi terfyn ar yr affêr pan oedd yr hogyn ar hanner ei arholiadau! Y gnawes greulon...

'Ddeudodd hi pam, Bedwyr?'

'Ma gynni hi rywun arall. Mi oedd hi wedi bod i ffwr hefo fo yn rwla *weekend* cyn dwytha. A'r noson cyn mynd i ffwr mi oedd hi hefo fi!'

Gwyddai Mari am y sïon a fu'n cerdded stafell y staff ers blynyddoedd: bod Glenys wedi targedu pob dyn dibriod yn y lle – ac ambell un priod hefyd. Ond nid un i wrando ar siarad gwag oedd Mari, yn enwedig pan oedd ganddi le cynnes yn ei chalon i wrthrych y storïau hynny. Roedd hyd yn oed wedi ei darbwyllo'i hun y gallai Glenys fod yn hoyw. Pa mor wirion y medrai dynes ddeallus fod? Pan gyll y call...

Doedd Mari ddim yn greadures faleisus, ond roedd *yn* athrawes ymroddedig. Dim gwahaniaeth pa mor hoff y bu hi o'i ffrind, châi Glenys ddim dianc yn groeniach a hithau wedi drysu gyrfa un o ddisgyblion mwyaf addawol Ysgol Gwenoro.

42

'A teacher at a north-west Wales school has been suspended from duty because of allegations of an affair with a sixth-form pupil.' Gydag arswyd, ciledrychodd Eira ar Llion, a syllai yntau'n syn ar y sgrin deledu. 'It is understood that the female teacher has been involved with a male student.'

'Nefoedd wen!' ebychodd Rhiannon, gan ddiffodd y set er mai dim ond munud ynghynt y troesai'r newyddion ymlaen.

'Sut goblyn da'th hyn i glyw'r cyfrynga?' holodd Ed. Newydd gyrraedd Cae Aron roedd ef a Llion.

'Be? Yr athrawes?' Pwyntiodd Rhiannon at y set deledu.

Daethai'r gath o'r cwd, a manylodd Ed am yr hyn a oedd wedi digwydd y bore y methodd Bedwyr gwblhau ei arholiad.

'Y bora hwnnw ddaru'r hogyn fwrw'i fol wrth Mari Parri, bechod. Glenys wedi'i ddympio am rywun arall, ma'n debyg. Mi dorrodd y cr'adur i lawr, fwy neu lai.'

'Yr hen ast iddi!' ebychodd Eira.

'Un papur Saesneg oedd ganddo fo ar ôl. Dwn 'im sut hwyl gafodd o.'

'Cythgam o ffys am ddim byd,' meddai Megan, er sioc i bawb.

'Nain! Be haru chi?'

'Pan oeddwn i yn yr ysgol,' meddai Megan, 'mi fuo 'na sawl carwriaeth rhwng athro a disgybl, a ddeudodd neb yr un gair ond "'pob lwc iddyn nhw".'

'Ma petha wedi newid,' meddai Ed. 'Dyma'r tabŵ mawr rŵan. Colli swydd, carchar ella...'

'O, dwi'n hollol ymwybodol o agwedd y cyfnod yma,' eglurodd Megan. 'Yr oes sy wedi newid, dach chi'n gweld. Agwedd yr oes sy ohoni tuag at ryw: dyna sy'n gyfrifol am y tabŵ. Petha hollol ddiniwad oedd carwriaetha'r hen ddyddia. Rŵan, tydi pawb yn y gwely hefo'i gilydd cyn gyntad â'u bod nhw wedi deud "how-di-dŵ".'

Wrth wrando ar ddatblygiad y sgwrs, aeth Eira Mai i'w chragen. Diolchodd na wyddai neb am y troeon y bu hi a Llion yn y gwely gyda'i gilydd. A theimlodd y fath gywilydd eu bod hwy wedi llwyddo i guddio'u carwriaeth tra cafodd Glenys a Bedwyr eu dal. Ni allai edrych ar Llion, nac yntau arni hi.

Wedi cael lifft gan Ed er mwyn mynd i loncian roedd Llion.

Penderfynodd mai diflannu'n dinfain a hel ei draed tua'r llwybr fyddai ddoethaf iddo.

Yng nghartref ei rhieni, lle buasai'n cogio ers dros bythefnos iddi gael papur gan ei meddyg yn Llanwenoro i gymryd amser i ffwrdd o'r gwaith oherwydd problem gyda'i nerfau, clywodd Glenys Evans ei ffôn lôn yn canu. Edrychodd i weld pwy oedd yn galw, a symudodd i'w llofft i gymryd yr alwad.

'Peter? I'm so glad to hear from you.'

'Glenys.' Roedd ei lais yn oeraidd. 'Do you watch the news from Wales?'

'No. We're usually eating then.'

'Apparently a few nights ago there was an item about an affair at a school in this area – a female teacher's affair with a male pupil. There's a story doing the rounds in Lanwenorrow that the teacher is you. Is it true?' Roedd Glenys wedi ffwndro'n lân.

'Look, Peter…'

'Is it true or not?'

Gwyddai Glenys ers noson y busnes Ms Menace hwnnw y gallai Peter fod yn filain – yn groes ddigon, dyna un nodwedd a'i denodd ato. Ond doedd hi ddim wedi disgwyl cael blas y tafod miniog mor fuan.

'Yes…yes it is. I'm sorry.'

'So am I. Extremely sorry. I had hoped we might make a go of it, but now…'

'It was all over before I started seeing you, Peter.'

'That's neither here nor there. A relationship with you could ruin my business. So I must end it. Immediately. Good bye, Glenys.'

Eisteddodd Glenys ar ei gwely, yn druenus a dagreuol. Ai Bedwyr oedd y tu ôl i'r stori yn y newyddion? Ai fo oedd wedi ei bradychu? Oedd hi wedi rhoi cymaint â hynny o loes iddo? Hwyrach mai Mari…Na, nid Mari; fyddai Mari byth yn ei bradychu ar goedd i'r holl fyd. Serch hynny, hi aeth at y Prifathro: bu raid iddi, ar ôl clywed cwyn Bedwyr. Gwyddai Glenys ei bod wedi colli ei hunig ffrind go iawn yn Ysgol Gwenoro.

Nid bod ots. Châi hi byth ddysgu yn Llanwenoro eto. Hwyrach y câi weithio mewn ysgol arall, os câi gadw'i thrwydded athrawes: dibynnai'r cwbl ar y Cyngor Addysgu y byddai'n rhaid iddi ei wynebu. Diolch i'r trugareddau fod Bedwyr dros ei ddeunaw; o leiaf ni fyddai'n rhaid iddi ddioddef achos llys.

Gwerthu'r bwthyn, dyna'r cam nesaf. A chyfaddef wrth ei rhieni: hyd yn hyn roeddent wedi derbyn mai angen gorffwys oedd arni. Diolch mai *Coronation Street* âi â'u bryd am hanner awr wedi saith, ac nid y newyddion Cymraeg.

Ond O! Peter, Peter, sut byddai 'nghanlyn i'n difetha dy fusnes di? Dwi ddim yn slwt, dwi ddim yn butain. Mae gin ti fab anghyfreithlon dy hun...

Wrth gofio am Liam, daeth cythraul cynhenid Glenys yn ôl iddi. Peter de Bruno, does gin ti ddim byd i' ddeud: ddim â thystiolaeth o dy becadilos rhywiol di dy hun yn crwydro drwy dy westy di. Felly twll dy din di'n taro tân ar linyn, y diawl hunangyfiawn! Sychodd Glenys ei llygaid a brasgamu'n dalog drwodd at ei rhieni.

Amser cinio un dydd Gwener, ac Ed ar ddyletswydd y tu allan i'r ysgol, gwelodd Llion yn cyrraedd yn ôl i'r iard a golwg ddigalon arno.

'Isie awyr iach,' meddai. 'Pen tost. Ma'r blydi plant hyn yn *hyper* y dyddie hyn; angen llyged yn dy din i sicrhau bod nhw'n bihafo.' Chwarddodd Ed.

'Diwadd tymor; neb isio gweithio. Dwi bron â deud bod well gin i'r hen drefn. Pan ddechreuis i ddysgu mi fydda 'na arholiada mewnol. Gwaith calad i'r staff, ond o leia doedd y plant ddim yn ca'l gormod o amsar i redag yn wyllt. Wyt ti am helpu hefo'r trip 'ma i Alton Towers?'

'Ddim os alla i ddojo! Y'n ni'n dou'n rhedeg tripie yn ystod y flwyddyn, i ddramâu a'r opera a phethach. Gaiff rhai o'r lleill garco'r jawled tsha Alton Towers.'

'Ia.' Syllodd Ed yn dreiddgar ar Llion. 'Ond ma rwbath heblaw misdimanars plant yn dy boeni di, 'toes? Fedra i ddeud. Twyt ti ddim mor fownslyd ag arfar.'

'Wyt ti'n gweld Eira dyddie hyn?' Ysgydwodd Ed ei ben.

'Heb fod yng Nghae Aron ers tro. Rhiannon yn brysur – gorffan gwefan. A ma hi wedi mentro ar fusnas ymgynghori amball fin nos hefyd. Pam oeddat ti'n holi?'

'Jyst moyn gwbod shwt ma Eira. Sa i wedi'i gweld hi ers y diwrnod 'ny pan ges i lifft lan 'da ti i loncian. Ma hi wastod yn becso shwt gyment am 'i ffrindie. Wy'n gwbod fydd hi'n meddwl am Bedwyr. Maen nhw wedi bod 'da'i gilydd yn y dosbarthiade Cerdd ers blynydde, nag y'n nhw?'

'Ydyn. Hi dynnodd sylw Jess Pritchard ato fo yn yr arholiad 'te?'

'Ie. A synnen i fochyn tase hi'n teimlo nawr bydde'n well tase hi heb neud 'ny. Ti'n gwbod, achos taw 'na pryd fwrodd e 'i fola berfedd ymbytu Glenys.'

'Na, mi ddaru hi'r peth iawn. Mi fasa'r hogyn wedi torri i lawr yn llwyr tasa fo heb ga'l deud wrth rywun. Fel oedd hi, mi fedrodd ryw lun o sefyll 'i bapur ola.'

'Roien i unrhyw beth am sgwrs 'da Eira. Wyt ti'n meddwl fydden i'n annoeth ofnadw i fynd lan i Gae Aron – o gofio ffwdan Glenys a Bedwyr?'

'Peidio fasa galla. Ond chdi sy i benderfynu.'

'Ie. Pythewnos 'to a fydd hi'n gyfreithlon i fi 'i gweld hi 'ta pryd wy'n moyn. Allen i odde 'ny'n rhwydd tasen i ddim yn becso shwt gyment ymbytu hi.'

Ni allai gyfaddef hynny wrth Ed, ond gwyddai Llion y byddai gan Eira fwy na ffwdan Bedwyr yn ei phoenydio. Pangfeydd cydwybod euog, dyna fyddai un o'i gofidiau: gorfod cadw popeth iddi hi ei hun, heb neb i rannu'r baich, dyna un arall. Er iddi ddysgu bod ychydig yn fwy ystyriol cyn agor ei cheg dros y misoedd diwethaf, ni ddôi pwyll o'r fath yn naturiol iddi o hyd. Ysai am esgus dilys i'w gweld.

Fore trannoeth, cerddodd Llion i lawr i siop Glan Don i brynu papur newydd, gan ddisgwyl gweld Jennifer Ann y tu ôl i'r cownter. Ond y bore hwn, gwên lydan a llygaid gleision llawn cariad dan fop o wallt cyrls melyn a'i cyfarchodd.

'Yffach! Ti'n ôl 'ma!' meddai Llion yn llawen.

'Ers dydd Sadwrn dwytha. Ond dim ond ar benwythnosa. Dwi'm angan y pres rŵan ond dwi'n lecio dŵad yma i fusnesu.'

Gwenodd Llion a gostwng ei lais.

'All rhywun glywed?'

'Maen nhw yn y tŷ,' atebodd Eira'n ddistaw. ''Dan ni ddim yn rhy saff.'

'Damo. Wyt ti'n OK?'

'Go lew. Dwi'n poeni am Beds a . . .' Pwyntiodd at Llion ac yna ati ei hun.

'O'n i'n ame byddet ti. Ma isie i ni siarad.' Nodiodd Eira.

'Ty'd acw heno. Ma Mam am gym'yd nait off i weld Math. Eith hi allan tuag wyth. Fedrat ti ada'l y car yn y cowt a loncian at y felin 'run fath ag o'r blaen, a galw ar Nain i ga'l diod o ddŵr wedyn. Dangos bod chdi acw ar berwyl diniwad.'

'Ond shwt gawn ni gyfle i siarad?'

'Gin i *Siwan* i'w roi'n ôl i ti. Esgus i ni ga'l mynd i'r gell.'

'OK. Heno 'te.'

'Mam? I fyny dach chi?'

'Naci, yn fama.' Dilynodd Rhiannon y llais drwodd i stafell fyw tŷ ei mam, a'i chael â'i thrwyn yn ei *chaos theory* eto fyth. Gwenodd.

'Dach chi'n benderfynol o ga'l y llaw ucha ar hwnna, tydach?'

'Dal i fethu dallt sut ma posib 'i reoli fo dwi.'

'Ma'r *chaotic control* 'ma yn *yn* medru ca'l 'i ddefnyddio, Mam, mewn *pacemakers* a ballu. Ella basach chitha wedi medru rheoli'r glöyn byw hefyd – mynd i'r brifysgol fel myfyriwr hŷn. Mi oedd

Yncl Iori ac Anti Janet acw hefo Taid erbyn hynny, a mi allach fod wedi mynd i goleg technegol i neud Lefal A.'

'Ond be am dy dad? Mi oedd o yn 'y mywyd i'r adag honno.'

'Chi oedd i ddewis. Prifysgol 'ta priodi…'

'Ella na fasat ti ddim yn bod. A tasat titha wedi peidio camfyhafio hefo'r Rob 'na…'

'Well i ni neud coelcarth o hwn, Mam.' Tynnodd Rhiannon y llyfr o law ei mam. 'Achos mae bywyd wedi dŵad yn iawn i ni'll dwy rŵan, 'tydi?'

'Ydi, wrth gwrs 'i fod o.' Meddyliodd Megan am ennyd. 'Ond ar ôl deud hynny, *ma* gin y boi 'na *rwbath* sy'n gneud synnwyr. Yn un peth, mi fedra i led-fadda i 'Nhad am neud traed moch o 'mywyd i, a dwi'n falch o hynny. Ond fedra i neud dim ond diolch na ddaru'r hen löyn byw 'na ddim ailadrodd 'i batrwm ym mywyd Eira Mai. Ma hynny'n wyrth, siŵr o fod, o gofio bod cysgu hefo'i gilydd mor gyffredin â sgwrsio i betha ifanc y dyddia yma.'

'Eira, ma Nain wedi mynd at Eric. Mae o wedi troi'i droed ac yn methu dreifio i ddŵad yma. Fasat ti'n lecio i mi aros adra i gadw cwmpeini i chdi?'

'Mam! Dim pump oed ydw i! Fydda i'n iawn. Dos di at Ed. Ti ddim 'di weld o ers oes. Wyt ti am aros yno?'

'Wel…'

'Dim isio i ti boeni amdana i, OK?'

'Ond ella bydd Nain yn methu gada'l Eric.'

'Dwi'n un deg wyth, Mam! Fydda i'n iawn ar ben fy hun. Drwy'r nos. Shŵ!' Rhag ofn i Llion ddod i'w chyfarfod hi yn lôn Cae Aron. Byddai ei mam yn siŵr o droi'n ôl adref i fod yn *chaperone* pe bai'r Saxo'n rhoi winc ar y Mazda!

Ar ôl i Rhiannon adael, bu Eira â'i gwynt yn ei dwrn am beth amser, ond aeth hanner awr heibio heb ddim golwg o Llion. Doedd o erioed wedi nogio? Ofn cael ei ddal? Ond na, ddim ac yntau dan yr argraff fod Nain adref: câi esgus dod i'w gweld hi. Pan glywodd sŵn y car ar y cowt rhuthrodd allan i'w gyfarfod.

'Hei! Beth yw hyn? So ti fod yn 'y nishgwl i!'

'Ma'r ddwy allan. Ty'd.' Gafaelodd Eira yn ei law a'i lusgo i'r tŷ. Gyda bod y drws wedi cau, lluchiodd ei hun i'w freichiau a'i gusanu'n frwd.

'Wy'n falch dy weld di mewn hwylie da. O'n i ofan fyddet ti'n ishel.'

'Dwi *wedi* bod. Dal i boeni. Ti'n gwbod, Bedwyr a Glenys 'di ca'l cop, a ninna 'di gneud yr un peth a wedi ca'l getawê. Ma 'nghydwybod i'n pigo'n uffernol.'

'O'n i'n ame fydde fe. 'Na pham o'n i'n moyn dy weld di shwt gyment. So ti'n ca'l dy demto i gyfadde, 'yt ti?'

'Nac'dw siŵr! *Chdi* fasa'n diodda.'

'Eira, sa inne'n moyn i *ti* odde o'n achos *i*!'

'Ma rhaid ystyriad be sy ora i'r *ddau* ohonon ni, Llion. Dwi'n cyfadda, tasa dim ond fi'n ca'l 'y nghosbi, mi fasa raid i mi ga'l bwrw 'mol. Ond faswn i *byth* yn madda i fi'n hun taswn i'n achosi i chdi golli gwaith sy'n golygu cymaint i ti. A ma meddwl amdanat ti'n gorfod mynd i garchar a ballu...' Ysgrytiodd. 'Ond tydi hynny ddim yn lleihau'r euogrwydd achos Bedwyr a Glenys.'

'Ma gwahaniaeth, ti'n gwbod. Ma fe'n hollol amlwg taw whare ymbytu 'da Bedwyr o'dd hi Glenys, a barodd hi iddo fe gwmpo amdani hi. O'dd 'na'n greulon. A wedyn 'i ddympo fe ar ganol arholiade pwysig... Ma hi'n haeddu popeth gaiff hi.'

'Mi *wyt* ti o ddifri amdana i, twyt?'

'Wrth *gwrs* 'ny! Nag 'yt ti...?'

'Ydw, ydw, ydw! Yr unig beth dwi isio yn yr holl fyd ydi ca'l bod hefo *chdi*.'

'Fydd dy fam a dy fam-gu mas drwy'r nos heno?'

'Byddan. Ond 'dan ni wedi dal yn ôl mor hir, 'di o ddim yn werth peryglu pob dim rŵan, jest cyn diwadd y tymor. Noson parti pen-blwydd un deg wyth Guto a fi, mi gawn ni fod hefo'n gilydd a dim ots pwy welith ni. Ar Gorffennaf 26 fydd Gits yn ddeunaw, felly 'dan ni wedi bwcio'r Delyn Aur yn barod. Dathlu hefo'n gilydd.'

'Y *terrible twins*!'

'Fydd hi'n fendigedig. Dim isio cuddio byth wedyn. A rŵan, Llion, plis dos.'

Hanner awr ar ôl i Llion adael Cae Aron, hwyliodd Corsa bach arian Megan i mewn i'r cowt. Gwelodd Eira'i nain yn agor drws ochr y teithiwr, ac yn helpu Eric o'r car. Gan ddiolch iddi hysio Llion yn ôl i Ben Rallt, aeth allan i'w cynorthwyo.

'O'n i'm yn disgwl chi'n ôl,' meddai Eira. Rhoddodd y ddwy ohonynt eu breichiau am ganol Eric a'i gynnal tra hopiai ar ei untroed i'r tŷ.

'Dy nain sy'n meddwl mai tair oed wyt ti o hyd, wsti,' gwenodd Eric. 'Dim isio i ti fod ar dy ben dy hun drwy'r nos.'

'Dwi'n gwbod basat ti'n iawn, Eira, ond dwi'n fodlonach fel hyn. Ma hi'n o unig yma, 'sti. Synnwn i dama'd tasa dy fam yn dŵad adra hefyd.'

''Tydi'r ddwy'n dy ddandwn di, Eira?' meddai Eric. 'Mi wyt ti'n hogan fawr rŵan, twyt?'

'Diolch, Eric! Hen bryd iddyn nhw sylweddoli.'

'Tasa Llion yn dal yn y tŷ Saeson mi fasa gin ti gwmpeini,' meddai Megan. 'Mi fasat yn ddigon saff hefo d'athro yn ymyl. Ond 'na fo, tydi o ddim. Mi welson ni 'i gar o'n pasio'r fflatia fel oeddan ni'n cychwyn.'

'Do? Wedi bod yn nôl *pizza* neu jips neu rwbath ella. Fyddwch chi'n iawn rŵan?' gofynnodd Eira wedi i Eric ei ollwng ei hun ar y soffa.

'Byddan, tad. Diolch i ti. Nos dawch rŵan.'

'Nos dawch.'

Gyda cyrhaeddodd Eira'r tŷ ffarm, canodd y ffôn.

'Eira?' Llais Llion.

'Hei! Be tasa Nain 'di atab…?'

'Weles i hi tu fas i'r fflatie. Dda'th hi gatre, do fe?'

'Do.'

'Wps! Cael a chael!' Gwenodd Eira. Yna clywodd sŵn car ar y cowt eto.

'Fflipin hec! Ma Mam yn ôl rŵan! Clywad y car. Hwyl!' Dododd y ffôn i lawr yn frysiog cyn i'w mam ddod i'r tŷ. Pan agorodd Rhiannon y drws dyna lle roedd ei merch wrth y sinc yn rhoi dŵr yn y tecell.

'Go dda, gymra i banad hefo chdi,' meddai Rhiannon.

'Te Ed ddim digon da?' gofynnodd Eira. ''Ta bod yn hen iâr wyt ti?' Gwenodd ei mam.

'Rwbath felly. Iâr un cyw, 'sti. Gweld bod Nain 'run fath.'

'A ma'r cyw wedi tyfu i fyny!'

'Dwi'n gwbod. Sorri. Gallith y ddwy ohonon ni toc, paid â phoeni.' Aeth Rhiannon at y ffôn a deialu 1571. Yna 1471. *Shit!*

'Dim angan hynna,' meddai Eira. 'O'n i yma i atab!'

'Be? Wrth gwrs dy fod di. Be sy ar 'y mhen i? Grym arferiad, debyg…' Gwrandawodd ar y llais robotaidd yn adrodd rhif yn ei chlust. 'Newydd ddŵad ma'r alwad 'ma. Ddim rhif Llion 'di hwn?'

Am y canfed tro ers dechrau ei charwriaeth waharddedig bu raid i Eira glandro'i chelwydd ar gyflymdra goleuni.

'Ia. Isio siarad hefo Ed. Rwbath am yr ysgol. Meddwl mai yma roeddach chi'n cyfarfod.'

'O, reit. Ty'd, rho ddŵr ar y bagia te 'na i ni ga'l diod cyn mynd i glwydo.'

Unwaith eto, drwy ryw ryfedd wyrth, dyna'r glöyn byw wedi cael swadan, un farwol, gobeithio. A go brin y byddai iddo atgyfodi ar ôl cael tair yr un noson!

EPILOG

'Ydw i'n edrach yn iawn, Mam?'

'Digon o ryfeddod, Eira bach. Dwn 'im be ddeudith Llion, chwaith.'

'Be ti'n feddwl?' gofynnodd Eira'n ddryslyd.

'Coesa noeth, *plunging neckline*...Ma dynion yn od, sti. Fydd o'n meddwl mai fo ydi'r unig un sy â hawl arnat ti rŵan.'

'O! Fasa well i fi newid?' Chwarddodd Rhiannon.

'Tynnu dy goes di'r hulpan! Mi fydd o wrth 'i fodd yn ca'l 'i weld hefo chdi.'

Roedd noson y parti wedi cyrraedd. Y Sadwrn cynt, y diwrnod ar ôl i'r ysgol gau, daethai Llion i siop Glan Don fel y dôi stem Eira Mai i ben, a chynnig lifft iddi adref. Yno, hysiodd hi i'w chell, gan fod arno eisiau siarad â'i mam a'i nain. Diflannodd Eira'n ufudd, ond yn lle ymgilio i'w stydi arhosodd yn y cyntedd i glustfeinio tu ôl i'r drws. Yr hyn a glywodd, er cryn sgytwad i'w nain, bid siŵr, oedd Llion yn gofyn caniatâd y ddwy i fynd â hi allan, fel petai'n byw yng nghyfnod Jane Austen. Stwffiodd Eira'i bysedd i'w cheg i'w rhwystro'i hun rhag chwerthin. Yna difrifolodd: dauwynebog, dyna beth oedden nhw, y ddau ohonyn nhw.

Ond er rhyfedded y cais yn yr oes oedd ohoni, o hynny allan, gallai'r ddau fod yn hollol agored ynglŷn â'u perthynas. Nos Fawrth, aethant am bryd i'r Delyn Aur, ac i'r pictiwrs nos Iau. A heno, dyma noson y parti pen-blwydd. Yn ystod eu dwy oed flaenorol ni welsant neb o griw'r ysgol, a chyda pheth anesmwythyd y cyrhaeddodd y ddau'r Delyn. Ond daethai Guto yno o'u blaenau yn ei holl ogoniant lliwgar, a rhuthrodd i'w cyfarch.

'Eira Mai, ti'n edrach yn anhŷg!' Rhoddodd sws iddi ar ei boch cyn troi at Llion. 'Sut medrat ti ddwyn hon odd'arna i? Diawl dig'wilydd!' Chwarddodd Llion. Daethai'n fêts â Guto yn ystod y deng mis diwethaf: bellach, ac amser Gits yntau yn Ysgol

Gwenoro wedi dod i ben, diflannodd y 'chi' a'r 'syr' o'r ymddiddan yn rhwydd iawn.

'Gad i fi brynu diod i ti, Guto,' meddai Llion, gan ychwanegu'n ddistaw: 'I ddiolch i ti am 'i charco hi i fi.'

'Lagyr, plis. Hannar,' meddai Guto. 'Hei Eira, ydi Bedwyr yn dŵad heno?'

''Nes i tecstio fo i ofyn. Dim yn siŵr oedd yr atab. So es i i' weld o. Dwi'n meddwl bod fi wedi'i berswadio fo.'

'Gobeithio. Eith o fel meudwy ar 'i ben 'i hun allan ar y ffarm 'na, y creadur anffodus. Be welodd o yn Glenys, dywad?'

Fel y cyrhaeddai Llion yn ei ôl gyda diodydd iddynt, dechreuodd eu gwesteion ddod i mewn: Sioned, Meic, Melissa a Mererid Wyn oedd y rhai cyntaf. Syllodd Mererid yn hurt pan welodd Llion yno.

'Pen-blwydd hapus, Gits,' meddai Sioned. 'A phen-blwydd hapus tua tri mis yn ôl i titha, Eira.'

''Na i 'i fwynhau o'n well heno, Sions, ar ôl gorffan ysgol,' meddai Eira. Wrth symud draw, taflodd Sioned gipolwg chwilfrydig ar Llion a Guto, un o bob tu i Eira Mai.

'Gnei, fetia i!' meddai. Edrychodd ar Meic a chododd hwnnw'i ysgwyddau dan ysgwyd ei ben.

'Ydi'r Donkeys yma?' gofynnodd Melissa.

'Na, dim ond DJ. O'n i'm isio gorfod canu yn parti fi'n hun. Ond dwi 'di gwadd Rhodri.' Gwyddai fod Mel a Rhodri wedi cael ffrae: yn amlwg gobeithiai Mel gymodi.

'Reu!' meddai dan wenu. 'Ti'n dŵad i nôl diod, Mêr?'

'Mewn munud. Dos di. Eira...' Amneidiodd Mererid mewn dull a awgrymai fod arni eisiau gair ag Eira. Winciodd Eira ar Llion a dilyn Mererid.

'Pam ma hwnna yma?'

'Pwy, Llion? 'Dan ni'n mynd allan hefo'n gilydd.'

'Ti 'di dympio Guto?!'

'Jest rwdlian oedd Gits a fi. 'Dan ni ormod fel brawd a chwaer i fod o ddifri.'

'Ers faint ti hefo Oli?'

'Dim ond ers wsnos, ar ôl i'r tymor ysgol orffan.'

'Na'th petha ddechra pan gest ti lifft i bractis y Donkeys?'

'Mêr! Naddo siŵr! Oedd o'n *dysgu* fi adag honno!' *Attack is the best form of defence.* Penderfynodd ddilyn y cyngor ymhellach. 'Be sy 'di dŵad o Chico?'

'Fuo fo yn y clinc am dri mis. Ddaru fi dympio fo.'

'O. Ti ar y *pull* eto rŵan 'ta.'

'Wel fydd 'ma ddiawl o neb yn fama! Gedra i'm aros i fynd i Iwni. Dwi'n mynd i nôl diod.' Byddai Mererid mewn hwyliau meddwi'n chwil heno. Dychwelodd Eira at Llion.

'Mi gofiodd Mererid am noson yr ymarfar band.'

'O jawl! O'n ni'n lwcus bod 'da hi shwt obsesiwn 'da'r boi Chico 'ny ar y pryd. Be wedest ti?'

'Gwadu du yn wyn. Be arall fedrwn i neud?' Cymerodd ddracht o'i gwin. 'O'n i'n ama baswn i'n ca'l hasl gin Mêr. Ac ar ôl yr *inquisition* gin Nain...!'

'Ie. Falle o'n i'n annoeth yn gofyn caniatâd i fynd â ti mas y diwarnod cynta ar ôl i ti adel yr ysgol yn swyddogol. Oedd hi'n siŵr o ame drwg yn y caws, sbo.'

'Ac yn methu dallt pa bryd dympis i Guto. Mi dderbyniodd nad oedd 'na ddim byd o'i le i ni ganlyn rŵan, ond...' Ochneidiodd Eira. 'Tydi bywyd ddim yn mynd i fod yn hawdd i ni, nac'di?'

Yn raddol, llanwyd goruwchystafell y Delyn Aur, gynt Rehoboth, ag ieuenctid Llanwenoro. Llanwyd y noson gan yfed, bwyta, dawnsio, canu a charu. Wedi'r hwyl a'r gyfeddach, gwahanodd disgyblion a chyn-ddisgyblion Ysgol Gwenoro gan wasgaru mewn tacsis i bedwar ban y dref, i wasgaru'n ddiweddarach yn y flwyddyn i bedwar ban gwledydd Prydain, ac yn ddiweddarach fyth, efallai i bedwar ban y byd.

Wedi cyrraedd Pen Rallt ac i Llion dalu am eu tacsi, meddai Eira:

'Braf ca'l bod yma'n gyfreithlon.'

'Ie. Sa' funed. Dere 'da fi.' Arweiniodd Llion hi ar draws

y ffordd a chwpwl o lathenni i lawr y lôn fach gyferbyn â'r tŷ. Safodd ger cilfach Glenys the Menace.

'Jyst rhag ofan bod ysbryd y Clio'n llechu man hyn,' meddai.

Gwenodd Eira.

'Dwi'n meddwl ella bod Bedwyr wedi ca'l achubiaeth heno. Lwc na ddaru Rhodri ddim troi i fyny.'

'Ie. Fuodd e a Melissa'n gysur i'w gilydd, os dim byd mwy. Wy'n cofio'i weld e'n syllu'n hiraethus arni yn un o ymarferion y sioe gerdd, ti'n gwbod.'

'Do? Oedd hi hefo Rhods yr adag honno. Ella mai dyna pam ddaru o syrthio i grafanga Glenys.'

'Druan ag e! Awn ni miwn?'

Cyn mynd i'r tŷ, safodd y ddau i syllu ar yr un llwybr arian ar y môr ag a welsai cwpwl arall fisoedd ynghynt o lolfa haul y Wavecrest.

'Braf arna chdi'n ca'l byw mewn lle mor fendigedig.'

'Der' 'ma ata i 'te.'

'Fydd rhaid i mi fynd i ffwr' i brifysgol toc. A dwi'm isio d'ada'l di. Ddim ar ôl gorfod aros mor hir i fod hefo chdi.'

'Allet ti gymryd blwyddyn mas. A taset ti'n penderfynu mynd bant wedi 'ny, i Gaerdydd neu rywle, nawr bo fi'n athro trwyddedig allen i roi'n notis miwn man hyn a ffindo jobyn man 'ny.'

'Fasat ti?'

'Fydde dim ots 'da fi ble, mor belled â bod ti 'na.'

Piffiodd Eira Mai.

'*Soppy* 'dan ni 'te!' Chwarddodd Llion a'i chusanu'n ysgafn: cusan cyn ysgafned â chyffyrddiad adenydd glöyn byw, fel y gusan gyntaf honno yn y Saxo, fisoedd yn ôl.

Meddyliodd Eira'n ôl dros y flwyddyn a aeth heibio. Diolch byth bod y ddau wedi llwyddo i reoli storm y glöyn byw a pheri iddi beidio â dod i'w cyfeiriad. Ynta wnaethon nhw? Buon nhwtha yr un mor rhyfygus â Glenys a Bedwyr, droeon. Hwyrach nad iddyn nhw roedd y diolch wedi'r cwbwl. Hwyrach mai chwifio adenydd y glöyn arallgyfeiriodd eu storm nhw tuag at y ddau arall, yn union fel y soniodd llyfr *chaos theory* Nain. Mai nhw fu'r rhai lwcus. Mai mawr eu dyled i'r hen löyn byw bach yna am eu cadw'n ddi-gosb.

Ond fedrai o gadw'r ddau rhag cosb pangfeydd eu cydwybod...?

'Amser gwely?' gofynnodd Llion. Yn fwriadus, ymdrechodd Eira Mai i alltudio'r meddyliau euog oedd yn bygwth amharu ar ei hapusrwydd. Rhaid fyddai ceisio anghofio'r gorffennol; y dyfodol oedd yn bwysig bellach.

'Yn bendant!' atebodd.